CW00408218

Jakob Wassermann

Der Fall Maurizius

(Großdruck)

Jakob Wassermann: Der Fall Maurizius (Großdruck)

Entstanden zwischen 1925 und 1927. Erstdruck bei S. Fischer, Berlin, 1928.

Neuausgabe mit einer Biographie des Autors
Herausgegeben von Theodor Borken
Berlin 2019

Umschlaggestaltung von Thomas Schultz-Overhage unter Verwendung des Bildes: Vasily Surikov, Pugachev, 1911

Gesetzt aus der Minion Pro, 16 pt, in lesefreundlichem Großdruck

ISBN 978-3-8478-4358-0

Die Deutsche Nationalbibliothek verzeichnet diese Publikation in der Deutschen Nationalbibliografie; detaillierte bibliografische Daten sind im Internet über www.dnb.de abrufbar.

Henricus Edition Deutsche Klassik UG (haftungsbeschränkt), Berlin
Herstellung: BoD – Books on Demand, Norderstedt

I. Die Kostbarkeit des Lebens

1.

Schon ehe der Mann mit der Kapitänsmütze aufgetaucht war, hatte sich eine vorahnende Beunruhigung an dem Knaben Etzel gezeigt. Vielleicht war der Brief mit dem Schweizer Poststempel die Ursache. Von der Schule nach Hause kommend, hatte er den Brief auf dem Spiegeltisch im Flur liegen sehen. Er nahm ihn in die Hand und betrachtete ihn aufmerksam mit seinen kurzsichtigen Augen. Die Schriftzüge berührten ihn wie etwas Vergessenes, das man nicht an seinen Ort bringen kann. Wie geheimnisvoll das war, ein verschlossener Brief! Herrn Oberstaatsanwalt Wolf Freiherrn von Andergast, lautete die Adresse, geschrieben in einer runden raschen Schrift, die gleichsam auf Rädern lief. »Was mag das für ein Brief sein, Rie?« wandte er sich an die Hausdame, die aus der Küche trat. Er nannte Frau Rie seit seinen Kinderjahren kurzweg Rie. Sie war schon über neun Jahre im Haus und ihm so vertraut, wie eine Frau es sein kann, die den Platz der Mutter einzunehmen berufen ist und ihn in allen äußeren Dingen auch ausfüllt. Es sei bei dieser Gelegenheit gleich erwähnt, daß Herr von Andergast seit neuneinhalb Jahren geschieden war; die drakonischen Scheidungsbedingungen verpflichteten die Frau, sich von ihrem Kinde fernzuhalten, sie durfte ihn weder sehen noch ihm schreiben; selbstverständlich war es auch ihm verboten, ihr zu schreiben, und niemand durfte in seiner Gegenwart von ihr sprechen. So wußte der nun Sechzehnjährige nichts von seiner Mutter, der im Hause herrschende Geist hatte sogar den Antrieb erstickt, nach ihr zu fragen, man hatte ihm nur vor langer Zeit einmal beiläufig gesagt, als handle es sich um eine gleichgültige, fremde Person, sie lebe in Genf und könne aus Gründen, die er als erwachsener Mensch erfahren werde, nicht zu ihm kommen. Damit hatte er sich zufrieden gegeben, weil er sich zufrieden geben mußte. Ob er sich nicht heimlich mit der Sache beschäftigte, war bei der Verschlossenheit, die er in allem zeigte, was sein inneres Leben betraf, nicht zu ergründen. Er hatte zu schweigen gelernt, da er die Unübersteiglichkeit der Schranken kannte, die in einem Fall wie diesem der Wißbegier gesetzt waren. Je mehr auf ihn eindrang, das seine Anteilnahme heischte, je beherrschter glaubte er sich geben zu sollen. So wie die Frage an Frau Rie etwas hinterhältig geklungen hatte, war es bei allem, was er erfahren wollte: er stand im Hinterhalt, und seine kurzsichtigen Augen beobachteten Vorgänge und Personen mit gespannter Aufmerksamkeit.

Die Rie hatte den Brief noch nicht gesehen. Sie nahm ihn dem Knaben aus der Hand, beschaute ihn prüfend, zwang sich zu einer unbefangenen Miene und sagte: »Das geht deinen Vater an, kümmer dich nicht. Dein Butterbrot steht drin auf dem Tisch. Man kümmert sich nicht um Briefe, die einem nicht gehören.«

»Gott, wie langweilig du bist, Rie«, erwiderte der Knabe, »du denkst doch nicht, daß ich nicht weiß, von wem der Brief ist? Kommen öfter solche? Schreibt sie öfters?«

Die Rie stutzte und betrachtete verwundert das zu ihr erhobene energische Gesicht des Knaben. »Meines Wissens nicht«, murmelte sie verlegen, »meines Wissens ist es das erste Mal.« Und wieder schaute sie in das schmale, blasse, intelligente Gesicht und senkte scheu den Blick, so daß er nur noch die zarte, kleine Gestalt von den Schultern abwärts umfaßte.

»Ist das wahr, Rie?« fragte Etzel mit verschlagenem Lächeln, aus dem Hinterhalt heraus.

»Was bringt dich denn auf die Vermutung?« ärgerte sich die Rie. »Du bist ja der reinste Detektiv. Willst du mir eine Falle stellen? So schlau wie du bin ich noch lange.«

»Nein, Rie, das schwör ich dir, so schlau bist du nicht«, antwortete Etzel und sah sie mitleidig an. »Sag ehrlich: Kommen öfter solche? Hast du schon mal einen gesehen?« Er fragte mit großgeöffneten Augen, in deren Grüngrau aus der Tiefe her ein bronzenes Funkeln trat. Das Mitleid bezog sich auf die plumpe Manier, mit der die gute Dame ihn zu täuschen suchte. Sooft er Gelegenheit hatte, die Schärfe seiner Sinnesorgane mit derjenigen anderer Menschen zu vergleichen, wunderte er sich mitleidig oder erschrak sogar, wie jemand, der eines Gebrechens inne wird, das er besitzt und von dem er nichts gewußt hat.

»Nie, ich sag' dir doch, es ist das erste Mal«, gab die Rie zurück.

»Ich möcht' dabeisein, wenn er den Brief aufmacht und liest«, murmelte Etzel und biß auf den Knöchel des Mittelfingers, den er dann gedankenvoll zwischen den Zähnen beließ. Er – das hatte den Tonfall von Respekt, von Furcht, von Gläubigkeit, von Abneigung. Der Knabe drehte sich auf dem Absatz herum, und den mit einem Riemen verschnürten Bücherpack in der rechten Hand schlenkernd, während der Mittelfingerknöchel der linken noch im Mund steckte, schritt er seinem Zimmer zu.

Die Rie schaute ihm unzufrieden nach. Sie liebte nicht Gespräche, von denen man, wenn sie zu Ende waren, nicht wußte, ob der andere nicht etwas gegen einen hatte. Etzel war die einzige Person im Hause, bei der sie ein Gemütsecho spürte. Gemüt war hier im Hause weder gefordert noch angesehen. Es war ein strenges Haus. Der Herr vertrug und wünschte keine Nähe. Stumme Pflichterfüllung war, was er erwartete, sympathische Beziehung behielt er sich höchstens in der Stille vor. Selbst aufopferndes Bemühen wäre mit dem gefühlausschließenden Hinweis behandelt worden, daß er ja seine Leute bezahlte, im Notfall sogar für das Opfer.

Sie hörte Etzel in seiner Stube auf und ab gehen. Es waren lächerlich kurze Schrittchen. Die Erinnerung an sein emporgerecktes

Gesicht mit dem bronzenen Funkeln in der Tiefe der Augen erfüllte sie mit Sorge. Sie dachte: Da ist plötzlich ein Mensch, bis jetzt ist nur ein dummer kleiner Junge dagewesen; wo kommt auf einmal der Mensch her?

Sie kannte ihn so lange. Ein ruhiges Kind; eher beschaulich als lebhaft; leicht lenkbar, weil ohne Gier und Begierden und hauptsächlich ohne Anfälle jener Langeweile (unzureichendes Wort), die manche Kindheit mit rätselhafter Qual belastet. Es war stets ein Hauch von Heiterkeit um ihn. Seine Verständigkeit entbehrte nicht der Komik; Philosoph Dr. Winzig nannte schon den Zwölfjährigen seine Großmutter, die alte Freifrau von Andergast, die seine drolligen Aussprüche bei ihren Bekannten in Umlauf brachte. Die Rie fühlte sich durchaus als eine von Amts wegen eingesetzte Mutter, da die von Gott eingesetzte, über die sie nur Phrasenhaftes, wenn nicht Lügenhaftes wußte, sich ihrer Pflicht entzogen hatte. So sah sie es, beeinflußt vom Klima des Hauses: Pflichterfüllung, Pflichtvergessenheit, das waren die Pole, positiver und negativer, zwischen denen sich die Andergastsche Welt, und das war die Welt schlechthin, bewegte. Etzel war in ihren Augen ein verlassenes Kind, und weil sie ihn betreuen konnte, hatte sie ihn ins Herz geschlossen und glaubte vor allem, ihn zu verstehen. Ein Irrtum, mit dem sie nach ihrer Fasson glücklich war.

Vermutlich fand auch Herr von Andergast, daß aus dem dummen kleinen Jungen sozusagen über Nacht ein Mensch geworden war, denn Etzels Handlungen, Tageseinteilung, Arbeiten und Lektüre standen unter noch schärferer Kontrolle als früher. Eine Andeutung der Rie über den Zwischenfall mit dem Brief hatte genügt, ihn die Gefahr wittern zu lassen, die von dorther drohte, und er traf seine Maßregeln. Daß man ihm solche Vorkommnisse berichtete, geschah auf Grund des inneren Zwanges, den er auf die Leute seiner Umgebung ausübte; und wenn ein solcher Bericht lückenhaft war, ergänzte er ihn mit der vollendeten Kombinationsgabe, die eine seiner gefürchtetsten und bestechendsten Eigenschaften war. Sie sicherte ihm stets den Vorteil der gedeckten Reserven, die einzusetzen er in der Regel gar nicht mehr genötigt war, wenn er die Begebenheiten und Personen dorthin gelenkt hatte, wo er sie brauchte und wo sie ihm dienten, ohne daß man die Drähte bemerkte, an denen er sie zog. Es war, wie bei einer musterhaften elektrischen Anlage, ein verläßliches Funktionieren von Kontakten, geheimen Leitungen und zeitsparenden Schaltapparaten.

Unter den Wirkungen dieser tadellosen Einrichtung war Etzel aufgewachsen, und seine Nerven hatten sich ihr angepaßt, obwohl sie zuzeiten rebellierten. Er lebte zwischen gläsernen Wänden. Verstöße, die er sich zuschulden kommen ließ, wurden nicht beredet, nicht bedroht, sondern bloß notiert. Es war ein schweigsames System. In der kritischen Lage schienen dann alle Bewohner des Hauses freiwilligen Spionagedienst zu verrichten. Auch Lieferanten, Boten, Briefträger, Amtsdiener waren dem überall spürbaren obersten Willen untertan, der regierte, ohne sein Regiment zu verkünden oder es dem einzelnen besonders einzuschärfen. Sie waren zum Gehorsam gebracht und zur Angeberei dressiert, einfach dadurch, daß er vorhanden war, wuchtig und großartig wie ein Berg.

Das waren Kindheitseindrücke. Seine ganze Kindheit war unter eine luchsäugige, aber verborgene Aufsicht gestellt. Jedem Ding war Aufsicht übertragen. Kalender, Stundenplan, Uhr, Merkbuch, Schulzeugnis: alles ging von der Tabelle aus und strebte zur Festsetzung hin, amtlich starr. Dabei wurde keine Vorschrift ausdrücklich bestimmt oder die Einhaltung äußerlich erzwungen; sie wurde nur still vermittelt, und die eiskalte Selbstverständlichkeit, mit der es geschah, ließ an Widerspruch nicht denken. Die Verrichtungen und die Zeit waren durchätzt von der Vorschrift; Mittagessen: ein Uhr fünfzehn; Abendessen: sieben Uhr dreißig; Bad: Mittwoch und Samstag neun Uhr; Taschengeld: eine Mark per Woche; Umgang mit X. Y.: nicht ratsam, daher zu unterlassen. Im Fall verwunderten Aufblickens: ist etwas zu bemerken? Im Fall verlegenen Zögerns: darf ich bitten? Sehr freundlich, aber sehr kühl. Sehr gemessen. Sehr weltmännisch.

Wenn ein starker Mensch einen Raum verläßt, wird die Atmosphäre lange nicht ruhig von ihm. Seine Energien strahlen auf die Sachen über. Wie erst gibt er sich in den Zimmern kund, in denen er haust und atmet! Das Bett, in dem er schläft, der Stuhl, auf dem er sitzt, der Spiegel, in den er blickt, der Schreibtisch, an dem er arbeitet, die Zigarrenbehälter und Aschenschalen, die er benutzt, alles hat sein Gepräge, etwas von seiner Miene, seiner Gebärde, ja von seiner Körpertemperatur, als ob eine tägliche minimale Abgabe seines Blutes an sie stattfände.

Seit er denken und sich erinnern konnte, hörte Etzel eine bestimmte Tür in ein und derselben Art sich öffnen und schließen; beim Öffnen weit und langsam, als ob die mächtige Figur erst den Raum messen und mit dem Auge von ihm Besitz ergreifen müsse; beim Schließen unwiderruflich, wie man einen Brief mit entscheidendem Inhalt versiegelt. Daraus schmiedete die Phantasie eine Kette gleichbleibender Vorstellungen: Entfernung aus einer Welt, in der sich schauriges Leben ereignete; feierliche Unterzeichnung schicksalsvoller Schriftstücke; einschüchternde Einsamkeit. Als Kind hatte er sich bisweilen zu der Tür hingeschlichen und sie mit großen Augen lange angeschaut, wie um unsichtbare Runen zu entziffern, mit denen sie beschrieben war. Vernahm er ein Räuspern des Vaters, das Scharren seiner Füße, sein gewichtiges Auf- und Abschreiten, das den Rhythmus eines Mannes hatte, den ein Heer unguter Gedanken belagert, dann zog er sich leise zurück und versuchte in der Stille seiner Kammer etwas von diesen Gedanken, den vollzogenen Entschlüssen, der ganzen unbekannten düsteren und gefährlichen Vaterwelt zu erraten.

Ähnlich war es mit den Glockensignalen, die so befehlend kurz nur aus seinen Räumen kamen, Punkt halb acht Uhr morgens aus dem Schlafzimmer, Punkt halb drei, nach der Mittagssiesta, aus dem Arbeitszimmer, ausgenommen an Tagen, wo Gerichtsverhandlungen bis in den Nachmittag dauerten. Bei jedem Signal zuckte Etzel zusammen, zweimal täglich befiel ihn die nämliche, mit Herzklopfen verbundene Beklemmung. Es geschah noch jetzt nicht selten – dem Kind war es ein häufiger Alpdruck gewesen –, daß er nachts aus dem Schlafe fuhr, weil die Glocke in den Traum geschrillt hatte. Er lauschte und sah dicht vor sich – beleuchtete Plastik in der Dunkelheit – die Hand des Vaters mit gebietend ausgestrecktem Zeigefinger. Er kannte diese Hand besser als die eigene; sie gehörte sogar in eine Reihe wiederkehrender Traumerscheinungen; sie war vornehm schmal, mit spitz zulaufenden Fingern, ins Gelbliche spielenden Nägeln und einer seidigen Schicht brauner Haare auf dem Rücken. Manchmal bewegte sie sich im Traum auf einem blauen Aktendeckel wie ein seltsames Reptil. Ihre stumme Beredsamkeit oder ausdrucksvolle Ruhe ließ bisweilen an die Hand eines Schauspielers denken, eines besonders erfahrenen und überlegenen allerdings, der nur strenge und gelassene Charaktere verkörpert und sie wohlerwogen »spielt«, nicht geradezu lebt, sondern eben spielt, um begreiflich zu machen, daß er die Distanz wahrt. Mit dem Begriff Distanz war Etzel schon ziemlich früh vertraut, obschon seine Natur, im Gegensatz zu der des Vaters, auf Nähe angewiesen war. Seine Kurzsichtigkeit betonte es auch äußerlich.

Das lautlose Überwachungssystem erfüllte seinen Zweck kaum noch dem Scheine nach, da Etzel bereits erfolgreiche Anstalten getroffen hatte, sich aus den unbequemen Klammern zu befreien. Dies wurde ihm freilich schwerer als andern Jungen in ähnlicher Lage, da ihn seine Loyalität an Abmachungen band und seine geistige Selbständigkeit ihn verhinderte, sich einem Altersgenossen anzuvertrauen. Es war ihm auch nicht möglich, sich einer der Gruppen oder Parteien anzuschließen, die sich unter den Kameraden gebildet hatten und fortwährend neu bildeten. Er hatte keine Freude an ihren Debatten und nahm an ihren Versammlungen nur selten und widerwillig teil. Kaum war er zu bewegen, sich zu einer Frage beistimmend oder ablehnend zu äußern, und ihre kategorischen Erledigungen erweckten nichts als Zweifel in ihm. In seiner Zurückhaltung lag mehr Mut als in dem Geschrei der Draufgänger, das wurde eingesehen. Sonderbar genug, man achtete ihn deshalb. Trotzdem war der einzige Freund, den er hatte (für sich selbst schränkte er den Titel Freund vorsichtig ein, nach außen ließ er ihn aus Courtoisie gelten), ein Radikalist und unruhiger Kopf; aber schließlich war es ja nicht die Gesinnung Robert Thielemanns, deretwegen er ihn zum Gefährten erwählt, sondern eine gewisse Breite und Offenheit der Natur, die ihm gefiel; und so entstand ein Verhältnis, das auf Temperamentsausgleich gegründet war, wobei sich groß und klein, plump und beweglich, rauh und zart im Gegensatz ergänzten. Thielemann liebte es, den Beschützer Etzels zu spielen, um dessen geistige Überlegenheit oder Überlegenheit der persönlichen Form er übrigens wußte. Für seine manchmal ans Bizarre streifende Ursprünglichkeit im Denken und Urteilen fehlte ihm das Verständnis, aber die körperliche Unentwickeltheit Etzels und seine scheue Feinheit (unter der sich allerdings eine für ihn nicht wahrnehmbare Kraft verbarg) trieben ihn dazu, den Jüngeren und Schwächeren zu bemuttern. Und nicht nur er allein, alle Kameraden gingen glimpflich mit ihm um.

Etzel idealisierte, wie gesagt, seine Freundschaft mit Thielemann nicht. Er erkannte klar das Vorläufige wie das Ungenügende daran und benahm sich wie jemand, der, vielleicht aus Bescheidenheit, vielleicht um nicht aufzufallen, vielleicht weil er nichts Besseres gefunden hat, mit einer ziemlich engen Behausung vorliebnimmt, obwohl ihm seine Mittel gestatten würden, eine bessere zu beziehen. Das Gefühl des Provisorischen herrschte überhaupt bei all seinen Beziehungen in ihm vor, ohne daß er wußte, woher es kam, und ohne daß er dagegen anzukämpfen vermochte. Mühsam genug, es nach außen hin zu verheimlichen, wenn er es in manchen Momenten sich selber nicht mehr verheimlichen konnte. Das war es eben, er hatte die Gabe, sich selber was zu verheimlichen: ein schwieriger Prozeß, der Schlauheit und einige Phantasie erfordert. (Er legte aber keinen Wert auf Phantasie, er wollte nichts wissen von der Phantasie, und das war eine weitere Merkwürdigkeit seines Charakters.)

Gern hätte er mit Robert Thielemann über den Mann mit der Kapitänsmütze gesprochen, unterließ es jedoch, da er fürchtete, auch sich selbst die Beunruhigung, die von ihm ausging, zu deutlich zu enthüllen. Die dreimal wiederholte Erscheinung des Alten beschäftigte und verdunkelte unablässig seine Gedanken. An dem Tage, wo er Zeuge wurde, daß der mysteriöse Mensch auch seinem Vater auf dessen Wegen folgte, auch ihm gegenüberzutreten wagte und daß dies, bei allem Hochmut, bei aller kalten Unnahbarkeit, kein gleichgültiger Eindruck für den Vater zu sein schien, keine verächtliche Episode, dessen glaubte Etzel sicher zu sein, an dem Tage verwandelte sich die bloße Beunruhigung in gereiztes, fortwährend anwachsendes Mißtrauen, das gegen alle und alles in seiner Umgebung gerichtet war, als trügen die Mauern nicht mehr verläßlich das Dach, als seien penetrante Giftstoffe in den Schränken aufbewahrt, als brenne im Keller eine Zündschnur, die demnächst eine Kiste Dynamit zur Explosion bringen mußte. Dieser peinlich abwartende Zustand dauerte mit größeren oder geringeren Pausen an, bis ihm in einem der Aktenfaszikel des Vaters das Schriftstück in die Hände geriet, das dann sein ganzes ferneres Schicksal entscheidend beeinflußte.

Gehaben und Aussehen des Mannes mit der Kapitänsmütze, obwohl zunächst unauffällig und alltäglich, hatten dennoch etwas

Gespenstisches, schon durch die Beharrlichkeit und bohrende Aufmerksamkeit, mit der er den Knaben von der ersten Sekunde der Begegnung an betrachtete, ihm eine Zeitlang auf Schritt und Tritt folgte, ihn dann zu überholen suchte, um ihn, wenn dies gelungen war, aufs neue anzustarren und schließlich, wie er unerwartet aufgetaucht war, unerwartet wieder zu verschwinden. Es war ein kleiner, hagerer, alter Mann, kein »Herr«, auch kein Arbeiter, sondern dem Anschein nach ein Kleinbürger. Er mochte etwa siebzig Jahre alt sein, sah aber ziemlich rüstig aus und bewegte sich nicht ohne Flinkheit. Er trug einen schäbigen braunen Pelzrock, die Hände staken in Wollhandschuhen, über den Handgelenken hatte er außerdem sogenannte Pulswärmer mit rotem Saum, der linke Arm hing starr am Körper herab. Die beiden ersten Male hatte er eine kurze englische Pfeife geraucht, oder vielleicht war sie nur kalt zwischen den Zähnen gesteckt; jedenfalls gewahrte man hinter den strichdünnen, glattrasierten Lippen die schadhaften, beinahe schwarzen Zähne. Etzel hätte jede Linie des knochigen, verräucherten, boshaften Gesichts zeichnen können, die kleinen, spähenden, glitzernden Augen, die einen astigmatischen Blick hatten, wie wenn eines davon ein Glasauge wäre, die komisch abstehenden Ohren, die über graugrüne Backenbartbüschelchen hinausragten und an zwei häßliche, bis auf die Haut entfiederte Vögel in einem verdorrten Gestrüpp erinnerten. Das erste Mal hatte ihn Etzel auf der unteren Mainbrücke gesehen. Er befand sich in Gesellschaft von Robert Thielemann, dem Stotterer Schlehlein, dem langhalsigen Max Schuster, der eine Rolle in der Jugendbewegung spielte, dem dicken Klaus Mohl (dem Fresser, wie sie ihn wegen seines ewigen Heißhungers nannten) und Müller I und Müller II. Es hatte sich ein politischer Streit erhoben. Veranlassung war eine erbitterte Bemerkung Thielemanns über die perfiden Umtriebe Schusters gewesen. Die von ihm geführte Gruppe hatte gehässige Gerüchte über die republikanische Gruppe ausgestreut, und Thielemann warf ihnen ihr niederträchtiges Ränkespiel vor und daß sie sich, ohne jemals Farbe zu bekennen, wie ausgestopfte Puppen von Leuten hin und her schieben ließen, von denen sie nicht einmal wußten, ob sie nicht bezahlte Werber der Reaktion waren. »Ihr seid mir saubere Brüder«, rief er immer wieder aus, und der gemütlich breite Dialekt bildete einen komischen Gegensatz zu seinem Zorn. Er fuchtelte mit den Armen in der Luft herum, sein Gekräh erregte die Mißbilligung der Vorübergehenden. Er sah auch nicht besonders vertrauenerweckend aus mit dem brennroten Haarschopf, dem von kaffeebraunen Sommersprossen übersäten Gesicht und dem wehenden Flaus über den Schultern. Als er ihnen schließlich die Anklage zuschleuderte, sie und ihre Hintermänner terrorisierten bereits diejenigen unter den Lehrern, die man bisher noch zu den Aufrechten habe zählen dürfen, sogar ein Mann wie Camill Raff bekenne sich nicht mehr offen, sondern habe sich scheu in den Beobachterwinkel verkrochen, war er ganz grün vor Wut und schien nicht übel Lust zu haben, sich auf Schuster und die zwei Müller zu stürzen. Jener grinste halb verlegen, halb herausfordernd, der Stotterer Schlehlein, durch die Majorität sich geschützt wissend, pflanzte sich vor Thielemann auf und sagte unverschämt: »Das ist wa... wahr, dein Raff ge... ge... gehört eben auch zu den Bro... Bro... Brotsitzern. Hat A... A... Angst um die Stellung.« Thielemann maß ihn mit geringschätzigem Blick und warf hin: »Halts Maul, du Tropf!« Er sah sich nach Unterstützung um, aber es war niemand da für ihn, denn Etzel, dem derlei Auftritte zuwider waren, hatte sich von der hadernden Schar abgesondert und war vorausgegangen. Sie hatten vom Schweizerplatz her die Brücke erreicht; indem Thielemann sich hilfesuchend umschaute, nahmen seine Züge den Ausdruck des Schreckens an; er sah Etzel mitten auf dem Fahrdamm geistesabwesend auf ein ratterndes Lastauto zugehen, das ihn in den nächsten Sekunden niedergeworfen haben mußte. Er schrie aus vollem Halse: »Paß auf, Andergast, zum Teufel, paß auf!«, war mit einem Sprung bei dem Gefährdeten und riß ihn so rechtzeitig noch zurück, daß das Schutzblech des Wagens nur seine Hüfte streifte.

Bei dem Namensruf, Andergast, wandte sich ein Mann, der am Geländer der Brücke stand und die Pfeife zwischen den Lippen auf den Strom hinunterschaute, als sehe und höre er nicht, was neben und hinter ihm vorging, mit jähem Ruck um, musterte die Gruppe der Knaben, faßte Etzel scharf ins Auge, und als Thielemann seinen Arm in den Etzels schob und halb ärgerlich, halb befehlend sagte: »Marsch, Andergast, lassen wir die Lumpenkerle«, folgte er den beiden in die Neue Mainzer Straße und hielt sich in einem Abstand von etwa zwanzig Schritten hinter ihnen. Erst am Opernplatz, als sie vor der Auslage einer Buchhandlung stehenblieben, überholte er sie, wartete, bis sie ihren Weg fortsetzten, und schaute Etzel wieder wie auf der Brücke mit dem bohrenden, glitzernden, dabei ruhigen und gedankenvollen Blick an. »Kennst du den?« fragte Thielemann verwundert, während sie weitergingen. Etzel verneinte und hatte eine unbehagliche Empfindung im Rücken.

Zwei Tage darauf stand der Mann vor dem Eingangstor des Gymnasiums. Es war mittags um zwölf, die Klassen strömten aus der Halle, zerteilten sich unter betäubendem Stimmenlärm nach allen Seiten; Etzel befand sich unter den Nachzüglern, sein erster Blick, als er ins Freie trat, fiel auf den Mann mit der Kapitänsmütze, er rundete groß die Augen, er stutzte. Der Mann sah ihn an, ohne zu lächeln, ohne eine Miene zu verziehen, und ging dann hinter ihm her. Da sich wieder das unbehagliche Gefühl im Rücken einstellte, stärker noch als vorgestern, schob er den Bücherpack tiefer in die Achsel und setzte sich in einen Trab, der den unbekannten Verfolger nach fünf Minuten einen Kilometer weit zurückließ.

Das dritte Mal stand er vor dem Andergastschen Hause, an der Ecke der Lindenstraße, als Etzel mit Heinz Ellmers von der Turnstunde kam. Dieser Ellmers, Sohn eines Baumeisters, ein vorzüglicher Mathematiker, hatte sich erbötig gemacht, Etzel bei einer algebraischen Hausaufgabe zu helfen, vor der er den ganzen gestrigen Abend ratlos gesessen hatte. Eigentlich mochte er Ellmers nicht leiden, der ein Großmaul und Streber war und vor einigen Monaten wegen einer nicht recht klargewordenen Denunziationsgeschichte beinahe von der gesamten Klasse boykottiert worden wäre. Ellmers hatte aber Etzel seinen Beistand so bieder dringend angetragen – es lockte ihn wohl, sagen zu können, er verkehre beim Baron Andergast –, daß Etzel keinen Grund sah, den Spröden zu spielen. Diesmal erschrak Etzel, als er den Mann mit der Kapitänsmütze erblickte. Es war die Wiederholung, die etwas Drohendes hatte und ein Gefühl der Unausweichlichkeit beschwor. Es war die größere Nähe des Menschen, es war die Einsamkeit der stillen Straße; das alles im Verein rief Schrecken hervor. Seine Kurzsichtigkeit hatte ihn bisher gehindert, die Züge des Fremden und die Einzelheiten seiner Erscheinung genau wahrzunehmen; jetzt stand der Mann so dicht vor ihm, daß er das gelbliche Grau der Augen, sogar die abgeschabten Stoffknöpfe des Pelzrocks sehen konnte. Als er von der Straße in den Vorgarten bog – Ellmers folgte ihm auf dem Fuß –, stand der Hausmeister mit einem Schutzmann plaudernd unterm Tor. Der Hausmeister grüßte; auch der Schutzmann, sich dem Sohn des Oberstaatsanwalts gegenüber wissend, salutierte. Etzel verspürte ein Schwindelgefühl, als er bemerkte, daß der Mann mit der Kapitänsmütze ebenfalls Anstalten traf, ins Haus zu gehen. Wahrscheinlich rechnete er darauf, unangefochten an dem Hausmeister vorbeizukommen und lästigen Fragen zu entgehen, wenn er sich den beiden Knaben an die Fersen heftete; man konnte ihm diese Überlegung vom Gesicht ablesen. Es gelang ihm auch; der Hausmeister warf zwar einen argwöhnischen Blick auf ihn, ließ ihn aber passieren. Im Flur blieb er dann stehen und schaute den Knaben nach. Der zusammengeschnallte Bücherpack entfiel Etzel. Ellmers hob ihn auf. »Danke«, sagte Etzel. Er lauschte angestrengt; je höher sie gegen den zweiten Stock kamen, je angestrengter lauschte er. Ein paar Stufen nach dem ersten Stock drehte er sich um und horchte hinunter. Ellmers schaute Etzel besorgt ins Gesicht und fragte: »Fehlt dir was, Andergast! Du bist ja so bleich.« Etzel lauschte und flüsterte: »Kommt er?« Der andere, erstaunt: »Wer? wen meinst du?« Etzel hielt sich am Stiegengeländer fest. Er hörte tappende Schritte heraufkommen. Was für ein Mensch mag das sein, daß er sich so hartnäckig an einen klammert? dachte Etzel, und die hartnäckige Verfolgung des Unbekannten flößte ihm immer stärkere Furcht ein. Heinz Ellmers aber empfindet gerade in diesem Moment, mit einer Schärfe wie nie zuvor, daß er Etzel von Grund aus unsympathisch ist, und er schaut düster und etwas feindselig zu dem um zwei Stufen höher stehenden Etzel hinauf, der wieder seinerseits, mit einer neuen Spannung in den Zügen, in die Höhe blickt, denn er hört auch von oben Schritte herunterkommen, Schritte, die ihm vertraut sind. Nach einer Weile zeigt sich Herrn von Andergasts schlanke Gestalt im Fensterviereck. Eben biegt er um die Ecke der Stiege; unten biegt der Mann mit der Kapitänsmütze um die Ecke der Stiege. Es ist Etzel, als sei dies von folgenschwerer Bedeutung, obwohl er es mit seiner Vernunft nur als Zufallsbegegnung betrachten kann. Herr von Andergast nickt den Knaben zu, stellt eine gleichgültige Frage (»Seid ihr schon fertig mit dem Tag!« oder so), ohne im Hinabschreiten innezuhalten; dann fällt sein Blick auf den Mann mit der Kapitänsmütze. Dieser bleibt sofort stehen, mit dem Rücken gegen die Mauer, soldatisch stramm, legt zwei Finger an den Schirm seiner Mütze und sagt mit komisch-krächzendem Ton, militärisch kurz, was gleichfalls komisch wirkt: »Ich heiße Maurizius.« Dabei greift er mit der linken Hand schwerfällig, wegen der augenscheinlichen Starre des Arms, in die innere Tasche seines Pelzrocks und will etwas hervorholen. Herr von Andergast dreht den Kopf, sieht ihn an, eine Sekunde, zwei Sekunden – er hat seine hochmütige Miene und den matten Blick aus halbgeschlossenen Lidern –, sieht ihn an und geht weiter. Dann wendet er den Kopf noch einmal, die Stirn ist leicht gerunzelt, er macht mit der Hand eine unwillige Gebärde und beschleunigt seinen Schritt. Alles dies hat nicht länger als anderthalb Minuten gedauert, aber Etzel weiß nun bestimmt, daß auch der Vater den Mann mit der Kapitänsmütze kennt, daß er ihn hier auf der Treppe nicht zum erstenmal gesehen hat; aus dem Gesichtsausdruck des Vaters hat er es entnommen, aus der unwilligen Gebärde, aus der Bewegung des Rückens noch und der Art, wie er Stufe um Stufe die Treppe hinuntergeht, während jener Maurizius noch an der Mauer steht, soldatisch stramm, die linke Hand im Innern des Pelzrocks, die Augen mit dem astigmatischen Blick hinab in das Dämmer des Stiegenhauses gekehrt.

Und so war es wirklich: Herr von Andergast hatte den Alten mit seiner trägen Ruhe und späherhaften Beharrlichkeit wiederholt vor sich auftauchen sehen. Es gab viele, die in seinen Weg traten, niemand tat es ohne Scheu, wenige ohne Beklommenheit. Dieser schien weder Scheu noch Beklommenheit zu spüren. Er machte zwar nicht den Eindruck eines Strolches oder eines Deklassierten, ganz und gar nicht; eher erinnerte er an einen Provinzler, der sich in gedrückten Umständen befindet und sich in der Großstadt nicht recht zu bewegen weiß. Dennoch war in seinem Gehaben ein Mangel an Ehrerbietigkeit, eine gewisse Frechheit sogar, die Herrn von Andergast auf die Nerven fiel. Er wußte nicht, wer der Mann war. Er hatte ihn, wie er meinte, nie zuvor erblickt. Eines Tages stand er da wie jemand, der sich um jeden Preis Beachtung ertrotzen will. Es war um die Mittagsstunde. Mit demselben Frösteln, das ihn stets überkam, wenn er das Justizgebäude verließ, und woran an diesem Tag auch die warme Märzsonne nichts änderte, knöpfte Herr von Andergast seinen Mantel zu, bedachte mit blicklosem Nicken den devoten Gruß des Pförtners und trat den Nachhauseweg an. Er legte den Weg täglich zu Fuß zurück. Auf den belebten Straßen war er unzählige Male genötigt, den Hut zu lüpfen; und obwohl er auch diese Zeremonie blicklos ausführte, hatten doch Haltung und Geste jedesmal die Schattierung, die dem sozialen Rang des andern entsprach, vom flüchtigen Berühren der Krempe bis zum Emporheben des Hutes und dem gemessenen kurzen Halbkreis, den er in der Luft beschrieb, um langsam auf das kahle Haupt zurückzukehren. Diese andern aber, wer sie auch sein mochten, Handwerker, kleine Kaufleute, Bankdirektoren, Redakteure, Gutsbesitzer, Stadtverordnete, zeigten bei ihrem Gruß die hastige Beflissenheit, die sie der hohen Funktion des Herrn von Andergast wie auch dem gefürchteten Manne schuldig zu sein glaubten. Gewöhnt an die Reverenz einer ganzen Stadt, ging er kalt durch sie hindurch. Sein steif vorangerichteter Blick nahm an den Bildern der Straße keinen Anteil. Nicht nur das, seine Miene leugnete gleichsam ihre Wirklichkeit, als sei diese Wirklichkeit eine Falle für ihn, als enthalte sie eine verletzende Intimität, und sein Schritt hatte nicht nur das charakteristisch Gehemmte, das Männern eigen ist, die sich hauptsächlich in geschlossenen Räumen bewegen, sondern auch das charakteristisch Vorübergehende derjenigen, die sich beständig gegen Behelligungen zu schützen haben. Und da war nun diese Gestalt am Wege. Ein Unbekannter, der es wagte, ihm, Herrn von Andergast, Leiter der Oberstaatsanwaltschaft, ins Gesicht zu starren. Mit einer Pfeife im Maul. Ihm ins Gesicht zu starren und, wie er ohne sich umzuschauen spürte, ihm zu folgen. Dann, schneller gehend, ihn zu überholen und, an einer Ecke, wieder dazustehen und zu starren. Die Pfeife im Maul. Beispiellos. Den nächsten Tag das nämliche Spiel, die nämliche Unverschämtheit. Drei Tage darauf wieder.

Vielleicht war es ein Wahnsinniger, einer der zahlreichen gerichts- und polizeinotorischen Stänkerer, die mit irgendeinem unerfüllten Anspruch herumgehen und die Behörden damit in Atem zu halten suchen. Das klügste war, den Mann zu ignorieren und gelegentlich dem Polizeibeamten des Bezirks einen Wink zu geben. Dann kam die Attacke auf der Treppe. Eindringen ins Haus, das war zu viel, das mußte geahndet, dagegen mußte Vorkehrung getroffen werden. Zunächst überhörte Herr von Andergast den Namen, den der verdächtige Bursche nannte. Als er ihn auffaßte, wandte er unwillkürlich den Kopf noch einmal zurück. Er konnte seine Betroffenheit nicht verbergen.

Am andern Tag wurde auf dem vorgeschriebenen amtlichen Weg das Gesuch eingereicht, das durchaus nicht das erste in dieser Angelegenheit, sondern eine von vielen, sozusagen gewohnheitsmäßigen Belästigungen des Gerichtes aus derselben Quelle war. Damit hatte der ganze Vorgang eine anscheinend harmlose Erklärung gefunden, obschon das dreiste Auftreten des Menschen deshalb nicht minder unbegreiflich blieb. Keinesfalls war die Sache nun weiteren Nachdenkens mehr wert.

2.

Unlöslich vermengte sich in Etzels Geist die Erscheinung des Mannes mit der Kapitänsmütze, besonders das unerwartete und dabei planvoll wirkende Zusammentreffen mit dem Vater auf der Treppe und das Bild des Briefes mit dem Schweizer Poststempel und der vertraut zu ihm redenden Handschrift. In beiden Geschehnissen forderte ihn etwas auf oder heraus; der Unterschied lag nur darin, daß jenes ganz außen, dieses ganz innen blieb, so daß er sich zwischen ihnen wie ein schwingendes Pendel vorkam. Beides aber verwirrte ihn tief und zog seine Gedanken von der gewöhnlichen Beschäftigung und dem täglichen Pflichtendienst dermaßen ab, daß er eines Vormittags, statt mit dem mechanischen Gedächtnis der Beine den Weg zum Gymnasium einzuschlagen, in die entgegengesetzte Richtung ging, immer weiter, wie traumverloren, im Bockenheimer Bahnhof seinen Bücherpack deponierte und in den Taunus hinausfuhr. In Oberursel verließ er den Zug, wanderte gegen die Saalburg, kümmerte sich schließlich um Ziel und Straße nicht mehr und irrte im Wald umher, ohne auf den Sturm und die zeitweise niederprasselnden Regengüsse zu achten. Wenn es zu arg wurde, suchte er Schutz unter einem Baum oder in einer Holzfällerhütte. Wie traumverloren; aber eben nur »wie«. Wir haben es hier mit keinem Träumer zu tun, in keiner Weise, das muß vor allem festgestellt werden. Er hatte seine fünf Sinne ausgezeichnet beieinander. Er wußte, was er tat, er wurde mit den Dingen ohne viel Federlesens fertig, er schwindelte sich nichts vor, er hatte die Uhr im Kopf und die Zeit in den Fingerspitzen (Beweis dafür: um ein Uhr fünfzehn erschien er pünktlich wie immer, gewaschen und angezogen, am Mittagstisch). Mit einer Sache fertig werden, und zwar mit dem Verstand fertig werden, mit sich ins reine kommen, Ursache und Folge überblicken, Schluß machen können, das war sein Ehrgeiz, darin übte er sich bei jeder Gelegenheit. Das wollte er auch hier, das trieb ihn hinaus. Aber es mißlang in diesem Fall, die Verwirrung war zu groß.

Am nächsten Abend, bei dem obligaten Gespräch mit dem Vater, merkte er, daß dieser sich anders gab. Es war nicht recht zu ergründen, in welcher Art, auch nicht, was er beabsichtigte; seine Absichten und Zwecke konnten, wenn er sie verbergen wollte, höchstens von einem Hellseher durchschaut werden. Er war freundlicher als sonst, ja, er hatte etwas Zuvorkommendes in seinem Wesen; zum Beispiel reichte er Etzel die Käseplatte zweimal und erkundigte sich lächelnd, ob er sich nicht demnächst die Haare scheren lassen wollte. Sofort war es Etzel klar, daß er von dem Vormittagsausflug und dem Wegbleiben von der Schule wußte und daß es deswegen zu einer jener versteckten Auseinandersetzungen kommen würde, die ihm ein Schrecken waren. Mit Sicherheit konnte man es nicht erwarten, schlimmer noch, wenn es in Schweigen gehüllt als Drohung zwischen ihnen blieb. Das war dann sogenanntes Material. Herr von Andergast legte sichtlich alles darauf an, daß Etzel selbst davon zu sprechen begann; er lud ihn durch seine Milde gleichsam dazu ein; aber je mehr er sich bemühte, je unbehaglicher wurde dem Knaben zumut, er verstummte schließlich und schaute gespannt, fast ohne mit den Lidern zu zucken, in das imponierende, für ihn so unaufschließbare, stets das Gefühl der Unzulänglichkeit in ihm erregende Gesicht auf der andern Seite des Tisches. Es war ihm nicht möglich zu tun, was unter so starkem moralischem Druck, obschon wortlos, von ihm verlangt wurde; er hätte es ja dann gestern schon tun können. Warum er es nicht getan und es überhaupt nicht vermochte, wußte er nicht. Da half kein Mut, kein Argument. Indem er dem Vater in befremdlicher, diesen aber anscheinend gar nicht weiter störender Weise ins Gesicht starrte, zerbrach er sich nur den Kopf darüber, wie er von dem Ausflug so schnell erfahren haben konnte (vom Ordinarius sicherlich nicht; Dr. Camill Raff hatte nicht die Gewohnheit, bei jeder Kleinigkeit Lärm zu schlagen; außerdem schonte er Etzel gern; die Rie hatte sein Heimkommen überhaupt nicht bemerkt), ferner, weshalb er ihm das Geständnis auf lauter Umwegen zu entlocken trachtete, statt einfach zu fragen und ihn zur Rede zu stellen. Das war ihm freilich nicht neu. Einfach war nichts in ihrem gegenseitigen Verhältnis; wenn er darüber nachdachte, wurden sogar die Gedanken verzwickt.

Hier muß ich aber, damit in die Beziehung zwischen Vater und Sohn einiges Licht fällt, zuerst erklären, was unter dem »obligaten Gespräch« zu verstehen ist.

Sie sahen einander nur im Hause. Herr von Andergast, beruflich bis zur Überlastung beansprucht, unternahm weder Spaziergänge noch besuchte er Theater und Konzerte. Er zeigte sich ungern in der Öffentlichkeit; außer mit einigen engeren Amtskollegen, zum Beispiel dem Landgerichtspräsidenten Sydow und dessen Familie, pflog er fast keinen gesellschaftlichen Verkehr. Geselligkeit war ihm kein Bedürfnis. Offizielle Veranstaltungen, denen er sich nicht entziehen konnte, empfand er als Last. Einmal im Monat besuchte er seine alte Mutter, die Generalin, wie sie kurz genannt wurde, in ihrem Landhaus draußen in Eschersheim. Die Sonn- und Feiertagsnachmittage waren dem Studium aufgesammelter Akten gewidmet.

Mit Etzel täglich zwei Stunden zu verbringen, war jedoch eine Lebenseinrichtung, genau wie das Aktenstudium. Das Programmatische daran, zugleich erzieherische Maßregel, zu verwischen, gehörte zu den gestellten Aufgaben. Es kamen nur die Abendstunden in Betracht. Während des Mittagessens, das ohnehin wegen amtlicher Verhinderung häufig entfiel, waren sie einander geradezu fremd. Die Miene Herrn von Andergasts war verschlossen, hinter der bemerkenswert geistreichen und schön modellierten Stirn haderten noch die Meinungen, die veilchenblauen Augen, in deren Tiefe eine unbewegliche, düstere Glut lag, blickten abweisend. Dazu kam, daß am Mittagessen auch Frau Rie teilnahm, und sosehr Herr von Andergast ihre Nützlichkeit als Vorsteherin des Haushalts anerkannte, so sehr langweilte sie ihn durch ihre »außerdienstliche« Gegenwart. Etzel ging es nicht viel besser mit ihr; er hatte sie gern, unterhielt sich gern mit ihr, aber nur, wenn er mit ihr allein war, in Gegenwart des Vaters und namentlich bei Tisch machte sie ihn nervös bis zum Haß. Sie saß so selbstzufrieden auf ihrem Stuhl, als spende sie sich im stillen ununterbrochen Lobsprüche über die Güte und das Zustandekommen der Mahlzeit nach so vielen Schwierigkeiten, die sie rücksichtsvoll verschwieg. Auch der Appetit, mit dem sie aß, war wie eine stumme Selbstanpreisung; und was sie sagte, war so banal wie die Sätze in einem Lesebuch für Töchterschulen.

Abends blieb sie in ihrem Zimmer. Wenn dann der Tisch abgeräumt war, zündete Herr von Andergast die Zigarre an und entspannte sich durch einen merkbaren Willensakt. Haltung und Miene lockerten sich, niemals bis zum unbeachteten Sichgehenlassen freilich, weit davon; die veilchenblauen Augen hatten aber die verkrochene Glut nicht mehr und erinnerten dann auffallend an die Augen eines naiven jungen Mädchens.

Gewöhnlich begann er mit unverfänglichen Fragen, plänkelte eine Weile, griff ein Thema auf, reizte Etzel zum Widerspruch, fand Vergnügen am Widerspruch, parierte mit fechterischer Gewandtheit, schützte das Überkommene und Bewährte vor verwegenen Reformgelüsten, machte Kompromißvorschläge, war nach hitziger Fehde bereit, eine umstürzlerische Ansicht in der Theorie gelten zu lassen; aber dabei ging es Etzel, obwohl er sich mit Feuer ins Zeug legte, ähnlich wie bei der Vorstellung von der »spielenden« Hand des Vaters, alles war nur wie Spiel, sarkastisches Spiel eines Partners, der aus seiner unvergleichlich stärkeren Position keinen Vorteil ziehen will. Er ist verdammt gescheit, dachte Etzel wütend und voll Hochachtung, man kann ihm nicht beikommen. In seinem naiven Jungeneifer geriet er immer an die Grenze, wo es keine andere Rettung gab als das Paradox, und in dieses stürzte er sich dann tollkühn und unter dem jesuitischen Bedauern seines mit allen Wassern gewaschenen Gegners. »Du bist nicht nur ein Kampfhahn«, sagte Herr von Andergast schließlich und schaute auf seine goldene Deckeluhr, »du steckst auch voller Finten und Schliche, bei dir muß man aufpassen.« Da gaffte Etzel erstaunt und argwöhnisch; gerade dieses Kompliment nicht verdient zu haben, war er sicher.

So oder ähnlich endete die Unterhaltung meistens, unverbindlich und in ein quälendes Vakuum laufend. Punkt halb zehn erhob sich Herr von Andergast mit einer Miene, die nicht mehr die geringste Beziehung zum letztgesprochenen Wort hatte; worauf sich Etzel in etwas alberner Überstürzung zur Tür wandte, die Klinke packte und sich mit dem vagen Lächeln eines Menschen verbeugte, der auf abgefeimte Manier überlistet worden ist. Ja, er kam sich geprellt vor, er konnte nicht sagen, warum, und jedesmal, wenn er aus dem Zimmer ging, fühlte er sich »entlassen«, ungefähr wie nach einem Verweis beim Rektor.

Mußte Herr von Andergast am Abend ausgehen, so erschien er spätnachmittags in Etzels Stube, setzte sich an den Tisch, an dem der Knabe seine Schularbeiten machte, bat ihn, ruhig fortzufahren, und schaute zu. Nach einiger Zeit wurde Etzel befangen, verlor den Faden und stockte. »Was arbeitest du?« fragte Herr von Andergast. Wenn es etwa das mathematische Exerzitium oder der Geschichtsaufsatz war, zeigte sich Herr von Andergast interessiert. Mit seiner überlegenen Rednergabe jedes Wort »bringend«, wie die Schauspieler sagen, pries er eines Tages die geistige Sauberkeit, zu der die Mathematik erziehe, den Zauber der Figur, der reinen Figur nämlich, für den sie empfänglich mache. Sie gewähre, behauptete er, lebendige Anschauung der Naturgesetze, und wie die Krönung einer Kuppel das anscheinend Auseinanderstrebende vereinige, könne sie die höchsten menschlichen Fähigkeiten verbinden und die gegensätzlichsten. Etzel hörte aufmerksam zu, sah aber aus wie ein störrisches Hündchen, das nicht gelaunt ist zu apportieren. Doch bei einer andern Gelegenheit, als der Vater mit ebenso sanfter Eindringlichkeit das Studium der Geschichtswissenschaft empfahl, ereiferte er sich trotzig und bestritt vor allem, daß es sich um eine Wissenschaft dabei handle. Mit demselben Recht könne man Aktenschreiben und Zeitunglesen eine Wissenschaft heißen. Wo sei da Erkenntnis? wo Gesetz? wo trete man auf festen Boden? Gedächtnislast sei es, Willkür, Nomenklatur, Chronologie, im besten Fall Roman. »Ei«, sagte Herr von Andergast und machte eine Geste wie ein Dirigent, wenn die Pauke zu laut wird.

Es waren dialektische Übungen im Grunde, und das Gebiet, auf dem sie sich abspielten, war von Herrn von Andergast genau umgrenzt. Etzel wußte, daß er die Grenze nicht überschreiten durfte. Die Person, die mit so viel Freundlichkeit seinen geistigen Erlebnissen lauschte, ja sie ihm entlockte, seinen oft unreifen, meist sehr entschiedenen, manchmal sehr leidenschaftlichen Gedankengängen folgte, hätte sich unbedingt in eine frostige Masse verwandelt, wenn er sich hätte beifallen lassen, über äußere Geschehnisse zu reden, über Tagesereignisse, die Beziehung zu einem Freund, einem Lehrer, oder gar Fragen zu stellen, die den Beruf, die private Existenz, die Vergangenheit des Vaters berührten. Wenn er dergleichen auch nur in der Andeutung wagte, heimlich gestachelt und wohl wissend, daß er scharf zurückgewiesen werden würde, erhob sich Herr von Andergast, runzelte die Stirn und sagte mit schräg abgleitendem Blick: »Wir wollen das zu einer passenderen Zeit erörtern.« Etzel hatte Ursache zu vermuten, daß er die untersten Grade jener Frostigkeit noch gar nicht zu spüren bekommen hatte; das sofortige Sinken der Temperatur bei der geringsten Entgleisung jagte ihm ohnehin Angst genug ein. In Momenten, wo er sich nicht beobachtet glaubte (sie waren noch seltener, als er vermutete, denn Herrn von Andergasts ganze Wesenheit war Auge und Sammeldienst des Auges), sah er den Vater an wie einen Turm, der keinen Zugang hat, keine Türen, keine Fenster, der nur gewaltig ragt und von unten bis oben Geheimnisse birgt. Seine tiefe Bewunderung war einer ebenso tiefen Furcht verschwistert. Als einziger Sohn, mutterlos, stand er ihm unerhört allein gegenüber. Dieses Gegenüberstehen wurde ihm durchaus zum Bild, und schickte er sich an, im Bilde, ihm entgegenzutreten, so wich der Vater um ebenso viele Schritte zurück; trat andererseits dieser auf ihn zu, so erfaßte ihn die Furcht und zwang ihn zur

Vorsicht. Der Ruf seiner Strenge, seiner Unerbittlichkeit, seiner stählernen Grundsätze war schon früh zu ihm gedrungen, hieß man ihn doch im Volk den blutigen Andergast, sehr mit Unrecht freilich, denn ihn erfüllte bis in die Poren, bis zur Steinwerdung beinahe das Bewußtsein hoher Pflicht und hohen Amtes. Aber solche Worte sind ambulant wie giftige Bakterien, und kam es Etzel auch nicht ausdrücklich zu Ohren, so fühlte er doch den Widerhall, und seine Träume (da er mit wachen Sinnen die Augen davor verschloß und die Phantasie nicht daran rühren ließ) produzierten Gestalten wie aus dem Danteschen Höllenkreis – alles ist ja von Uranfang da im Menschen, auch das Niegesehene, Niegewußte –; der Vater stand dann in einer feurigen Lohe und hielt Gericht über die Scharen der Verdammten.

Herr von Andergast saß im Halbschatten, er konnte das volle elektrische Licht nicht vertragen, seine Augen entzündeten sich leicht davon; mit den Augen waren alle Andergasts nicht in Ordnung, die alte Generalin litt schon seit Jahrzehnten an einer Störung des Sehnervs. Vielleicht hatte das eine tiefere Bedeutung: wer bloß mit den Augen lebt, leidet durch die Augen. Hatte doch auch die intensive Veilchenbläue der Augen des Herrn von Andergast etwas Abnormes. Er saß mit übereinandergeschlagenen Beinen, der Oberkörper war fast zwangvoll gereckt, ebenso der lang-ovale Kopf mit der kahlen, wie poliert glänzenden Schädelwölbung und der bis auf einen Millimeter kurzgeschorenen eisengrauen Randbehaarung. In seiner thronenden Haltung und Halbabgekehrtheit war etwas, wodurch er Etzels Blick zu sich her spann; als spule er Fäden auf ein Weberschiff, zog er die Blicke des Sohnes her, schien es aber weder zu wissen noch zu wollen. Dem Knaben war die Silhouette des halbabgekehrt, mit übereinandergeschlagenen Beinen sitzenden Vaters wie ein täglich gesehenes starres Emblem vertraut. In der Tat hatte er Ähnlichkeit mit einer ägyptischen Tempelfigur, wenn man ihn im Halbschatten flüchtig betrachtete. Vertrautwerden des Starren, darin liegt viel Unheil, Vertrautsein, das kein Lösendes und Aufschließendes hat. Die Scheu und die empfundene Entfernung blieben immer gleich, auch die doppelte Gefaßtheit: erstens auf das mögliche Sinken der Kältegrade, sodann auf die Minute, wo man »entlassen« wurde. Stets sah er mit der nämlichen Spannung in den Halbschatten hinüber, so wie heute spürte er jeden Abend ein banges Erstaunen über die athletische Figur, die starke Stirn, die starke, gerade Nase, die starken Lippen, den starken Hals, der durch den kurzgeschnittenen, sorgfältig gepflegten und schon ergrauten Spitzbart nur zum Teil verdeckt wurde. Über seine Person war ein undefinierbarer Hauch von Melancholie gebreitet, eine verdunkelnde Unzufriedenheit, wie sie Menschen eigen ist, die nicht der von ihnen geglaubten Bestimmung leben können und, abgelenkt von dem Ziel, das sie sich einst vorgenommen haben, ein Einst, an welches sie sich nur wie an eine Phantasmagorie erinnern, ihre Enttäuschung hinter einem Panzer von Stolz und Unnahbarkeit vor den Blicken der Welt sichern. Was ihnen vor sich selber Wert verleiht und worin sie sich mit jeder Erfahrung, jeder Enttäuschung befestigen, ist das Gefühl der Isolierung. Indem sie sich schließlich darin verlieren, werden sie so fremd, so unerratbar, so abseitig, daß es scheint, als gebe es die Sprache nicht mehr, in der man sich mit ihnen verständigen kann. Das war Etzels vorherrschende Empfindung oft; es ist schrecklich weit bis zu ihm, dachte er, wenn man endlich da ist, macht einen die Müdigkeit vollkommen dumm. Eine etwas übersteigerte Sensitivität vermutlich, aber es war doch so viel Zusammenhang und Anziehung vorhanden, daß das Scheidende und Abstoßende zehnfach quälend wurde. So wie heute hatte er selten darunter gelitten. Ein paarmal war er nahe daran, aufzuspringen und unter dem Vorwand von Kopfschmerz das Zimmer zu verlassen.

Schwer zu sagen, was Herrn von Andergast bewog, sich so eingehend mit Etzels gestrigem Vormittagsabenteuer zu befassen.

(Wirklich, er sprach von einem »Abenteuer«, so wenig die Bezeichnung auf die simple Schulschwänzerei und das planlose Herumirren im Regen paßte.) Ein Rechtsanwalt hatte Etzel auf der Station in Oberursel gesehen und hatte es Herrn von Andergast heute früh beiläufig erzählt, das war die platte Erklärung seiner rätselhaften Wissenschaft. Zufall, und den nützte er nun in seiner Weise aus. Ob ihn psychologische Neugier dazu trieb oder die Befürchtung, daß dies nur der Beginn einer Reihe von Eigenmächtigkeiten und Versäumnissen war, läßt sich bei seiner unendlich komplizierten Denkungsart nicht entscheiden. Selbständige Handlungen mußten so lange wie möglich unterbunden werden; aber wie und mit welchen Mitteln? Es war ja der Geist, der zu zähmen war, der gefährlichste Explosivstoff der Welt. Er erkannte allmählich, erstens, daß das kunstvolle System der Distanzierung fehlerhaft war, zweitens, daß es sich auch tückisch an ihm selber rächte, denn da nach so ausschließlicher Frequenz nur noch die Umwege gangbar waren, hätten die verrammelten direkten ein lächerliches Übermaß von Zeit gekostet. Gefangenenwärter haben ihren Berufsehrgeiz. Sie fühlen sich nicht bloß verantwortlich für den Häftling, sondern auch für das Haus, die Mauer, das Gitter, die Tür, das Schloß und die Schlüssel. Zuletzt hat der Hüter selber keine Freiheit mehr.

Seine sonore Stimme füllte den Raum. Sie hatte unter allen Umständen etwas Zwingendes. Die Langsamkeit des Wortfalls (Schrankensprache nannte es einer seiner Feinde) wurzelte in dem Bestreben, für jeden Gedanken die prägnanteste Form zu finden. Dies machte bisweilen den Eindruck der Selbstgefälligkeit, aber er war nicht selbstgefällig, es war nur ein bis in den Blutgang dringendes Überlegenheitsbewußtsein, das sich im Verkehr mit den Menschen als trockene Pedanterie oder konsequente Sachlichkeit äußerte. Hierin war er außerordentlich deutsch, will heißen nach dem modernsten Begriff davon. Fast alle begabten Redner haben die Neigung, ihre Zuhörer als Unmündige zu betrachten; aber niemals ist das weniger berechtigt als bei einem Unmündigen. Je mehr Mühe er aufwandte, je ärgerlicher spürte er, wie seine Worte zerstäubten. Keinen Widerstand zu erfahren, war der unbesiegbarste Widerstand. Was verfocht er eigentlich? Wogegen predigte er? Verschiedenes lag in der Luft, außer dem Taunus-»Abenteuer« noch die Briefgeschichte und die Begegnung mit dem idiotischen Alten auf der Treppe. Er spürte latente Fragen, die sich nicht herantrauten; wünschte aber keineswegs, daß sie gestellt würden. Am Abend vorher hatte Etzel gewagt, die Berechtigung eines Urteiles in einem politischen Prozeß anzuzweifeln, ungewöhnliche Kühnheit, Durchbruch des herrschenden Zeremoniells. Die Kameraden hatten sich über den Fall ereifert, Etzel berichtete es; soweit er die Sache überblicken konnte, schien es, daß Schuld und Strafe in einem krassen Mißverhältnis standen, die Schuld geringfügig, die Strafe unmenschlich. Auf dieses Gespräch, das er gestern brüsk abgebrochen, griff Herr von Andergast heute zurück. Es sei vom Übel, wenn ein Rechtsfall zum Redefutter der Straße gemacht werde. Es sei verhängnisvoll, Recht und Gefühl zu verquicken, und heiße, das Unbedingte ins Joch des Ungefährs spannen. Das Recht sei eine Idee, keine Angelegenheit des Herzens; das Gesetz kein beliebig zu modelndes Übereinkommen zwischen Parteien, sondern heilig-ewige Form. Wahr und unantastbar gültig, seit es Richter gibt, die Schuldige verdammen, und Gesetzbücher, die Verbrechen nach Paragraphen ordnen. Und doch, was flammt so leugnerisch, so unglaubend aus den Augen des Knaben herüber? Ewige Form das Gesetz? Er rückt unruhig auf seinem Stuhl und beißt verlegen auf den Fingerknöchel. Er hat etwas raunen hören, daß der Staat eine rechte und eine linke Hand habe und zweierlei Maß, eins für die eine, eins für die andere, und mehrerlei Waagen und für jede Waage mehrerlei Gewichte. Wie verhielt es sich damit? Das fragte er nicht laut, das fragten seine Augen. Im übrigen hatte er ja nicht am »Recht als Idee« gezweifelt, sondern an der

Gerechtigkeit eines aktuellen Spruchs, und mit seinem Herzen hatte das schon gar nichts zu schaffen, sondern lediglich mit seinem Denkvermögen und seiner Urteilsfähigkeit. Hier bist du mal gründlich aufgesessen, lieber Vater, aber schweigen wir darüber, sagten seine Augen.

Vielleicht versteht Herr von Andergast die stumme Sprache, die aus dem Sechzehnjährigen nur echot und den leugnerischen, unglaubenden Geist seiner Generation vermittelt, einen Geist, krank von Krankem, entfesselt von Entfesseltem. Es war Anfall aufgesammelten Zorns, der ihn zu dem taktischen Mißgriff verleitet hatte. Umsonst Beweis, Beispiel, Erklärung. Finsternis wird nicht dadurch Licht, daß man Gründe gegen sie mobilisiert. Licht kann Blinde nicht überzeugen, Verblendete nicht treffen. Das Neue, von dem sie fabeln, auf das sie pochen, wo ist es? In ihnen selbst, sagen sie. Es gibt kein Neues, es gibt kein Altes. Der Mensch, sein Weg, seine Geburt, sein Tod, alles dasselbe seit sechstausend, seit sechzigtausend Jahren, Fabelei der Zeitbeschränkten, jedes Lustrum zur Epoche zu machen; je weniger sie selber sind, je mehr erwarten sie von der Zeit: der uralte Strom treibt auch ihre Klappermühlen, und sie bilden sich ein, sie hätten seinen Lauf verändert, weil in seinen Wassern auch ihr Rad sich dreht.

Er glaubte selbst hier noch überlegen zu sein und zu »spielen«, wo er mit seinem Despotismus im Begriffe war zu scheitern. Natürlich war er darauf gefaßt, in seinem Sohn eines Tages den anders geprägten Menschen gelten lassen zu müssen; vielleicht trat die andere Prägung deshalb so früh hervor, weil er in seiner gefrorenen Skepsis so gut und schon so lange darauf vorbereitet war; Furcht erzeugt das Gefürchtete. Aber es war nicht der Despotismus des Vaters, der eine Niederlage erlitt, es war der des Beamten. Herrn von Andergast war der Dienst Berufung, der Beruf Sendung. Er war der Beauftragte eines absoluten Herrn, dessen Interessen er vertrat, in dessen Namen er wirkte und dessen asiatische

Machtvollkommenheiten durch Lockerung der Regierungsformen nicht beeinträchtigt werden konnten. Der Herr, verschwand er auch als wirkliche Person vom Schauplatz, als Symbol blieb er bestehen. Und Symbol war auch der Diener, als Diener hatte er keine Geschichte, kein Vorleben, kein Privatleben. Jede menschliche Bindung war der amtlichen gegenüber von untergeordneter Bedeutung. Unwandelbarkeit ist das Prinzip, das ihn trägt, seine Zeit ist alle Zeit, der religiöse Glaube an die Hierarchie, der er angehört, macht ihn zum Mönch, zum Asketen, unter Umständen zum Fanatiker. Es hieß von Herrn von Andergast, wenigstens rühmten es seine Kollegen an ihm, daß sein starker Tatsachensinn bei den schwierigsten und dunkelsten Rechtsfällen Triumphe gefeiert und ihm das autoritative Ansehen verschafft hatte, das durch keine Umwälzung, keine Neuerung in der Verwaltung erschüttert worden war. Begreiflich. Warum sollte jemand von außen erschüttert werden, der so unerschütterlich in sich selber ruht?

Es war halb zehn geworden. Herr von Andergast zog die goldene Deckeluhr. Etzel erhob sich. Er machte seine Verbeugung, sagte gute Nacht und wandte sich mit der gewohnten Fluchtgebärde zur Tür. Dort zögerte er. Er blickte gegen die Wand und fragte schnell und scheu: »Wer ist denn dieser Maurizius, Vater?«

Herr von Andergast blieb auf der Schwelle seines Arbeitszimmers stehen. »Wozu willst du das wissen;« fragte er zurück und maß den Sohn mit kaltem Blick.

»Nur so ...«, erwiderte Etzel, »es ist, weil ...« Er stockte.

Er hatte auch die Rie gefragt. Sie hatte nachgedacht und den Kopf geschüttelt. Er nahm sich in diesem Augenblick vor, noch andere Leute zu fragen, so viel Leute wie möglich, vor allem die Großmutter, bei der er, wie jeden Sonntag, übermorgen zu Mittag essen sollte. Er entsann sich, daß der Mann mit der Kapitänsmütze seinen Namen mit einer Art von Berühmtheitsbewußtsein genannt hatte, ungefähr, wie wenn einer sagen würde: ich heiße Bismarck, wennschon nicht triumphierend, sondern verbissen. Der Ton lag ihm noch im Ohr.

»Es ist keinesfalls ein Gegenstand, über den wir beide uns unterhalten können«, sagte Herr von Andergast und ragte als unzugänglicher Turm in der Wolke der Frostigkeit.

»Ich möchte ihr mal schreiben«, murmelte Etzel, als er in seiner Stube auf und ab ging. Er sah eine Wiese vor sich, darüber einen waldbedeckten Hügel, darüber die untergehende Sonne; die Erde war gebogen wie der Rücken eines Riesen. In seiner Kehle juckte es.

Er setzte sich hin und schrieb auf ein Blatt, das er aus einem der Schulhefte gerissen hatte: »Es geht vieles vor, ich denke viel über alles nach. Gräßlich, daß ich Dich nicht mal kenne. Wo bist Du eigentlich? Es kann sein, daß ich mich eines Tages auf die Eisenbahn setze und zu Dir hinfahre. In den Ferien vielleicht. Du lachst vielleicht über den Schulbubenplan. Natürlich, wenn ich von dem Vorsatz was verlauten ließe, wär's aus. Warum? frag ich. Es sind überhaupt eine Menge Fragen zu beantworten. Ein Mensch in meinem Alter ist wie an Händen und Füßen mit Stricken gebunden. Wer weiß, wenn die Stricke mal zerschnitten werden, ist man am Ende schon lahm und zahm! Das ist wohl der Zweck. Zahm soll man werden. Haben sie Dich auch zahm gemacht? Kannst Du mir nicht sagen, was ich tun soll, damit wir uns sehen können? Ich tue, was Du willst, nur muß es geheim bleiben. Du verstehst. Er erfährt immer alles. Dieser Brief muß unbedingt geheim bleiben. Ich werde ja älter mit der Zeit. Es ist aber zum Verzweifeln, wie langsam es geht. Es wird ihnen nicht gelingen, mit dem Zahmmachen. Weißt Du, wie ich den Brief im Vorzimmer sah, war's, als hätte der Blitz in mein Hirn eingeschlagen. Gern möcht ich wissen, was da los ist. Du verstehst mich schon. Ich habe das Gefühl, daß man Dir ein Unrecht zugefügt hat. Stimmt das? Ich muß Dir überhaupt sagen, was man so tagtäglich von Ungerechtigkeiten hört, ist ganz schauderhaft. Du mußt wissen, daß mir Ungerechtigkeit das Allerentsetzlichste auf der Welt ist. Ich kann Dir gar nicht schildern, wie mir zumut ist, wenn ich Ungerechtigkeit erlebe, an mir oder an andern, ganz gleich. Es geht mir durch und durch. Leib und Seele tun mir weh, es ist, als hätte man mir den Mund voll Sand geschüttet und ich müßte auf der Stelle ersticken ...«

Er hielt inne. Mißbilligend nahm er wahr, daß er an sich selber schrieb oder an eine erdachte Person, nicht an eine wirkliche. Er konnte ja die Epistel nicht einmal abschicken. Er hatte keine Adresse. Er hatte versäumt, die Rückseite des Briefs, der aus Genf kam, anzuschauen. Ferner war zu befürchten, daß der Vater wie von allen seinen Handlungen auch davon Kenntnis erhielt. Als Kind hatte er sich eingebildet, daß der Vater im Mittelpunkt des Weltalls saß und sämtliche Sünden und Vergehungen aller Leute in der Stadt mit einem Marmorgriffel auf eine Marmortafel verzeichnete. Reste dieses Glaubens waren noch in ihm vorhanden, noch jetzt formten sich bisweilen innere Szenen, imaginäre Gespräche daraus. Gebietend stand der Vater im Zimmer. Als Zauberer hatte er die Macht, durch geschlossene Türen zu gehen. In seiner Eigenschaft als Zauberer hatte ihm Etzel den Namen Trismegistos gegeben. Immer, wenn er sich den Vater in einer strafenden Aktion dachte, hieß er ihn so. Der Dialog vollzog sich ungefähr, wie folgt: Trismegistos: Wo bist du, Etzel; – Hier bin ich. – Warum verbirgst du dich vor mir; – Ich verberge mich nicht, ich habe nur die Maske vom Gesicht genommen. – Wie, du erdreistest dich, ohne Maske vor mir zu erscheinen? – Wenn einer allein ist, Vater, braucht er doch keine Maske. – Aber ich sehe in dich hinein, ich bin überrascht, ich bin sehr überrascht, ich wünschte, ich hätte dich nicht ohne Maske erblickt.

Er faltete den Brief zusammen, steckte ihn in einen Umschlag, schrieb darauf: »An meine Mutter, ich weiß nicht wo«, und schob ihn in ein Geheimfach, das er sich in der Schublade seines Arbeitstisches selbst angefertigt hatte und worin noch andere Papiere lagen, Notizen, Aufzeichnungen, Gedichte und als besondere Kostbarkeit zwei Briefe, die er von Melchior Ghisels erhalten hatte. Dann saß er, das Kinn auf beide Hände, die Ellbogen auf den Tisch gestützt. Er hätte längst zu Bett gehen sollen, doch in seiner Brust war eine nicht zu beschwichtigende Unruhe. Von der Straße herauf tönte ein langer, schriller Pfiff. Der Regen rauschte auf die Bäume. Er sprang auf, ging herum, blieb dann vor dem Bücherregal stehen. Jedes einzelne Buch war ein Freund. Er hatte sie nach und nach von seinem Taschengeld gekauft oder sie sich von der Großmutter schenken lassen, manche hatte ihm auch der Vater geschenkt. Den ersten Platz nahmen die Schriften seines geliebten Melchior Ghisels ein, vier schöngebundene Bände mit eigenhändiger Widmung des Autors. Dieser war ihm wie ein Gott und jeder Satz in den Büchern eine Offenbarung. So kann nur ein Sechzehnjähriger einen Schriftsteller verehren. So reine Glut hegt nur der unentfachte Geist. Die Bewunderung, mit der Etzel an dem Mann und seinem Werk hing, war zugleich voll Zärtlichkeit. Ghisels, ein Autor von Kierkegaardscher Tiefe, war ihm Prophet und Führer. Oft las er vor dem Einschlafen eine halbe Seite, ganz langsam, mit atemloser Andacht, ein schon zehnmal gelesenes Kapitel, dann verlöschte er schnell das Licht und lächelte in den Schlummer hinein. Er kannte Ghisels persönlich nicht. Er hatte ihm einmal geschrieben, als er ihn um die Inschrift bat, und ein zweites Mal, sehr schüchtern, um ihn über den Sinn einer schwierigen Stelle in einem schönen Aufsatz über die Lebensalter zu befragen. Der Buchhändler Thielemann, Roberts Vater, hatte ihm die Adresse gegeben; seit er wußte, daß Ghisels in Berlin lebte, war Berlin ein heiliges Lhasa für ihn. Er war eifersüchtig auf Melchior Ghisels, wie man auf einen Juwelenschatz eifersüchtig sein kann, und es erfüllte ihn mit Genugtuung, daß seine Schriften nur von wenigen gekannt waren. Lärmender Ruhm, den zu erringen die Werke freilich wenig Eignung besaßen, hätte ihn vielleicht ernüchtert. Camill Raff hatte ihm dieses Reich hoher Gedanken als erster erschlossen; im vorigen Sommer, als er krank gewesen, hatte ihn Dr. Raff besucht und ein Buch von Ghisels mitgebracht, aus dem er ihm einen ganzen Nachmittag lang vorlas.

Er nahm eines von Ghisels' Büchern vom Ständer, legte sich damit bäuchlings auf die Erde, schlug das Buch auf und begann zu lesen. Nur so, bäuchlings auf dem Boden, war er fähig, sich ganz beim Lesen zu sammeln. Allein nach einer Weile hörte die Hand auf, die Blätter umzuschlagen, die Stirn sank auf den Oberarm, die Beine streckten sich, er schlief. Erst um zwei Uhr nachts erwachte er wieder, sah sich verstört um, sprang in die Höhe, streifte hastig die Kleider vom Leib, drehte den Lichtschalter ab und schlüpfte geräuschlos ins Bett. Den Kopf schon in die Kissen gegraben, murmelte er etwas Bestürztes und Entschuldigendes vor sich hin und streckte wie ein zehnjähriger Fratz in verschlafener Beschämung gegen sich selber die Zunge heraus.

Die Generalin Andergast gehörte zu der aussterbenden Gattung weiblicher Originale. Sie war eine Frau von dreiundsiebzig Jahren, der man aber ihr Alter nicht ansah. Sie war von kleiner Gestalt, äußerst beweglich, sogar ein bißchen fahrig, hatte lebhafte Züge, geschwinde, neugierig glänzende Augen, über denen sie, wenn sie allein war, ihres Gebrechens wegen einen grünen Papierschirm trug, und die helle, frische Stimme eines jungen Mädchens. Sie war schon seit zwanzig Jahren Witwe, nach dem Tode ihres Mannes, der ein böser Tyrann und Hypochonder gewesen war, hatte sie begonnen zu leben und hatte große Reisen gemacht, war in Syrien und in Indien gewesen und mehrere Monate bei einer verheirateten Kusine in Südamerika. Sie hatte Weltverstand und versprengte künstlerische Neigungen, ihre Lieblingsbeschäftigung war die Malerei; trotz ihrer leidenden Augen verbrachte sie jeden

Tag eine Stunde in ihrem Atelier und malte mit hingebender Geduld Bilder im Stil der französischen Impressionisten, geschmackvoll und bescheiden. Wenn jemand von ihren Bildern sprach oder sie zu sehen verlangte, errötete sie wie ein Backfisch und lenkte die Unterhaltung schnell auf ein anderes Thema. Mit ihrem Sohn, dem Oberstaatsanwalt, vertrug sie sich nicht gut. Er war ihr zu herrschsüchtig und erinnerte sie dadurch unangenehm an ihren verstorbenen Gatten; da er ihre Ungezwungenheit im Verkehr, ihre nachlässige Geldwirtschaft und ihren völligen Verzicht auf matronenhafte Würde sichtlich, wenn auch stumm, mißbilligte, hatte sie immer Angst vor ihm und atmete erleichtert auf, wenn er sich mit zeremoniösem Handkuß verabschiedet hatte. »Ich kann nicht alle Tage vor der sittlichen Weltordnung erscheinen und Rechenschaft ablegen, dazu bin ich ein zu fehlerhaftes und furchtsames Wesen«, seufzte sie, wenn er ihr ehrerbietig mit seiner sanftesten Stimme eine Übereilung, einen gesellschaftlichen Verstoß zum Vorwurf machte. Seit der Scheidung von seiner Frau war sie ihm übrigens in tieferem Sinne gram als wegen seiner Förmlichkeit und freudlosen Grundsätze. Es war niemals zwischen ihnen zur Aussprache gekommen, aber Herr von Andergast täuschte sich nicht darüber und notierte es zensorhaft, wenn man sich mit ihm und seinem Tun nicht schrankenlos einverstanden erklärte. Die Generalin verzieh ihm die Härte nicht, mit der er die Frau, die Mutter seines Kindes, zum seelischen Tod verurteilt hatte. Die Nachrichten, die man über sie erhielt, sprachen von einem langsamen Hinsiechen, dem sie in der Fremde verfallen war. Alle Macht war in seiner Hand; er hatte sich der Macht bis zum Äußersten bedient, natürlich unter gewissenhafter Beobachtung des Gesetzes, das auf seiner Seite war. Ob die Generalin für Sophia von Andergast vor der Scheidung irgendwelche Sympathie gehegt, steht dahin, nachher jedenfalls und als sie schon längst die Stadt verlassen hatte, sprach sie mit unverhohlenem Mitgefühl von ihr, ja, eines

Tages ging sie so weit, sich im Salon einer ihrer Bekannten über die Grausamkeit zu entrüsten, die darin lag, eine Mutter von jeglicher Verbindung mit ihrem Kind abzuschneiden und eine so erbarmungslose Maßregel unabänderlich, unappellabel zu machen. Die Anwesenden wußten nicht, wohin sie schauen sollten, es war ein kleiner Skandal, hervorgerufen allerdings durch die taktlose Bemerkung eines jungen Referendars, der, entweder aus schäbigem Servilismus oder weil er ein geborener Strammsteher war, die »Schneidigkeit« des Herrn von Andergast nicht genug rühmen konnte. Natürlich war von der Affäre manches in die Öffentlichkeit gedrungen und hatte zu dem üblichen Geklatsch Anlaß gegeben. Besonders über den Ausdruck »Schneidigkeit« geriet die Generalin vor Zorn fast außer sich; nachdem sie in aufrechter Haltung und mit blitzenden Augen ihre Meinung gesagt, raffte sie ihren Schal und ihr Täschchen zusammen und verließ eilig die verdutzte Versammlung, die sich lange Zeit nicht schlüssig werden konnte, ob man die alte Dame wegen ihres moralischen Mutes beloben oder wegen ihrer Verschrobenheit belächeln sollte. Zwei Tage später machte Herr von Andergast seiner Mutter einen Besuch. Ohne daß von dieser Szene oder von einer sonstigen Äußerung oder von der Scheidung oder von Sophia die Rede war, erhielt er von der Generalin nach kurzer Auseinandersetzung das feierliche Versprechen, daß sie vor ihrem Enkel Etzel niemals den Namen seiner Mutter erwähnen und über deren Existenz unbedingtes Schweigen bewahren werde. Es war ein Triumph seiner Taktik. Er hatte sie bei dieser Gelegenheit dermaßen eingeschüchtert, daß sie das Versprechen bis zum heutigen Tage nicht gebrochen hatte, so schwer es ihr auch manchmal gefallen war, wenn der bezaubernde Junge zu ihren Füßen saß und vertrauensvoll plauderte und fragte.

Etzel als Sonntagsgast bedeutete: schöngedeckter Tisch in wohldurchheiztem Zimmer. Für sich allein machte die Generalin keine Umstände; manchmal vergaß sie überhaupt zu essen, gegen Abend verspürte sie dann Hunger und schickte das Mädchen, das sie statt zum Kochen dazu verwendet hatte, von der Leinwand ihrer alten Bilder die Farbe abzukratzen, über die Straße nach ein paar belegten Brötchen, die sie im unermüdlichen Herumtrippeln unter leisen Monologen und Geträller verzehrte. Für Etzel war die Großmutter eine reizvolle Erscheinung. Sie hatte nach seiner Ansicht mehr »Geheimnis« in sich als die Mehrzahl der Menschen, mit denen er in Berührung kam. Was er Geheimnis nannte, war ihm ein Wertmesser für Menschen. Jeder, auch der Geringste, der Langweiligste, hatte etwas Verborgenes und schlechthin Unerforschliches, das im selben Augenblick zu wirken begann, wo er aus Etzels Gesichtskreis entschwand. Er grübelte dann darüber nach: was tut er jetzt, seinem »Geheimnis« überlassen! Besonders gab ihm das Alleinsein der Menschen zu denken. Wie benahm sich der oder der, wenn er allein war, wie sah er aus? Man konnte es nie erfahren, schon das Auge, das ihn sah, hob den rätselhaften Zustand auf, indem es ihn sah. Von Trismegistos zum Beispiel machte sich Etzel das Bild, daß er mit einem Zirkel große Kreise auf einem Zeichenblatt zog; und die Kreisflächen mit Ziffern bedeckte. Von der Großmutter konnte er sich vorstellen, daß sie, die Gesetze der Schwere und der Statik verspottend, auf dem Plafond herumging, mit den Füßen nach oben, oder, wenn sie im Freien und natürlich von keinem Auge beobachtet war, wie ein Luftballon zierlich emporschwebte. Das war eben ihr »Geheimnis«, das Unerforschliche an ihr.

Gegen Ende der Mahlzeit rückte Etzel mit der Frage heraus, die er an die Großmutter stellen wollte. Er hatte den Mann mit der Kapitänsmütze seither nicht wiedergesehen, aber seine Gedanken beschäftigten sich deshalb nicht weniger häufig mit ihm. Es war nur nicht anzunehmen, daß gerade Großmutter den Namen kannte. Verwechselte sie doch die meisten Namen, sogar die von

Familien, bei denen sie verkehrte, wodurch sie schon viel Verwirrung angerichtet hatte. Weit entfernt, es als eine schädliche Schwäche zu betrachten, lachte sie sich halbtot, wenn es ihr passierte, wenn sie Geschlechter, Standespersonen und Berühmtheiten verschiedener Kategorien durcheinanderbrachte. Das Mädchen, das seit vierzehn Jahren bei ihr bedienstet war und das Nanny hieß, rief sie jeden Tag anders, Bertha, Elise, Babett, wie es ihr in den Sinn schoß, denn sie war immer das Geschöpf der Sekunde und band sich in liebenswürdiger Felonie an kein Abkommen. Trotzdem richtete Etzel die Frage an sie, und um sich den Anschein der Gleichgültigkeit der Erkundigung, den Anschein der Unwichtigkeit zu geben, musterte er mit erheuchelter Neugier das silberne Salzfaß, als wäre es ein Schiff, dem er sich für eine weite Reise anvertrauen wollte.

Maurizius – der Name klang der Generalin nicht unbekannt. Sie legte das Dessertmesser hin, stemmte die Arme auf die Hüften und blickte mit emporgezogener Stirn, was ihrem Gesicht einen etwas törichten Ausdruck gab, ebenfalls auf das Salzfaß. Es war ein Name, aus dem Dunkelheit emporstieg. Wenn man ihn nannte oder hörte, wehte einem eine modrige Kälte entgegen, wie wenn eine Kellertür geöffnet wird. Unheil wurde in die Erinnerung gerufen, versunkene Gesichte gewannen wieder Umrisse und erweckten automatisch das Grauen, mit dem sie einst über der Stadt, der Provinz, ja über dem ganzen Land gelastet hatten. Es war, wie wenn ein versickerter Sumpf durch einen unvorsichtigen Spatenstich seine giftig schillernden Wässer wieder an die Oberfläche quirlen läßt. »Was geht dich das an, Junge?« fragte sie unwillig, »was hast du damit zu schaffen? Wie kommst du auf den Namen? Die Geschichte ist schon nicht mehr wahr, so lang ist es her. Viele Jahre sind darüber weggegangen. Wie kommst du darauf?« Etzel sah, welchen Eindruck der Name auf die Generalin gemacht hatte. »Was ist es denn?« flüsterte er und rieb mechanisch die

Flächen seiner zwischen die Knie gesteckten Hände gegeneinander. »Erzähl mir doch, Großmama, was das war, ich erzähl dir dann auch, warum ich's wissen will.« – »Unmöglich, es zu erzählen«, versicherte die Generalin. Sie hat ihm ja gesagt, es ist viele Jahre her. »Wart mal, laß mich nachrechnen. Dein Großvater war bereits tot. Es muß im Trauerjahr gewesen sein, vielleicht etwas später. Nicht sehr viel später, denn anderthalb Jahre nach seinem Tode bin ich in den Orient gefahren. Also achtzehn Jahre, zwei Jahre, eh du auf die Welt kamst. Wie soll ich dir da heute noch davon erzählen können, nach mehr als achtzehn Jahren? Was interessiert dich denn so an der Sache?« Statt zu antworten fragte Etzel nach einer Weile mit noch leiserer Stimme: »War der Vater dabei im Spiel? Im Spiel ist natürlich ein dummer Ausdruck, Großmama, du weißt schon, was ich meine.« Ängstlich heftete sich sein Blick auf das in einen Ozeandampfer verwandelte Salzfaß, das sich indessen gleichsam dem Molo genähert hatte, bereit, die Passagiere aufzunehmen. »Dein Vater? Ja ... ich denke ...«, war die zögernde Erwiderung, die einen kleinen boshaften Unterton hatte; »ich denke doch; er war damals noch Staatsanwalt, und mir kommt vor, die Geschichte hat ihn erst so richtig hochgebracht. Da irr ich mich wohl kaum, das ist ziemlich sicher, er hat sich damals gewaltig ausgezeichnet, ohne ihn wär der Maurizius am Ende gar noch straflos davongekommen.« Sie schwieg, nestelte an ihrer Ärmelkrause und lachte ein bißchen verlegen; sie sah in diesem Augenblick dem um siebenundfünfzig Jahre jüngeren Enkel außerordentlich ähnlich.

Aber Etzel drängte und drängte. Mit einer sublimierten Schlauheit gab er sich die Miene, wie wenn die glühende Wißbegier, die sein ganzes Wesen durchflutete, entfacht von einer Erscheinung, zustrebend einem bang geahnten Ziel, wie wenn die bloß eine gewöhnliche Bubenneugier wäre. Er rückte seinen Stuhl näher zur Generalin, ergriff ihre Hand und legte sie an seine

Wange. Dabei bettelte er mit Mund und Auge. Die Generalin schüttelte verwundert den Kopf. »Hör mal, Junge, du bist ja total verdreht«, zankte sie, »mir scheint, du warst in der letzten Zeit heimlich im Kino und hast dich mit den Scheußlichkeiten dort um den Verstand gebracht. Es soll ja Jungens geben, die davon ganz wild werden. Übrigens, unter uns, ich geh auch manchmal hin, verrat mich aber nicht. Na, schau mich nicht so verzweifelt an, ich überlege eben, was ich noch von der Sache weiß. Beim besten Willen kann ich mich nicht mehr auf alles besinnen. So ein altes Gehirn ist ein Sieb mit großen Löchern. Ich will nicht nachforschen, woher dein Interesse stammt; es könnte mich am Ende nicht freuen. Also schön, es war eine schreckliche Affäre. Die Leute redeten wochenlang von nichts anderem. Um das Für und Wider erhitzten sie sich in allen Wirtshäusern und Klubs. Es gab Volksaufläufe; an dem Tag, wo das Todesurteil verkündet wurde, mußte Militär ausrücken. Ich war zu der Zeit in Homburg drüben, ich erinnere mich noch, der Arzt verbot mir, die Zeitungen zu lesen. Auch nachdem der Prozeß längst beendigt und Maurizius, wie hieß er denn nur mit Vornamen?, hab's vergessen, und Maurizius zu lebenslänglichem Zuchthaus begnadigt war, kam die Geschichte nicht zur Ruhe. Viele glaubten steif und fest an seine Unschuld. Vielleicht bloß, weil er selber bis zum letzten Atemzug seine Unschuld beteuert hatte. Dazu kam, daß er kein gemeiner Verbrecher war. Nein, das war er nicht. Ein Mann der Wissenschaft, manche behaupteten, eine Kapazität in seinem Fach. Manche wieder sagten, ein Windbeutel. Immerhin hatte er es trotz seiner Jugend, ich glaube, er war noch nicht sechsundzwanzig, als Kunsthistoriker schon zu Stellung und Ansehen gebracht. Ich hab sogar ein kleines Buch gehabt, das er verfaßt hatte. Ich muß es mal heraussuchen, es liegt sicher in einer von den Kisten auf dem Dachboden. Jetzt erinner ich mich auch an den Titel: Über den Einfluß der Religion auf die bildende Kunst des neunzehnten

Jahrhunderts. Hat mich interessiert damals; Religion, Kunst, darüber wurde doch in allen Salons gequatscht. Wer sollte solch einen Mann für einen Meuchelmörder halten! Ich konnt es nie recht glauben, daß er dazu fähig war. Die eigene Frau aus dem Hinterhalt in den Rücken schießen. Und unter was für Umständen! Eine verworrene Geschichte. Eine gottverlassene, jammervolle Geschichte, von der ich natürlich keinen Dau mehr behalten habe. Ich weiß nur, daß alles gegen ihn war, Menschen und Sachen. Alles zeugte gegen ihn, Menschen, Sachen, Raum und Zeit. Ein lückenloser Indizienbeweis, wie die Juristen es nennen. Das Zustandekommen dieses Beweises war das eigentliche Verdienst deines Vaters, dessen entsinn ich mich noch gut. Er war sehr stolz auf sein Werk, jung und ehrgeizig, wie er war. Ein Glockengießer kann nicht stolzer sein, wenn ihm ein schwieriger Guß gelungen ist. Er hatte gewiß alle Ursache dazu; ich stell mir vor, daß so was noch heikler ist als Glockengießen. Der alte Geheimrat Demme, der eben kein Esel war, sagte mir mal: ›Ein sauberer Indizienbeweis ist für den Kriminalisten, was die richtige Berechnung einer Kometenbahn für den Astronomen ist.‹ Das begreif ich. Bis man so weit gelangt, daß eine Tat wahrer redet als der Mensch, der sie getan hat, das ist nichts Kleines ...«

Etzel saß da und schaute. Der Mann mit der Kapitänsmütze wurde immer rätselhafter. Da er unmöglich der Maurizius sein konnte, der verurteilt war, sein Leben hinter Kerkermauern zu verbringen, so handelte es sich darum, zu erfahren, in welchem Zusammenhang er mit diesem stand. Was wollte er von ihm, was stellte er sich ihm in den Weg, musterte ihn mit bösen Schielaugen? Hatte er einen Auftrag? Eine Botschaft? Was für eine Botschaft? Wollte er ihn vielleicht als Mittler gewinnen beim Trismegistos? Zum Spion machen gegen Trismegistos? Schaurige Sache. Wenn irgendwo, da war Geheimnis. Man mußte aufpassen. Man mußte bereit sein. Jedes kleinste Zeichen war von Wichtigkeit.

Während er so saß und sann, überzogen sich seine Wangen mit einer Blässe, die sie schimmernd machten wie Perlmutter. Es erzitterte etwas in der Tiefe seines Wesens, und er duckte die Schultern wie unter einem drohenden Schlag.

»Was ist mit dir, Junge?« forschte die Generalin strengen Tons. »Du gefällst mir seit einiger Zeit nicht mehr.« Sie erhob sich elastisch, gab Etzel einen Klaps auf die Backe, und als er aufstand, schob sie ihren Arm unter seinen und ging mit ihm ins Wohnzimmer. Dort zündete sie sich eine Zigarette an, reichte auch Etzel eine, und zwar so selbstverständlich, als sei er ihr Hausfreund und teile alle ihre Gewohnheiten, dann hakte sie sich abermals in ihn ein und wanderte in dem riesigen Raum mit ihm auf und ab. »Jetzt beichte mal«, fing sie an; »was ist los? Warum siehst du aus, wie wenn dir die Hühner das Brot weggeschnappt hätten? Hapert's in der Schule? Vorigen Herbst hast du ja noch Aussicht auf den Primus gehabt. Ehrlich gesagt, darauf leg ich wenig Wert. Aus Musterschülern werden keine Mustermenschen, Sitzfleisch macht nicht Genie. Genie ist Fleiß, sagen die Deutschen. Das könnte ihnen so passen. Ich halte was von dir, du bist mein einziger Enkel, ich bin deine einzige Ahnin; hättest du ein halbes Dutzend Geschwister, so würd ich mir vielleicht einen andern unter euch aussuchen als gerade dich, denn du bist mir ein wenig zu verschlagen und ein wenig zu verdöst. Man muß viel da drinnen haben (sie deutete auf ihre Brust), wenn man so viel dahinten hat (sie zwickte ihn am Ohrläppchen). Na, ganz egal, ich hab dich trotzdem lieb, nur wird mir manchmal angst und bang, wenn ich dich ansehn.«

Sie ist eine herrliche Frau, dachte Etzel. Er lächelte zu ihr hinüber (sie waren beide fast gleich groß), blieb mit einem Ruck stehen und fragte, noch mit einem Rest jenes Lächelns, um die Bedeutung der Frage abzuschwächen: »Du, Großmama, sag mir: Wo ist meine Mutter und warum weiß ich nichts von ihr?«

Es wäre vergebliche Mühe, die komplizierte Gedankenreihe aufdecken zu wollen, die ihn zu solch gewalttätigem Einbruch in den Seelenfrieden der Generalin veranlaßte. Vielleicht ging sie von dem Mann mit der Kapitänsmütze aus und dem Bezirk, an dessen Peripherie er sich seit der Erzählung der Generalin bewegte; vielleicht war es ein natürlicher Vorgang, und es zeigte sich, auf natürliche Weise, einer von den Pfeilern, über die seine Schicksalsbrücke lief. Jedenfalls war die Generalin erstarrt vor Schrecken und fand ihn wieder einmal außerordentlich frech. Dann wurde ihre Miene höchst ärgerlich. Entschieden mißbrauchte er ihre Langmut. Nur um sie zu peinigen, hat er einen ganzen Zettelkasten mit Fragen vorbereitet. Nichts ist ihr so verhaßt, als wenn man ihr fortwährend Fragen ins Gesicht knallt. Heute das, morgen das, übermorgen ein drittes, ihretwegen; aber auf einmal das ganze Bombardement, das geht über die Hutschnur. Abgesehen davon, sie hat zu kopiös gegessen, sie muß der Ruhe pflegen, sie darf nach Tisch nicht so viel schwatzen, sie hat dann Beklemmungen und kann nachts nicht schlafen. Etzelein ist ein netter Junge und geht jetzt nach Hause. Schönen Gruß an den Vater. Empfehlungen an die Rie. Adieu. Damit schob sie ihn, überbeweglich, überberedt, ins Vorzimmer, nahm seinen Kopf zwischen ihre feinen, kühlen Hände, küßte ihn mit komisch gespitzten Lippen auf die Stirn und auf die Augen und schlug die Tür schallend hinter ihm zu.

3.

Dr. Raff ergriff die Gelegenheit, mit Robert Thielemann über Etzel zu sprechen. Er war in Sorge. Etzel ließ in seinen Leistungen bedenklich nach. Seine Unpünktlichkeit und Zerfahrenheit hatten in der letzten Zeit vielfachen Grund zur Klage gegeben. Man hatte es Etzel angedeutet. Es hatte keinen Eindruck auf ihn gemacht.

»Schade«, sagte Dr. Raff, während er mit Thielemann im Schulkorridor auf und ab ging. »Ich würde ungern zu Maßregeln greifen. Ich liebe nicht Maßregeln. Was ist los mit ihm? Wissen Sie es nicht?«

Thielemanns Kinn stieß wie ein Schnabel über den verbogenen Stehkragen vor. Die Erkundigung schmeichelte ihm; daß er keine Erklärung geben konnte, ärgerte ihn. Etzel wich ihm seit ungefähr einer Woche ebenso aus wie allen Mitschülern. Er gestand es nur zögernd. »Ich dränge mich nicht auf«, bellte er, »meinetwegen tut er, was er will. Vielleicht bin ich ihm nicht vornehm genug, und er hat zu Hause entsprechenden Befehl gekriegt.«

»Pfui, Thielemann«, sagte Camill Raff.

Der schlaksige Junge fuhr mit allen zehn Fingern durch seinen roten Schopf. Seine zänkische Geringschätzung sollte nur seine Verletztheit bemänteln. »Möglicherweise hat sein alter Herr Wind bekommen, daß ich politisch, na, wie sag ich nur schnell, nicht ganz zimmerrein bin. Das heißt, für die Nase des Herrn Barons.«

Dr. Raff unterdrückte ein ironisches Lächeln. Du guter Gott, unsere Marats und Saint-Justs! dachte er. »Es tut mir recht leid«, beteuerte er wieder in seiner alemannischen Dialektfärbung, »recht leid. Ich dachte, er hätte ein bißchen Vertrauen zu mir. Er war immer sehr freimütig gegen mich. Das hat sich geändert. Man müßte zu erfahren suchen, warum. Vielleicht holen Sie ihn bei Gelegenheit ein wenig aus. Nur keinen Trotz, Thielemann. Momentan sind Sie in der besseren Position, weil er im Unrecht ist. Halten Sie ihm den Weg offen.« Er nickte Thielemann zu und entfernte sich. Von hinten sah er aus, als ob er selbst noch Schüler wäre, klein, schlank, geschmeidig. Thielemann schaute ihm verdrießlich nach. Keinen Trotz, das gibt er gut, knurrte er vor sich hin, soll ich mich ihm etwa an den Hals werfen; Ihn kniefällig bitten, daß ich zu ihm kommen darf? Da kann er lang warten, er mitsamt seinem Andergast, an dem er scheint's einen Narren gefressen hat.

Es gibt in diesem Lebensalter unverrückbare Konventionen des Verkehrs. Sie werden um so strenger eingehalten, als sie sich ohne Worte und Abmachungen gebildet haben. Der Anlaß ihrer Entstehung ist meist ebenso zart und dunkel wie die Befolgung selbstverständlich. Solche stillschweigende Übereinkunft war, daß Etzel niemals zu Thielemanns in die Wohnung kam, sondern daß Robert ausschließlich Etzel Andergast besuchte, und nie, ohne daß er dazu von Etzel aufgefordert wurde. Nur im Thielemannschen Buchladen war Etzel ein paarmal gewesen. Hin und wieder hatte Robert eine Andeutung gemacht, aber lediglich, um den Schein zu wahren. Die Sache war die, daß er gar nicht ernstlich wünschte, Etzel möge zu ihm kommen, ja, daß er derartige Besuche geradezu fürchtete. Er hatte kein eigenes Zimmer zur Verfügung. Das Gelaß, in dem er schlief und arbeitete, teilte er mit zwei jüngeren Brüdern, mit denen er sich nicht vertrug. Das war aber nicht das Schlimmste. Es war ein Heim des Unfriedens, in dem er lebte. Zwischen Vater und Mutter herrschte beständig Hader. Sie boten ihren Kindern das triste Schauspiel von Eheleuten, die nicht zwei Minuten in demselben Raum sein können, ohne einander Bitterkeiten zu sagen und Vorwürfe zu machen. Unerträglich war für Robert der Gedanke, Etzel könne eines Tages Augen- und Ohrenzeuge davon werden. Dies erklärte zum einen Teil die Ungleichheit der wechselseitigen Beziehung. Zum andern Teil war es das Gefühl sozialer Unterlegenheit, doppelt wach und ausgeprägt bei einem ohnehin rebellisch gestimmten Gemüt. Vielfach wurzelt der Revolutionarismus eines Knaben in häuslicher Unordnung. In manchen bürgerlichen Wohnstuben ist die Zärtlichkeit seit Generationen ausgestorben. Ein Herz muß schon genial sein, damit es aus ungestilltem Hunger nach Zärtlichkeit nicht rachsüchtig wird. Geniale Herzen sind aber selten.

Etzel hat im Arbeitszimmer des Vaters das Gesuch des alten Maurizius entdeckt. Ein Begnadigungsgesuch. Peter Paul Maurizius, ehemaliger Ökonom und Gutsbesitzer, wohnhaft in Hanau, Marktstraße 17, stellt an den Herrn Oberstaatsanwalt das Ansuchen um Einleitung und Befürwortung der Begnadigung für seinen Sohn Otto Leonhart Maurizius, seit achtzehn Jahren und fünf Monaten Strafgefangener im Zuchthause zu Kressa. So die Betitelung der Schrift. Über das beschämende Bewußtsein, daß er sich zum Schnüffler erniedrigt hat, kommt Etzel mit einiger Rabulistik hinweg. Er empfindet zwar scharf das unehrenhaft Krumme des gewählten Weges, aber er rechtfertigt es durch die Umstände, die ihm keine Wahl gelassen haben. Es war ein animalisches Wittern und Aufspüren gewesen. Der Mann mit der Kapitänsmütze hat dabei eine Rolle gespielt wie der Geist im Hamlet. Gib mal gut acht bei dir zu Hause, haben seine kleinen boshaften beharrlichen Augen gesprochen, gib acht, und du wirst was finden. Bei dieser Mahnung schwebt ihm jedesmal zugleich die Briefschreiberin in der Schweiz vor. Gern möchte er den Brief lesen, insgeheim hofft er, ihn in einer Lade, einer Mappe zu finden. Gib acht, du wirst was finden, das läßt ihn nicht los. Die gebieterische Hand des Trismegistos zeigt sich in der Nacht, leuchtende Plastik in der Dunkelheit. Das Bild von der Dynamitkiste im Keller nähert sich der Wirklichkeit immer mehr. Doch gibt es noch lästigere Signale. Ein papierenes Gespensterwesen geht von dem mit Schriften und blauen Heften beladenen Schreibtisch des Vaters aus und verbreitet sich durch alle Räume. Die Aktengespenster rumoren in der Andergastschen Wohnung schon lange, nur für Etzels Ohren vernehmbar, ein raschelndes, namenloses Schattenvolk, nur für seine Augen zu sehen, die in manchen Stunden Schatten besser wahrnehmen als Körper. Seine Empfindlichkeit in diesem Punkt hat Züge von Hysterie. Es ist Gefahr vorhanden, daß die stete Beschäftigung mit Verdecktem und Verstecktem seinen Geist mit Zwangsvorstellungen füllt. Aber da er einmal als Mensch mit dem Funken in der Seele geboren ist, Gott weiß, woher ihm der kam, in dem Bezirk aufwachsend, wo menschlicher Frevel und Irrtum in allen Graden und Stufungen täglich in verruchter Unzahl zur Verantwortung gezogen, wo dem Verbrechen die Notbrücke zur Sühne geschlagen wird, über die eine ungeheure Faust den Schuldigen mitleidlos schleift, so kann er auf keinen Fall unangerührt bleiben von den Gesichten. Vermutlich haben die Aktengespenster schon seine Wiege umlagert, und ihr Gewinsel hat ihn in den Schlaf gelullt. In diesem Haus waltet das Schicksal in Konzentration, und das sollte er nicht fühlen, Membran zwischen der finstern und lichten Sphäre der Welt, die er ist?

Da geht er also, befehligt von dem beharrlichen Blick der kleinen boshaften, astigmatischen Augen durch die Zimmer der stillen Wohnung, gepeinigt von einem Namen, einer legendenhaften, umrißlosen Tat, die sich hinter dem Namen bedrohlich verbirgt wie eine schleimige Molluske hinter den schwarzen Gläsern eines Aquariums, geht von Zimmer zu Zimmer, wieder und wieder. Es ist ein Spätnachmittag Ende März, der Vater hat telephoniert, daß er abends nicht kommt, Hilde Sydow hat sich verlobt, er hat seinen Gesellschaftsanzug ins Amt bringen lassen, für Etzel gilt es, die Rie zu beschäftigen und abzulenken, mit ungemeiner List hat er ihr seine Sporthose gebracht, die einen Triangelriß aufweist, und hat an ihre Meisterschaft im Stopfen appelliert; zugleich hat er ihr das Versprechen abgeschmeichelt, daß sie ihm zum Abendessen, da sie doch beide allein sein werden, gefüllten Pfannkuchen bereiten wird. Er weiß, den bereitet sie selber zu, da läßt sie die Köchin nicht heran, sie hat ein besonderes Rezept, sie freut sich, daß der Knabe, der in den letzten Tagen wenig Appetit gezeigt hat, mit einem Feinschmeckeranliegen zu ihr kommt. »Schön, schön«, sagt sie, »dir kann geholfen werden, mein Junge«, und ist also für ein paar Stunden unschädlich gemacht. Nachdenklich steht Etzel im

Wohnzimmer, draußen beginnt es zu dämmern, rosiggrau wie eine Fahne glüht ein Stück Himmel durchs Fenster, die geschlossene Tür zum Arbeitszimmer des Vaters lockt, er öffnet sie, betritt den Raum mit den verräucherten, dunklen Tapeten und dem eklen Geruch kalter Zigarren, verharrt vor den aufgeschichteten Akten. Stapel um Stapel liegen sie da, mit grünen und blauen Deckeln, jeder Deckel hat ein ovales weißes Schild mit kalligraphischer Aufschrift. Noch nie hat er gewagt, solch ein Heft aufzuschlagen, jetzt wendet er den Deckel des obersten um, »Gnadengesuche« steht auf dem ovalen Schild, und das erste, worauf sein Blick fällt, ist der Name Maurizius. Solche Zufälle sind Naturerscheinungen, elementar und gesetzmäßig.

Die Ausführungen des ehemaligen Ökonomen und Gutsbesitzers lassen die bittstellerische Demut fast gänzlich vermissen. Ein rechthaberisch verbissener Ton fällt auf. Hinweis auf frühere Hinweise, betreffend angebliche Fehler des prozessualen Verfahrens. Wie leicht kenntlich, sind es Schlußfolgerungen eines Laien. Das Gesuch scheint ohne die Hilfe eines Anwalts abgefaßt zu sein, vielleicht, weil die fachmännischen Ratschläge zu oft fruchtlos gewesen sind und der Schreiber endlich mit seiner eigenen Logik durchdringen will. Daher die unverblümte Sprache. Was schließlich zutage kommt, ist weit entfernt von Logik, es sind leidenschaftliche Behauptungen, ein hartnäckiges Immer-wieder-Zurückgreifen auf denselben Punkt, wie wenn jemand im Finstern gegen eine versperrte Tür poltert, ein verkrampftes Aufbegehren wie aus einer Wahnidee heraus. An zwei Stellen wird der Name Waremme genannt. Es läßt sich ersehen, daß er im Prozeß als Kronzeuge fungiert hat. Der Schreiber wagt es nicht, ihn unverblümt des Meineids zu bezichtigen, aber man kann die Anschuldigung zwischen den Zeilen lesen. Noch mehr, es klingt, als sei dies längst bekannte, von niemandem mehr geleugnete Tatsache, während sie doch möglicherweise nur in der kranken Einbildung des Schreibers besteht. Entschlösse man sich gerichtlicherseits, so heißt es in dem Gesuch, die Aussagen dieses Gregor Waremme nachzuprüfen, so gäbe es noch heute, nach fast neunzehn Jahren, triftige Gründe für die Wiederaufnahme des Verfahrens. Vielleicht falle dann auch auf eine gewisse Dame, Unseligste aller Unseligen, die zu nennen überflüssig sei, ein von dem bisherigen verschiedenes Licht. Die Worte »Unseligste aller Unseligen« waren zweimal unterstrichen und mit zwei eingeklammerten Ausrufezeichen versehen, woraus allein schon erhellt, wie wenig sich der Verfasser auf die Niederschrift eines amtlich einwandfreien Dokuments verstand. Der Leiter der Oberstaatsanwaltschaft hatte ja auch bereits mit Rotstift quer darunter geschrieben: »Zur Begnadigung ungeeignet, Andergast.« Der ehemalige Ökonom und Gutsbesitzer hat keine Ahnung, wie man sich vorteilhaft insinuiert; zehn Zeilen weiter erklärt er sich bereit, dem Gericht mitzuteilen, wo sich der Zeuge Waremme, der bisher als verschollen gegolten hat, nunmehr aufhält, läßt also durchblicken, daß er sozusagen auf eigene Faust polizeilich tätig gewesen ist, welche dilettantische Einmischung kaum geeignet sein kann, seine Glaubwürdigkeit in den Augen der kompetenten Behörde zu erhöhen.

Zum Schluß aber erhebt er sich zu theatralischer Rhetorik. Ist etwa dieser Peter Paul Maurizius eine Art religiöser Sektierer, der sich in dem naiven Glauben befindet, durch eine feierliche Evokation im biblischen Stil Eindruck auf ein preußisches Gericht zu machen? Abseits von der Lächerlichkeit der Anmaßung liegt jedoch eine unüberhörbare Wahrheit in der bombastischen Beschwörung, eine subjektive wenigstens, und da eben ist es Etzel zumut wie Hamlet, wenn aus dem Innern der Erde der Geist des Vaters zu ihm redet. Sprich, armer Geist, sagt er mit kummervoller Bestürzung. In sein Hirn ätzen sich die Worte ein, er weiß, er wird sie niemals vergessen, er wird sie zitieren können, wenn man ihn zu Mitternacht aus dem Bett reißt und ihn danach fragt, mechanisch wird er sie herplappern wie eine auswendig gelernte Stelle aus dem Bellum Gallicum: »Bei Gott und seinen heiligen Heerscharen, es ist ein Unschuldiger, der seit mehr als achtzehn Jahren lebendigen Leibes im steinernen Grabe des Zuchthauses vermodert. Er hat die Tat nicht getan, für die er ist verurteilt worden; und wenn er sie hundertmal gestanden hätte, wie er sie nicht gestanden hat, und wenn die Inzichten noch so verdammlich gegen ihn gesprochen haben, unschuldig ward sein Leben in der Blüte geknickt, unschuldig hat er das Büßerjoch auf sich genommen, das will ich künden, und dafür steh ich ein, solang noch Menschenatem in meiner Brust ist.«

Sprich, armer Geist ...

Törichte Finten, die Etzel in den folgenden Tagen anwandte, um die ihn beobachtenden Blicke über sich zu täuschen. Mit demselben Aufgebot an Kraft und List hätte er auch weiterhin ein zufriedenstellender Schüler sein können, statt derart zu erlahmen, daß seine Lehrer die Köpfe über ihn schüttelten. Aber das gerade vermochte er nicht. Was er bis zu einer gewissen Stunde eines gewissen Tages gewesen, dünkte ihn alt und unnütz. Es hatte sich etwas in ihm ereignet, wofür ihm selbst das Gleichnis und der Maßstab fehlten. Wenige Tage nach dem Gespräch zwischen Thielemann und Dr. Raff begannen die Osterferien, dadurch gewann er Zeit und konnte sein Verhalten für eine Weile der öffentlichen Kritik entziehen. Es blieb nur übrig, den Vater und die Rie hinters Licht zu führen, indem er den Unbefangenen spielte, den Gutgelaunten, den Aufgeweckten. Wenn er über den Flur schritt, pfiff er ein Liedchen vor sich hin; auch in seiner Stube hörte man ihn leise singen; wenn ihm die Rie begegnete, lachte er sie vergnügt an; richtete sie eine Frage an ihn, so antwortete er munter; beim Zusammensein mit dem Vater hatte er eine ganz besonders willige und gelehrige Miene des Zuhörens und eine Art, mit herzlichem Eifer zuzustimmen, mit leuchtenden Augen stummen Beifall zu spenden, ein beflissenes »Danke, ja, danke, nein« zu sagen, als trüge er sich nicht im entferntesten mit Absichten, die diesem heuchlerischen Artigkeits- und Mustersohnswesen dergestalt zuwiderliefen, daß ein mit den menschlichen Verfehlungen und überraschenden Zusammenbrüchen von Charakteren so gründlich vertrauter Mann wie Herr von Andergast bei der bloßen Andeutung an eine aberwitzige Verleumdung geglaubt hätte. Doch wenn nicht immerfort das scheinbar Unmögliche Ereignis würde, könnte ja jeder zu jeder Zeit auf das Mögliche gefaßt sein, und das Leben wäre eine einfache Sache. Vorläufig ruhte alles noch im Keim, vielleicht wußte der Knabe selbst noch wenig davon; was ich soeben als Heuchelei bezeichnet habe, war Frucht des Beschlusses, mit sich allein zu Rande zu kommen, das Dunkle mit dem Verstand aufzuhellen und sich keiner Gefühlsverschwommenheit und keiner Schwärmerei schuldig zu machen. Aber trotz aller »Orientierung nach der Seite der Geistesfreiheit«, wie er das in treuherziger wissenschaftlicher Trockenheit nannte, konnte er nicht verhindern, daß er während einer Unterrichtsstunde wie in ein tiefes Wasser hinuntersank, worin er mit allen seinen »aufhellenden« Gedanken ersoff, daß das halbtagelange Auf-der-Bank-Sitzen und sich einer Gegenwart gehorsam anpassen, die ihm auf einmal nicht mehr Raum bot als eine Erbse, schließlich doch über seine Kraft ging. Ja, auf einer Erbse hätte er eher Raum gehabt als in diesen Stuben, bei diesen Männern, mit dieser aufkeimenden, ungeheueren Pflicht in seiner Brust. So kam es, daß er auf der Straße pedantisch die Saumsteine des Gehsteigs entlangschritt, ohne von der schmalen Linie abzuweichen, nur weil er das »Denken« ersticken wollte, weil »Denken« vorerst zu nichts führte. Alleebäume wurden gezählt, gerade Zahl bedeutete: abwarten, ungerade: keine Zeit verlieren. Aber warten? worauf? Keine Zeit verlieren: in welcher Hinsicht? Was sollte getan werden? Was zunächst? Was später? Was konnte überhaupt getan werden? Wer wußte darüber Bescheid? Von wem war Rat zu holen? Wem konnte man sich anvertrauen? Wer würde nicht lachen, sich ausschütten vor Lachen und sagen: Unsinn, Junge, was ficht dich an! Was nimmst du dir heraus! Du bist wohl närrisch geworden, sieh zu, ob dein Hirnkasten kein Loch hat! Also im Ernst, wer war da, an wen sich wenden? Es ließ sich vorstellen, daß ein sehr edles junges Weib verstehen würde, was er wollte und vor welche Entscheidung er mit unabwendbarer Notwendigkeit langsam gedrängt wurde. Doch er kannte kein sehr edles junges Weib. Die Welt, die er kannte, war in dieser Beziehung entgöttert; was ihm an Frauen und Mädchen vor Augen kam – die Großmutter ist ohne Geschlecht –, war so verächtlich wie die Wachsköpfe in den Friseurauslagen. Es ist, in diesem Betracht, eine armselige Welt, eine männische Welt, in der kein Orpheus da war, um Eurydike von Hades und Persephone loszubitten. Jedoch man braucht Beistand, Rückhalt, Belehrung, praktischen Behelf, sonst wird alles total vernunftlos und findet sein Ende noch vor dem Anfang. Und Etzel marschiert in seiner Stube auf und ab, die linke Faust gegen die Brust gedrückt, die rechte Hand in die Hosentasche versenkt und mit Taschenmesser und Schlüsseln klappernd wie ein Kassenbeamter; er überlegt, sein Gehirn glüht und arbeitet in Bildern, obwohl er von ihm fordert, daß es ausschließlich logische Gedanken produziert. Es gelingt aber nicht immer, das Denkinstrument zu seinen naturgegebenen Funktionen zu zwingen. Er rechnet aus, daß achtzehn Jahre und fünf Monate zweihunderteinundzwanzig Monate sind oder annähernd sechstausendsechshundertdreißig Tage, notabene sechstausendsechshundertdreißig Tage und sechstausendsechshundertdreißig Nächte. Man muß das trennen, Tage sind eines, Nächte sind ein anderes. Aber bei diesem Punkt des Exempels sieht und faßt er nichts mehr, übrig bleibt nur eine nichtssagende Ziffer, es ist, als stehe er vor einem Ameisenhaufen und schicke sich an, das krabbelnde Geziefer zu zählen. Er will sich vorstellen, was es bedeutet: sechstausendsechshundertdreißig Tage, er will sich den Begriff verschaffen. Er denkt sich also ein Haus mit sechstausendsechshundertdreißig Treppenstufen; zu schwer. Eine Zündholzkiste mit sechstausendsechshundertdreißig Zündhölzern; hoffnungslos. Einen Geldbeutel mit sechstausendsechshundertdreißig Pfennigen; es gelingt nicht. Einen Eisenbahnzug mit sechstausendsechshundertdreißig Waggons; es wird nicht wirklich. Ein Buch mit sechstausendsechshundertdreißig Blättern (wohlgemerkt: Blättern, nicht Seiten; die Seiten jedes Blattes entsprächen dann dem Tag und der Nacht). Hier kann er zu einer Anschauung gelangen; er holt einen Stoß Bücher aus dem Regal; das erste hat hundertfünfzig Blätter, das zweite hundertfünfundzwanzig, das dritte zweihundertzehn, keines mehr als zweihundertsechzig, er hat es überschätzt, er stapelt dreiundzwanzig Bände aufeinander und kommt dann erst auf viertausendzweihundertzwanzig Blätter. Da ließ er es, mit staunenden Augen. Und zu denken, daß jeder Tag, der ihm verging, auch dort einen hinzutat! Sein eigenes Leben, es betrug kaum fünftausendneunhundert Tage, und wie lang kam es ihm vor, wie langsam floß es dahin, eine Woche war oft wie ein mühseliger Marsch auf der Landstraße, mancher Tag klebte wie Pech am Leib, man kriegte ihn nicht los, und das Gleichzeitige nun: während er schlief und las und zur Schule ging und seine Spiele trieb und mit Menschen redete und dies und jenes plante und es Winter war und Frühling war, die Sonne schien oder Regen fiel, der Abend kam, der Morgen kam, während alledem war auch Er dort mit derselben Zeit, in derselben Zeit, immer, immer, immer dort. Etzel war noch gar nicht geboren (unendlich geheimnisvolles Wort plötzlich: geboren!), da war er schon dort, jener, der erste Tag, der zweite Tag, der fünfhundertste Tag, der zweitausendzweihundertsiebenunddreißigste Tag: Etzel macht eine Gebärde, als schüttle er zwei eisern klammernde Hände von seiner Schulter ab, schaut zornig, ungeduldig, wild um sich herum, ergreift das Lineal aus Ebenholz und fängt an zu »dirigieren«. Es ist eines von seinen Spielen. Als achtjähriger Junge schon hat er eine Vorliebe dafür gehabt, jetzt verfällt er nur noch selten darauf, nur wenn er einmal uneins mit sich ist und einer niederschlagenden Stimmung nicht Herr werden kann. Er betrachtet es als einen Atavismus, Rückkehr in infantile Betätigung und verfällt dann in einen Katzenjammer wie nach einer Sauferei. Das Dirigieren besteht darin, daß er aus voller Kehle eine selbstkomponierte, das heißt aus allen möglichen Melodienreminiszenzen zusammengestoppelte Symphonie brüllt, die Holzbläser, die Pauken, das Blech, die Kontrabässe nachahmt und dazu mit Feuer und Ergriffenheit das Lineal als Taktstock schwingt. Er ist das Orchester, er ist die Musik, er ist der Führer, und die tobende Begeisterung, in die er sich hineinsingt und -schreit, zieht endlich die Rie herbei, die ihn verdrießlich zur Ruhe mahnt, das läppische Wesen nicht fassen kann und ihn darauf aufmerksam macht, daß jeden Augenblick der Vater nach Hause kommen wird. Schweißbedeckt, mit hochrotem Kopf, das Lineal noch in der aufgehobenen Hand, starrt er sie an, als erkenne er sie nicht; dann sagt er unmutig und betreten: »Mach die Tür zu, Rie, der Flur ist voll Zwiebelgeruch, da wird mir schlecht.«

Am andern Nachmittag, gegen vier Uhr, es war ein Mittwoch, erschien er unerwartet in der Thielemannschen Wohnung. Er ließ sich in Roberts Stube weisen, und plötzlich stand er vor dem verdutzten Freund, der ihn nicht einmal zur Tür hatte hereinkommen hören. Es war gut, daß Robert bei seinen Schularbeiten saß; für diese Zeit war ihm das Zimmer allein überlassen, ein unbehaglich großer fünfeckiger Raum, dessen zwei Fenster auf den engen Hof gingen und der infolgedessen so finster war, daß man schon am Nachmittag Licht anzünden mußte. Thielemann brauchte eine Weile, um seiner Verblüffung Herr zu werden; da Etzel noch nie bei ihm gewesen war, ergab sich eine neue Situation, abgesehen davon, daß er Ursache hatte, Etzel wegen seines unerklärlichen

Benehmens in der letzten Zeit zu zürnen. Dazu kam, daß heute eine gewittrige Luft im Hause herrschte; Robert wußte selbst nicht recht, was eigentlich vorging; bei Tisch waren die Eltern in eisigem Schweigen gesessen, keiner der drei Brüder hatte den Mund aufzutun gewagt, mit dem letzten Bissen war Herr Thielemann aufgestanden und fortgegangen, die Frau hatte sich in ihr Zimmer begeben, ohne die Söhne eines Blicks zu würdigen, vor einer halben Stunde war der Vater wiedergekommen, gegen seine sonstige Gepflogenheit, er spielte gewöhnlich bis halb fünf Uhr im Kaffeehaus Billard und ging dann ins Geschäft. Er befand sich im Wohnzimmer; bisweilen verließ er es, schritt über den Korridor und schmiß krachend eine Tür zu, dann war es wieder ruhig; doch Robert traute der Ruhe nicht, er wußte, daß der Sturm jeden Augenblick losbrechen konnte. Fatal, daß Andergast gerade an einem solchen Tag kommen mußte, es gab auch bessere Tage, wo man nicht so auf heißen Kohlen saß. Er konnte kein Wort hervorbringen, verlegen suchte er nach dem Löschblatt und steckte den Federhalter hinters Ohr, eine Gewohnheit, die Etzel verhaßt war, weil sie ihn einem Kommis in einem Schnittwarenladen ähnlich machte, das hatte er ihm oft gesagt. Aber Robert hatte nicht die Absicht, Etzel zu gefallen. Es sollte nicht so sein, wie wenn nichts gewesen wäre. Er zwinkerte mit den Augen und schaute beflissen in die brennende elektrische Birne, die nackt und schirmlos am Kabel von der Decke hing. Was er dabei, mittels einiger scheuer Seitenblicke, von Etzel wahrnahm, stimmte ihn wieder versöhnlich. Weiß der Teufel, wie der Knirps das anfängt, dachte er, kaum ist er da, vergißt man, daß man was gegen ihn hat. »Ist was passiert?« fragte er, indem er den Blick durch die Stube wandern ließ, als wolle er sich vergewissern, ob der Raum nicht einen gar zu abstoßenden Eindruck machte und der Kontrast zu Etzels gemütlicher Stube für diesen nicht so fühlbar war wie für ihn selbst. »Ist was passiert?« wiederholte er, »du siehst für deine Verhältnisse so struppig aus ...« Schon trat die unwillkürlich rücksichtnehmende Zärtlichkeit in seiner Stimme hervor, er nahm es zu seinem eigenen Verdruß wahr, die seine Beziehung zu Etzel von der zu jedem andern Kameraden unterschied.

Etzel holte Atem. »Ich bin schnell gegangen«, sagte er und setzte sich etwas schüchtern Robert gegenüber an den Tisch. »Ich wollte eine Sache mit dir besprechen. Das heißt, wenn du Zeit hast. Nicht viel, ich hab auch nicht viel, um fünf soll ich zu Haus sein. Nur ... es ist eine verdammt heikle Sache ... du mußt schweigen können, Thielemann. Hier hört uns doch niemand, wie?« Er sah sich forschend um. Seine Lippenwinkel zuckten wie bei einem Kind, dem man sein Spielzeug zerbrochen hat und das seitdem die Feindseligkeit der Welt erkannt zu haben glaubt. Es war immer so bei ihm, welches auch seine Erlebnisse sein mochten, und so gereift und entschlossen er sich auch dazu stellte, etwas in seinem Wesen wirkte achtjährig.

»Leg nur los«, sagte Robert, unsicherer, als er sich zeigen wollte, »Lauscher gibt's hier keine.«

Etzel, die flachen Hände zwischen die Knie gepreßt, dachte mit zusammengezogenen Brauen nach. Er wußte nicht, wie er beginnen sollte. Er beugte sich vor, und seine unfertige, nur in der Mittellage bereits männlich klingende Stimme möglichst dämpfend, sagte er, im allgemeinen sei es ihm zuwider, wenn Jungens über ihre häuslichen Angelegenheiten schwatzten, es sei die Art der Mädels. Aber da er momentan in einer verzwickten Lage sei und keinen näheren Freund habe als Thielemann, habe er den Plan gefaßt, sich an ihn zu wenden. Eigentlich wolle er nur Antwort auf eine Gewissensfrage haben. Es gelte nicht, etwas zu bedenken und lang und breit zu bequatschen, Thielemann solle nur nein oder ja sagen, ganz aus seinem Instinkt heraus. Es handle sich um seine Mutter. Es handle sich um das Verhältnis oder vielmehr nichtexistierende Verhältnis zwischen seinem Vater und seiner Mutter, das sich in der letzten Zeit zu einem peinlichen Konflikt für ihn selbst gestaltet habe. »Verstehst du, Thielemann?« fragte er mit einem hellen, freundlichen Blick. Robert zuckte zusammen. »Keine blasse Ahnung«, murmelte er mit einer Bewegung, als sei er unter das Wasser einer Dachtraufe geraten. Sein Gesicht wurde finster, er war auf solche vertrauliche Eröffnung durchaus nicht gefaßt und empfand sie wie Hohn, da er völlig unter dem Druck der Zwietracht in seiner eigenen Familie stand, der Bitterkeit über das jahrealte Übel, den Unfrieden, die Zerklüftung. Vater und Mutter, zwei haßerfüllte Parteien, jeder des andern Verächter, Verfolger, Verwünscher, jeder in trostloser Verblendung bemüht, auch die Kinder, die Söhne, zur Partei zu machen. Der Argwohn quälte ihn, daß Etzel von diesem unwürdigen Zustand unterrichtet und dadurch erst ermutigt worden war, auch seine häusliche Misere auszukramen, aus Mitleid gleichsam, und dagegen bäumte sich der kleinbürgerliche Stolz in ihm. So vertrackt arbeiteten seine angekränkelten Gedanken, so unordentlich sah es in seinem Gemüt aus. Zu seiner Entschuldigung ist allerdings zu bemerken, daß er eben nicht sonderlich intelligent war, nur gutherzig und entflammbar. Seine Augen hatten einen armen, hungrigen Blick, während er Etzel prüfend ansah; er konnte nicht vergessen, was draußen in der Wohnung sich vorbereitete; aber während er seine unruhig horchende Zerstreutheit zu beherrschen suchte, schwand das Mißtrauen gegen den Freund, und die Erwägung, daß Etzel heute zum erstenmal davon redete, rührte ihn plötzlich bis zu Tränen. »Werd es schon verstehen, Kleiner«, sagte er, »quetsch dich nur aus.«

Etzel nickte. »Hör zu«, sagte er. Er kennt seine Mutter nicht. Er hat auf direktem Weg nie von ihr gehört, auf indirektem nur das Dürftigste. Er weiß nicht einmal ihre Adresse, weiß nur, daß sie in Genf in der Schweiz wohnt oder bis vor kurzem gewohnt hat. Ob gesund oder krank, reich oder arm, allein oder nicht allein, weiß er nicht. Er weiß nicht, warum er nichts von ihr weiß und wissen soll. Er weiß nicht, ob sie schön oder häßlich, alt oder jung ist. Er hat kein Bild von ihr, weder ein inneres, da es zu lange her ist, daß sie aus seinem Leben verschwunden, und da jede Erinnerung, was er sich nicht erklären kann, erloschen ist, noch ein äußeres, Photographie oder Porträt. Es gibt nichts dergleichen, man hat sie sozusagen ausradiert. Warum? Er kann nicht aufhören zu fragen: warum? Gewiß hat sie nicht freiwillig auf die Verbindung mit ihm verzichtet; was aber konnte sie dazu gezwungen haben? Eine begangene Sünde; das Gefühl einer Schuld? Man hat nie gehört, daß Mütter ihre Kinder deshalb im Stich lassen oder vergessen. Es steckt also der Vater dahinter. Ihn zu fragen, ist ausgeschlossen. Man wäre zwei Sekunden danach, ohne daß man es merkt, vor die Tür gesetzt. Die Rie kommt nicht in Betracht. Die Großmutter, scheint es, ist aus einem Grund, den er nicht kennt, zum Schweigen verhalten. Jemand anders zu fragen, verbietet sich anständigerweise. Es liegt somit eine Verschwörung vor, ein richtiges Komplott. Im Mittelpunkt der Verschwörung oder Abmachung, wie man es nennen will, sitzt der Vater. Er hat die Anstalten getroffen, er hält die Fäden in der Hand. Er schaltet alles aus, was ihm nicht paßt, Wissen, Fordern, Forschen. Er ist so und er will es so, und weil er die Macht hat, geschieht es so. Etzel empfindet es als ein ihm zugefügtes Unrecht. Er schwankt, ob er sich den Maßnahmen noch länger unterwerfen soll. Bisweilen hält er es für ein inneres Gebot, den um ihn aufgerichteten Damm zu durchbrechen; es dünkt ihn auch notwendig, um eine fehlende Balance in seinem Leben herzustellen. Er macht einen sonderbar geistreichen Vergleich. Es ist ihm zumut, sagt er, als hätte er von einem Klavierstück bisher nur den Teil gespielt, den die linke Hand zu spielen hat, den Baß; er weiß wohl, daß er das gleichzeitige Spiel beider Hände niemals hören wird, aber er möchte auch einmal die rechte Hand spielen hören, damit er sich das Ganze wenigstens innerlich zusammensetzen kann. Die Schwierigkeit ist aber die, daß er den Vater ungern hintergehen möchte; er möchte sich nicht schnöde betragen; er anerkennt die Pflicht, die man als Sohn hat, Gehorsam und Rücksicht sind ihm bis zu einem bestimmten Grad keine leeren Worte, der Vater hat in seiner Weise für ihn gesorgt, hegt in seiner Weise wahrscheinlich auch Sympathie für ihn, man kann nicht so ohne weiteres über ihn hinweggehen, dazu ist er zu groß, zu bedeutend, zu sehr Er. »Nun, sag du, Thielemann«, Etzel erhebt sich ziemlich ungestüm, und in seinen Augen ist wieder das fließende bronzene Funkeln, »sag du, was ich tun soll. Du bist ein gerechter Mensch. Du fühlst gerecht und denkst gerecht. Darauf kommt's nämlich an. Sag: Soll ich mich als gebunden betrachten, soll ich bei ihm aushalten, bis es ihm eines Tages paßt, mir zu sagen: so und so, das und das, wähle, geh nach Links, geh nach rechts, bleib in der Mitte, jedenfalls weißt du jetzt, was die Glocke geschlagen hat. Das wird ja nie sein. Nie wird so was über seine Lippen kommen. Schön. Soll ich mich also gar nicht darum kümmern, soll ich mich auf meine zwei Beine stellen und tun ... na ja, was da zu tun ist, brauchen wir ja jetzt nicht zu besprechen. Was es sein wird, weiß ich heute noch nicht, aber man muß bei solchen Sachen parat sein. Wozu rätst du mir also, Thielemann? Besinn dich nicht. Du kennst doch das Spiel: der Tisch – fliegt, der Vogel – fliegt, da heißt's: schnell den Finger hoch! Sag schnell, was du meinst.«

Es war eine ungemein einleuchtende Auseinandersetzung, vernünftig und beredt. Es steckte die ganze Klarheit, Furchtlosigkeit, Aufrichtigkeit eines jungen Menschen darin, der sich von seinen moralischen Einsichten nichts abfeilschen läßt. Es war eine Frage, die vielleicht nicht allein an Robert Thielemann gerichtet war – der mochte nur der Vorwand und zufällige Vertreter sein –, sondern an die Kameraden überhaupt, an den Geist der Kameradschaft, an die Umwelt und schließlich an sich selbst. Es mochte die Überlegung zugrunde liegen: Wenn ich einmal die Frage knapp und richtig formuliert habe, kann ich mir nachher nichts mehr vorschwindeln. Es kam nur darauf an, den Mut zu der Frage zu finden, das war das Schwerste. Einmal in einer Sache mutig gefragt, hieß für Etzel, Schwungkraft und Freiheit zu Handlungen zu gewinnen, die mit der einen besonderen Frage gar nichts mehr zu schaffen hatten. Das vor allem andern muß hier betont, förmlich in Sperrdruck vermerkt werden, schon wegen der versteckten Vielschichtigkeit dieses Charakters, bei all seiner fast lieblichen Einfachheit.

Robert Thielemann hatte es nicht so eilig mit der Antwort. Er stand schwerfällig auf, trabte mit schweren Stiefeln um den Tisch herum, fuhr mit den Fingern in den roten Schopf, murkste und räusperte sich, bevor er sich vernehmen ließ: »Das hat einen Herzbezug und einen Gehirnbezug. Zwei ungleiche Gäule. Ich kann nicht wissen, welcher besser läuft. Du bist gewissermaßen in Seide geboren. Seide zerreißt sich schwerer als Sackleinwand. Bist ein verdammt feiner Kerl, schleppst aber doch zu viel Vorurteile oder Traditionen, oder wie du das Zeug nennen willst, mit dir herum ...«

Etzel hörte gar nicht mehr zu. Er lächelte still. Es war ein kluges, nachsichtiges, enttäuschtes Lächeln. Beim »Aber« hatte er angefangen zu lächeln. Sobald einer aber sagt, kann ich ihn nicht brauchen, dachte er, setzte sich wieder hin, nahm ein Blatt Papier und einen Bleistift und zeichnete ein Pferd mit einem Hirschgeweih, das mit den Vorderbeinen aufgeregt in der Luft zappelte. Thielemann hatte ein Gefühl wie in der griechischen Stunde, wenn er die Examensarbeit mit einem Ungenügend zurückbekam. Seine Stirn bedeckte sich mit Röte. »Ich will dir mal was sagen«, begann er geheimnisvoll und beugte sich zu Etzel hinab, »sie sperren uns in den Brotkorb, das ist der Trick. Sie haben keinen Dunst, wie es in uns aussieht. Es ist ein Kannä, und sie halten noch bei Benevent.

Sie wissen nicht, was ihnen bevorsteht. Alles verstunken und versaut. Aber sie haben den Brotkorb in der Gewalt, und damit beherrschen sie die Lage. Ich möchte einen Riß durch das Ganze machen, weißt du, so!« Er ergriff das Blatt, auf dem Etzel noch lächelnd kritzelte, und riß es zornig mitten entzwei.

In diesem Augenblick klang das Kreischen einer Frauenstimme herein und gleichzeitig die wütend-polternde eines Mannes. Es dauerte kaum drei Sekunden, dann wurde eine Tür zugeschmettert. Eine Atempause lang war es still, dann wurde die Tür zweifellos wieder geöffnet, denn die Stimme der Frau schrie noch lauter als vorher, halb jammernd, halb keifend und sich in der Höhe förmlich überschlagend. Der Mann antwortete, aus etwas größerer Entfernung als das erste Mal, mit greulichen Schimpfworten und Drohungen. Etzel sprang auf. Er dachte, es sei ein Unglück geschehen. Er wollte zur Tür hin, jedoch Robert packte ihn an der Schulter, hielt ihn fest und raunte ihm mit verzerrter Miene, seine Hauerzähne bleckend, heiser zu: »Rühr dich nicht, oder du kriegst es mit mir zu tun.« Da war es also, was er bis zum Zittern gefürchtet, was er hatte verdecken wollen wie einen ekelhaften Ausschlag auf der Stirn, was ihm Pranger war und seine Jugend finster machte wie einen Keller. Er und Etzel standen zwei Schritte von der Tür entfernt, er hielt Etzel noch immer an der Schulter, sein Gesicht war so fahl, daß die Sommersprossen darauf fast schwarz aussahen, wie Schmutzspritzer auf einem Stück Pergament. Etzel hatte die Augen niedergeschlagen, und während er auf das widrige Gezänk lauschte, begriff er die Not seines Freundes. Er wagte Robert nicht anzuschauen; da hörte der Lärm so jäh auf, als wären die zwei Stimmen von einem Sandhaufen erstickt worden; eine Viertelminute war es ruhig, dann fing unerwartet jemand an, auf einem greulich verstimmten Klavier einen Walzer zu spielen. Daran war nichts Besonderes, es war einer von Roberts Brüdern, der sich in der Wohnstube musikalisch erging; jedoch die Aufeinanderfolge, erst das wüste Spelunkengebrüll und unmittelbar darauf die läppische Walzermelodie, bewies eine so rohe Unempfindlichkeit des Spielers, daß Etzel in das Leben der Familie wie in ein aufgeschlagenes Buch sah. Er reichte Robert zaghaft die Hand und flüsterte: »Ich geh jetzt, Thielemann, hab mich sowieso verspätet, leb wohl.« Damit war er schon draußen, schlich scheu durch den Korridor und sprang die Stiege hinunter. Gemein von mir, so fortzurennen, überlegte er, während er auf der Feyerleinstraße im Regen marschierte und mit verzogenem Mund in den Himmel schaute; aber wär' ich länger geblieben, hätt' es ihn auch nicht gefreut.

Er ging langsamer, in Gedanken versunken. Nach einer Weile blieb er mit einem Ruck stehen. Er preßte beide Hände an seine Brust, das Herz begann heftig zu schlagen, und er sagte laut: »Es nützt nichts, ich krieg nicht eher Ruhe, als bis ich bei dem Alten draußen in Hanau gewesen bin.«

Er wollte schon am Donnerstag hinausfahren, verschob es aber auf den Freitag, weil an diesem Tag sein Vater an einem Herrenabend teilnehmen mußte. Er sagte zur Rie, er gehe ins Kino, sie möge ihm ein belegtes Brot auf seinen Tisch stellen; wenn er später heimkomme, solle sie ihn nicht verraten, bis acht sei er jedenfalls wieder da. Es wurde aber beinahe neun Uhr, da er den alten Maurizius nicht gleich in seiner Wohnung traf, erst als er nach einer Stunde zum zweitenmal hinging. Ein Hausbewohner sagte ihm, der Alte sei in der Wirtschaft zum Hasen, um die Ecke, Etzel schaute zu den Fenstern hinein, erblickte aber den Gesuchten nicht. Er patrouillierte vor dem langgestreckten Gebäude in der Marktgasse auf und ab; und es war schon sechs Uhr, als er den Mann mit der Kapitänsmütze endlich kommen sah. Die Wohnung des Alten befand sich im Hoftrakt, man mußte auf einer hühnerleiterähnlichen Stiege, die außen an der Mauer angebaut war, den ersten Stock erklimmen, dann ging es auf einer engen Holzgalerie bis zu einer Tür, die unmittelbar in zwei ungemütliche Stuben führte. Neben der Tür war ein Klingelzug, unter dessen Handgriff ein Messingschild mit der Inschrift »P. P. Maurizius, Gutsbesitzer a. D.« befestigt war. Bei der Begegnung auf der Straße hatte Etzel den Hut vor ihm abgenommen, doch Maurizius hatte den Gruß nicht beachtet, offenbar geschah es selten, daß ihn jemand grüßte, er hatte wohl wenig Bekannte in der Stadt. Etzel folgte ihm in den Hof, wartete, bis er auf der Galerie oben verschwunden war, dann ging er ihm nach, pochte leise an der Tür, da sich nichts rührte, zog er an der Klingel, hörte aber kein Signal, die Glocke schien zu fehlen, nun klopfte er herzhafter, worauf der Alte endlich öffnete. Mißtrauisch musterte er den Besucher. Ohne Kopfbedeckung sah er so verändert aus, daß Etzel anfangs dachte, es sei nicht derselbe Mann. Der Schädel erinnerte in seiner Schmalheit an einen Flintenkolben, durch ein paar spärliche, mehlweiße Borsten leuchtete abschreckend eine rote Beule wie ein Glühlicht. Es ist ungewiß und ließ sich auch nie feststellen, ob er den jungen Menschen, den er ein paar Tage lang so hartnäckig verfolgt hatte, beim ersten Anblick wiedererkannte. Aus seiner Miene war es nicht zu entnehmen. Etzel sagte: »Ich möchte mit Ihnen sprechen«, und der Alte lud ihn ein, ins Zimmer zu treten, wortlos, nur mit einem Brummen und einer Handbewegung. Drinnen nannte Etzel seinen Namen, Maurizius nickte, schien keineswegs erstaunt; man hätte denken können, Etzel sei ein täglicher Besucher. Der Alte deutete mit dem steifen linken Arm auf einen Stuhl, nahm eine blecherne Tabakschachtel aus der Tischlade und begann die kurze Pfeife zu stopfen. An der Ausstattung des Zimmers war nichts Auffälliges, es war eine Kleinbürgerstube mit Tisch, Kommode, Kleiderschrank, schräg hängendem Spiegel, alles billige Basarware; das einzige Besondere waren Stöße von alten Zeitungen auf einem rohen Bretterständer, zwei bis drei Dutzend mit Bindfäden verschnürte Pakete, die an der Seite mit Blaustift beschriebene Zettel trugen: 1905, 1906, 1907; Voruntersuchung, Verhandlung erster Tag, Verhandlung zweiter Tag usw., ausländische Stimmen, juristische Gutachten, psychiatrische Gutachten und so weiter. Auch Broschüren waren darunter, sämtliches gedruckte Material, wie sich bald ergab, über das Verbrechen und den Prozeß seines Sohnes.

»Hab ja mal wieder eine Eingabe gemacht«, begann Maurizius, indem er sich auf dem mit schwarzem Wachstuch bezogenen, an den Rändern mit weißen Porzellannägeln versehenen Wandsofa niederließ und unter krampfhaften Muskelzuckungen an seiner Pfeife sog, »damit sich die hohe Oberstaatsanwaltschaft nicht aufs Ohr legt. Freilich, es ist, wie wenn man in den Wind spuckt. Hat Sie wer geschickt, junger Herr? Oder kommen Sie von selber? Was, zum Teufel, hat Sie dazu bewogen? In früheren Jahren sind viele gekommen. Noch im Jahre neun ging's manchmal zu wie bei einem Modedoktor. Jeden Tag Audienzen. Schriftsteller, Advokaten, Spiritisten, Redakteure. Sogar aus Amerika. Seit zwölf, dreizehn Jahren ist's still geworden. Auch auf den Schlachtfeldern wird's still, wenn Frieden geschlossen ist, mag's noch so ein Scheißfrieden sein. Was wollen Sie, junger Herr? Soviel ich sehe, sind Sie ein verdammt junger Herr.«

Seine Stimme erinnerte an das Gekrächz einer Krähe, doch sprach er nicht laut, nur einzelne Worte stieß er heiser bellend hervor und zog den Mund weit auseinander, so daß die graugrünen Backenbartbüschel, hinter denen die scheußlich nackten Ohrlappen starrten, direkt aus dem Rachen zu wachsen schienen. Etzel gab zu, daß er jung sei, nannte auch sein Alter, fügte aber die etwas dreist klingende Bemerkung bei, er habe sich bis jetzt nicht überzeugen können, daß die Jahre allein genügten, um die Welt vor Dummheit und Gemeinheit zu bewahren. Maurizius warf ihm einen verdrießlichen Blick zu, dann kicherte er in sich hinein, und das Kichern ging in einen lang währenden Hustenanfall über, der erst nach ausgiebigem Spucken endete. Etzel ekelte sich, doch verbarg er seinen Widerwillen und sagte, mit liebenswürdigem Versuch, einen unbefangenen Konversationston herzustellen, Herr Maurizius möge ihm also seine Jugend nachsehen. Es sei in ihm, er wisse selbst nicht wieso, der Wunsch entstanden, über die Angelegenheit Maurizius die Wahrheit zu hören oder wenigstens den Tatbestand; wenn er auch nicht versprechen könne, daß er, jetzt oder später, in der Lage sein werde, zu nützen und zu helfen – wer würde ihm auch ein solches Versprechen glauben! –, sei es vielleicht am Ende doch keine verschwendete Mühe; jedenfalls sei er, nach langem Schwanken, mit der Hoffnung hergekommen, in der Hinsicht keinen vergeblichen Gang zu tun. Er brachte diesen Appell mit einer schwer zu beschreibenden Mischung von Befangenheit und naiv zuredender Herzlichkeit vor, hatte dabei die Beine übereinandergeschlagen und die Knie mit den Händen umschlungen, und wenn seine Großmutter, die Generalin, ihn so gesehen hätte, wäre sie wahrscheinlich in spöttisches Gelächter ausgebrochen und hätte ihn, wie sie manchmal tat, einen erleuchteten Zwerg geheißen.

Der Alte aber versank in tiefes Schweigen. Die Pfeife ging ihm aus.

Er hatte ein einfaches Leben hinter sich, das allerdings mit zunehmenden Jahren immer düsterer geworden war und in dem der Kampf um die Unschuld des Sohnes sich zur beherrschenden Leidenschaft gesteigert hatte. Aus der Ehe mit einer Pastorstochter vom Oberrhein hatte er vier Kinder gehabt, drei Söhne und eine Tochter. Er besaß ein Gut in der Nähe von Gelnhausen, dessen Haupterträgnisse der Weinbau ausmachte. Er lebte mit seiner Familie ohne Sorgen. Im Sommer 1900 brach eine Typhusepidemie aus, die im Laufe zweier Wochen die Frau, die Tochter und die beiden ältesten Söhne hinwegraffte. Der jüngste Sohn, Leonhart, war um diese Zeit zwanzig Jahre alt und studierte auf der Universität in Bonn. War er schon vorher der Liebling des Vaters gewesen, der in diesem Benjamin der Familie etwas Besonderes erblickte, ja bis zur Schwäche eingenommen war von seinen Talenten und seiner mädchenhaften Zartheit, so wurde nach jener Katastrophe des vierfachen Sterbens, die ihm Leonhart als einziges Kind übrigließ, aus der bloßen Vorliebe und Bevorzugung eine Idolatrie. Er war ihm Vater und Mutter zugleich. Wenn er nicht täglich Nachricht von ihm erhielt, wurde er unruhig. Die nicht eben bescheidenen Geldansprüche des Sohnes erfüllte er ohne Einwand, obwohl sich die Erträgnisse des Gutes in jenen Jahren erheblich verminderten, eine Keltereianlage großen Stils sich als mißglückte Spekulation erwiesen hatte und er, um seine Verbindlichkeiten zu decken, drückende Hypotheken aufnehmen mußte. Darum kümmerte sich Leonhart nicht. Einer glänzenden Laufbahn sicher, verwöhnt von Kommilitonen und Professoren, gern gesehen in der besten Gesellschaft, war ihm die Miene des glücklichen Siegers zur entwaffnenden Natur geworden. Der Vater wagte es nicht, ihm die Illusion zu rauben, daß er als einziger Sohn eines Gutsbesitzers über unbeschränkte Mittel verfüge; im Gegenteil, er zitterte davor, daß er eines Tages den wahren Stand der Dinge zu bekennen haben werde. Jede Auszeichnung Leonharts, jedes bestandene Examen, jede aristokratische Bekanntschaft, die er machte und die ihm der eitle junge Mensch treulich meldete, bereitete ihm eine Genugtuung, als habe er ein staunenswürdiges Genie gezeugt. Die Träume, die er für ihn hegte, gingen hoch hinaus, so hoch reichte Leonharts eigener Ehrgeiz bei weitem nicht, vielleicht gipfelte der schließlich nur darin, gut und angenehm zu leben, sich mühelos vornehmen Neigungen zu überlassen und in der Welt, auf deren Beifall und Meinung er das größte Gewicht legte, eine imponierende Figur zu machen. Kurz nachdem sich Leonhart als Dozent habilitiert hatte, kam es zu der vom Vater so gefürchteten Aufklärung. Es handelte sich um eine Spielschuld von dreieinhalbtausend Mark, die binnen vierundzwanzig Stunden zu begleichen war. Das Geld war nicht da. Nur mit aller Mühe konnte der Alte es beschaffen. Eine Winkelbank lieh es ihm zu wucherischem Zinsfuß. Leonhart war betroffen. Vater und Sohn hatten damals ein langes Gespräch miteinander, eine ganze Nacht hindurch saßen sie bei einer Flasche Liebfrauenmilch in der Rosenlaube hinter dem Haus, und das Ende war, daß Maurizius den Sohn förmlich um Verzeihung dafür bat, daß er ihm die Reichtümer nicht zu Füßen legen konnte, die dieser mit Fug von ihm fordern durfte, war es doch in seinen Augen ein beispielloser Erfolg, den kaum Zweiundzwanzigjährigen als Universitätslehrer bestellt, als Leuchte seines Fachs anerkannt zu sehen. Zwei Monate später fand die Verlobung und sechs Wochen darauf die Heirat Leonharts mit Elli Hensolt statt, der Witwe eines wohlhabenden Papierfabrikanten, die er bei einem Aufenthalt in Kreuznach kennengelernt hatte. Beide Ereignisse, Verlobung wie Heirat, teilte er dem Vater nur mit ein paar dürftigen Worten mit. Maurizius' Bestürzung war so groß, daß er, als die Neuvermählten gegen Ende der Hochzeitsreise auf ein paar Tage auf das Gut zu Besuch kamen, noch immer wie mit Stummheit geschlagen war und nicht einmal richtigen Abschied von Leonhart nahm, als sie wieder wegfuhren. Leonhart ergriff nicht ohne Eifer die Gelegenheit, sich verletzt zu fühlen, und zog sich in der Folge vom Vater zurück, indem er sich den Anschein gab, als bemerke er dessen Groll und Enttäuschung nicht. Die Sache war die, daß ihm die liebevolle Tyrannei schon längst lästig geworden war und daß er sich zudem des Vaters schämte, seiner ungeschliffenen Manieren, seiner Einfältigkeit und Unbildung. Als bürgerlicher Snob legte er über seine Herkunft gern einen diskreten Schleier. Er brauchte ja nun den Alten nicht mehr, seine Frau hatte ihm eine Mitgift von achtzigtausend Mark zugebracht, das Vermögen, das sie von ihrem verstorbenen Mann geerbt hatte, dessen Ehe mit ihr kinderlos geblieben war.

Elli Hensolt, nunmehr verehelichte Maurizius, war eine geborene Jahn. Die Jahns waren noch um die Wende des Jahrhunderts eine angesehene Familie im Rheinland gewesen, Notar Jahn hatte in den letzten Jahren seines Lebens die Stelle eines Bürgermeisters von Remagen bekleidet und galt als eine Spitze der Zentrumspartei, der er während des Kulturkampfes bedeutende Dienste geleistet hatte. Es gelang ihm aber nicht, sein Schäfchen ins trockene zu bringen, der schwindelnde Aufschwung des Landes riß ihn nicht empor, er war vielleicht zu anständig oder nicht geschickt genug, etwas von dem goldenen Überfluß für sich in Sicherheit zu bringen; nach seinem Tod sah sich die Familie zwar nicht arm, aber doch auf eine bescheidene Rente beschränkt und fiel langsam in Dunkelheit zurück. Außer Elli waren noch zwei Kinder da, ein Sohn, der als Oberleutnant in den afrikanischen Kolonialkämpfen fiel, und eine zweite Tochter, Anna, die zur Zeit von Ellis Verheiratung achtzehn Jahre alt war.

Viele Umstände kamen zusammen, um Peter Paul Maurizius' Abneigung gegen die Ehe und den Haß gegen die Frau seines Sohnes zu nähren. Der zuerst, daß die Jahns Katholiken waren. Obgleich selbst nichts weniger als ein frommer Protestant, nicht einmal ein regelmäßiger Kirchenbesucher, hielt er doch an den eingelebten Bräuchen seiner Familie fest, mit jenem Puritanismus, der eine Mischung ist von Bauernstolz, Enkelgehorsam und dem Bewußtsein, einer fortgeschrittenen Gemeinschaft anzugehören. Doch diesen Verrat hätte er verwunden, da er ja nie etwas unternommen hatte, um ihn zu verhüten. Schlimmer, daß die Frau weder anziehend noch hübsch noch elegant war, überhaupt keine in die Augen fallenden Vorzüge besaß; auch nicht auf Vornehmheit konnte sie sich berufen, auf edles Blut, auf glänzende Beziehungen, auf Reichtum. Achtzigtausend Mark, eine erbärmliche Summe, gemessen an Leonharts Wert, Leonharts Zukunft, Leonharts Möglichkeiten. Das schlimmste aber war, daß sie um volle fünfzehn

Jahre älter war als er. Eine achtunddreißigjährige Frau und ein dreiundzwanzigjähriger Mann, und dieser Mann Leonhart, darüber war nicht hinwegzukommen. Vergeben hat sich Leonhart, in die Schlingen einer Füchsin ist er geraten, man hat das Feuer in ihm erstickt, man hat sich ihn als Schlepper für ein leckes Schiff gekauft, bald wird seine herrliche Jugend zertrümmert hinter ihm liegen. So betrachtete der Alte diese Eheschließung, und da er fest daran glaubte, daß ihm Elli den Sohn geraubt, die Liebe des Sohnes gestohlen, Leonharts Herz gegen den Vater verhärtet und ihn selbst zu schmählicher Einsamkeit verdammt hatte, war in seinem verbitterten Gemüt alsbald kein anderer Hang mehr als der nach Vergeltung. Wenn er weiterzuleben begehrte, war es bloß, um die Stunde der Reue und der Rückkehr des geliebten Verlorenen abzuwarten. Darauf zählte er, auf ein ungeheures rächendes Schicksal lauerte und hoffte er in seinem finsteren Kummer. Es kam, aber es kam anders, als er gedacht, vernichtend auch für ihn.

In den ersten zwei Jahren schien das Zusammenleben des Paares ungetrübt zu sein. Leonharts Freunde hatten ihn ja stets von niedriger Berechnung bei diesem Bündnis freigesprochen, jede Bezichtigung sogar entrüstet zurückgewiesen und keine andern Motive gelten lassen als freundschaftliche Zuneigung, Anhänglichkeit und Dankbarkeit. Sie sagten, die Frau habe den ewig Schwankenden, leicht Verführbaren vor den Gefahren gerettet, die ihm der eigene Charakter bereitete. Sie halte ihn mit starker Hand, und daß sich seine Reizbarkeit, seine Menschensucht, sein flackerndes Wesen gemildert hatten, sei allein ihr Verdienst. Liebe – wer könne da eindringen, wer wolle unterscheiden, was in einer so merkwürdigen Beziehung »wirkliche Liebe« sei und was gegenseitige Achtung, gegenseitige Kenntnis und Übung der für eine harmonische Existenz erforderlichen Eigenschaften? Was sei überhaupt »wirkliche Liebe«? Schema von Romanlesern, die Zeit streife dem Begriff seine schillernden Lügenhäute ab. Die Frau jedenfalls hänge mit opferfähigem Gefühl an ihm, mit innigem Glauben, mit unabgewendeter Aufmerksamkeit; vielleicht sei dies »wirkliche Liebe«, und daß die seine vielleicht nicht so ganz »wirklich« sei, spiele keine große Rolle und brauche niemand Kopfzerbrechen zu verursachen. Sicher ist, daß Leonhart Maurizius in jener Periode mehrere seiner geschätztesten Arbeiten veröffentlichte und daß man von einem Regierungsauftrag sprach, den er erhalten sollte, einer spanischen Studienreise.

Doch von einem gewissen Zeitpunkt ab veränderte sich die Meinung der Welt über die Mauriziussche Ehe, und es gingen Gerüchte um, die von Zerwürfnissen erzählten. Es hieß, Elli habe von der Beziehung Leonharts zu einer Tänzerin erfahren. Diese Beziehung lag allerdings ein Jahr vor der Ehe; aber es war aus ihr ein Kind entsprossen, ein Mädchen, und eines Tages wurde Leonhart von der inzwischen ins Elend geratenen Mutter durch einen Anwalt zur Erfüllung seiner Vaterpflichten, zur Erhaltung des Kindes ermahnt. Leonhart hatte es seiner Frau verschwiegen, von dem ganzen Erlebnis wußte sie nichts, dagegen weihte er die Schwägerin in seine Vergangenheit ein. Anna Jahn übernahm die Sorge für das nunmehr zweijährige Geschöpf und brachte es mit Leonharts Einverständnis nach England zu einer Freundin und entfernten Verwandten, der Vorsteherin eines Gouvernantenheims, bei der Hildegard Körner – auf diesen Namen war das Kind getauft – auch erzogen wurde und verblieb. Eigentümlicherweise liebte Leonhart das mutterlose Wesen (denn die Tänzerin, lungenkrank, war mittlerweile in Arosa gestorben) mit einer Art von poetischer Schwärmerei, obwohl er es gar nicht kannte, ein Gefühl, das sich immer mehr steigerte, in der Folge nie in ihm erlosch und das von Anna Jahn gehegt und verstanden wurde, während Elli, nachdem sie erst durch einen anonymen Brief, dann durch das zögernde Geständnis ihres Mannes über den Sachverhalt aufgeklärt war, sich eifersüchtig dagegen wehrte und nicht einmal vertrug, daß der Name des Kindes erwähnt wurde. Von da an erscheint Anna Jahn in das Leben Leonharts unauflöslich verstrickt. Sie war nach dem Tod ihrer Mutter aus Köln, wo sie gewohnt hatten, fortgezogen, hatte ein paar Monate in verschiedenen Städten gelebt, war dann nach Bonn gekommen und wurde täglicher Gast im Hause von Schwester und Schwager. Ob der verhängnisvolle Einfluß, den sie auf Leonhart und seine Ehe übte, sogleich oder erst nach und nach hervortrat, darüber waren die Ansichten geteilt. Man brauchte kein Prophet zu sein, um da ein schlimmes Ende vorauszusagen. Es gibt Schicksalsverknüpfungen, die beinahe Gemeinplätze sind (obwohl hier eine Persönlichkeit im Spiel war, die zunächst im Hintergrund blieb und die den Verlauf über das Niveau bürgerlicher Banalität hinaushob). Die erstaunliche Schönheit seiner jungen Schwägerin konnte einen Mann wie Leonhart nicht unberührt lassen. Anna Jahn stand damals auf dem Gipfel ihrer Entfaltung; wer sie sah, war hingerissen. Die Studenten brachten ihr Serenaden und schickten ihr Gedichte, die Offiziere der Garnison ließen sich bei Familien einführen, wo sie verkehrte; wenn sie sich auf der Straße zeigte, blieben die Leute stehen und gafften. Eine Zeitlang war sie das Tagesgespräch, wie eine große Sängerin oder Schauspielerin; junge Mädchen sagten: ich habe Fräulein Jahn gesehen, als erzählten sie von einem aufregenden Abenteuer. Elli hätte es bedenken müssen, ehe sie der Schwester ihr Haus öffnete; sie selbst hatte Anna geraten, sich in der Stadt niederzulassen, sie wollte die um so viel jüngere Schwester nicht allein und schutzlos in der Welt wissen. Damit rief sie ihr eigenes Unglück herbei. Leonhart verhielt sich zuerst ablehnend. Er behauptete, Anna sei ihm unsympathisch, sie irritiere ihn. Anna behandelte ihn bisweilen mit einem Spott, der so fein war, daß er nicht wagte, ihn für Spott zu nehmen, und so beleidigend, daß er vor Scham hätte vergehen müssen, wenn er zugegeben hätte, ihn zu verstehen. Gegen andere war sie deutlicher, etwa wenn sie ihn lachend als einen kleinen Pensionär bedauerte, der unter der Aufsicht einer strengen älteren Dame lebte. Bald genug wurde die Kluft zwischen den Eheleuten augenscheinlich; die Natur war es, die sie schuf und erweiterte. Fremde erkundigten sich gelegentlich, ob das die Mutter des Privatdozenten Maurizius sei, an deren Arm man ihn gesehen habe. Nein, wurde lächelnd erwidert, es ist seine Frau. Oh, sagte dann der Betreffende erschrocken und verstummte. Das boshafte Wort vom Pensionär entbehrte nicht einigen Grundes. Elli kontrollierte jeden Schritt ihres Mannes. Sie überwachte seine Verabredungen, seine Arbeiten und Arbeitsstunden, seine Lektüre, seine Post, seine Gespräche, seine Geldausgaben. Sie war nicht geizig, sie machte ihm sogar wertvolle Geschenke, aber sie ließ ihn niemals über größere Summen verfügen. Sie war zu klug, um nicht einzusehen, welchen Fehler sie damit beging; aber der Instinkt war stärker, der ihr gebot, ihn an der Kette zu halten, um jeden Preis, so lange wie möglich. Sie kam nicht gegen sich selber auf. Wenn er fortging, mußte er ihr genau sagen, zu welcher Zeit er zurückkehren würde. Um die angegebene Stunde wandte sie den Blick nicht mehr vom Zifferblatt der Uhr, und war die Frist überschritten, so fing sie an wie im Fieber zu zittern. Während sie so wartete, spürte sie sich altern. Sie setzte sich vor den Spiegel und sah sich altern. Sie suchte Bestätigungen in den Augen der Menschen und leugnete sie angstvoll, wenn sie sie erhielt. Indessen ging schon das Gerede über Anna Jahn und Leonhart. Man hatte sie zusammen in einem Museum gesehen, auf einem Ausflug, im Haus einer Freundin. Man tuschelte. Elli begriff, was über sie hereinbrach. Sie stellte sich ahnungslos, solang noch ein Funke Selbstbeherrschung in ihr war. Sie erkannte, daß er ihr mit jedem Tag mehr entglitt, und sie klammerte sich an ihn mit der Kraft der Verzweiflung. Und alles das war nur der Anfang.

Derweil saß der alte Maurizius wie eine Spinne im Netz und wartete geduldig. Eine Zeitlang besoldete er einen Detektiv, der ihm Nachrichten über den Sohn und über die Ereignisse in dessen Hause zutragen mußte. So erfuhr er die Geschichte mit dem Kind Hildegard, ließ die Spur verfolgen und machte die erdenklichsten Anstrengungen, um des Kindes habhaft zu werden. In seiner Bauernschlauheit dachte er damit einen Trumpf in die Hand zu bekommen. Es mißlang jedoch. Er hörte von Anna Jahn. Er ließ das junge Mädchen beobachten. Er hörte von Mißhelligkeiten zwischen Leonhart und seiner Frau, von wachsender Zwietracht, von heimlichen Auftritten, von dem Skandal, der sich wolkig zusammenbraute. Er war zufrieden. Es war Wasser auf seine Mühle. Als aber in einer Oktobernacht Leonhart unvermutet bei ihm erschien – er war im Auto eines Freundes gekommen –, um, wie er sagte, vor einer längeren Reise Abschied zu nehmen, erschrak der Alte über die Zerrüttung, die er im Gesicht und im Wesen des Sohnes wahrnahm. Er hatte sofort den Eindruck, daß dieser Abschiedsbesuch zu einer unmöglichen Nachtstunde nur ein Vorwand war. Warum nach dreieinhalb Jahren brutalen Vergessens die artige Rücksicht? Daran konnte kein wahres Wort sein. Leonhart redete lauter verstörtes Zeug durcheinander, schließlich kam es heraus: er brauchte Geld. Er wagte nicht, es zu fordern, er deutete eine schwerwiegende Verpflichtung nur an. Aber als er die steinerne Miene des Alten bemerkte, gab er jeden weiteren Versuch auf, auch jede Verstellung, es war ihm nur noch darum zu tun, schnell wieder wegzukommen. Der Alte hielt ihn nicht. Wäre Leonhart vor ihm auf die Knie gefallen, er hätte ihm nicht zehn Pfennig gegeben, solang er nicht aus seinem Mund das Wort vernahm: ich bin los von der Frau. Und er spielte eine bemerkenswerte Komödie der Heuchelei, als er den Sohn kalt zur Tür begleitete, ohne ihm die Hand zu reichen. Das war derselbe Mann, der nach der Verurteilung und während der Strafverbüßung des Sohnes ein Vermögen zurücklegte: für den Sohn. Es gab für ihn kaum eine Hoffnung, den abgöttisch Geliebten zeit seines Lebens wieder in Freiheit zu sehen, den lebenslänglich Eingekerkerten wieder in die Nutznießung des beharrlich aufgesammelten Kapitals gesetzt zu wissen, dennoch richtete er seine Existenz so ein und traf seine Maßregeln derart, als wäre mit Sicherheit darauf zu rechnen. Es war ihm gelungen, das Gut unter günstigen Umständen zu verkaufen; nach Abzahlung der Hypotheken blieben ihm fünfunddreißigtausend Mark. Diese Summe hatte er in schier unbegreiflich ahnungsvoller Voraussicht bei einer Schweizer Bank deponiert (man sagt von Besessenen, daß sie den einen Zweck, der sie erfüllt, mit wahrer Luzidität verfolgen), und von einem kleinen Teil der Zinsen bestritt er seine Bedürfnisse. Er lebte wie ein Armenhäusler, seine Wohnung war ein Loch, sein Anzug war Jahr um Jahr derselbe, seine Mahlzeiten bestanden aus Käse, Wurst und Brot, und nach achtzehn Jahren waren aus den fünfunddreißigtausend Mark sechzigtausend Franken geworden. Er war vierundsiebzig Jahre alt, der Gedanke, daß er sterben könne, ehe Leonhart das Zuchthaus verließ, kam ihm gar nicht in den Sinn, der Tod hatte nicht nur keinen Schrecken, sondern auch keine Wirklichkeit für ihn.

Das Bild dieser Vergangenheit setzte sich für Etzel erst später und aus vielen Einzelheiten zusammen, die er nach und nach erfuhr. Er hatte in der Folge noch mehrere Unterredungen mit Peter Paul Maurizius, sie trafen sich an einem vereinbarten Ort unweit vom Andergastschen Haus. In senilem Schwachsinn und weil alle seine Pläne und Versuche bis jetzt kläglich gescheitert waren, sah der Alte in dem Knaben etwas wie einen göttlichen Sendboten, er setzte sich über den lächerlichen Altersunterschied hinweg und war gesprächiger als gegen irgendeinen Menschen seit zwanzig Jahren. Wobei er freilich immer noch vorsichtig blieb. Aber der Knabe hatte es ihm angetan, wie man zu sagen pflegt, er hielt es nicht für unmöglich, daß er ihm in seiner großen Sache dienen könne; und während er sich einbildete, ihn zu diesem Ende schlau zu ködern, ließ er sich von dem mindestens ebenso schlauen

Jungen über alles ausholen, was er zu wissen begehrte, teilte ihm auch wichtige Partien aus seinem sorgfältig gesammelten Material mit. Wiewohl Etzel dadurch ziemlich genaue Kenntnis der Begebenheiten wie der Verhältnisse der handelnden Personen erlangte und mit seinem wie Quellwasser unverbrauchten Blick das verworrene Spiel der Interessen klar überschaute, begriff er ebenso sicher die dämonenhafte Düsterkeit der dahinterliegenden Welt, die ihm in ihrer Gesamtheit unauflöslicher schien als das Tun der Menschen. Sehr niedrig; vollkommen abgetrennt von allem, was ihm bisher als »Welt« gegolten hatte; deswegen auch so unauflöslich. Schon aus diesem Grund versagte er sich jede verfrühte Schlußfolgerung und benahm sich wie der gelehrige Schüler eines Kurses für polizeiliche Recherchen.

Als der Alte aus seiner schlafähnlichen Versunkenheit emportauchte, in die er, wie ein Säufer in seinen Rausch, jeden Tag oder jede Nacht einmal fiel, um die Vergangenheit zu enträtseln, eine faßliche Formel dafür zu ergrübeln, war sein erstes Geschäft, die Pfeife auszuklopfen und neu zu füllen, wobei seine zitronengelben Knochenhände zitterten. Währenddem fing er an zu sprechen. Leute, die einen Teil ihres Lebens damit zugebracht haben, über ein und dieselbe Materie nachzudenken, alle übrigen Geschehnisse auszuschalten, alle Menschen, mit denen sie zu tun haben, in abhängige Beziehung zu ihr zu bringen, setzen bei jedem Zuhörer ihre eigene vollständige Kenntnis voraus und geraten sogar in Zorn, wenn sie auf ihren Irrtum gestoßen werden. Hier kam hinzu, daß Etzel das greisenhafte Geplapper zunächst nicht verstand und Maurizius bisweilen durch ein freundliches »Wie, bitte? was, bitte?« furchtlos unterbrach. Der Alte fuchtelte abwehrend mit der Rechten, erhob sich, schlurfte zu dem Ständer mit den Zeitungen, zog ein Paket heraus und schleuderte die vergilbten Blätter auf den Tisch. Dann ging er hin und her, die Hände in den Hosentaschen. Es wurde dunkel, elektrisches Licht hatte die Höhle von

Behausung nicht, auf der Kommode stand eine winzige Petroleumlampe, die zündete er an, sie blakte, er verlöschte sie wieder, beschnitt den Docht, zündete sie von neuem an, wobei er den steifen linken Arm immer nur zur Nachhilfe benutzte, brummte über den Zylinder, der einen Sprung hatte, und bei all diesen Verrichtungen schaute und hörte ihm Etzel mit gespannter Aufmerksamkeit zu. Seine Worte wurden deutlicher, auch das Husten und Spucken ließ nach; als die Lampe endlich brannte, nicht mehr Schein gebend als eine Stallampe, wies er auf die Zeitungen, über die sich der aufgewirbelte Staub langsam wieder legte, und sagte, da sei alles drin zu lesen, wie es angefangen, wie es weitergegangen, vom Revolverschuß bis zur Verhaftung, vom vierundzwanzigsten bis neunundzwanzigsten Oktober des unvergeßlichen Jahres.

»Daraus können Sie es entnehmen, junger Mann. Wenn Sie wollen, können Sie's auch, wie es gedruckt ist, glauben. Die ganze Welt hat es damals geglaubt, die Kommission, der Untersuchungsrichter, die Reporter, die Leser. Einer hat's dem andern nachgeredet oder vom andern abgeschrieben. Niemand hat sich gefragt: wie soll er denn auf sie geschossen haben, wenn er noch bei der Gartenpforte war? Das ist durch Zeugen erhärtet. Ich ersuche, junger Herr, festzuhalten: bei der Gartenpforte. Achtzehn Schritt Distanz. Dreiviertel sieben Uhr abends am vierundzwanzigsten Oktober, bei voll eingebrochener Dunkelheit. Ich ersuche, das festzuhalten. Können Sie bei voll eingebrochener Dunkelheit einen Menschen auf achtzehn Schritt Distanz mit einem Browning mitten ins Herz treffen? Ehrliche Antwort, junger Herr! Nein. Sie ist, als sie getroffen wurde, gegen das Haus zu gelaufen. Waremme hat es unter Eid ausgesagt. Schuß von hinten. Von hinten mitten ins Herz. Daneben Aussage der Dienstmagd Frieda Weiß: die Frau ist vom Tor der Villa zunächst auf ihn zugegangen. Wie auch natürlich. Beachten Sie: er ist von der Reise heimgekehrt. Er trägt den Lederkoffer in der linken Hand. Der Mann kommt von der Reise heim, merken Sie es, die Frau erwartet ihn. Was wird die Frau tun? Sie geht ihm entgegen. Oder nicht? Finden Sie nicht, daß die Frau ihm entgegengeht? Also. Trotzdem: Schuß in den Rücken. Eine klotzige Unwahrscheinlichkeit, was? Die Protokolle? Gehn darüber weg. Es wird erklärt. Es wird gegen ihn erklärt. Alles wird gegen ihn erklärt. Er hat den Browning in der Hand gehabt, heißt es. Und wer hat das gesehen? Waremme. Gesehen und beschworen. Waremme hat sogar beschworen, daß er gesehen hat, wie er den Revolver gehoben und gezielt hat. Und wo war Waremme gestanden, wo, frag ich, junger Herr? Nach seiner Behauptung unter der Akazie, präzis drei Meter von Elli entfernt. Der Telegraphenbote Kleinmichel, der gleich nach der Detonation den Garten betreten hat, was hat der angegeben? An der Hausecke sei er gestanden. Vor ihm, nicht hinter ihm. Vor ihm, ich ersuche, ist er gestanden, also muß er vor ihm schon dagewesen sein. Aber das Gericht war der Ansicht, Kleinmichel hat sich getäuscht, Kleinmichel muß sich getäuscht haben, sonst stimmt eben die ganze Geschichte nicht, sonst geht die Schlinge nicht zu. Oder Waremme hat einen Meineid geschworen. Und was hat denn Waremme im Garten zu tun gehabt? Um sechs Uhr fünfunddreißig soll er noch im Kasino gesehen worden sein. Verschiedene Personen, einwandfreie Personen haben es übereinstimmend ausgesagt. Vom Kasino bis zur Gartenpforte sind es bis auf den Zoll zwölfhundertdreiundvierzig Meter. Sie werden zugeben, junger Herr, daß man schon die Beine über die Achsel nehmen muß, wenn man zwölfhundertdreiundvierzig Meter in zehn Minuten zurücklegen will. Und womit nun hat Herr Waremme das erklärt? Damit, daß ihm Anna Jahn telephoniert hat, er solle sofort kommen, es sei ihr so unheimlich, es trieben sich verdächtige Gestalten ums Haus herum. Verdächtige Gestalten, eine Viertelstunde vor einem Mord, großartig, was? Das nenn ich Geisterseherei, was? Darauf rennt Herr Waremme, als hockt ihm der Satan im Genick, weil doch in der ganzen Stadt kein Wagen aufzutreiben ist, hehe. Niemand freilich hat ihn laufen sehen, in der belebten Allee, wo Laterne neben Laterne brennt, bei schönem Wetter. Das bißchen Nebel hätte keinen gehindert, so 'nen Riesenkerl wie einen Bock daherspringen zu sehen. Haben Sie schon mal eine solche Kollektion von Widersprüchen beieinander gesehen? Na, und der Herr Untersuchungsrichter! Den hat kein Zweifel geplagt, Gott bewahre. Unentwegt aufs Ziel los. Das Ziel, das kannte er schon, den Weg mußte er sich erst schaffen. Ging wie geschmiert. Motive wie Sand im Meer. Indizien zum Schweinefüttern. Alles stimmt herrlich, das Gewebsel hat nicht das winzigste Loch. Unbedeutender Umstand, daß der angebliche Mörder das Verbrechen in Abrede stellt. Es braucht sie gewiß nicht zu genieren, die sicheren Leute. Aber vielleicht ... ich meine ... ich formuliere: mit dieser Engelsruhe steht man doch nicht da vom ersten bis zum letzten Moment, o Publikum und hohes Gericht, mit dieser Engelsbeharrlichkeit wiederholt man doch nicht zweitausendmal: ich hab es nicht getan! Dem Richter, dem Anwalt, dem Vater, den Freunden, den Geschworenen und zuletzt und aus dem Zuchthaus wieder und wieder: ich hab es nicht getan! Er hätte, das geb ich zu, nicht fliehen sollen. Kolossale Dummheit. Davonlaufen wie ein Schulbub. Zwei Tage drüben in Frankfurt sich bei einem Mädel verstecken, nach Kassel fahren, nach Hamburg fahren, den Schnurrbart rasieren lassen, freilich schon vorher, das mit dem Schnurrbart war freilich schon vorher, unter falschem Namen in Gasthöfen logieren. Hat den Kopf verloren gehabt, der Junge, konnte nicht mehr Weiß von Schwarz unterscheiden. Als sie ihn da oben verhafteten und es hieß: unter dringendem Verdacht des Mordes, da stand er da wie vom Donner geschlagen. Da fragt er: Wie, meine Herren, ich? Beachten Sie, junger Herr: ich? ruft er aus. Ich? Wie einer, der vom Schlaf aufwacht. Weiß nichts vom Steckbrief und wovon die Zeitungen voll sind. Das haben sie ihm dann als abgefeimte Komödianterei angekreidet, gerade das. Hat einer ein reines Gewissen, so stellt er sich selber und strolcht nicht eine Woche lang in der Welt herum, nicht wahr? Schema F, klar wie Tinte. Lauter Herrgötter. Das Gras hören sie wachsen ...«

Er hielt keuchend inne. Ein gräßlicher Hustenanfall hinderte ihn am Weitersprechen. Etzel stand auf, schraubte an der rauchenden Lampe, und als das wüste Hustengekrächze verebbte, sagte er, zu seinen Fingern hinunter: »Da müßten doch zwei Revolver dagewesen sein ...«

Maurizius starrte ihn offenen Mundes an. »Wieso denn?« stotterte er. Verwundert über die Verwunderung erklärte Etzel: »Die Frau ist in den Rücken geschossen worden. Sie ist auf ihn zugegangen, er ist auf sie zugegangen, heißt es. Er hat einen Revolver in der Hand gehabt. Wer hat also den andern Revolver gehabt?«

Der Alte schloß langsam den Mund wie ein Nußknacker und fing an, seine Lippen zu schlucken. Nach einer Weile murmelte er mit einem düstern Schmunzeln: »Sehr richtig. Aber davon war nicht die Rede. Offiziell ist es nie angenommen worden. Die Annahme war, daß sie erst auf ihn zu-, dann von ihm weggelaufen ist. Eine Theorie, nicht wahr? Sie wissen doch, was eine Theorie ist? Wenn jemand eine Theorie hat, bringen ihn keine zehn Gäule mehr davon ab. Was schiert ihn da die Wirklichkeit! Die Theorie hieß: als sie ihn mit dem Revolver in der Hand erblickte, ist sie voll Schrecken umgekehrt und gegen das Haus zugelaufen. Ganz plausibel. Zwei Revolver? Nein. Die Geschichte ist sogar die, daß nicht einmal der eine gefunden worden ist. Waremme will ihm, nachdem der Schuß abgefeuert war, die Waffe aus der Hand gewunden und fortgeworfen haben. Ins Gebüsch geschleudert. Drei Kriminalbeamte haben zwei Tage lang danach gesucht, den Garten, die Umgebung abgesucht. Nichts. Der Revolver blieb verschwunden. Ist nie mehr zum Vorschein gekommen. Was sagen Sie dazu;

Unerklärlich, was! Fein, wie unerklärlich das alles ist.« Er kicherte einfältig.

Etzel schaute nachdenklich vor sich hin. Plötzlich hob er den Kopf und fragte: »Wer könnte denn ... wer war also nach Ihrer Meinung ...

»Pst!« unterbrach ihn der Alte mit scharfem Zischlaut. Er trat dicht vor den Knaben hin, schielte teuflisch und sagte mit der mürrischen Strenge eines Dorfschulmeisters: »Nicht so naseweis. Kein Ton. Wo kämen wir hin, Donnerwetter. Hat doch er selber, verstehen Sie, mein Leonhart selber, auf die Frage nie geantwortet. Nie. Keinen Ton. Kein Sterbenswort. Hat es verweigert. Sie verstehen, junger Herr. Was könnt es also uns beiden nützen, danach zu fragen? Was könnt es uns sogar nützen, es zu wissen? Waremmes Eid steht dagegen. Waremmes Eid nimmt alles auf sich. Eine feste Burg, so ein Eid. Sehn Sie mal, da war die Anna Jahn, die schöne, edle, unglückliche Anna Jahn. Na ja, was glotzen Sie denn so komisch?« (In der Tat schaute Etzel betroffen empor, da der Alte die drei Beiwörter mit wütendem Hohn herauskeifte.) »So hat man's damals überall gelesen: die schöne, edle, unglückliche Anna Jahn. Gleich nach jenem Abend wurde sie schwerkrank. Sechs Wochen ist sie am Tod gelegen. So hat es geheißen. Mußte geschont werden. Keine Aufregung, um Gottes willen. Nach den sechs Wochen hat man sie in den Süden geschafft. In Nizza, oder weiß der Teufel wo, sind ihre Aussagen protokolliert worden. Erst zur Hauptverhandlung ist sie wieder erschienen. Das ganze Gericht ist zerschmolzen vor Mitleid. Ein Hochgenuß, wie rücksichtsvoll der Herr Vorsitzende beim Verhör war. Ihr die Antworten hübsch schmackhaft in den Mund gelegt. Und der Herr Staatsanwalt Andergast, Zucker und Honig. War sie doch beinah ebenfalls dem Unhold zum Opfer gefallen. Die reine Jungfrau dem nichtswürdigen Verführer. Auf einmal hat keiner mehr was von keinem Klatsch gewußt. Daß ihr die Herren Professoren und Beamten und Offiziere und Studenten nicht einen Fackelzug gebracht haben, war das reinste Wunder. Auf einmal war sie die weiße Taube, und er, lieber Gott, dafür war jedes Wort zu gut. Nur das Volk ... das Volk hat anders gedacht. Nach dem Urteil hat's ein paar Stunden lang bös ausgesehen für die Jahn. Nun, das beiseite. Aber was ich sagen wollte ... was wollt ich denn sagen? Ja so: Waremme ... ohne Waremme, ohne Waremmes Zeugenschaft ... Sie verstehen ... hätte die Sache anders geendet. Der Mann hat uns geliefert. Der Mann, sag ich Ihnen, wandelt unter einem Fluch. Oder es gibt keinen Gott im Himmel.« (Da war plötzlich wieder das biblische Pathos; Etzel senkte den Kopf.) »Der Mann ... ich hoffe, sein letztes Stündlein hat noch nicht geschlagen, ich hoff es zu unserm Besten und auch zu seinem, denn um sein Sterben könnt er nicht beneidet werden. Die andere, von der will ich nicht reden. Es kommt mir vor, sie hat bereits ihren Lohn dahin. Man hat allerlei gehört. Aber der Mann ... den erwartet der irdische Richter noch. Jawohl. Jawohl.«

Etzel sah auf die Uhr. »Ich muß heim«, sagte er erschrocken. Der Alte nickte. Etzel fragte ihn, ob er einige von den Zeitungen mitnehmen dürfe, er wolle sie lesen. Der Alte nickte. Er half ihm beim Aussuchen. Als Etzel schon im Hausgang war, lief er ihm nach, steckte ihm noch ein paar Broschüren zu und beschwor ihn, darauf aufzupassen und keine zu verlieren. »Ich geb schon acht«, versprach Etzel und setzte sich in einen leichten Trab, um den Zug zu erreichen.

4.

Denselben Abend und am folgenden Sonntag den Nachmittag und Abend verbrachte Etzel mit der Lektüre der verjährten Zeitungsartikel. Er sagte sich: ich prüfe, und blieb kühl wie ein mäßig neugieriger Zuschauer. Da es sich um Zeitungsschreiberei handelte, war er doppelt auf der Hut. Es hatte alles den Geschmack von Roman. Er liebte im allgemeinen Romane nicht. Gelehriger Schüler Melchior Ghisels, unterschied er scharf zwischen Gedicht und Vision und der von einem Zweckwillen vergewaltigten Wirklichkeit. In dieser Beziehung war er nüchtern bis zur Gefühllosigkeit. Daher war ihm das novellistisch aufgeschmückte Tagesereignis ein Greuel. Gespensterhaft, achtzehn Jahre später angesehen, eine geschminkte Leiche, die tanzt. Viele einzelne Züge blieben davon unberührt, sie entsprachen der Wahrheit der Natur, der keine Zurichtung etwas anhaben kann.

In den nächsten Tagen – es lag noch eine ganze Ferienwoche vor ihm – entfaltete er eine heimliche Geschäftigkeit, die in dem Bestreben wurzelte, sich neue Nachrichten und Anhaltspunkte zu verschaffen, Stützen für die Erzählungen des alten Maurizius, deren subjektive Beschaffenheit unverkennbar war, Bestätigung jener Zeitungsberichte, insofern er sie, nach der einen oder der andern Seite, im Verdacht der Übertreibung und Verzerrung hatte. Aber wo solche Stützen, solche Bestätigungen suchen? Und wenn er sie fand, was berechtigte ihn, sie für verläßlicher zu halten, als was er bisher erfahren hatte? Er traute dem Gedächtnis der Menschen nicht. Er wußte aus Instinkt, daß jede Wahrheit vergessen wird, um einer angenehmen Illusion Platz zu machen. Das war es ja, was ihm die tiefe Abneigung gegen die Geschichte einflößte. Er mußte immer lächeln, wenn alte Leute aus ihrer Vergangenheit etwas zum besten gaben. Es war so ergötzlich, so leicht zu sehen, wie sie »dichteten« und wieviel mehr Vergnügen ihnen das halb Gelogene bereitete als das ganz Wahre, von dem sie vermutlich gar nichts mehr wissen wollten. Der einzige Mensch, der ihm bei seinen Nachforschungen hätte behilflich sein, ihn über die Anfangszweifel hätte erheben können, war sein Vater. Aber der bloße Gedanke war absurd, ihn, ihn darum zu bitten. Niemals würde Trismegistos die Berechtigung auch nur einer Frage anerkennen, die veilchenblauen Augen würden verwundert gefrieren unter dem Eindruck ungehöriger Dreistigkeit. So blieb nichts übrig, als in der Stille zu sammeln und das Gesammelte zu sieben und zu vergleichen. Die Rie hatte einen Bekannten, der ein- oder zweimal wöchentlich zu ihr kam, einen Kanzleirat Distelmayer, der lange Jahre bei Gericht gewesen und seit dem Krieg pensioniert war, ein Mann, dem es schlecht ging, weil er wie alle auf Ruhegehälter gesetzten Beamten kaum das tägliche Brot hatte. Die Rie hob immer das Mittagessen für ihn auf, wenn er sich angesagt hatte; dann begann jedesmal das nämliche Spiel: er lehnte die Einladung mit den entschiedensten Ausdrücken ab, behauptete, soeben erst eine ausgiebige Mahlzeit zu sich genommen zu haben, gab dann, scheinbar ermüdet durch das Zureden, nach und verzehrte schließlich, was ihm aufgetragen wurde, Suppe, Fleisch, Gemüse, Torte, mit Stumpf und Stiel und jammervoll ersichtlicher Genugtuung. Bisweilen trat Herr von Andergast in den Flur, wenn jener gerade kam oder ging. Da verbeugte sich der Kanzleirat mit einer Devotion, die dem zuschauenden Etzel widrig war, indes Herr von Andergast sich leutselig bezeigte, dem Kanzleirat mit zwei Fingern auf die Schulter klopfte und fragte, wie man unter Kollegen fragt: »Nun, wie geht's, wie steht's, mein guter Distelmayer?« Obwohl Etzel wenig Hoffnung hegte, von dem etwas geschwätzigen Männlein Dienliches zu erfahren, machte er den Versuch; er spann ihn in seine Treuherzigkeiten ein, deren Wirkung auf die Erwachsenen er erprobt hatte, er ließ sich herab zu ihm, und das war eine andere Herablassung als die des Herrn von Andergast, schon daraufhin angesehen, daß ein sehr junger Mensch von geistigem Stolz sich herablassen muß, wenn er es mit so verbrauchten und gedrückten Personen von der Art des Kanzleirats zu tun hat; er stellte das Gespräch zuerst auf Scherz ein, erlaubte dem Alten, um ihn zutraulich zu machen, kleine Neckereien, kleine, platte Anzüglichkeiten, wie sie bejahrte Leute gegen Knaben gern äußern, gab der Unterhaltung dann ohne Mühe die Richtung ins Ernsthafte, ließ von ungefähr den Namen Maurizius fallen, sah, daß der Kanzleirat aufmerksam wurde, erzählte, daß ihm jemand viel von der Sache erzählt habe, daß er sich dafür interessiere, daß es zwischen ihm und einem Freund darüber zu Diskussionen gekommen sei. Der betreffende Freund sei nämlich ein entfernter Verwandter der Familie Jank, oder nein, wie habe sie nur geheißen, der Name sei ihm entfallen, vielleicht erinnere sich der Herr Kanzleirat, Familie der Frau, der Schwester von Maurizius' Frau ... Der Name war ihm keineswegs entfallen, er wollte nur dem Kanzleirat auf den Zahn fühlen, und richtig nannte dieser gleich den Namen, es zeigte sich, daß er über Erwarten gut Bescheid wußte, da er sich seinerzeit angelegentlich mit dem Prozeß befaßt hatte. Etzel wollte nur von Anna Jahn hören, und zwar von ihrem Leben nach dem Abschluß des kriminellen Dramas; er hatte dabei etwas ganz Bestimmtes im Auge. In der Tat war Distelmayer imstande, seine Wißbegier zu befriedigen, es war eine Liebhaberei von ihm, sich mit dem Privatleben der Leute zu beschäftigen, die einmal im Zentrum des öffentlichen Interesses gestanden und einen »Fall« gebildet hatten; viele gerichtliche Funktionäre haben diese Neigung, die sich aus dem Hang zur Schnüffelei und dem Reiz zusammensetzt, den ungelöste Rätsel ausüben. Distelmayer hatte den Prozeß Maurizius sogar schriftstellerisch verwertet, halb war er befremdet, halb schmeichelte ihm die lebhafte Anteilnahme des jungen Barons (er sprach ihn stets mit Nachdruck als »Herr Baron« an, was Etzel abgeschmackt erschien, ohne daß er es wagte, den würdigen Mann durch Abwehr zu verstimmen). Nicht weniger geschmeichelt war die Rie, sie saß die ganze Zeit dabei und hatte nicht genug Augen und Ohren für die Aufgewecktheit, Weltkenntnis und Konversationsgabe ihres Etzel; in solchen Momenten reklamierte sie ihn mit besonderem Stolz als den Ihren, ihr Eigentum, Frucht ihrer Umsicht, und sie tauschte mit dem Kanzleirat verstohlene Blicke, um ihn zur Bewunderung aufzufordern. Etzel beobachtete es und fühlte die Lächerlichkeit der Situation; aber was kümmerte ihn das, da doch seine Bemühungen von Erfolg gekrönt wurden. Er sah nur wieder einmal, daß auf geradem Weg von keinem Menschen was zu erreichen war, auch vom harmlosesten nicht, man mußte jeden überlisten und über das, was man von ihm haben wollte, hinters Licht führen, es war immer eine Fallenstellerei.

Also Anna Jahn. So hieß sie längst nicht mehr. Im Jahre dreizehn hatte sie den Direktor einer großen Ziegelei geheiratet, einen wohlsituierten Mann. Vorher war sie im Ausland gewesen, lange Zeit. Man hatte nichts von ihr gehört, sie hatte keinem ihrer früheren Freunde Nachricht gegeben, niemand kannte ihren Aufenthalt, und nach und nach wurde sie vollständig vergessen. Der Tod ihrer Schwester Elli machte sie zur alleinigen Erbin von deren gesamtem Vermögen; aber der Himmel weiß, wie sie damit wirtschaftete; als sie vom Ausland zurückkehrte, besaß sie nichts mehr. Der Kanzleirat wußte es von einem Assessor, dessen Tante war früher mit Anna Jahn intim befreundet gewesen. (Über die ganze bewohnte Erde ist ein Netz solcher Beziehungen geworfen, so daß keiner wirklich außerhalb stehen kann und nur die unüberblickbare Wirrnis der Fäden, die von allen zu allen laufen, das Gesetz der Bindung zum Zufall stempelt.) Zu dieser Frau war Anna Jahn gekommen an einem Winterabend vor mehr als zwölf Jahren, zerrüttet an Leib und Seele, unausdrückbar müde, mit einem Köfferchen wie eine stellenlose Magd, einsam, schweigsam, arm. Woher sie kam, sagte sie nicht, was sie erlebt hatte, verriet sie nicht, Menschen aus ihrem früheren Leben zu treffen, davor hatte sie panische Angst; man erkannte bald, daß es gefährlich um sie stand, bei einer Unvorsichtigkeit, die einmal passierte – ein Gast ihrer Freundin sprach, ohne zu überlegen und ohne dabei an sie zu denken, von Leonhart Maurizius und seinem, wie er fand, noch immer ungeklärten »Fall« –, wurde sie leichenblaß, fing an zu zittern und fiel in Krämpfen zu Boden, die stundenlang dauerten. Nachher trat ein Zustand krankhafter Depression ein, sie wurde in Sanatoriumspflege gegeben, erholte sich dann auch langsam, erlangte sogar etwas von ihrer Schönheit und bezaubernden Anmut zurück und lernte in der Anstalt einen Herrn Duvernon kennen, einen Lothringer, dem sie tiefen Eindruck machte, dessen Heiratsantrag anzunehmen sie sich aber erst drei Jahre später entschließen konnte. Es schien, daß sie dann den Entschluß nicht zu bereuen hatte; man hörte zwar wenig von ihr, wußten doch nur noch sehr wenige Menschen von ihrer Existenz, allein was darüber verlautete, war weder nachteilig noch deutete es auf Geschicksungunst. Sie wohnte mit ihrem Mann in einem Ort in der Nähe von Trier, sie hatten, wie es hieß, zwei Kinder, die Zurückgezogenheit war ihr größtes Glück, sie verließ kaum je ihr Haus, hatte keinerlei gesellschaftlichen Verkehr, überhaupt keinen Umgang mit Menschen, die nicht zum engsten Familienkreis gehörten. Immer seltener kehrten die Anfälle jener bedenklichen Krankheit zurück, und nach und nach gewann es den Anschein, als habe sie ihre dunkle und unheilvoll bewegte Vergangenheit gänzlich vergessen.

Etzel hörte dem Bericht lautlos aufmerksam zu. Mit der gewohnten Klarheit zog er aus der Erzählung des alten Kanzleirats, die sich später im wesentlichen bestätigte, den Schluß: dorthin gibt es keinen Weg, die Tür ist verrammelt, soviel man sieht.

Jeder Mensch, ausgenommen der Jurist, wird der Figur des öffentlichen Anklägers von vornherein wenig Sympathie entgegenbringen, auch dort, wo er das verdammenswerteste Verbrechen der Sühne zuführt. Es liegt wohl daran, daß er den Menschen nicht kennt, den Menschen nicht ansieht, nicht kennen darf, nicht ansehen darf. Für ihn gibt es bloß die Tat und was die Tat wiegt und daß sie vergolten wird. Er hört ja selber auf, Mensch zu sein, die Stimme, die den Schuldigen zur Verantwortung zieht, ist nicht die Stimme des Menschen mehr, will nicht als Menschenstimme vernommen werden; über die Parteien in den Raum der Mitleidlosigkeit erhöht, Unperson, ist er Diener und Beauftragter der Gemeinschaft. So ist er wohl gedacht, so denkt er sich selbst; aber nur der Charakter von großem Zuschnitt wächst mit solcher Beamtung empor und erfüllt seinen Sinn; der kleinere, indem er sich spannt und überspannt und in ein verzweifeltes Mißverhältnis zur Aufgabe gerät, entblößt nur seine Unzulänglichkeit, und das Antlitz des unerbittlichen Sühneforderers erstarrt zur Polizeigrimasse.

Niemals hatte sich Etzel die Gestalt des Vaters so abgelöst von Väterlichkeit gezeigt als beim Lesen der achtzehneinhalb Jahre zurückliegenden Gerichtssaalberichte. Dadurch, daß er sich beständig bewußt machen mußte: ich war zu jener Zeit gar nicht am Leben, war gleichsam noch nicht im Spiel, nichts hing von mir ab, bewegte sich auf mich zu, alles geschah in kaum zu begreifender schauriger Weise ohne den jetzt so unleugbar seienden, handelnden, denkenden, durch die Welt schreitenden und von der Welt wissenden Etzel; dadurch bekam die Zeit etwas Betrügerisches, der Vater und seine Beteiligung an dem Ereignis, das ihm, Etzel, mit jedem Tag mehr zu schaffen machte, ja alle seine Gedanken zu beherrschen anfing, eine furchterweckende Maßlosigkeit der geistigen Form und persönlichen Wirkung, so daß er manchmal in seiner Vorstellung eine Art Graf von Saint-Germain wurde, der etwa schon beim Prozeß gegen Jean Calas dem Schein-Schuldigen, dem Unschuldigen zum Verderben geworden war. Es war das erste Mal, daß ihm die amtliche Tätigkeit des Vaters durch ein ganzes gerichtliches Verfahren hindurch, Verhandlung, Plädoyers und Urteil, in dramatischer Schilderung verlebendigt wurde. (Seit seiner letzten Beförderung, durch die ihm die diktierende Gewalt zufiel, erschien er ja im Gerichtssaal nur noch bei außerordentlichen Anlässen.) Es war für Etzel ein Bild, in welchem er sich nicht zurechtfinden und auch nicht finden konnte; der Name Andergast, da hätte er sich in verwehten Spuren finden müssen, aber es war so unverwandt wie Stein dem beseelten Auge, es hatte eine finstere Hostilität, der kein Schmerz etwas anzuhaben vermochte, kein Ruf und Aufschrei, kein Beweis, kein Argument, keine Not, kein Antlitz, nichts, nichts, der Gerichtete trat an, der Gerichtete trat ab, die Frage, die an ihn ging, metallen, unerweichlich, hieß nicht: Bist du schuldig oder nicht?, sie lautete: gibst du dich oder nicht? bekennst du dich oder nicht? unterwirfst du dich oder nicht? Dem tat die darüber hingegangene Zeit, achtzehneinhalb Jahre, keinen Abbruch, da war immer noch dieselbe Fanggier, dasselbe angemaßte, unrüttelbare Wissen von der Tat: es schnellte in die gegenwärtige Stunde hinein wie eine Stimme von nebenan, und Etzel, als ob die Stimme ihn selbst träfe und riefe, sprang auf, verriegelte die Tür, lief in der Stube auf und ab und preßte die Hände an die Ohren. Er mußte sich gewaltig zusammennehmen, um dann bei Tisch, bei den »abendlichen Gesprächen«, unbefangen zu bleiben, fügsam Rede zu stehn, artig zuzuhören, die Miene des dankbar Belehrten zu zeigen, statt aufzustehn und vor ihn hinzutreten mit der Dringlichkeit, die wie elektrische Hochspannung in ihm war, zu fragen: Warst du von seiner Schuld überzeugt? hast du wahr und wahrhaftig an seine Tat geglaubt, damals? Seine fragenden Augen waren förmlich angeklammert an das große, strenge, verschlossene Gesicht, an die panzergleiche Stirn. Umsonst, natürlicherweise. Es gibt menschliche Beziehungen, die sofort zerbrächen, wenn im entscheidenden Augenblick das entscheidende Verständnis erfolgte. Sie bestehen nur dadurch, daß es nicht erfolgt.

Es bot sich jedoch Gelegenheit, den Anteil seines Vaters am Prozeß Maurizius in einer andern Beleuchtung zu sehen, und er konnte daraus die Meinung erkennen, die sich in einigen Köpfen der oberen Geistesschicht gebildet hatte. Der ihm die Belehrung angedeihen ließ, war Professor Förster-Löring, Soziolog und Nationalökonom, ein Mann, den Etzel achtete und von dessen Verdiensten Camill Raff oft mit Verehrung gesprochen hatte. Übrigens ein ungewöhnlich häßlicher Mann, verwachsen und mit einer gebrochenen, schiefgedrehten Nase. Seine beiden Söhne, Zwillinge, waren Etzels Klassenkameraden, er war oft bei ihnen im Hause gewesen, Herr von Andergast empfahl den Verkehr, jetzt luden sie ihn wieder ein, Ellmers und Schlehlein waren ebenfalls dort. Als der Tee gereicht wurde, gesellte sich der Professor zu den Knaben. Seine Gegenwart brachte immer eine fesselnde Unterhaltung in Gang, von dem und jenem kam man auf die moderne Rechtsprechung, ein Thema, das eben anfing, »brennend« zu werden; die jungen Leute spürten, daß es da ans Lebensmark des Volkes ging. Etzel, nur von der einen, einzigen Sache erfüllt und einer locker hängenden Glocke ähnlich, die schon auf den Anstoß eines Windhauchs mit gedämpftem Erzklang antwortet, warf wie von ungefähr den Namen Maurizius hin, zaghaft, als wolle er sondieren, ob der Professor den Fall kenne und wenn, ob er geneigt sei, sich darüber zu äußern. Der Professor schaute überrascht empor. »Sonderbar, daß Sie diese Causa erwähnen, Andergast«, sagte er, »ich habe neulich erst in einer Schrift daraufhingedeutet.« (Aha, der auch, dachte Etzel.) »Sie ist mir von jeher als symptomatisch erschienen. Ja, eine außergewöhnliche Causa, in mehr als einem Sinn. Haben Sie sich denn damit befaßt oder Spezielles darüber gehört?« Etzel blinzelte, ruckte verlegen auf seinem Stuhl und sagte etwas Nichtiges, während ihn die Kameraden neugierig ansahen. »Nun, zu wundern braucht ich mich über die Zitierung nicht«, fuhr der Professor freundlich fort, »es gibt ja einen recht natürlichen Zusammenhang, da es doch Ihr Herr Vater war, der diese Sache damals führte. Man kann sagen, er war der eigentliche Spiritus rector. Es gehörte eben seine Kraft, sein Mut, seine Superiorität dazu, um die Schwierigkeiten zu besiegen, die sich ihm entgegenstellten. Ich habe ihn sehr bewundert in diesem Kampf. Denn es war wohl ein deutsches Hic Rhodus, hic salta, Deutschland stand sozusagen vor einem sittlichen Entweder-Oder, es war einer von den geschichtlichen Momenten, wo es wählen konnte zwischen Hinauf und Hinab. Auf der einen Seite Frivolität, Genußsucht, Leichtfertigkeit, Unverantwortlichkeit, auf der andern Gewissen, Zucht und Pflicht. Noch einmal bekam das Bessere die Oberhand. Ich entsinne mich noch der abschließenden Rede Ihres Vaters. Es war eine erstaunliche Leistung, man hätte sie an allen Mauern und Litfaßsäulen anschlagen sollen. Ich weiß, es waren starke unterirdische Strömungen zugunsten des Angeklagten, noch heute ist die Bewegung nicht völlig erstickt, wie es ja auch noch Schwärmer gibt, die den armen Caspar Hauser für einen Märtyrer halten; aber was will das besagen, wir Alten, die wir diese Zeit miterlebt und unsre Augen offengehalten haben, hegen keinen Zweifel an der Schuld des unglücklichen Menschen. Das freilich war er, weniger ein Verbrecher als ein Schwächling, haltlos und angefault bis in den Grund der Seele.«

Etzel hielt den Kopf gesenkt. Ein leises Lächeln, störrisch und überlegen, umzuckte seine Lippen. Das mit dem Caspar Hauser hätte er sich sparen können, dachte er, damit nützt er seiner Sache nicht, da wissen wir besser Bescheid (er hatte sich mit der Geschichte des Findlings beschäftigt und viel darüber gelesen), nur was er über den Vater gesagt hat, das ist fein, das ist famos. Er hob langsam die Lider und schaute mit seinen kurzsichtigen Augen der Reihe nach in die Gesichter. Es waren schöne und häßliche Gesichter, das häßlichste, wie immer, das des Professors, wenn auch das ausdrucksvollste. So lästig Etzel seine Kurzsichtigkeit im Tagesablauf oft empfand, beim Sport, beim Unterricht zum Beispiel, so angenehm war sie ihm bisweilen im Umgang mit Menschen, weil er ihre Züge, sogar ihr allgemeines Verhalten in einen verschönernden Dämmerschimmer getaucht sah.

Die Frage, die an den alten Maurizius zu stellen war, lautete: Wo ist Waremme? Sie trafen sich vor einem kleinen Kaffeehaus beim Guiolettplatz, es regnete seit Stunden, sie gingen die paar

Straßen bis zur Christuskirche und suchten Zuflucht unter dem Portal. Es war das zweite Mal, daß sie sich auf diese Art in der Stadt sahen, verabredetermaßen natürlich; aber beim erstenmal war Etzel nicht dazu gekommen, die Frage zu stellen, der alte Mann hatte ihn durch eine Erzählung in Atem gehalten, und nachher hatte Etzel alles andere vergessen, war von dem Alten weggeschlichen und so geistesabwesend vorwärts gestolpert, daß er in ein falsches Haus am Kettenhofweg gegangen und, als er es bemerkt, beim Umkehren die Steinstufen am Tor hinuntergefallen war, ohne sich jedoch Schaden zu tun. Die Erzählung bestand in dem Bericht, wie Peter Paul Maurizius mit fünf seiner Bekannten, lauter alten Männern, die Stunden vor der Verkündigung des Todesurteils verbracht hatte. Gott mag wissen, was ihn veranlaßt hatte, die Episode aus der Vergangenheit heraufzubeschwören. Ganz von selbst fing er davon an, als wär's ein Erlebnis aus der vorigen Woche, von dem zu reden ihm bis jetzt die Zeit gefehlt. In sich gekehrt, die Pfeife im Mundwinkel, mit krächzender Stimme und unter häufigem Spucken brachte er die Geschichte vor.

Es war so: Der Staatsanwalt hatte sein Plädoyer geschlossen, das zweite, das noch zermalmender als das erste war und auf das der Verteidiger, trockener, armseliger Mann und kläglich anzuhören nach der Schwertrede des »blutigen Andergast«, nur kurz erwiderte. Der Vorsitzende erteilte die Rechtsbelehrung, die Geschworenen zogen sich zurück, der Gerichtssaal – Publikum Kopf an Kopf, aus allen Ständen und Klassen gemischt – sott in Fieberspannung. Peter Paul, von zwei Freunden, die aus seinem Wohnort schon mit ihm gekommen waren, rechts und links geführt, verließ die gärende Menschenmasse, aus der das Gift der Sensation schwitzte. Es war sicher, daß die Geschworenenberatung und -abstimmung stundenlang dauern würde. Die beiden Begleiter hatten darauf bestanden, daß Peter Paul in seinen Gasthof ginge und die Entscheidung dort abwartete. Der eine war ein Rentamtmann aus Lorch, der andere ein Müller aus St. Goarshausen. Sie beauftragten einen jungen Unteroffizier, den Neffen des Rentamtmanns, ihnen ohne Säumen, so geschwind wie möglich, den Urteilsspruch zu überbringen; der Gasthof lag kaum fünf Minuten entfernt. Es galt, den alten Maurizius zu schonen, ihm über die Zeit hinwegzuhelfen. Der Unteroffizier versprach, auf dem Posten zu bleiben, und wenn es soweit war, es an Eile nicht fehlen zu lassen. Peter Paul tat alles, was man wollte. Er widersprach nicht, noch äußerte er einen Wunsch. Vor dem Tor des Gerichtsgebäudes – es war schon Abend, ein kalter Augustabend – traten noch zwei Alte zu den dreien, Bekannte aus ihrer Gegend, und schlossen sich ihnen in stummem Mitgefühl an, ein Optiker, ebenfalls aus St. Goarshausen, und ein Versicherungsinspektor aus Langenschwalbach. Alle vier folgten Peter Paul in sein Gasthauszimmer, das ziemlich geräumig war und in dessen Mitte ein großer, runder Tisch stand. Um diesen Tisch setzten sie sich, fünf Männer: Peter Paul Maurizius war weitaus der Jüngste unter ihnen, der Rentamtmann, als der Nächstälteste, war sechzig, der Optiker, der Älteste, war achtundsiebzig. Sie bestellten Bier, vor den Platz eines jeden wurde ein Glas hingestellt, keiner rührte es an. So saßen die fünf in ununterbrochenem Schweigen fünf volle Stunden und warteten auf das Urteil. Als die vierte Stunde vorüber war, erhob sich der Müller schwerfällig und öffnete weit die Tür zum Gang. Alle verstanden ihn. Es geschah, damit der Bote schneller das Zimmer finden sollte und damit man ihn gleich sollte hören können, wenn er von unten kam. Die letzte Stunde. »So eine Stunde hat es noch nicht gegeben, seit die Welt steht, junger Herr.« Es war ein geringer Gasthof, die Stiege war aus Holz, hatte keinen Teppichbelag und befand sich gleich neben dem Eingang. Endlich, zwölf Minuten vor zwölf, läutete es unten, nach einer Weile knirschte das Tor, wieder nach einer Weile rumpelten schwere Stiefel auf der Stiege, und alle fünf Männer, die Langsamkeit der Schritte richtig einschätzend, wußten Bescheid. Es war, als käme der Sensenmann selber die Treppe herauf. Dann erschien der junge Soldat auf der Schwelle, weiß wie ein Laken, die fünf Alten standen auf, ein einziger, tiefer Atemzug von allen fünf gleichzeitig: Verurteilung zum Tode.

»Wo ist Waremme?«

Maurizius überlegte. Er zog die schäbige Mütze fester in die Stirn. Es schien, als könne er sich nicht entschließen zu antworten. Man habe nichts von ihm gehört, knurrte er. Man könne sich ja denken, daß ihm der Boden unter den Füßen zu heiß geworden sei. Habe es eilig gehabt zu verduften. Es habe auch kein Mensch mehr von ihm gesprochen, man habe nichts mehr von ihm erfahren, bis zum heutigen Tag. Sei außer Landes gegangen. Ebenso wie die Anna Jahn, die sei auch außer Landes gegangen. Wohin? Na ja, um das Jahr acht habe es mal geheißen, daß man sie alle beide, ihn und sie, in Deauville gesehen habe. Deauville, das sei doch der Name, wie? Seebad, wie? In Frankreich, wie? Der Alte nahm seine Pfeife aus dem Mund, hielt sie im steifen Arm vor sich und fixierte Etzel mit widerwärtig schielendem Blick. Der Knabe machte große Augen. Was war das? Das war neu. Ein Gerücht? Nur ein Gerücht? Ihn und sie gesehen? Wer hat sie gesehen? Wer hat es bezeugt? Maurizius zuckte die Achseln. »Er soll damals einen Bart getragen haben«, fügte er sarkastisch hinzu; »jawohl, der eine läßt sich rasieren, der andere sorgt für Haarwuchs, das ist der Lauf der Welt, junger Herr Andergast.« Er kicherte heiser und spuckte auf die Steinfliesen. Ein älterer Herr mit einem Schlapphut stellte sich vor das ungleiche Paar, bastelte an seinem Regenschirm und schimpfte leise über das Wetter. Als er wieder gegangen war, fragte Etzel, was für eine Sorte Mensch Waremme gewesen sei. »Gewesen?« fuhr Maurizius auf, »gewesen? Das hoff ich zu unserm Herrgott im Himmel, daß nichts an ihm gewesen ist, kein Atemzug an ihm gewesen ist. Gewesen! Da säßen wir saftig im Dreck. Gewesen!« Zornig wetterte es in seinen blutunterlaufenen Augen. »Ich meine, weil es so lang her ist«, entschuldigte sich Etzel höflich. »Schwer, von dem was zu sagen«, maulte der Alte und rieb die Kinnlade hin und her wie ein Pferd, dessen Lefzen von der Trense gescheuert werden. »Weiß der Teufel, wie man ihn beschreiben soll. Nicht zu glauben, wenn man denkt, was er damals war und was er heut ist ...« Er hielt inne. Er hatte offenbar mehr gesagt, als er sagen wollte, und suchte, bestürzt blinzelnd, in seiner Tasche nach Zündhölzern. Etzel blickte neugierig empor. Da war er einer Entdeckung auf der Spur. Seine Miene drängte: weiter, weiter!, und unwillkürlich packte er den Alten beim Rockärmel. Maurizius hatte die Zündhölzer endlich gefunden, schob sie aber unbenutzt in die Tasche zurück. Etwas hilflos begann er den Waremme von »damals« zu schildern. Etzel spürte sogleich die Unvollkommenheit des Bildes. Die Person ging ohne Zweifel über den Horizont des Alten. Er wußte eine Menge Tatsachen, hatte jedoch keine Ahnung von ihrer Bedeutung. Wo sich, selbst in diesem vulgären Bericht, interessante geistige Zustände spiegelten, fehlte jeder Zusammenhang, und die Vorgänge wurden unwahrscheinlich. Zwei Jahre vor dem Unglück (das »Unglück« war die Nabe der Ereignisse) sei Waremme dort aufgetaucht und habe gleich die ganze Universität in den Sack gesteckt. Was er war? Ei nun, Philosoph oder dergleichen. Schriftsteller, Privatgelehrter. Amt nahm er keines an, vielleicht bot man ihm auch keines, er tat sich auf seine Unabhängigkeit was zugute. Manchmal hielt er freie Vorlesungen. Von weit her kamen die Leute, um ihn zu hören. Die Professoren waren außer sich, sprachen von ihm wie von einem Wundertier. Wenn er in eine Gesellschaft kam, drängten sich Männer und Weiber um ihn herum, waren komplett verhext von seinen Reden. Waremme hat das gesagt, Waremme hat jenes gesagt, danach gab's keinen Widerspruch mehr. Besonders ein paar Geheimräte und einige von den rheinischen Industrieobersten waren ganz toll mit ihm. Erklärlich dadurch, daß er sich neben seiner Wissenschaft (in welchem Fach der Wissenschaft er arbeitete, wußte Maurizius nicht) hauptsächlich mit Politik beschäftigte. »Wenn mir recht ist, waren es zwei Dinge, für die er sich mächtig ins Zeug legte: der Krieg mit Frankreich und die katholische Kirche. Da steckten natürlich die Jesuiten dahinter.« Wo er herstamme? Das habe man eigentlich nie erfahren. Er behauptete, er sei aus Schlesien, Sohn eines Rittergutsbesitzers, seine Mutter sei eine Adlige gewesen. Aber das Rittergut lag wahrscheinlich auf dem Mond, »als ich später mal nachforschte, wußte kein Mensch was von Waremmeschen Gütern«. Vermögen hatte er keins, das gab er selber zu, prunkte sogar mit seiner Armut; doch war er fast täglich im Kasino und beim Spieltisch zu sehen. Obwohl sie dort keinen aufnehmen, der nicht mindestens ein »Herr von« ist, nahmen sie ihn auf. Manchmal verlor er beträchtliche Summen, ohne daß jemand fragte, woher er das Geld hatte. Wenn er heute fünfhundert Mark in der Tasche hatte, veranstaltete er morgen ein Fest, das ihn tausend kostete und zu dem er die halbe Stadt einlud. Sie kamen alle. Sie kamen, obgleich mit der Zeit merkwürdige Geschichten über ihn umgingen. Da war eine brenzlige Sache mit einer Darlehensvermittlung. Dann der Selbstmord der Lilli Quästor, mit der er sich verlobt hatte, Tochter des Kohlenquästors; eines schönen Tages brachte sich das Mädchen um, niemand erfuhr, warum. Es wurde einfach vertuscht; »im Vertuschen sind wir ja groß«. Solange die Geheimräte und die Kohlenbarone ihre Hand über ihn hielten, war er gesichert. Schließlich hatte es aber ein Ende, die Sorte hat eine gute Witterung, schon vor dem großen Kladderadatsch hatten sie sich in der Stille zurückgezogen; und wenn auch zuletzt nichts gegen ihn vorgelegen hätte, als daß er der Freund von dem Mörder Maurizius gewesen, das genügte, damit war er erledigt, das genügte ...

»Wo ist er also jetzt?« forschte Etzel mit sachlicher Beharrlichkeit. Maurizius tat, als habe er nicht verstanden. Es schien, als zögere er an diesem Punkt, sich in die Karten blicken zu lassen. Scheu musterte er den Knaben von oben bis unten. Dann flüsterte er: »Das ist mein Geheimnis, und wenn ich's Ihnen jetzt verrate, bleibt's unser Geheimnis: Hand darauf ...« Gott mag wissen, was er sich von dem »Geheimnis« versprach; aber Etzel reichte ihm bekräftigend die Hand. Er fuhr fort, immer noch zögernd, vor eindreiviertel Jahren habe er in Erfahrung gebracht, Waremme halte sich in Berlin auf. Unter verändertem Namen. Mit großen Schwierigkeiten sei es seinem Vertrauensmann, einem gewiegten Praktikus, der ihn massenhaft Geld koste, gelungen, ihn zu agnoszieren. Es sei nur dadurch möglich gewesen, daß man insgeheim und in größter Vorsicht seinen Weg zurückverfolgt habe bis nach Chikago, wo er elf Jahre lang gewohnt habe, von 1910 bis 1921. Man habe nach langem Suchen, durch Vermittlung eines dortigen Detektivinstituts, einige Personen stellig machen können, die von der Namensänderung wußten und ihn unter seinem früheren Namen auch in Neuyork, Pittsburg und Kansas City gekannt. Mit alledem sei aber leider Gottes nichts Rechtes anzufangen. Natürlich müsse man ihn im Auge behalten, man könne nicht wissen, was passiere; falls irgendwas passiere, sei es gut, daß man ihn gleich hoppnehmen könne; aber was solle denn passieren, wie die Dinge stünden; sei verdammt wenig Aussicht zum Hoppnehmen, dem Menschen sei nichts anzuhaben, von allen Seiten sei er gedeckt, habe nichts zu fürchten, wenigstens von ihm nichts, von P. P. Maurizius nichts, von Leonhart schon gar nichts, nein, da sei nichts zu hoffen, wenn er nicht sonst was auf dem Kerbholz habe, und ein so gerissener Hund verstünde wohl, sich davor zu hüten, sei eben nicht an ihn heranzukommen. Aufpassen, ja, das sei nötig, damit man jeden Moment zugreifen könne, dafür eben habe er seinen Mann, und der wieder habe seine Leute auf dem

Posten, im übrigen heiße es abwarten. Der Alte starrte düster in den Regen. Täuschte sich Etzel oder vernahm er wirklich ein hölzernes, ersticktes Schluchzen, keinem Laut, den er irgendwann gehört, ähnlich? »Und Sie waren bei ihm?« fragte er in einer erstaunlichen Eingebung. Die Frage hatte sich ihm nur deshalb aufgedrängt, weil der Alte seit Beginn des Gesprächs bestrebt gewesen war, sie zu verhindern. Er fuhr auch erschrocken zusammen, sein Gesicht wurde tonig, verstockt blieb er die Antwort schuldig. »Und was geschah da?« forschte Etzel anscheinend harmlos und sah Maurizius freundlich an. Der verweigerte noch immer die Antwort, bis ihm Etzel leise die Hand vor die Brust legte. »War 'ne blamable Eselei«, brachte der Alte endlich hart hervor; »was sollt ich denn? was wollt ich denn? Hatte keine Ruhe, bevor ich ihn Aug in Aug sah. Na, da ging ich denn hin. Privatlehrer nennt er sich. Steht auch so im Wohnungsanzeiger. Privatlehrer Georg Warschauer. Usedomstraße Ecke Jasmunder Straße. Im ersten Stock ist ein Speisehaus. Frau Bobikes Mittagstisch, steht angeschrieben. Da nimmt er seine Mahlzeiten. Braucht nichts dafür zu zahlen, weil er den zwei Söhnen der Frau Bobike Stunden gibt. Im dritten Stock wohnt er. Da kommen seine Schüler zu ihm. Auch andere Leute. Unterrichtet Englisch, Französisch, Spanisch, Italienisch, Portugiesisch, verfaßt Nekrologe, Eingesandtes an Zeitungen, Geschäftsreklamen und so. Da ging ich denn hin. Und da sah ich ihn denn. Da stand ich auf meinen zwei Beinen und dachte: Ach, Herr Jesus. Und als er mich anschaute, sagte ich: Mir scheint, ich bin fehlgegangen. Drehte mich um und ging und fuhr gleich auf die Bahn und wieder heim, vierzehn Stunden hintereinander. Da war nichts zu reden. Überhaupt. Was soll man da reden? Wie soll man die Sache deichseln? Womit anfangen? Und wenn er einen die Treppe hinunterwirft, was dann? Einschüchtern kann man den nicht. Und sag ich ein unvorsichtiges Wort, so verderb ich alles mit einem Schlag, und er verduftet mir wieder. Nicht mal meinen Namen hab ich genannt. Da war auch nicht die Möglichkeit, ihn zu bedeuten: Mann, Mensch, oder so, was einem halt auf der Seele gebrannt hat, all die Jahre. Das sah ich zu spät ein. Heiliger Jesus, nein ...« Er fing wieder an, mit fahrigen Bewegungen die Zündhölzer zu suchen, und Etzel schaute wie zerstreut vor sich hin, als stelle er Beobachtungen über das Wetter an.

»Ich muß laufen, gute Nacht«, sagte er plötzlich, ließ den verdutzten Alten stehen und rannte in den Regen. Als er um die nächste Straßenecke war, verlangsamte er seinen Schritt, bohrte die Hände in die Hosentaschen und fing an, gemächlich zu schlendern. Es dämmerte, die Lichter in den Auslagen flammten auf, er blieb bei jedem dritten beleuchteten Fenster stehen, besah sich die Gegenstände und trällerte dabei gassenjungenhaft vor sich hin. Was mochte die Ursache seiner guten Laune sein? Es sah aus wie unbändige Unternehmungslust und war von zeitweiligen kleinen Heiterkeitsausbrüchen begleitet. Als er am Kettenhofweg den Hausflur betrat, stieß er auf die beiden Töchter des Dr. Malapert, des Augenarztes, der im ersten Stock wohnte. Es waren junge Mädchen von vierzehn und siebzehn Jahren, er kannte sie gut, begrüßte sie vertraulich, zog sie, während sie gemeinsam die Stiege hinaufgingen, in lebhafte Unterhaltung, fragte, ob sie schon bei Stadel gewesen seien, um sich die neuaufgestellte griechische Antike anzusehen, ob sie zum Autorennen gingen, ob sie den Vortrag von Professor Coué anhören würden, erregte zugleich ihr Gelächter, als er sich auf ein Bein stellte wie ein Storch, weil er sein Schuhband, das sich entknotet hatte, festbinden mußte. Oben machte ihm die Rie die Tür auf, er stürzte ihr beinahe an die Brust, sagte, er habe gräßlichen Hunger, tanzte schwatzend um sie herum, dabei glänzten seine Augen, als ob er sich eines gelungenen Streiches freue. Die Rie gab ihm durch mächtiges Augenklappern zu verstehen, daß der Vater schon zu Hause sei und arbeite, sie wies dabei auf die von einer Stoffportiere verhängte Tür und legte ihm die Hand auf den Mund. »Ich bin schon still, Rie«, flüsterte er, »geh ein bißchen auf und ab mit mir, damit die Zeit vergeht.« Er nahm ihren Arm und zog sie in den hinteren Teil des Flurs. »Wozu soll denn die Zeit vergehn?« fragte die Rie erstaunt. Etzel erwiderte: »Weil's nicht auszuhalten ist, wie lang es dauert, bis man um einen Monat älter ist.« – »Narr«, sagte die Rie. – »Bei euch fängt wohl die Zeit schon an, zurückzulaufen«, spottete Etzel, »meine und eure werden sich mal wo begegnen, denk ich, und einander Grobheiten sagen. Keiner wird ausweichen wollen wie zwei störrische Muli auf einem Saumweg.« Während des Gesprächs gingen sie in komischem Gleichschritt auf und ab. »Hör mal, Junge«, sagte die Rie unvermittelt und sah sich vorsichtig um, »weil du so nett bist heute, will ich dir was verraten«, sie hauchte die Worte nur noch, »ich glaub, deine Mutter ist jetzt nicht mehr dort, wo sie war, es ist ein Brief von ihr aus Paris gekommen, es scheint ihr mit der Gesundheit besser zu gehn, ich hab so das Gefühl, als kam sie demnächst mal in unsere Gegend. Aber was sie seit einiger Zeit einander zu schreiben haben (sie deutete über die Schulter zurück mit dem Daumen etwas furchtsam nach Herrn von Andergasts Arbeitszimmer), das weiß ich nicht. Verrat mich aber um Gottes willen nicht.« Etzel blieb stehen, machte sich von Frau Ries Arm los, blickte sie ernst an und stieß einen langen, schrillen Pfiff aus. »Ei«, sagte er. Sonst nichts, und versank. Das kann alles nichts daran ändern, dachte er, beide Fäuste gegen die Brust gedrückt. Unentschieden, ob es der Pfiff war, ob der Redelärm ihn gestört hatte oder ob er mit der Arbeit fertig war: Herr von Andergast erschien auf der Schwelle seines Zimmers und schaute mit frostiger Verwunderung in den veilchenblauen Augen den Korridor entlang auf das einander gegenüberstehende Paar. Die Rie wandte sich eilig ab nach der Küche. Sie bereute ihre Mitteilsamkeit. Sie hatte nur sehen wollen, was der Junge sagen würde. Seine Miene, sein Schweigen beunruhigten sie. Sie war voller Eifersucht auf die unbekannte, »pflichtvergessene« Frau, die sich Mutter nennen durfte, ohne es anders als dem Namen nach zu sein. Sie hatte ihre Eifersucht nähren wollen und war unzufrieden, weil es geglückt war. »Guten Abend, Papa«, sagte Etzel schüchtern. Herr von Andergast ließ ein paar beobachtende Sekunden verstreichen, bevor er mit seiner klangtiefen Stimme langsam antwortete: »Guten Abend. Du scheinst ja prächtig aufgeräumt, mein Sohn.«

Es war schon nicht mehr wahr.

In seinem Zimmer riß Etzel ein Blatt aus einem Notizheft, schrieb darauf: Bobike, Usedom-Jasmunder Straße, und verbarg es unter dem Deckel seiner Taschenuhr.

Etzel war über die praktische Ausführbarkeit seines Vorhabens schon im reinen, als er sich über dessen moralische Berechtigung, sozusagen über die theoretische Seite, mit Dr. Raff zu verständigen suchte. Camill Raff wartete auf die Annäherung Etzels. Als dieser eines Vormittags telephonisch fragte, ob er gegen elf Uhr kommen dürfe, hielt er es jedoch für passend, das Zusammensein auf eine spätere Stunde zu verlegen, um etwas weniger bereitwillig zu erscheinen. Auch bestellte er ihn nicht zu sich, was ohnehin nicht recht anging, weil seine junge Frau bettlägerig war, sondern in die Miquelstraße, an einen bestimmten Platz beim Palmengarten. Als er den Knaben auf sich zueilen sah, es war Punkt halb vier, wie sie verabredet, spürte er erst, wie gern er ihn hatte. Welche Gewalt des Fragens in den funkelnden Augen! Fragt einer so, dann bin ich ein Idiot, wenn ich mir einbilde, ich könne ihm antworten, dachte er, und er ein liebenswürdiger Heuchler, wenn er so tut, als brächt ihm die Antwort Gewinn. Camill Raff wußte vieles von den jungen Menschen, deren Führung ihm anvertraut war. Leider war es keine Führerschaft, die ihn zu befriedigen vermochte, was Halbes nur, weil so viel Winkelzügigkeit und Vorschrift von oben her lähmte, so viel Verklauselung und Mißtrauen von den zu

Führenden kam, daß die Zeit vielleicht nicht fern war, wo sich auch bei ihm der Rost ins Getriebe fraß. Bis jetzt war er noch nicht im pädagogischen Dogma eingefroren, war noch kein pfäffischer Unfehlbarkeitsmann. Er hatte Phantasie; wer Phantasie hat, empfängt stets, wenn er gibt, und wirbt, wo er lehrt. Da brauchte er dann nicht wie manche älteren Kollegen, die »mit der Zeit« gehen wollten, während sie in heimlicher Wut hinter ihr herkeuchten, den Verdacht der Augendienerei zu fürchten; ihm glaubte man die Zugehörigkeit, weil er auch den Mut hatte, sich von allem Zweideutigen und Verlogenen klipp und klar zu scheiden. Es fehlte ihm nur eines: der widerstandsfähige Körper. Er hatte zarte Nerven, war keiner Anstrengung gewachsen, und in den sonnenlosen Wintermonaten schlich er wie ein Schatten herum, verstimmt und arbeitsunlustig.

Schon lange gehörte Etzel Andergast zu den wenigen Bevorzugten, mit denen er persönlichen Umgang pflog. Manche Naturen haben einen Glanz wie frischpolierter Stahl, der eben aus Gottes Schmiede hervorgegangen ist. Sie gefallen durch ihre Neuheit und außerdem durch eine Art sublimer Zweckmäßigkeit, als ob mit ihnen etwas ganz Bestimmtes erreicht werden sollte. Das »Neue« an Etzel war ihm erst vor kurzem bewußt geworden. Es war etwa einen Monat her, daß er mit ihm eine Erörterung über ein peinliches Vorkommnis gehabt hatte. Karl Zehnter, der Sohn eines bankrotten Kaufmanns, hatte während der Turnstunde aus Etzels Jacke, die unter zahlreichen andern Kleidungsstücken hing, einen Fünfmarkschein entwendet. Es kam rasch heraus, der dicke Klaus Mohl hatte nämlich den Dieb beobachtet, und man fand alsbald das Geld in seiner Tasche. Anzeige war die Folge, und Zehntner wurde von der Schule relegiert. Etzel ging tagelang mit nagenden Skrupeln herum. Er hatte Zehntner ganz gut leiden können, er hielt ihn nicht für schlecht (»nicht für schlechter als die Mehrzahl von uns«, wie er zu Robert Thielemann etwas schneidend äußerte), auch waren seine Eltern, wie man später erfuhr, in einer verzweifelten Lage. Er fand, daß er nicht gleich hätte Lärm schlagen müssen, daß man es unter sich hätte ausmachen, dem leichtsinnigen Jungen im Rat der Kameraden eine empfindliche Buße hätte zudiktieren können, ohne seine Zukunft zu vernichten. Er fragte Camill Raff geradezu, ob er sich richtig benommen habe. Raff erwiderte, er könne nicht sehen, wie er sich anders hätte benehmen sollen, das angedeutete Schülergericht hätte schließlich nur zu Unzuträglichkeiten geführt. Dabei ließ er die Bemerkung fallen: »Sie müssen sich in acht nehmen, Andergast. Gewisse Lebensvorgänge werden durch einen zu ausgiebigen Gefühlsanteil verflacht. Gefühl ist eine Walzmaschine, es macht alles breit und weich.« Etzel stutzte. Das Wort erinnerte an die Leitsätze von Trismegistos und wirkte, von dieser Seite gehört, überraschend. Er sah sich entschieden verkannt. Das war nicht seine Gefahr. Er bildete sich ein, eher sei das Gegenteil seine Gefahr. Er schüttelte den Kopf und sprach nicht mehr von der Sache. Dem klugen Camill Raff war nicht geheuer zumut, wenn er an das Gespräch zurückdachte; er fürchtete, daß er bei diesem Jungen, der so nachträgerisch sein konnte, wie es nur die niedrigen und bisweilen die ganz hohen Charaktere sind, an Boden verloren hatte; er kam aber nicht gleich dahinter, worin er fehlgegriffen, bemühte sich auch wohl nicht übermäßig, es war zu schwer, den vielen Stimmen zu lauschen und vielen Forderungen gerecht zu werden, überdies noch mit der eigenen Existenz zu Rande zu kommen, gehemmtem Ehrgeiz, wirtschaftlicher Enge. Manchmal schwebte ihm das Gesicht des Jünglings vor, immer im Profil, emporgerichtet, kühn ihm Schnitt, trotzig in der Linie, ohne triviale Weichheit, und es dämmerte ihm, daß er sich mit seinem Ausspruch geirrt haben könnte. Heute wurde es ihm zur Gewißheit, in den ersten fünf Minuten schon. Der Knabe war auffallend verändert, in einem andern Sinn, als er neulich in seiner Mahnung an Thielemann festgestellt hatte;

vielleicht war sogar etwas unverschämt Überlegenes in ihm, das sich mokierte über die Herren Lehrer, die ihm stirnfaltend eine schlechte Zensur erteilten.

Aber was ist mit ihm vorgegangen? Ihn auszuholen ist eine Aufgabe. Er ist schlau und reserviert. Camill Raff will ihn nicht einschüchtern und tastet sich über Glatteis. Als endlich mit seinem sokratischen Beistand der Knabe sich zu einigen Kundgebungen entschließt, hütet er sich zunächst vor Mißbilligung wie vor Einschränkung. Erforderlich sei, sich mit den Dingen geistig auseinanderzusetzen; Stellungnahme, Auswägung, Gewichtsbestimmung. Im Falle des Handelns dann: intellektuelles Erfassen, methodische Allmählichkeit. »Ja, schon«, sagt Camill Raff und zügelt eine Regung der Ironie, »gewiß, gewiß.« Er laviert noch ziemlich hoffnungslos. Unmöglich, ein bestimmtes Ziel zu erreichen, wenn man nicht imstande ist, die Leidenschaft auszuschalten, läßt sich Etzel mit der Miene eines in allen Stürmen des Denkens gestählten Analytikers vernehmen (er ist wieder einmal ganz »erleuchteter Zwerg«). »Freilich«, gibt Dr. Raff ein wenig geängstigt zu und legt die Hand auf Etzels Schulter, als wolle er ihn von einem waghalsigen Sprung zurückhalten, »freilich. Damit erspart man sich Ungelegenheiten, vor allem erspart man sich das Unvorhergesehene. Ein ausgezeichnetes Mittel, den Phantomen aus dem Weg zu gehen. Es dringt immer mehr in euch ein, das Dialogische, das Dialektische, und infolgedessen kommt auch etwas – wie nenn ich's nur? –, etwas Uneinsames in euch. Ja, ich will es so nennen: das Uneinsame. Aber dieses, das Uneinsame, ist zugleich das Gewissenlose. Ich meine, von einem großen Standpunkt aus. Indem die Verantwortungen kumuliert werden. Indem die Urheber einer Tat in der Masse verschwinden. Doch das wäre ja nicht schlimm. Anonymität ist in vielem Betracht was Schönes. Aber sehen Sie, Andergast, das Gewissen hängt wieder mit dem Wissen zusammen, mit einer besonderen Art von Wissen, also auch mit Urteil und

Gesetz; die Sprache ist ja so tief, so weise ... und wer will es ergründen, was an Gewissen notwendig ist, um zu handeln! ... es sind da unzugängliche Schächte ...« Er schwieg, erschrocken über den funkelnd-begierigen Blick des Knaben. Der »waghalsige Sprung«, es war offenbar der Sprung ins Eiskalte. Nicht alle Organismen vertragen das Eiskalte, besonders den jähen Übergang nicht, dachte Camill Raff, durch Etzels Wesen in Spannung versetzt, sie leben ja nun alle mit dem Kopf, sie beschließen es wenigstens, es ist die offizielle Devise, wenn man will. Deshalb wohl hat ihn das neulich so verdrossen, der Vorwurf wegen Gefühlsüberschuß, das ist des Rätsels Lösung. Schön, schön, schön, besser, als ohne Kopf zu leben, besser, als mit dem Aufwand verbrauchter und verwässerter Gefühle, lauter Literatur, womit noch meine Generation glaubte, wunder wie fortgeschritten zu sein. Wir haben es nicht sehr weit gebracht mit der Politik des Herzens, das ist wahr; das sogenannte Herz ist zum zahlungsunfähigen Schuldner geworden. Diese Jugend mit ihrer Methodik, mit ihrer »geistigen Auseinandersetzung«, mit ihrer »Stellungnahme« – scheußliches Wort –, sie haben uns einstweilen gehandicapt, wie sie sagen, und wir müssen froh sein, wenn sie noch einen Bissen Brot von uns nehmen. Ich bin gar nicht sicher, daß sie sich dafür bedanken, wenn sie es tun.

Er seufzte. Und Etzel, als habe Dr. Raff seinen Gedankengang laut geäußert, lächelte. Vielleicht lächelte er nur, weil der andere geseufzt hatte, vielleicht aber hat er alles gespürt und begriffen, denn er hat einen entzückenden Verstand. Er spürt und umfängt diese ganze weite Welt, kennt alles, hat alles begriffen, darum lächelt er. Er blickt wieder vertrauensvoll zu seinem Lehrer auf und freut sich an dessen hübschem, jungem Gesicht. Eine Zeitlang gehen sie schweigend nebeneinander her. In seiner Vertrauenswallung macht Etzel auf einmal einige tastende Andeutungen, die etwas Licht auf seinen Zustand werfen und erkennen lassen, daß er sich in einer ernsthaften Krisis befindet. Er spricht von einem Zwiespalt, der ihn zum Entschluß drängt, und zwar zu einem Entschluß, der durchaus prinzipiellen Charakter tragen würde. Es handle sich, führt er mit seiner gestenreichen Beredsamkeit aus (ob er nicht von irgendwoher jüdisches Blut in den Adern hat? denkt Camill Raff zuweilen, wenn er die eifrigen Bewegungen, das heftig wechselnde Mienenspiel in dem brünetten Gesicht beobachtet), es handle sich nicht um Widersetzlichkeit, man könne sich nicht der Luft widersetzen, die man atmet, nur entziehen könne man sich ihr, und das sei eine kitzlige Sache, weil man doch nicht vorher wisse, ob man in der andern Luft, in die man dann gerate, besser werde atmen können. Also von Widersetzlichkeit sei nicht die Rede, von Widerspruch noch weniger. »Wo nicht gesprochen wird, ist auch kein Widerspruch, Sie verstehen, Herr Doktor, was ich sagen will. Ich bin in einer schauderhaften Zwickmühle. Ich muß mal sehen, wie ich aus der Zwickmühle herauskomme ...« Er blieb stehen, drückte die Faust gegen die Brust und legte den Zeigefinger der andern Hand komisch ratlos an seine Nase.

»Nun, so sprechen Sie frei von der Leber weg«, ermunterte ihn Camill Raff, »bis jetzt haben Sie nur in dunklen Hieroglyphen geredet, mein Teurer ...«

Etzel nahm einen Anlauf, kehrte sich Camill Raff zu und fragte: »Sagen Sie mal, Herr Doktor, gibt es eigentlich eine Kollision der Pflichten?«

Raff wiegte den Kopf. »Hm ... das geht allerdings an uralte und vielumstrittene Probleme der Ethik«, antwortete er lächelnd.

»Sie weichen mir aus«, fuhr Etzel dringlich, fast flehend fort, »ich will das aber wissen. Gibt es eine Kollision der Pflichten, oder gibt es nur eine einzige Pflicht?«

»Sie müssen sich deutlicher erklären, Andergast«, sagte Camill Raff, in die Enge getrieben und erstaunt über den kategorischen Ton des Knaben.

»Gut«, nickte Etzel, »gut. Sie werden aber vielleicht die Erklärung nicht gelten lassen. Sie werden mir natürlich meine sechzehn Jahre vorhalten. Na ja. Jetzt bereits sechzehn Jahre vier Monate. Sie sind doppelt so alt, nicht wahr? Vierunddreißig? fünfunddreißig? So. Fürchterlich alt: fünfunddreißig. Mein Gott, schließlich sitz ich sechzehn Jahre auf demselben Fleck, in demselben Haus, in derselben Stube, ich bin kein Dummkopf, kenn mich mit den Menschen schon ein wenig aus, nur daß ich die Schererei mit meiner Kurzsichtigkeit habe. Werd mir halt eine Brille anschaffen, obwohl der Dr. Malapert nicht dafür ist ... Ich denke: was verschlägt's, sechzehn oder neunzehn oder fünfundzwanzig, man kann nicht zuwarten und die Hände in den Schoß legen. Was ist mit dem Älterwerden denn gewonnen! Es gibt eben Fälle, wo es heißt: jetzt oder nie ...« Er verhaspelte sich. Camill Raff, erstaunt und erstaunter, schaute ihn an. »Worauf wollen Sie also hinaus, Andergast?« forschte er mit halber Stimme und mit einer Empfindung, als müsse er den glühenden kleinen Menschen bei den Händen packen und ihm zurufen: Ruhe, Kind, eines nach dem andern, keine Überstürzung ...

»Antworten Sie mir auf folgende Frage, Herr Doktor«, begann Etzel wieder und haschte im Eifer des Sprechens, wie er vor kurzem bei dem alten Maurizius getan, nach Camill Raffs Ärmel, »antworten Sie mir nur auf das eine. Ein Mensch sitzt viele Jahre im Zuchthaus. Es ist möglich, daß er unschuldig verurteilt ist. Es ist möglich, daß man den Beweis dafür schaffen kann. Darf man sich durch irgendeinen Umstand davon zurückhalten lassen? Darf man zögern oder überlegen? Gibt es da überhaupt eine andere Pflicht? Sagen Sie mir das, Herr Doktor; ja oder nein?«

Ja oder nein: wieder das Unbedingte, das enthusiastisch Unbedingte, die moralische Diktatur, und wieder sollte besinnungslos geantwortet werden, so wie der arme Robert Thielemann hatte besinnungslos antworten sollen (»der Tisch fliegt, der Vogel fliegt«); wie konnte das sein, wie konnte das ein Mensch, wie konnte ein Camill Raff seine Lebens- und Welterfahrung in den Wind schlagen und einen unmündigen Knaben in Gott weiß welcher gefährlichen Tollheit bestärken? Dennoch war da etwas, das den Lebens- und Welterfahrenen bis in die Grundfesten erschütterte. Alles geriet ins Wackeln wie bei einem Erdbeben; Vorsicht, Rücksicht, Furcht vor den Folgen, Wissen um die Vergeblichkeit, alles fiel zusammen, und nur der kleine, glühende Mensch blieb stehen mit seinem Ja oder Nein. So sagte denn Camill Raff wider Willen fast, in einer Art von Überwältigung, in einer Wallung von Trotz gegen die eigene Vernunft: »Man ... ob man darf, Andergast ... ich weiß nicht ... ich weiß nicht, ob man darf oder soll ... Sie vielleicht ... Sie dürfen und sollen es vielleicht ...« Er stockte. Etzel sah ihn mit einem strahlenden, strahlend-dankbaren Lächeln an. Schweigend gingen sie noch ein Stück Wegs zusammen, schweigend trennten sie sich, mit einem Händedruck.

Was wird da? dachte Camill Raff, und die Ernüchterung stellte sich ein, Bedenken über Bedenken. Was hat der Knabe vor? Müßte man nicht als gewissenhafter Lehrer den Vater warnen? Das hieße aber die Freundschaft des merkwürdigen Jungen für immer einbüßen und sich selbst in seinen Augen zum Lügner und Schönredner machen. Was hat er nur vor, dieses halbe Kind? Den Sprung ins Eiskalte? Camill Raff fürchtet, der Sprung ins Eiskalte wird dem zarten Gefäß unheilbaren Schaden zufügen. Unerfindlich, was den Knaben so augenscheinlich aus unbefangenem Weben in eine Zielrichtung getrieben hat. Ein sechzehnjähriger Geist muß frei rotieren, sagt er sich, muß sich in der Illusion von Grenzenlosigkeit bewegen; wird er aus der Freiheit von Traum und Spiel in die Zweckbahn gezwungen, so fängt er an zu leiden, unvermeidlich, weil er ahnt und bald zu spüren bekommt, daß er auf die beglückende Wirrnis, die beglückend-unermeßliche Fülle zu verzichten hat, für die ihn das Leben nie wieder entschädigen kann.

Die Generalin hatte einen Schreck wie seit langem nicht, als Etzel die dreihundert Mark von ihr erbat. Er kam an einem gewöhnlichen Werktag, überfiel sie sogar in ihrem Atelier, wo sie an einem Blumenstück pinselte, umhalste sie und brachte in einem einzigen atemlosen Satz, ohne Einleitung, ohne Vorbereitung sein Anliegen vor. Eine Weile wußte die alte Dame nicht, was sie sagen sollte. Sie legte die Palette weg und starrte den Enkel entsetzt an. »Bist du wahnsinnig, Kind?« fragte sie mit blassen Lippen, »woher soll ich denn mir nichts, dir nichts so viel Geld nehmen? Und wozu willst du es haben? Auch wenn ich dir's geben könnte, wenn ich's entbehren könnte, wie sollt ich so eine Unbesonnenheit vor mir selber verantworten? Ich käme mir ja wie in einem sträflichen Komplott vor.« Na ja, drückte Etzels brennend-ungeduldige Miene aus, das wußt ich natürlich, das muß gesagt werden; warten wir, bis das Sprüchlein zu Ende ist. Als es zu Ende war, ließ er sich auf die Knie nieder, nahm die schmalen, weißen, kleinen Hände der alten Frau in seine nicht weniger schmalen und kleinen, obschon brauneren, und die Ungeduld in seinen Zügen verwandelte sich in einen Ernst, den die Generalin noch nicht darin wahrgenommen hatte und der sie mit einemmal um die komfortable Überlegenheit brachte, die ihr die Natur durch den Vorsprung von siebenundfünfzig Jahren ohne weitere Bemühung eingeräumt hatte. Wenn er ihr keinen Grund für sein Verlangen angibt, so ungefähr beginnt Etzel, geschieht es, weil sie den Grund weder billigen dürfte noch begreifen könnte. Weil sie dann das verhindern müßte und verhindern würde, wozu er das Geld nötig hat. Gewiß könnte sie auch jetzt schon hingehn und ihn denunzieren, da er sich durch seine Bitte bereits in ihre Hand gegeben hat. Aber das wird sie nicht tun. Nein, das wird sie niemals tun. Es wird ihr keinen Augenblick einfallen, daß er es zu einer schlechten Handlung braucht, dieses Geld. Sie sehe ihn bloß an, hier kniet er vor ihr, glaubt sie was Schlechtes? Nein. Er hat keine Schulden, er will sich nichts dafür kaufen. Soll er's beschwören? Nein. Ehrenwort geben? Nein. Er besitzt keine andere Ehre vor ihr als die in seinem Vor-ihr-Knien drinsteckt. Also. »Hör zu, Großmama. Hör mir gut zu. Wir verlieren keine Silbe darüber. Du leihst mir das Geld. Wenn ich mündig bin, geb ich dir's zurück. Lach nicht. Es ist noch eine Ewigkeit bis dahin, selbstverständlich, aber ich bin dir sicher, trotz der Ewigkeit.« (Er hatte wohl die Vorstellung, daß er mit den dreihundert Mark fünf Jahre lang reichen werde, immerhin ein ergötzlicher Zusammenprall von Zeit- und Geldbegriff; doch die Generalin lachte gar nicht, sie schüttelte nur leise den Kopf.) Er schloß: »Du siehst, ich schmeichle nicht und bettle nicht, ich komm zu dir, weil ... einfach, weil ich eben niemand sonst auf der Welt weiß.«

Die Generalin legte den kleinen Finger ihrer Linken quer über ihre Lippen und rührte sich minutenlang nicht. Dann stand sie auf, winkte Etzel, ihr zu folgen, und ging in ihr Schlafzimmer, das weißlackierte Möbel, einen bis zum Boden fallenden Baldachin über dem Bett hatte und überhaupt aussah wie das Schlafgemach eines siebzehnjährigen Fräuleins. Sie trippelte zu einem Wandsekretär, öffnete ihn, entnahm ihm eine mit Perlmutter inkrustierte Kassette, sperrte sie mit einem goldnen Schlüsselchen auf, das sie an einem Band um den Hals trug (alles das erinnerte Etzel an eine Märchenfigur und einen Märchenvorgang), zog fünf Hundertmarkscheine heraus, zählte sie ab und reichte dem Knaben drei. »Es ist das Geld für den ganzen Monat, die fünfhundert«, sagte sie mit niedergeschlagenen Augen, »mitsamt der Miete. Es kommt mich hart an, Junge. Ich bin recht beschränkt in den Mitteln, mußt du wissen; aber keinen solchen Unsinn mehr von Wiedergeben und dergleichen. Ich denke, daß du ... ich will glauben ... es ist ja seltsam, alles. Mir ist recht eigentümlich ums Herz, Etzelein ...« Etzel näherte sich ihr fast demütig, nahm ihr Gesicht zwischen beide Hände und küßte sie mitten auf den Mund. Dann sah er ihr mit jenem unbeschreiblichen Ernst, der sie schon einmal konsterniert hatte, in die Augen und flüsterte ihr zu: »Leb wohl, alte Großmama.« Als sie aufschaute, war er schon zur Tür draußen.

5.

Am dritten Tag nach seinem Besuch bei der Generalin verließ Etzel die väterliche Wohnung und die Stadt. Es war der vorletzte Tag der Osterferien, Dienstag. Am Montagabend sagte er zur Rie, er habe mit Thielemann und den beiden Förster-Lörings einen Ausflug nach der Hohen Kanzel verabredet. Sie wollten um sechs Uhr früh aufbrechen und Mittwoch nachmittag zurück sein, die Rie möge ihm Proviant vorbereiten. Es regnete seit dem Mittag; auf die Bemerkung der Rie, daß es wahrscheinlich auch morgen regnen werde, entgegnete er, sie hätten beschlossen, bei jedem Wetter zu marschieren. »Wenn's nach dir ginge, Rie«, sagte er und blinzelte sie schalkhaft an, »müßt ich immer hübsch im Stübchen bleiben, am liebsten hättest du's, wenn du mich ans Stuhlbein anbinden könntest.« In der Tat war sie keine Freundin von »Unternehmungen«; was von der Regelmäßigkeit des durch Wiederholung geheiligten Tageslaufs abwich, war ihr ein Greuel. Aber da Herr von Andergast bereits seine Einwilligung gegeben hatte, mußte sie sich fügen. Es fiel ihr nur auf, daß Etzel, nachdem er seinen Rucksack gepackt hatte, bis in den späten Abend in seinem Zimmer hantierte, Schubladen auf- und zuzog, mit Papieren raschelte und sich dabei ungewöhnlich schweigsam verhielt. Ferner fiel ihr der Umfang des Rucksacks auf, als er am Morgen aus seiner Stube trat. Es war ein Ballen, kaum konnte er ihn auf den Rücken heben, so unmäßig dick und schwer war das Ding. Verwundert fragte sie, wozu er, für den einen Tag, eine solche Menge Sachen mitnehme; er antwortete errötend, es seien Bücher drin, die er sich von den Förster-Lörings ausgeliehen habe und die er ihnen zurückbringe, da er ohnehin bei ihrem Haus vorüber müsse, außerdem ein Mantel, den ihm Robert neulich geborgt. Sein Gesicht verriet, daß er log, die Rie wußte, daß er log, sie wußte es stets, aber sie hatte dessen nicht weiter Arg, war sogar gerührt, als er ihr wegen ihres Frühaufstehens Vorwürfe machte, sie waren am Abend übereingekommen, daß er auf dem Bahnhof frühstücken solle. Sie hatte aber zeigen wollen, welches Opfer sie ihm bringen konnte; daß die Demonstration nicht unbemerkt blieb, verringerte ihr Unbehagen über die regendüstere Morgenstunde. Sie steckte ihm zu dem übrigen Vorrat noch ein Vierteldutzend Butter- und Wurststullen in die Tasche, er dankte, kehrte in der Flurtür noch einmal um und gab ihr einen Schmatz auf die Backe, dann ging er.

An demselben Vormittag trat Herr von Andergast eine Dienstreise nach Limburg an und gab kund, er werde Donnerstag zum Mittagessen wieder zu Hause sein. Als nun Etzel am späten Abend des Mittwoch noch nicht heimgekehrt war, wurde die Rie unruhig. Um elf Uhr nachts entschloß sie sich, mit Förster-Lörings zu telephonieren, Thielemanns hatten kein Telephon in der Wohnung, sonst hätte sie sich an die gewandt, weil sie Robert, der öfter ins Haus kam, besser kannte. Es dauerte ziemlich lange, bis jemand am Apparat antwortete. Ihr Schrecken war nicht klein, als sie erfuhr, die beiden Buben seien zu Hause, lägen längst in ihren Betten und seien weder heute noch gestern über Land gewesen, keine Rede davon. Sie ließ in ihrer Bestürzung die Hörmuschel fallen, eilte in die Mädchenkammer und weckte die Köchin auf, beriet sich mit der, ließ sich am Ende beschwichtigen, konnte aber doch nicht schlafen gehen, sondern wanderte bis halb zwei in der Wohnung herum, schaute alle zehn Minuten zum Fenster hinaus, spähend, horchend, eine Beute gehäufter Angstvorstellungen von allerlei Katastrophen, Verbrechen, Unfällen und Entführungen. Erst als sie sich nicht mehr auf den Beinen halten konnte, legte sie sich zu Bett, schlief aber trotz aller Gemütsbelastung – es darf um der Wahrheit willen nicht verhehlt werden – einen recht gesunden Schlaf, der sie nicht vor der gewohnten Stunde verließ, eher etwas später. Der Tag und seine vertrauten Forderungen stimmte sie gefaßter, bei jedem Glockensignal im Flur atmete sie erleichtert auf, und obwohl sie jedesmal enttäuscht wurde, erwartete sie die Rückkehr des Knaben zuversichtlich. Erst als sie gegen zehn Uhr das Stubenmädchen zu Thielemanns geschickt hatte und dieses mit demselben Bescheid wiederkam, den schon Förster-Lörings gegeben, stellten sich die Angstbilder von neuem ein, und um ihnen zu entfliehen, zog sie sich an und ging in die Stadt, wo sie einige häusliche Angelegenheiten zu erledigen hatte. Als sie zurückkehrte, war es ein Uhr. Die erste Frage an das Mädchen war: »Ist er da?« Antwort: »Nein.« Ehe sie ihre Bestürzung verbergen konnte, öffnete sich die Flurtür, und Herr von Andergast stand vor ihr. Sie kehrte sich ihm zu, mit verfalteten Händen: »Etzel ist nicht heimgekommen, Herr Baron.« Herr von Andergast reichte dem Mädchen sein kleines Reisenecessaire, Mantel, Hut, sagte obenhin verwundert: »So? das ist merkwürdig«, warf einen forschenden Blick auf das schwammige, blasse Gesicht der Rie und ging in sein Zimmer. Dort, auf dem Schreibtisch, lag unter andern Briefen, die während seiner Abwesenheit gekommen waren, ein Brief von Etzel.

Er las ihn; keine Miene in seinem Gesicht veränderte sich. Er lehnte sich im Sessel zurück und schaute in die Luft. Eine Fliege schien ihn zu interessieren, die am Plafond hin und her schoß. Nach einer Weile nahm er das Kuvert und besah die Marke. Sie trug den Stadtpoststempel vom Dienstagmorgen. Wieder nach einer Weile nahm er das Hörrohr vom Telephon, ließ sich mit dem Polizeipräsidium verbinden und kündigte dem Polizeipräsidenten seinen Besuch für ein Viertel nach drei an. Während des Mittagessens war er vollkommen schweigsam. Umsonst machte die Rie verschiedene Anläufe, was ihr auf dem Herzen lag, zur Sprache zu bringen; Herr von Andergast schien unempfindlich und durchaus mit seinen Gedanken beschäftigt, genau wie an jedem andern Tag. Aber als er sich vom Tisch erhob, bat er sie in sein Zimmer und forderte sie trocken auf, ihre Wahrnehmungen betreffs Etzels Weggang von Hause zu berichten. Die Disposition ihrer Erzählung litt unter dem abweisenden Blick der veilchenblauen Augen. Es war, als ob sich Herr von Andergast bis zum Überdruß belästigt fühle von den vielen Worten. Den Umstand mit dem voluminösen Rucksack brachte sie wie eine Entdeckung vor, die sie erst in diesem Moment machte, mit »ach, ja« und »richtig« und »wer konnte an so was denken!« Herr von Andergast bestätigte ernsthaft: »Gewiß, wer kann auch immer denken, das ist nicht zu verlangen.« Sie sah ihn perplex an. Ihr Mund verzog sich zum Weinen. Herr von Andergast wünschte die Feststellung, was von Etzels Kleidern, Wäsche und Büchern fehle. Er erwarte darüber am Abend Bescheid. Hiermit bedeutete er die Rie, daß die Audienz zu Ende sei.

Die Unterredung mit dem Polizeipräsidenten, Herrn von Altschul, verlief in kollegialen Formen. Zuerst erstattete er die offizielle Abgängigkeitsanzeige und gab das Signalement. Im weiteren Gespräch, nachdem der Polizeipräsident seine gebührende Teilnahme, ja eine Art Betroffenheit geäußert, ließ Herr von Andergast durchblicken, daß er bei den Maßnahmen der Behörden, Verfolgung und Anhaltung des Flüchtlings, eine gewisse Schonung geübt wissen möchte, auch tunliche Geheimhaltung, zumal was die Mitteilungen an die Presse anlangte. Der Chef der Polizei verstand. Er sagte, er werde entsprechende Befehle erteilen. Die Frage, ob ein Grund vorhanden oder bekannt sei, der den jungen Mann zur Flucht veranlaßt, verneinte Herr von Andergast. (Ich brauche nicht ausdrücklich daraufhinzuweisen, denn es war schon aus dem Verhalten gegen die Rie ersichtlich, daß er des Briefes, den er von Etzel erhalten, mit keiner Silbe erwähnte und daß er entschlossen war, ihn auch ferner nicht zu erwähnen, einfach, als wäre er nicht geschrieben worden.) Ob der Knabe Vorbereitungen getroffen? setzte der Polizeipräsident sein Verhör fort, das, einem solchen Manne gegenüber, nur eine Reihe freundschaftlicher Erkundigungen sein konnte. Wohl nur die unerläßlichen, antwortete Herr von Andergast. Ob er sich einem Hausgenossen eröffnet, einem Kameraden anvertraut habe? Herr von Andergast zuckte die Achseln. Seines Wissens nicht, sagte er, doch werde er nachforschen; bei der Kürze der Zeit habe er sich bis jetzt noch nicht umfassend informieren können. Aber habe denn der Sechzehnjährige die zu seiner Entfernung, einer offenbar auf längere Dauer berechneten Entfernung, erforderlichen Geldmittel gehabt? Auch darüber könne er keine Auskunft geben, antwortete Herr von Andergast, im Grunde handle es sich wohl nur um einen Dummenjungenstreich; allein der angerührte Umstand sei einigermaßen beunruhigend, er verhehle sich das nicht. Bestünde eine Vermutung, wohin sich der Knabe gewendet? Habe er heimliche Beziehungen gehabt? Heimliche Korrespondenz? Habe er einer politischen Jugendgruppe angehört? Nichts dergleichen sei auch nur denkbar, erwiderte Herr von Andergast kühl. Auch keine verwandtschaftlichen Einflüsse, die im verborgenen Macht über ihn erlangt haben könnten? (Der Polizeipräsident kannte natürlich die Familienverhältnisse des Freiherrn und stellte die Frage zaudernd, als bitte er wegen der Indiskretion um Verzeihung.) Herr von Andergast senkte die Lider und erwiderte mit nicht ganz motivierter Schärfe: »Nein, auch das nicht. Auf keinen Fall.« Er griff nach seinem Hut, erhob sich und sagte: »Der Personenbeschreibung ist noch etwas hinzuzufügen. Mein Sohn ist sehr kurzsichtig. In einem Grad, daß er Gesichter erst auf zehn Schritt Distanz unterscheidet.

Da der Zustand in den letzten Jahren stationär geblieben ist, hat der Arzt von der Benutzung einer Brille vorläufig abgeraten. Aber das Gebrechen, denke ich, wird seine Anhaltung erleichtern.«

»Ich denke auch«, erwiderte der Polizeichef, legte den Notizblock beiseite und erhob sich gleichfalls. Er blieb nachdenklich, als ihn der Oberstaatsanwalt verlassen hatte. Männer dieses Berufes haben eine außerordentliche Witterung für die Vollständigkeit oder Lückenhaftigkeit von Aussagen, für das geringste Verschweigen, den kaum wahrnehmbaren Vorbehalt. Er konnte sich dem Eindruck nicht entziehen, daß Herr von Andergast es an voller Aufrichtigkeit habe fehlen lassen und für nötig befunden habe, wichtige Einzelheiten zu verschleiern. Doch sagte er sich, daß er sich darum nicht zu kümmern brauche. Wenn er aber der Meinung gewesen war, es werde nicht schwer sein, des Flüchtlings habhaft zu werden und ihn dem Vater wieder zuzuführen, so hatte er sich gründlich geirrt. Der behördliche Apparat spielte mit der gewohnten Präzision, die Bahnhofswachen wurden benachrichtigt, sämtliche Polizeistellen, Grenzämter, Gendarmeriestationen in Tätigkeit gesetzt, nur die öffentliche Bekanntmachung unterblieb. Aber auch die hätte vermutlich keinen bessern Erfolg gehabt. Der Knabe war wie vom Erdboden verschwunden.

Der mehrmals erwähnte Brief Etzels war nicht danach angetan, Herrn von Andergast mild zu stimmen. Er war als Vater tief verletzt, in seiner Autorität beleidigt und fühlte sich als Mann, als Mensch, als vertrauender Freund (denn so weit ging seine Selbsttäuschung, daß er sich durchaus als Freund des Sohnes betrachtet hatte) schmählich hintergangen und auf listige Weise um die Frucht dieses von ihm so großmütig gewährten Vertrauens betrogen. Zum Lachen schon der erste Satz: »Ich kann nicht länger bei Dir bleiben; wenn ich Dein Haus verlasse, ist es kein leichtfertiger Entschluß, ich habe gewissenhaft damit gerungen.« Ei, er hat gerungen; das Haus verlassen; Entschluß; was berechtigt, was befähigt dich, Entschlüsse zu fassen, naseweiser Bengel? Wer hat dich gelehrt, zu urteilen, woher kommt dir, was das Gewissen fordert oder verbietet, wer hat dich um Gründe gefragt? Dann das: »Ich kann nicht sagen, daß etwas zwischen uns steht, weil alles zwischen uns steht. Dagegen bin ich wehrlos, daß Du meine Jugend verachtest, aber vielleicht kann ich das Ziel erreichen, das ich mir setze, und so Dich zwingen, meine Person zu achten, trotz ihrer Jugend.« Dreistigkeit. Man ist durch vielfachen Einblick in die Weltdinge davor behütet, in den banalen Jammer der Eltern zu verfallen, die sich über Undank der Kinder beklagen, obschon man sich nicht fürchtet, für passé zu gelten, wenn man feststellt, daß sie an taktloser Überschätzung dessen, was sie tun und sind und wollen, ihresgleichen suchen; aber die Tonart: »Ich kann nicht sagen, daß etwas zwischen uns steht, weil alles zwischen uns steht«, erregte schließlich doch den Zweifel, ob man es am Ende nicht an wirksamer Züchtigung habe fehlen lassen, wie gering das erzieherische Ansehen von derlei Maßregeln auch sein mochte. Dann die Krönung: »Seit ich von dem Schicksal und dem Prozeß des Leonhart Maurizius weiß und dem Anteil, den Du an seiner Verurteilung hast, ist keine Ruhe mehr in mir, da muß die Wahrheit an den Tag, ich will die Wahrheit finden ...« Ein Satz, der bei all seiner törichten Anmaßung nur mitleidiges Achselzucken zuließ.

Der vollständige Brief lautete:

»Teurer Papa. Ich kann nicht länger bei Dir bleiben; wenn ich Dein Haus verlasse, ist es kein leichtfertiger Entschluß, ich habe gewissenhaft damit gerungen. Ich bitte Dich von Herzen, in dem, was ich tue, nicht Mangel an Ehrfurcht zu erblicken; was ich Dir schuldig bin, ist mir bewußt. Aber wir haben keinen Weg zueinander, es ist aussichtslos für mich, einen zu suchen. Ich kann nicht sagen, daß etwas zwischen uns steht, weil alles zwischen uns steht. Dagegen bin ich wehrlos, daß Du meine Jugend verachtest; aber vielleicht kann ich das Ziel erreichen, das ich mir setze und so

Dich zwingen, meine Person zu achten, trotz ihrer Jugend. Gedanken erzeugen Gedanken, sagt man, aber die Wahrheit ist außerhalb, und man muß sie sich erarbeiten wie ein Werk, glaub ich. Ohne Hebel kann man Schweres nicht heben, ein Name ist für mich Hebel geworden: Seit ich von dem Schicksal und dem Prozeß des Leonhart Maurizius weiß und dem Anteil, den Du an seiner Verurteilung hast, ist keine Ruhe mehr in mir, da muß die Wahrheit an den Tag, ich will die Wahrheit finden. Eine große Bitte noch, ich traue mich kaum, sie niederzuschreiben, trau mich auch nicht zu hoffen, daß Du sie erfüllst: Verfolge mich nicht, laß mich nicht verfolgen, laß mich frei, ich kann nicht sagen für wie lange, sei mein Gegner nicht in dieser Sache. Dein Sohn Etzel.«

Reizend, war Herrn von Andergasts sarkastische Betrachtung, neben allem andern möchte er sich noch den Luxus meiner stillschweigenden Billigung leisten; aber man gehe zur Tagesordnung über, so peinlich und verdrießlich die Geschichte auch ist; daß ich es nicht voraussah und mich überrumpeln ließ und nun dastehe wie der Narr eines Narren, doppelter Narr, ist mein Fehler, ich muß mich an den Gedanken gewöhnen, von einem Lausbuben genasführt worden zu sein.

Der Brief war zu vergessen. Die Erinnerung an ihn erregte ein Gefühl, wie wenn man mit einem spitzen Stein im Stiefel herumgeht und keine Möglichkeit hat, die schmerzende Störung mit Anstand zu beseitigen. Aber es war nicht so einfach zu vergessen. Es hatte Herrn von Andergast widerstrebt, sich der großartigen Machtmittel des Staates wegen eines »Dummenjungenstreiches« zu bedienen. Er konnte sich nicht entschließen, in dieser Flucht etwas anderes zu sehen als eine Albernheit, deren angegebene Beweggründe er ignorierte. Über die Beweggründe nachzudenken, hielt er durchaus für entwürdigend. Er hatte die Gabe, seine Gedanken von einem Gegenstand abzuhalten, mit dem er sich nicht beschäftigen wollte. Es war eine Frage der Selbstbeherrschung. Mit dem Vergehen der Tage jedoch und als die getroffenen Anstalten trotz ihrer erprobten Vortrefflichkeit ergebnislos blieben, rückte der »Dummejungenstreich« in ein neues Licht, erzwang sich zum mindesten eine ihm nicht zukommende Beachtung, und damit war eine Unbehaglichkeit verbunden, wie wenn man auf eine Uhr blickt, von der man unzählige Male in mechanischer Lässigkeit die Zeit abgelesen hat, und man bemerkt plötzlich, daß auf dem Zifferblatt die Zeiger fehlen. Dazu kam das jammervolle Wesen der Rie: Klage, Frage, Vorwurf, Verwunderung, alles stumm, lästig-scheu, enervierend in der Wiederholung. Dazu kam die Notwendigkeit, nach verschiedenen Seiten telephonische Auskünfte zu erteilen, an den Rektor des Gymnasiums, den Ordinarius Dr. Raff (welchen er bei dieser Gelegenheit, aufmerksam gemacht durch einen rückhältig verlegenen Ton, für den nächsten Sonntag um seinen Besuch bat), an allerlei Bekannte, die von der rätselhaften Entweichung des Knaben gehört hatten und sich neugierig-teilnehmende Nachfrage nicht versagen konnten. Es war ganz ärgerlich unbequem, so sehr, daß Herr von Andergast den Plan ins Auge faßte, Urlaub zu nehmen und für einige Wochen zu verreisen. Aber der Plan blieb unausgeführt.

Die Generalin hatte am Freitagnachmittag mit der Rie telephoniert und von ihr alles erfahren. Am Abend rief sie ihren Sohn an. Herr von Andergast wartete auf den Anruf. Er hatte seine Mutter im Verdacht der Vorschubleistung. Da nicht anzunehmen war, daß der Junge ohne einen Pfennig Geld das Weite gesucht hatte und die Großmutter für ihn die nächste war, an die er sich wenden konnte, was bei ihrer oft bewiesenen Nachgiebigkeit ziemlich sicheren Erfolg versprach, erschien der Verdacht von vornherein wie halbe Gewißheit. Die Generalin sagte mit zitternder Stimme, sie sei krank, könne sich nicht aus dem Haus rühren, habe ihn vergeblich im Amt angerufen, er möge gleich, denselben Abend noch, zu ihr kommen. Herr von Andergast bestellte ein

Taxi und fuhr hinaus. Nachdem er fünf Minuten scheinbar ganz harmlos mit ihr gesprochen, hatte er bereits das Geständnis von ihr, daß sie Etzel dreihundert Mark gegeben. Die spielende Sicherheit, mit der er es zuwege gebracht, bestürzte sie, offenen Mundes schaute sie ihn an, wehrlos. Sie lag im Bett, eine Atlasdecke umhüllte ihre zarte Gestalt, das kleine Köpfchen ruhte elegisch auf den gestickten Kissen. Herr von Andergast seinerseits bewahrte die höflichste Miene von der Welt. Er hatte ein elfenbeinernes Papiermesser vom Nachttisch genommen, hielt es zwischen den Zeigefingern beider Hände, und in seinem Gesicht war keinerlei Gemütsbewegung zu entdecken. Seine Taktik lief ohne Zweifel darauf hinaus, alles durch Schweigen auszudrücken, was mit Worten zu sagen, vielleicht widerlegbaren, vielleicht anfechtbaren, er verschmähte. Er kannte das Gewicht und die Wirkung seines Schweigens in solchen Fällen und wußte es zu berechnen wie ein Artillerieoffizier die Flugbahn und den Einschlagspunkt einer Sprenggranate. Was er erwartete, trat ein. Die Generalin verlor die Contenance, Zorn verdunkelte ihr Auge, sie bäumte sich gegen die Tortur, die ihr seine vieldeutige, verbindliche Stummheit verursachte, und rief ihm zu, er selber habe es mit dem Kind verdorben, er selber trage die Schuld, er und sein Kasernenregiment, das Bübchen sei wohl auf und davon gelaufen, um ... na, um vielleicht zu seiner Mutter zu gehen und sich ... ja, was denn ... mein Gott, ein bißchen, ein klein bißchen verwöhnen zu lassen. Vielleicht habe ihm das gefehlt, gerade das, ein bißchen verwöhnt zu werden. Herr von Andergast blickte interessiert empor. »Ei sieh doch, Mama«, sagte er kühl verwundert, »das erste, was ich höre. Wer hätte an so etwas gedacht! Nie wäre ich auf die Idee verfallen. Wie kommst du darauf? Ist es eine bloße Mutmaßung von dir oder hast du einen bestimmten Anhalt? Wie sollte er denn erfahren haben ... sonderbar ... da wäre ja der verwerflichste Verrat im

Spiel ... hast du etwa Verbindungen angeknüpft? Ich meine, ist dir Näheres über ... über ihren Aufenthalt bekannt?«

Sein veilchenblauer Blick ruhte mit eiserner Gelassenheit auf dem Gesicht der alten Frau, deren erschrockene Kinderaugen, wie zwei Küken, die einen Habicht über sich wissen, zu flüchten trachteten. Sie machte eine abwehrende Bewegung. »O nein«, versicherte sie hastig seufzend, mit einem Ausdruck von Bedauern, der zu echt klang, als daß Herr von Andergast an ihren Worten hätte zweifeln können, »woher denn! Wie sollt ich denn! Es ist dir und deinem System gelungen, allen um dich herum die Augen zu verbinden und den Mund zu verstopfen. Wer soll sich denn trauen, auch wenn er was wüßte! Manchmal, Wolf, frag ich mich, ob du überhaupt noch ein lebendiger Mensch bist, mit einem Herzen im Leibe, wie andere Leute. Du machst einem angst. Du kommst in ein Zimmer, und schon wird einem angst.« Herr von Andergast stand lächelnd auf. »Ich hoffe, deine Unpäßlichkeit ist nur vorübergehend, liebe Mama«, sagte er in einem Ton zwischen schonender Fürsorge und müder Gelangweiltheit, »ich werde Nanny jedenfalls bitten, mich morgen zu benachrichtigen, wie es dir geht und was der Arzt verordnet hat ...« Er wollte abschiednehmend ihre Hand küssen, doch sie, verletzt von seinem hochmütigen Ausweichen, bis zur Entrüstung gereizt durch seine unerschütterliche Ruhe, herrschte ihn an: »Bleib! Nicht so geschwind! So geschwind sind wir nicht fertig. Wo ist Etzel? Wo ist er, dein Sohn? Du weißt es nicht? Und ich soll's wissen? Mir mutest du zu, daß ich mit ihm im Einverständnis bin? Ich hab's ihm ja gesagt, genau so. Ich kenne meine Pappenheimer. Nun, was soll geschehn? Was willst du tun? Natürlich deine Polizeihunde auf ihn hetzen. Ihn noch bockiger machen. Das ist ja euer A und O, die Polizei. Hast du denn eine Ahnung, was das für ein Junge ist? Was der in sich hat, was mit dem los ist? Nein, nichts weißt du, nichts, nichts, nichts, von ihm nichts, von keinem Menschen was. Hast du doch auch die arme Sophia wie einen Hund hinausgejagt in die Welt und ihren ... ihren Liebhaber zum Meineid getrieben, so daß ihm nichts übrigblieb, als sich eine Kugel in den Kopf zu schießen. Und wenn auch alles nach Recht und Ehrenvorschrift zugegangen ist, korrekt wie beim Parademarsch ... naja, ich sage nichts, ich sage nichts, zuweilen verbrennt's mir halt die Seele, wenn ich so liege und drüber nachdenke.« Mit ihren letzten Worten lenkte sie erschrocken ein, da sie das Erbleichen des Sohnes bemerkte. Sie hatte sich hinreißen lassen, der Kummer um Etzel, vieles Zurückgedrängte von Jahren hatte Gewalt über ihr entzündliches Gemüt erlangt, unbesonnen hatte sie die Decke von vergangenem Unheil weggezogen und auf den Punkt gedeutet, der, vom andern Geschehen abgelöst, allerdings wie untilgbares Verschulden aussah. Aber dahinter lag ein Leben, lagen Schicksale. Sie bereute ihre Worte, kaum daß sie ihr entschlüpft, schlug die Hände vor die Augen und schluchzte leise. In der Tat war das Gesicht Wolf von Andergasts so weiß geworden wie ein Stück Gips. Er hob langsam die linke Hand und zerknüllte den grauen Kinnbart, die Zungenspitze näßte rasch die Lippen, die geröteten Lider senkten sich bis auf einen dünnen Spalt, und er sagte, sehr leise: »Schön, Mama. Ich habe nicht im Sinn, deine romanhaften Vorstellungen zu berichtigen. Habe künftig die Güte, jede Anspielung auf meine Person und meine Vergangenheit zu unterlassen, wenn du Wert darauflegst, daß der sporadische Verkehr zwischen uns fortbestehen soll.« Eine echt Andergastsche »Schrankenrede«.

Die alte Frau bereute, bereute. Aber was fruchtete das! Die Menschen, die sich aus Übereilung mit ihrer Zunge verfehlen, geraten dadurch in eine weit üblere Situation als diejenigen, die sie mit gutem Grund wegen ihrer Handlungen anklagen. Wenn sie nur ein Gramm Unrecht tun, verschaffen sie dem andern gleich einen Zentner Vorteil, und ihnen bleibt Beschämung und Reue (denen sich die Generalin ausgiebig überließ).

Am nächsten Morgen zog Herr von Andergast die Rie nochmals ins Verhör. Die Worte der Generalin: »Er wird zu seiner Mutter gehen«, wollten ihm nicht aus dem Kopf. Da die alte Dame glaubhaft genug beteuert hatte, sich jeder Einflüsterung enthalten zu haben, konnte nur die Rie in ihrer Beschränktheit schuldig geworden sein; aber woher hatte sie ihre Wissenschaft bezogen? Daß der Junge nicht zu seiner Mutter gehen konnte, lag am Tage; die französische Grenze konnte er schwerlich passieren, außerdem war nicht anzunehmen, so romantisch-abstrus auch das Unterfangen war, daß gerade der ausdrücklich bezeichnete Grund seiner Flucht eine Lüge war. So sah die Sache nicht aus, und das war nicht die Art des Jungen. Dennoch wollte Herr von Andergast den zufällig aufgefangenen Faden nicht wieder fallen lassen, war es auch nur, um seine Leute kennenzulernen; nach seiner Meinung hatte jeder Mensch, der unbescholtenste, der unangreifbarste noch, einen Winkel in der Seele, wo der Keim zum Verbrechen saß, weshalb man sie nie ganz kannte. Und was die Frau anging, die beunruhigenderweise ihr Domizil gewechselt hatte und der es seit einiger Zeit beliebte, ihn Etzels wegen mit Zuschriften zu behelligen, so war nicht abzuschätzen, zu welchen vertragswidrigen Mitteln sie in ihrer plötzlich erwachten sogenannten Sehnsucht nach dem Jungen greifen würde. Er entbot also die Rie zu sich.

Sie war viel zu zerknirscht von seiner unerbittlichen Dringlichkeit, um zu leugnen, daß sie die Kenntnis von dem veränderten Aufenthalt der Frau aus dem Poststempel des letzten Briefes geschöpft, und gab unter Tränen zu, mit Etzel darüber gesprochen zu haben, sie habe sich nichts Böses dabei gedacht. Herr von Andergast sagte: »Ich betrachte Ihr Vorgehen als Vertrauensbruch; wenn ich keine Konsequenzen daraus ziehe, haben Sie es nur dem Umstand zu verdanken, daß Sie so lange in meinem Hause sind.« Es blieb ihm von dieser Unterredung ein bitterer Geschmack zurück, ihm war, als kehre das »System« seine Stacheln gegen ihn selber, als säßen seine Spione ihm selber auf den Fersen, als würden seine Kreaturen zu Verrätern. Ärgerliches Intermezzo das Ganze, so hatte es zunächst ausgesehen: ein junger Mensch mit einer überspannten Idee im Hirn entwischt aus dem väterlichen Haus, man fängt ihn wieder ein und stellt ihn für eine Weile kalt, was sonst? Indessen, es war anders, es war, vielleicht, ein wenig anders. Aber wie? wodurch? was war denn das »Andere«, Vertrackte, Quere, Verstimmende?

Er hatte sich vorgenommen, Herrn von Altschul anzurufen, um zu fragen, ob man bereits eine Spur des Ausreißers gefunden habe. Er unterließ es. Jedesmal, wenn er den Hörer vom Apparat nehmen wollte, preßte er wie von Widerwillen erfaßt die Lippen zusammen und saß eine Zeitlang in finsterem Nachdenken vor seinem Schreibtisch.

Mit Vorbedacht stimmte sich Herr von Andergast gegenüber Camill Raff auf den Ton der Kordialität. Er drückte ihm in einer Art die Hand, als habe er ein vertrauliches Beisammensein mit ihm längst gewünscht und setze diese Gesinnung auch bei dem andern voraus. In Wirklichkeit sah er in ihm bloß einen kleinen Schullehrer, trotz des Rufes, der über ihn ging; manche machten viel Aufhebens von seinem Geist und seiner Bildung, aber Herr von Andergast nahm es nicht an, er schätzte die Schullehrer gering, und zwar von allen Kategorien, er verbarg es sorgfältig, aber es war in ihm, vielleicht war es ein feudalistisches Überbleibsel oder der Umstand, daß starken Persönlichkeiten oft eine gewisse Unduldsamkeit gegen das allgemein Erfahrbare, den allgemein zugänglichen, daher verdünnten Wissensstoff anhaftet. Camill Raff war jedenfalls von dem freundlichen Empfang überrascht. Er kannte Herrn von Andergast nur von dessen sozusagen amtlichen Besuchen im Gymnasium her. Es gehörte zu seinen Gepflogenheiten, sich zwei-, dreimal in jedem Semester beim Ordinarius nach den Fortschritten des Sohnes zu erkundigen. Camill Raff war immer froh gewesen, wenn dieses Gespräch, dürr und feierlich, wie es sich abspielte, mit guter Manier überstanden war. Nun saß da ein liebenswürdiger Herr, der scharmant zu plaudern wußte. Leute in kleinen Verhältnissen lassen sich durch das artige Entgegenkommen eines sozial höher Gestellten stets bestricken, da nützt ihnen keine Philosophie und kein demokratischer Stolz. Dr. Raff war viel zu gescheit, um das nicht zu wissen, und war auf der Hut. Trotzdem unterlag er dem Zauber des ihm an Menschenkenntnis und Gewandtheit freilich unendlich überlegenen Mannes und bemerkte die Falle nicht, die ihm Herr von Andergast legte; denn dieser hatte einige Ursache zu dem Verdacht (auch hier Verdacht, auf allen Wegen Verdacht, das Netz ging aus den Maschen, überall treulose Subalterne), daß der Einfluß, den Camill Raff auf Etzel geübt, nicht ausschließlich edukativ gewesen sei, daß ein schädliches, vielleicht sogar schuldvolles Tolerieren verderblicher Neigungen gewaltet habe.

Camill Raff seinerseits hatte auch einen bestimmten intriganten Anreiz. Er hatte ja eine ziemlich genaue Kenntnis und eine noch bessere Vorstellung von Etzels Person und Wesen, und er sagte sich: dieser Vater hat vermutlich keinen rechten Begriff von seinem Kind; wenn jemand ihm den Begriff geben kann, bin ich es, und ich will es auf eine Weise tun, die er nicht so schnell vergessen wird. Zweierlei bewegte ihn dabei: erstens eine der Eitelkeit verwandte Regung, die in einem solchen Fall auch dem lautersten Berichterstatter nicht fremd ist, zweitens das Bedürfnis, den Druck, den Herr von Andergast ungeachtet aller Freundlichkeit auf ihn ausübte, durch Selbstentfaltung zu mildern. So – jeder in seinem besonderen Interessenspiel – agierten sie scheinbar in schönstem Frieden gegeneinander. Raff erzählte, wie er Etzel vor anderthalb Jahren in der Ferienkolonie im Odenwald kennengelernt, wie ausnehmend ihm der Knabe gefallen habe, so daß er, als er im gleichen Herbst an das hiesige Gymnasium berufen worden, sich über die glückliche Fügung gefreut habe, die ihn zu seinem Schüler gemacht.

Er habe sich viel mit dem Jungen beschäftigt, namentlich im letzten Halbjahr, seit er in der Obersekunda sitze und er, Raff, Ordinarius der Klasse sei. Herr von Andergast beugte sich ein wenig vor, die Hände waren auf den übereinandergeschlagenen Knien gekreuzt, Haltung und Miene drückten eine höfliche Wißbegierde aus, die Camill Raff schmeichelte und ihn zu einer gründlichen Charakteranalyse verlockte, voller Feinheit, voller Sympathie, voll der geheimen Tendenz, dem Vater unerwartet Neues über den Sohn zu sagen. Er spricht von der wasserklaren Durchsichtigkeit von Etzels Natur. Es ist nicht eine Durchsichtigkeit im gewöhnlichen Sinn, nicht, was man gemeinhin Offenheit nennt. Offen, nein, offen ist Etzel keineswegs, zwar nicht verschlossen, eher umkapselt, mit vielen Hüllen versehen. Was Camill Raff mit der Durchsichtigkeit meint, betrifft das innere Material, das Einleuchtende der Gesamtwirkung, eine eigene Art seelischer Ordnung. Es stimmt immer alles. Man hat im Umgang mit ihm immer das angenehme Gefühl: stimmt. Nur so kann es sein, so macht man, so sagt man das und das, so verhält man sich gegen einen Freundschaftsdienst, gegen eine Beleidigung, so in der Verlegenheit, im Zorn, so und nur so, weil man eben so und nur so *ist*, weil man die Gabe hat, zu sein, was man ist, und nicht zu scheinen braucht, was man sein möchte: ein Vorzug, der so selten ist, daß nur wenig Menschen seine Seltenheit begreifen, obwohl die meisten unaufhörlich davon reden. Es gehört allerdings dazu eine ganz bestimmte Sorte Mut. Aber Mut ist ja in solchen Fällen nur eine Tempofrage. Manches im Leben ist nur Ergebnis des Tempos, was wir als Frucht sittlicher Anlage betrachten. Camill Raff hat bisweilen bei den Knaben die Schnelligkeit der Reaktionen verglichen. Er hat gefunden, daß langsame Seelen (die ja in elastischen, in raschen Leibern wohnen können) eher zum Schlechten neigen als die feurigen, die geschwinden. Was ist zum Beispiel Gerechtigkeitsliebe anderes, die Äußerung davon anderes als eine blitzartige Zündung im Gehirn, glühend aufeinanderprallende Assoziationen der Phantasie? Er hat Etzel bei Streitigkeiten mit Kameraden beobachtet; bei ihren Spielen; in Situationen, wo es auf Anständigkeit, Verschwiegenheit, Hilfsbereitschaft, Ritterlichkeit ankam; er war jedesmal erstaunt über die Richtigkeit, die Kraft, mit der er sich in jedem Konflikt stellte, sich selbst und andere. Einmal hatten sie in der Klasse dem Mathematikprofessor einen garstigen Streich gespielt. Dieser Herr ist ein Liebhaber von Süßigkeiten, in seiner Manteltasche steckt fast immer eine Tüte mit Bonbons, die Jungen wußten es natürlich und mischten ihm eines Tages heftig abführende Zuckerplätzchen in den Vorrat. Thielemann war der Anstifter. Der Professor kam am nächsten Morgen wütend in die Stunde, erklärte, sich mit der Ausfindigmachung des Schuldigen nicht weiter befassen zu wollen, alle seien schuld, daher begnüge er sich damit, einen einzigen zur Verantwortung zu ziehen und zu bestrafen, dem Betreffenden stehe es frei, sich der Strafe zu entziehen, wenn er den wahren Schuldigen nenne. So griff er aufs Geratewohl einen heraus, verlangte von dem ein Geständnis, das, wie sich denken läßt, nicht erfolgte, und diktierte ihm eine recht harte Strafe. Das Verfahren erregte Etzels Zorn, er konnte es nicht aushalten, daß ein Unschuldiger – und der wirklich Angeklagte war zufällig der Unbeteiligtste an dem Anschlag – für den Schuldigen büßen sollte, er erhob sich und bezichtigte sich selber. Er habe es getan, er sei zu bestrafen. Das machte einen starken Eindruck auf die Klasse, die Jungens wollten es nicht zulassen, Widerspruch entstand, es brach eine förmliche kleine Revolte aus; glücklicherweise besaß der Professor Besonnenheit genug, die Sache nicht auf die Spitze zu treiben, das Verhör, das er mit Etzel vornahm, war etwas lau, er verließ das Klassenzimmer, um sich, wie er sagte, mit dem Ordinarius zu beraten; Camill Raff suchte ihn zu beschwichtigen und sorgte dafür, daß die Sache im Sand verlief, auch um den Mann selbst zu schonen und ihn vor noch mehr Lächerlichkeit zu bewahren. Nachher hatte er eine lange Auseinandersetzung mit Etzel. Während er dies Gespräch schildert, huscht ein undeutbares Lächeln über sein hübsches, melancholisches Gesicht, ein fast spitzbübisches Lächeln. »Ich hatte große Mühe, ihn mir vom Leib zu halten mit seiner possierlichen Entrüstung, mit seiner unverschämten Kaltblütigkeit, von den Menschen das zu fordern, was sie eigentlich von Rechts und Vernunfts wegen aus sich selber tun müssen, um nicht unaufhörlich Verwirrung und Plage in die Welt zu bringen«, sagt Camill Raff; »das war ungefähr der Sinn, ich gebe es etwas komplizierter wieder, doch das war der Sinn: die Leute sollen folgerichtig handeln: wer ein Geschäft betreibt, soll das Geschäft verstehen, ein Richter soll nur urteilen, wenn nicht der Schatten eines Zweifels an der Schuld besteht. Ich mußte ihm erwidern: mein Lieber, das sind Selbstverständlichkeiten, an denen schon Heroen und Heilige verblutet sind.«

Herr von Andergast hatte die Lider über die veilchenblauen Augen herabgelassen. Es sah aus, als hätte sich der Theatervorhang über einen Szenenwechsel gesenkt. Er rührte sich kaum. Er ließ nur ein halb verbindliches, halb skeptisches »Hm« hören. Camill Raff, ohne Ahnung von der wahren Beschaffenheit des Mannes, seinem eisigen Hochmut, seiner geistigen Verletzlichkeit, der Starrheit seiner Anschauungen, glaubte fortfahren, den Knaben noch eingehender erklären zu müssen. Er wollte Herrn von Andergast überzeugen (Gipfel der Naivität); wovon überzeugen? Das wußte er schließlich selbst nicht mehr genau, er spürte nur den steinharten schweigenden Widerspruch und stemmte sich dagegen. Er erzählt, was mit Karl Zehntner passiert war, die Geschichte von dem gestohlenen Fünfmarkschein und wie ihm Etzel seine Skrupel gebeichtet, weil er einen Kameraden aus Übereilung ins Unglück gestürzt. Auch diese Begebenheit kennt Herr von Andergast nicht, er horcht auf, aber seine Miene verrät immer nur dieselbe höfliche Wißbegierde. Camill Raff sagt: »Ein so zartes Gefühl für das Maß ist absolut ergreifend. Ich wenigstens kenne nichts, was mich stärker packt. Ich meine das Maß dafür, was der andere Mensch tragen kann und was erlaubt ist, ihm aufzubürden ...« – »Sie haben den Jungen wirklich aus dem Effeff studiert«, schaltete Herr von Andergast trocken ein. »Gewiß, Herr Baron, ich hielt es für eine meiner Aufgaben.« – »Gleichwohl scheinen Sie mir bestrebt, eine Tugendglorie um sein Haupt zu weben. Sie verzeihen, wenn ich das ein wenig übertrieben finde. Der Junge hat seine guten Eigenschaften, er ist in mancher Hinsicht nicht ohne Tüchtigkeit, von nicht ganz schlechter Zucht überdies, ziemlich vif, bisweilen ziemlich dreist und, verhehlen wir es uns nicht, wo er seine Zwecke durchsetzen will, mit einer reichlichen Portion Verschlagenheit ausgestattet. Oder finden Sie, daß ich ihm damit zu nahe trete?« Camill Raff findet eher, daß Herr von Andergast durch seinen maliziösen Ton ihm selbst zu nahe tritt. Er erwidert, er könne dem nicht beistimmen, er habe niemals Verschlagenheit an Etzel wahrgenommen, etwas anderes wohl, einen auffallenden Scharfsinn oder Spürsinn, das wohl, eine Art Indianerinstinkt, wenn es gilt, verborgene Dinge oder Umstände ans Licht zu bringen. Im Odenwalder Heim ist einmal ein Fall vorgekommen, der die Ursache war, daß sie den damals Vierzehnjährigen den Sherlock Holmes in Taschenformat nannten. Es war da ein siebzehnjähriger Junge, Rosenau hieß er, Stubenkamerad von Etzel. Er war nicht sonderlich ästimiert, erstens als Jude, dann wegen seiner mißtrauischen Unfreundlichkeit und schließlich, weil er Verse machte. Da es schlechtes Zeug war, was er dichtete, lauer Aufguß nach berühmten Mustern, mit einem nicht angenehmen erotischen Einschlag zudem, war der Spott, mit dem ihn die Jungen verfolgten, nicht ganz unberechtigt. Aber das verbitterte ihn natürlich nur noch mehr. Im übrigen war er ein anständiger Kerl, an dem keine böse Ader war. Aber er war nun einmal verhaßt, dagegen ließ sich nichts tun, und die meisten wollten ihn loswerden oder ihm wenigstens den Aufenthalt im Heim verleiden. Eines Tages hielt einer der Lehrer Umfrage nach einem Buch aus der Anstaltsbibliothek. Man suchte eine Weile, da sagte jemand: der Rosenau wird es haben, er hat sich's zwar nicht ausgeliehen, aber er grapscht immer Bücher von den andern. Rosenau war nicht im Haus, man entschloß sich kurzerhand, seinen Schrank zu öffnen, der Schlüssel hing am Nagel, der Lehrer stöberte in den Fächern herum, öffnete eine Schublade und stand plötzlich kopfschüttelnd und mit finsterm Gesicht da. In der Lade lag ein halbes Dutzend Photographien obszönster Art, wie man sie sonst nur in Bordellen unter allerlei Vorsichtsmaßregeln zu sehen bekommt. Außer Rosenau war die ganze Kameradschaft im Zimmer anwesend, es war kurz vor der Essenszeit, alle waren Zeugen der abscheulichen Entdeckung, einige feixten und höhnten, doch Zorn und Verachtung herrschten vor. Während der Lehrer nach dem Anstaltsleiter schickte und ihn herunterbitten ließ, kam Rosenau. Man zitierte ihn vor den Schrank, wies ihm die Bilder. Etzel stand dicht neben ihm und hatte sofort den Eindruck: der Junge weiß nichts von der Geschichte, man hat ihm da was Niederträchtiges eingebrockt. Er brauchte nur Rosenaus Gesicht zu betrachten, um in seiner Überzeugung befestigt zu werden. Solch erschrockenes Erstaunen, solche Ratlosigkeit waren unmöglich zu erheucheln. Von den übrigen hatte niemand den geringsten Zweifel, die Beteuerungen Rosenaus wurden mit gehässigem Schweigen aufgenommen. Der Leiter der Anstalt war am Morgen nach Würzburg hinübergefahren und sollte erst anderntags zurückkehren; so wurden die scheußlichen Bilder einstweilen konfisziert, und Rosenau bekam bis zur Entscheidung über das, was mit ihm zu geschehen hatte, Stubenarrest. Sämtliche Knaben sonderten sich demonstrativ von ihm ab. Er hockte brütend, das Gesicht zwischen den Händen, in einem Winkel. Etzel hatte unterdessen eine ihm wichtig scheinende Beobachtung gemacht. Er hatte bemerkt, daß die Photographie, die zuoberst gelegen, blutbefleckt war. Das Blut war in einem dünnen Streifen über das ganze Blatt geronnen. Er fragte sich: woher kommt das Blut? Unauffällig näherte er sich Rosenaus Schrank, zog die Schublade heraus und sah, daß an der Innenwand dicht neben dem Schloß ein Nagel mit der Spitze hervorstand, ferner, daß auch der Boden der Lade blutig war. Er sagte sich: der die Bilder in die Lade getan hat, war in Eile und hat sich dabei an dem Nagel verletzt, er muß ziemlich viel Blut verloren haben, und man muß die Wunde noch sehen. Ein wenig später, die Stube war bereits leer, die Knaben waren beim Fußballspiel, ging er zu Rosenau hin und sagte: »Zeig mir deine Hände!« Der Knabe schaute ihn verdutzt an und gehorchte, hielt ihm die offenen Hände hin. Sie waren unverletzt. Da dachte Etzel lange nach. Endlich hatte er seinen Entschluß gefaßt. Er erbat sich einen zweistündigen Urlaub, marschierte nach Amorbach, was ja nicht weit war, und kaufte einen Sack voll Haselnüsse. Gegen Abend, als alle wieder in der Stube versammelt waren, holte er seinen Sack hervor und verkündete, er wolle Nüsse verteilen, heut sollten einmal zur Unterhaltung Nüsse geknackt werden, das sei lustig und gebe einen Mordsspektakel, einer nach dem andern möge die Hände hinhalten, er werde jedem seine Portion zuteilen. Es geschah so, unter viel Gelächter. Beim neunten in der Reihe gewahrte Etzel die verwundete Hand, einen langen roten Kratzer an der Innenfläche, genau wie er es vermutet, denn außen an der Hand konnte sich die Wunde nach der Art, wie die Manipulation vor sich gegangen sein mußte, nicht befinden. Der Knabe mit der verwundeten Hand hieß Erich Fenchel, er war der Stubenälteste, war fast achtzehn und wegen seiner Brutalität und Rauflust gefürchtet. Er schaltete wie ein Tyrann mit den Jungen, hatte seine Günstlinge und seine

Mißliebigen, Etzel nahm eine Zwischenstellung ein, an ihn traute sich Fenchel nicht recht heran, alle gingen ihm um den Bart, Etzel nicht; seit jener einmal prahlerisch erzählt hatte, er habe ein taubstummes Mädchen vergewaltigt, war ihm seine bloße Nähe ein Grausen. Er hätte auf Erich Fenchel raten können, aber er wollte Sicherheit haben und ließ sich auch jetzt nicht das geringste anmerken. Alle knackten aufgeräumt ihre Nüsse, und er tat mit. Als die Knaben zu Bett gegangen und die Lichter ausgelöscht waren, blieb er wach. Stundenlang lag er still da und wartete. Es mochte gegen ein Uhr nachts sein, da stand er leise auf, lauschte, überzeugte sich, daß alle fest schliefen, schlich sich zwischen den Betten durch zu Fenchels Schrank, der Schlüssel steckte, unter dem Schrank hatte er am Abend eine kleine Blendlaterne verborgen, die er zugleich mit den Nüssen in der Stadt gekauft; kaum mehr Geräusch machend als eine Maus fing er an, den Schrank zu durchsuchen, die offene Tür deckte ihn gegen die Stube hin, es dauerte nicht lange, und er fand, was er suchte, wieder bestätigte sich seine Vermutung, wieder triumphierte seine logische Überlegung, Fenchel hatte nur einen Teil der Bilder in Rosenaus Schrank praktiziert, die andern befanden sich in seinem eigenen Fach, unter Heften und Büchern. Etzel schloß den Schrank zu, schlüpfte ins Bett und schlief bis zum Morgen. Gleich nach dem Frühstück ging er zum Lehrer, teilte ihm den Sachverhalt mit und wie er dazu gekommen, ihn klarzustellen. Eine Viertelstunde darauf war Rosenau rehabilitiert. Fenchel, neben allem andern ein wütender Judenfresser, hatte die Gelegenheit benutzt, als nach dem Buch gefragt wurde und niemand auf ihn achtete, die Photographien in Rosenaus Lade zu schmuggeln. Er wurde mit Schimpf aus dem Heim gejagt. Rosenau hing von da ab mit geradezu närrischer Liebe an Etzel. Das Jahr darauf wurde er aber von seinen Eltern, die nichts mit ihm anzufangen wußten, nach Südamerika geschickt.

Herr von Andergast schaute auf seine Hände herab. Es schien, als feßle ihn etwas am Nagel des einen Mittelfingers ganz ausnehmend, er hob die Hand bis ans Kinn und betrachtete den Nagel genau, während er wie absichtslos fragte: »Sie wußten selbstverständlich von dem Vorhaben meines Sohnes, sich zu entfernen?« Da er den Ausdruck unangenehmer Verwunderung auf dem Gesicht seines Gegenübers bemerkte, fügte er freundlich hinzu: »Ich würde es verstehen. Sie waren die Vertrauensperson. Sie genossen den Kredit. Ich hatte in solchem Grad den Vorzug nicht. Ohne mich beklagen zu wollen. Ich habe zum Beichtiger kein Talent. Offen gestanden auch geringe Lust. Ich schätze Herzensgeheimnisse nicht erheblich.«

»Herzensgeheimnisse, das dürfte nicht das richtige Wort sein«, wagte Camill Raff einzuwenden. Die Unterhaltung geriet aus dem Erzählerischen ins Dramatische, er sah plötzlich die Schlinge, die ihm um den Hals geworfen werden sollte. »Das Verhältnis überschritt nie die Grenze, die ich selber zog«, sagte er still.

»Sie haben die Frage nicht beantwortet«, versetzte Herr von Andergast sanft mit dem Augenaufschlag einer Frau, die sich über Vernachlässigung beschwert.

»Er kam zu mir in einer inneren Not«, sagte Camill Raff. »Als älterer Freund mußte ich ihm zu helfen suchen. Er fragte: So und so steht es mit mir, was soll ich tun? Oder vielmehr: Kann ich anders handeln als so und so? Ich wußte nicht, was er im Sinn hatte. Ich konnte es aus seinen Andeutungen nicht entnehmen. In jedem andern Fall hätte ich die Achseln gezuckt, hätte vertröstet, wäre ausgewichen. Bei ihm war das nicht möglich. In diesem Moment nicht. Ihm gestand ich zu, in diesem Moment, was ich keinem andern zugestanden hätte, nämlich zu tun, was ihm der Geist eingab. Ich leugne nicht – ich spreche immer von dem einen Moment –, daß ich es unterlassen habe, ihn von dem Entschluß abzuhalten, mit dem er kämpfte. Ich bedaure es auch nicht. Daß es ein so weitgehender Entschluß war, davon hatte ich freilich keine Ahnung.«

»Zweifellos hätten Sie dann doch Bedenken gehabt, ihn in solch einem höchst nebulosen Projekt zu bestärken?« erkundigte sich Herr von Andergast mit derselben sanften Stimme und einem kleinen, schlauen Lächeln.

»Das ... ich weiß nicht ...«, erwiderte Raff stockend, »es war etwas an ihm ... ich hätte mich geschämt, Wasser in diesen Wein zu schütten ... es ist so selten ... Sie hätten ihn nur sehen sollen, Herr Baron ...«

»Allerdings. Und ist Ihnen nicht bange geworden vor der Verantwortung?« fuhr die sanfte Stimme zu fragen fort.

»Nein«, sagte Camill Raff. »Nicht einen Augenblick.«

»Das erstaunt mich«, erwiderte Herr von Andergast und stand auf. »Nicht so sehr Ihre persönliche Haltung, die hat mich ja nicht zu kümmern, als vielmehr – wie soll ich mich ausdrücken? – die moralische Weitherzigkeit, die Sie als Erzieher bewiesen haben.« Camill Raff, der sich ebenfalls erhoben hatte, verfärbte sich leicht. »An Ihrer persönlichen Haltung habe ich bloß zu bemängeln, daß Sie mich zu warnen unterließen. Es wäre Ihre Pflicht gewesen ...«

»Ich durfte ihn nicht verraten.«

»Einen Unmündigen? Kann man da von Verrat sprechen?«

»Ich denke doch, Herr Baron. Hier, scheint mir, ist Unmündigkeit nur ein juristischer Begriff.«

»Genügt der juristische Begriff nicht, wenn eine grobe Unzuträglichkeit zu verhüten ist? Gibt es einen höheren? Ich bin für Belehrung empfänglich.«

»Er genügt nicht, Herr Baron. Ja, es gibt einen höheren.«

Das Dramatische hatte sich also bis zu stichomythischen Repliken gesteigert, doch weder mit Schärfe noch mit Stimmenaufwand; im Gegenteil, man war auf der einen Seite vollendet höflich, auf der andern bescheiden, aber fest. Zum Schluß, seinen Gast zur

Tür begleitend, fragte Herr von Andergast wie nebenbei, ob Camill Raff wisse, wo sich Etzel befinde; Raff antwortete, die Flucht des Knaben hätte ihn aufs äußerste betroffen, sein Aufenthaltsort sei ihm natürlich unbekannt. Herr von Andergast nickte ernst, schüttelte ihm die Hand und versicherte ihm, wie anregend ihm sein Besuch gewesen sei. Aber als Raff die Tür geschlossen hatte, stand er lange Zeit mit eingezogener Unterlippe grübelnd da. Am andern Tag richtete er ein Schreiben an die Schulbehörde, in welchem er die schwere Verfehlung, die sich Dr. Camill Raff gegen den Schüler Etzel Andergast hatte zuschulden kommen lassen, zur Kenntnis brachte und eine Disziplinaruntersuchung forderte. Die Untersuchung, von so hoher Stelle kategorisch verlangt, fand unverzüglich statt; die Folge war, daß Camill Raff seines Lehramts für zwei Monate enthoben und dann an das Gymnasium eines hessischen Provinznestes versetzt wurde, für ihn, dem schon der bisherige Wirkungskreis zu eng gewesen, ein niederschmetternder Schlag, der geistig wie körperlich verhängnisvoll für ihn wurde.

Einige Tage nach Camill Raffs Besuch, von dem er den Eindruck, als wäre etwas Demütigendes damit verbunden gewesen, noch immer nicht losgeworden war, lud Herr von Andergast den Präsidenten Sydow zum Abendessen ein. Der Präsident hatte es ihm nahegelegt, seine Familie war in der Oper, er wollte Gesellschaft haben. Der Tisch war gut, das Gespräch schleppte sich leer hin. Der Präsident war ein gemütlicher Herr, der gern Anekdoten erzählte. Herr von Andergast hatte keine Vorliebe für Anekdoten; aber die Leute, die sich darauf versteifen, ihre Schwänke an den Mann zu bringen, fragen nicht danach, ob der andere Interesse zeigt oder nicht, sie besorgen sowohl die Produktion wie den Applaus, und so merkte der Präsident nicht einmal, wie zerstreut sein Gastgeber war. Herr von Sydow genoß den Ruf eines »guten Richters«; aber was ihm den Ruf verschafft hatte, war eher eine Mischung von epikureischer Trägheit und allgemeiner Menschenverachtung als edle Aufgabe. Er ging den Dingen nicht gern bis auf den Grund, noch unlieber verstieg er sich in die Höhe, nur in der Mitte war ihm wohl. In vielen Fällen beruhte seine »Güte« auf der derben Gemütlichkeit eines mäßigen Alkoholikers. Selber schwerfällig wie ein Faß, beseufzte er die Schwerfälligkeit des juristischen Apparats, hielt die Geschworenengerichte, ohne sich je dagegen aufzulehnen, für eine lächerliche Farce; und solange er noch Strafrichter gewesen, waren seine gewinnendsten Eigenschaften zutage getreten, wenn er einen geständigen Verbrecher vor sich hatte: dem hätte er am liebsten die Hand geschüttelt und ein Stipendium zugewendet. Mit so einem verliert man doch nicht seine Zeit, pflegte er zu sagen, als ob die Zeit eines Richters ausschließlich der träumerischen Versenkung in behaglichen Weinstuben gehöre. Amtlich war er mit Herrn von Andergast häufig hart aneinandergeraten, außeramtlich standen sie vortrefflich, es gab da gar keine Möglichkeit der Reibung, die Entfernung war zu groß.

Er brach frühzeitig auf. Sie waren im Arbeitszimmer gesessen. Als Herr von Andergast allein war, öffnete er das Fenster, um den Zigarrenqualm hinausziehen zu lassen. Es war eine feuchtschwüle Aprilnacht. Die Bäume tropften, die dunkle Straße lag da wie ein aufgeschnittener Schlauch. Herr von Andergast bohrte den Blick in die Finsternis. Er hatte das Kinn auf die verflochtenen Hände gedrückt und stand unbeweglich wie ein Pfahl. Als er das Fenster geschlossen hatte, setzte er sich zum Schreibtisch, nahm einen Akt von dem bereitliegenden Stoß und schlug ihn auf. Doch seine Augen glitten interesselos über die Seiten. Er hielt einen Bleistift in der Hand und kritzelte zerstreut Zeichen und Worte auf ein leeres Blatt Papier. Auf einmal zuckte er zusammen. Da stand der Name Maurizius. Ohne es zu wissen und daran zu denken, hatte er ihn hingeschrieben. Er knüllte das Blatt zusammen, schleuderte es in den Papierkorb, warf den Bleistift auf den Tisch und erhob sich unwillig. Eine Weile schritt er auf und ab, blieb stehen, schien über etwas nachzudenken, verließ das Zimmer, stand mit unschlüssigem Ausdruck im Korridor, am Rand des Lichtscheins, der aus dem Zimmer fiel, machte wieder ein paar Schritte, bis er an der Tür von Etzels Stube war, öffnete sie und ging hinein. Er drehte den elektrischen Schalter auf, schloß die Tür vorsichtig, sah sich mit zusammengezogenen Brauen um und setzte sich, aufatmend, an den Tisch. Es war das erste Mal nach der Flucht des Knaben, daß er hier hereinkam.

Mit dem Rücken gegen das Fenster lehnte er sich in gewohnter Weise im Stuhl zurück und kreuzte die Arme über der Brust. Es war etwas eigentümlich Lautloses um ihn. Sein Gesicht sah unfroh und einsam aus. Die Spannung, aus der er es niemals entließ, vielleicht auch im Schlaf nicht, verringerte sich. Es schien, als ob die Stäbe von dem Gegenwartskäfig, die es umgitterten, einer nach dem andern wegschmölzen. Die Augen nahmen alle Dinge in dem Raum auf, das Messingbett mit der verschossenen gelben Seidendecke, den alten gestickten Kanevas vor dem Ofen, die zwei Strohstühle an den Schmalseiten des Tisches, das Bücherregal mit den wie Zahnlücken wirkenden leeren Stellen in den Reihen. Die fehlenden Bücher hatte der Knabe mitgenommen. Eine unbeschreibliche Traurigkeit erfüllte den Raum; Herr von Andergast konnte nicht umhin, sie zu verspüren. Ein von seinem Bewohner verlassenes Zimmer hat etwas von einer Leiche. Die Tischplatte war mit quadratisch gemustertem Linoleum bezogen, das um das Tintenfaß herum von Tintenflecken starrte. An einer Stelle war mit dem Messer das Profil eines Kopfes in den Stoff geschnitten, ein unbeholfener Versuch. Er hat zum Zeichnen nie Talent gehabt, denkt Herr von Andergast. Die Lade des Tisches stand ein wenig offen, sie war anscheinend leer. Knaben sind immer schlampig, denkt Herr von Andergast und schiebt die Lade zu. Die Lade erinnert ihn an den Vorfall mit den Photographien in der Ferienkolonie.

Er lächelt ein wenig. Scheues Lächeln, das er gleichsam gegen das von der Erzählung Camill Raffs her verbliebene Unbehagen durchsetzt. Wie kommt es, daß er von solchen Episoden nie erfahren hat? Wie kommt es überhaupt, daß so ein Kind immer nur im gegenwärtigen Tag vor einem steht, nie im vergangenen? Daß die Worte von gestern verhallen, die Gestalt vom vorigen Jahr vergeht? Ist der menschliche Sinn zu faul, die Reihe und Folge der Erscheinungen festzuhalten, wird er immer nur vom Augenblick genährt und daher betrogen? Denn der Augenblick ist ein Betrüger. Unmöglich, ein Bild zu gewinnen, wie der Junge mit zehn Jahren ausgesehen hat. Oder noch früher, mit acht, mit sechs. Photos hat Herr von Andergast nie von ihm herstellen lassen, er hielt das Photographieren von Kindern für eitles Unwesen. Es kommt auch darauf nicht an, es käme darauf an, daß das Bild in der Erinnerung vorhanden wäre. Etzel war ein schönes Kind, so viel glaubt Herr von Andergast noch zu wissen. Er entsinnt sich auch, daß er sich jedesmal geärgert hat, wenn die Leute sein hübsches Gesicht, sein adrettes Aussehen, sein artiges Benehmen lobten. Während er so dasitzt und einen Zugang zur Vergangenheit sucht wie ein Einbrecher, der sich nachts in ein Haus schleicht, muß er an die Blendlaterne denken, die der Vierzehnjährige in Amorbach zusammen mit den Nüssen gekauft hat. Ein Zug von erstaunlicher Kombinationsgabe, die er dem Burschen nicht zugetraut hätte. Da sieht er auf einmal den Fünfjährigen, wie aus staubgrauen Schleiern taucht der braune Lockenkopf hervor. »Vater, schau den großen Atlas mit mir an und erzähl mir vom Meer und von Asien.« Sehr hübsch, wie die kleinen, weißen Zähne durch den frischen Mund schimmern. Der klare, große Blick, die Gläubigkeit drin, wie wenn Asien und das Meer keine Geheimnisse für die Allmacht und Allwissenheit des Vaters hätten. Das war damals »Gegenwart« gewesen. Gegenwart heißt: keine Zeit haben. Nein, Lockenköpfchen, der Vater hat keine Zeit, er muß arbeiten.

Der Lockenkopf wagt nicht zu widersprechen, zeigt nur betrübte Verwunderung: kann es etwas geben, das wichtiger ist in diesem sehnsüchtigen Augenblick als der Atlas und Asien und das Meer? Keine Zeit haben ist eine unbegreifliche Vokabel, da doch so unermeßliche Mengen von Zeit um einen herumliegen und man gar nicht weiß, wie man vom Aufwachen bis zum Einschlafen der Fülle Herr werden soll. Da ist alles Rätsel des Lebens drin enthalten, in dem »keine Zeit haben« ...

Wo mag er wohl jetzt sein, der Junge? Es ist Nacht, die Bäume tropfen, die Gasse liegt da wie ein aufgeschnittener Schlauch, wo mag er in der gegenwärtigen Stunde sein?

Den Beamten fiel am nächsten Tag die außerordentliche Wortkargheit ihres Chefs auf. Auch daß er bei Fragen, die sie an ihn zu richten hatten, nicht bei der Sache zu sein schien. Das letztere war ihnen besonders ungewohnt, manchmal warfen sie einander erstaunte Blicke zu. Etwas vor zwölf, ehe er sich zum Aufbruch anschickte, ließ er den Kanzleidirektor kommen. Als der Mann eintrat, war es (oder er stellte sich so), als ob er vergessen hätte, warum er ihn gerufen hatte. »Ja, richtig, lieber Haacke«, sagte er freundlich, »lassen Sie mir doch die Akten Maurizius aus den Jahren neunzehnhundertfünf und -sechs aus dem Landgericht holen und schicken Sie sie noch heute in meine Wohnung.«

»Zu Befehl, Herr Baron.«

Um drei Uhr lagen die nach Archivstaub riechenden Akten, über zweitausendsiebenhundert zum Teil schon vergilbte Seiten umfassend, zu Hause auf Herrn von Andergasts Arbeitstisch.

Am gleichen Abend begann er zu lesen. Da er sich nun einmal dazu entschlossen hatte, wollte er die Sache auch gewissenhaft durchführen. Entschlossen? Genau besehen war es etwas anderes gewesen als ein Entschluß, etwas, das mit seiner Freiwilligkeit wenig zu schaffen hatte. Ähnliches war ihm nie passiert, unwiderstehlicher Zwang, eben das; es gab das also, einen Zustand, an den er nie so recht geglaubt, den er im Grunde für eine Advokatenfinte gehalten hatte, ersonnen, um den Arm der Gerechtigkeit zu lähmen, und in das Gesetzbuch geschmuggelt, um bürgerlicher Halbwissenschaft zu schmeicheln. Angefangen hatte es mit dem Wort Maurizius, das plötzlich auf dem Blatt Papier stand, von ihm selbst geschrieben, er wußte nicht, wie. Als er dem Kanzleidirektor den Befehl erteilte, hatte er ihm kaum ins Gesicht zu blicken gewagt, er dachte, die Leute müßten es ihm ansehen, er litt, unter dem fortdauernden Zwang handelnd, wie im Gefühl einer unbekannten Krankheit des Nervensystems, und war beschämt wie vom Bewußtsein heimlicher Ausschweifung.

Nicht weniger sonderbar erging es ihm dann während der Lektüre. Sein Gedächtnis hatte nur die rohe Struktur der Begebenheiten behalten und außerdem den Standpunkt, den er selbst einstmals dazu eingenommen. Alles einzelne war verwischt, das Gegeneinanderspiel der Schicksale erschien zuerst kaum verständlich, Entwicklung und Ausbruch der Leidenschaften sah sich an wie durch ein umgekehrtes Opernglas betrachtet, die Menschen glichen Kadavern, ihre Motive, ihre Taten, ihre Rechtfertigungen, Behauptungen, Beschuldigungen, Erklärungen, Ausreden, Wahrnehmungen hatten gleichfalls etwas Verwestes, ekel Abgestandenes, Formloses und Plattes. Ja, es war trostlos platt alles, Aussagen von Dienstboten, Laternenanzündern, Waffenlieferanten, Polizisten, Bahnschaffnern, Hotelportiers, Blumenhändlerinnen, Zimmervermieterinnen, Friseuren, Lohnkutschern und selbst die von Ärzten, Professoren, Professorenfrauen, Studenten, Kaufleuten, Industriellen, Baronen und Grafen, einer Armee von Zeugen, einem Schwall von Hörensagen, Gerüchten, Verhören, Gutachten, Plädoyers, Recherchen, Dokumenten und corpora delicti, Unsinn und Bemühung, menschlichem Leid und menschlicher Verworfenheit und Schwäche, aufbewahrt in diesem Berg von Papier, entblutet, entfärbt. Es zu prüfen war ein Geschäft, weit unergiebiger als das des

Anatomen, der eine Sammlung von Spirituspräparaten registriert. Indes, Herr von Andergast hatte Erfahrung darin. Daß das Eindringen in die katakombische Welt kein vergnügliches Unternehmen abgeben und seine Geduld auf harte Probe stellen würde, wußte er im voraus. Aber Geduld zu üben war seine Bestimmung, und Vergnügen irgendwelcher Art zu genießen lag nicht in seiner Existenz. Er ging zunächst daran, das Wesentliche vom Überflüssigen zu scheiden, die Hauptcharaktere aus dem Wust herauszuschälen. Da war ja immer viel Murren gewesen über das Verdikt, das den Verbrecher getroffen hatte; nicht nur die gewohnheitsmäßigen Frondeure hatten Einspruch erhoben, nicht nur Wirrköpfe und Ordnungsfeinde hatten von einem Justizmord zu sprechen gewagt oder doch Zweifel an dem Verfahren und Zweifel an der Schuld geäußert, auch lautere Elemente hatten sich bedenklich gezeigt, und bis in die letzten Jahre waren die Stimmen nicht zum Schweigen gekommen, die eine Wiederaufnahme des Prozesses für erwünscht hielten. Dazu lag aber nicht die geringste Veranlassung vor, weder sachliche noch formale; dem letzten dieser Gesuche hatte Herr von Andergast vor sechs Jahren die Befürwortung versagt, er erinnerte sich nun genau. Je mehr er sich in das Studium der Akten versenkte, je deutlicher erhob sich der Prozeß in der Erinnerung, als ob nicht bloß auf den schmutzigen Aktendeckeln, sondern auch in seinem Gehirn die Schicht von Moder, die sich darüber gelagert, weggefegt wäre. Doch geschah es nicht auf einmal, es ging allmählich vor sich. Eines späten Abends wurden ihm Gestalt und Gesicht des Leonhart Maurizius ganz unerwartet gegenwärtig.

Er hatte die Akten zugeklappt und wanderte, eine Zigarette rauchend, im Zimmer auf und ab. Er sah müde aus, um die Augenhöhlen waren bräunliche Schatten. Aber gerade der ermüdete Geist produziert oft, weil er dann seine Zwecke abgeschüttelt hat, ohne Anstrengung, was er zweckgefesselt niemals hergäbe. Plötzlich sah er den jungen Menschen vor sich, wie er vor achtzehn Jahren vor den Schranken gestanden. Ein hübscher Kerl, ohne Frage, gute Haltung, elegant; wenn er saß und die Beine übereinanderschlug, gewahrte man über den tadellosen Schuhen die grauen Seidenstrümpfe. Daß Herren Seidenstrümpfe trugen, kam damals erst in Mode. Das Haar, kastanienbraun, reich gewellt, war sorgfältig gescheitelt, die Gesichtszüge offen, weichlich, fast frauenhaft empfindsam, die Hände schmal, unangenehm klein, die ganze Erscheinung in der Mitte zwischen einem Weltmann mit künstlerischen Allüren und einem verwöhnten eigensinnigen, selbstsüchtigen homme à femmes. Nie wich ein stereotypes Lächeln von seinen wohlgeformten, sinnlichen Lippen (Herr von Andergast entsann sich, welchen Widerwillen ihm stets dieser lächelnde, sinnliche Mund eingeflößt. Warum? Hier traf Dunkles auf Dunkles, stieß Abgrund an Abgrund – vielleicht deswegen), im Gegensatz hierzu lag in den schönen braunen Augen, deren Ausdruck aber durch ein häufiges Zwinkern entstellt wurde, ein entschlossener Trotz und zugleich eine aus unzugänglichen Tiefen hauchende Traurigkeit. Da war er – noch vor fünf Minuten hätte Herr von Andergast nicht sagen können, wie er ausgesehen, sich getragen, sich gebärdet, jetzt war er bis in die Falte gezeichnet da, und die minuziöse Genauigkeit des Bildes erschreckte ihn fast. Er wünschte es abzutun, wie von einem unzüchtigen Anblick glitten seine Augen davon weg; doch es war hartnäckig, es schien, als könne der Wille allein es nicht bannen, als könne es nur von einem andern Bild von noch größerer Wahrheit verdrängt werden. Und dieses zweite Bild stellte sich ein. Etzels Bild.

In allen Phasen der Beschäftigung mit den Prozeßakten Maurizius war es das Bild Etzels, das sich in die trübe, verworrene, wie ein gefrorener Sumpf allmählich auftauende Materie mischte, zunehmendes Licht über sie verbreitete und den Geist unerbittlich zu ihr hinzwang. Wie das zustande kam, ist schwer zu erklären bei einem Mann, der nichts von einem Halluzinator an sich hatte, dessen Ahnungsvermögen gleich Null und bei dem so wenig metaphysische Anlage zu finden war wie etwa bei einer (im übrigen glänzend funktionierenden) Rotationspresse. Es unterliegt keinem Zweifel, daß das Grübeln über Etzels Flucht, über seine Abwesenheit und deren Motive seinen Einfluß geltend machte, als Herr von Andergast mit Unlust, ja mit dem Gefühl, seine Zeit zu verschwenden, die Akten Maurizius aus ihrer archivarischen Vergessenheit hervorholen ließ. Was ihm bis dahin vornehmlich zu schaffen gemacht hatte, war seine verletzte Eitelkeit, ob sie sich nun, in den höheren Regionen des Bewußtseins, Würde nannte, Autorität, väterliche Verantwortung, gesellschaftliche Stellung, öffentliches Ansehen oder, in den geheimen Falten der Seele, Gefühl der Zurücksetzung, gescheiterte Hoffnung, Versagen der eigenen Kraft war. Wenn er sich auch hütete, letzteren Empfindungen nachzugehen und sie seinem Stolz gegenüber rundweg leugnete, litt er doch darunter wie unter einer körperlichen Unpäßlichkeit, die man nicht zu kurieren wagt aus Furcht vor der Entdeckung tieferliegenden Übels. In dem Bemühen, seine Gedanken auf die äußeren Umstände abzulenken, wurden gerade die zur Plage. Ein Sechzehnjähriger, ausgeliefert einer Welt, die er nicht kannte! Wie sollte er sich schützen vor täglichen Fährnissen, vor roher Zumutung, vor dem Gebirge von Schmutz, vor Verbrechen, solchem, das an ihm verübt, und solchem, zu dem er verführt werden konnte? Er setzte die Zukunft aufs Spiel, den Namen, die Ehre, die Gesundheit und schließlich auch das Leben. Da hat man ein Kind mit Sorgsamkeit gehegt, auf eine ihm zukommende Daseinshöhe vorbereitet, mit den überlegtesten Maßregeln der allgemeinen Verlotterung entzogen, auf einmal schlägt es die Hand, die es führt, ist Objekt polizeilicher Recherchen geworden, vogelfrei, mit dem Stigma des abenteuernden Ausreißers im Lande herumziehend. Unausdenklich und in jeder Weise schlimm. Ich habe meine

Pflicht vollauf erfüllt, sagt sich Herr von Andergast, und die Erkenntnis, wie böse ihm in dieser Sache mitgespielt worden, kerbt einen Zug bitterer Verachtung um seine Lippen; ich war ihm ein treuer Berater; für seine Bedürfnisse war gesorgt; ich ließ es an Rücksicht nicht fehlen, an natürlicher Achtung nicht, an Gewährung notwendiger Freiheit nicht. Worüber hatte er sich zu beklagen? In jeder ernsten Schwierigkeit konnte er sich getrost an mich wenden. Anständigerweise mußte er es tun. Ich hätte ihm seine Unreife zum Vorwurf gemacht? seine Jugend unterdrückt? Ich? Es wird eher so sein, daß ich zuviel Sorgfalt, zuviel Gewissen an eine Niete vergeudet habe. Da ist doch wohl ein sittlicher Fleck im Charakter von der Mutter her. Es war zu befürchten. Ich konnte, bei aller Wachsamkeit, das Gift nicht ganz ausmerzen, die Natur war stärker.

In diesem Wechsel von Anklage und Selbstverteidigung, bohrendem Rückblick und düsterer Voraussicht nahm seine Gemütsverfinsterung unablässig zu. Hätte er einen Freund gehabt (den Fall gesetzt, daß ein Mann wie er der Freundschaft fähig wäre, denn er war es so wenig wie ein Verschnittener zur Zeugung), so wäre er zu dem hingegangen, hätte versucht sich auszusprechen und hätte vielleicht Erleichterung dadurch gefunden. Aber er hatte niemand. Eine solche Person gibt es nicht. Er ist unter der halben Million Menschen dieser Stadt so allein wie auf einem Boot in der Mitte des Ozeans. Erst jetzt fängt er an, es zu bemerken. Wenn er einmal einen Weg antritt, der ihn für eine Stunde von sich selbst erlöst, ungenügend erlöst, weil er von sich selbst ja niemals los *kann*, so führt ihn der, selten und nächtlicherweile, ganz woanders hin.

6.

Abend für Abend sitzt er bis in die späte Nacht vor den staubigen, geradezu staubig schmeckenden Akten, exzerpiert, notiert, vergleicht und prüft. Es ist eine wahrhafte Schaufel- und Erdabhebungsarbeit, indem er sich mit unbezwinglichem Widerwillen dagegen wehrt, schraubt es ihn tiefer und tiefer hinein. Unbefohlen ist, was er tut; einen Zweck weigert er sich zu statuieren; gleichwohl bleibt er dabei und wird sich selber zum Rätsel. Er muß Vorwände finden, um sich das Unerklärliche einigermaßen plausibel zu machen, und überredet sich zur Bewunderung der meisterhaften Arbeit, die der Prozeß darstellt, wenn man sich durch den öden Buchstabenwust und Tatsachenschutt durchgewühlt hat. Eisern, folgerichtig fügen sich die Einzelheiten zum Gesamtbild, um schließlich von dem Verdikt gekrönt zu werden. Es gibt da Perlen juristischer Kunst, die zeitliche Entfernung läßt die imponierende Konstruktion erst übersehen, die Festigkeit des Fundaments, die feine Mechanik des inneren Getriebes. Der Fachmann ergötzt sich ästhetisch, auch die eigene Leistung erscheint ihm getragen von einem Schwung, den er, wenn er ehrlich über sich urteilt, heute nicht mehr aufzubringen vermöchte. Es ist ja oft so, daß wir auf unsere Jugendwerke, in die wir verschwenderisch alle Leidenschaft und Erfindung geschüttet haben, mit einer Art von tragischem Selbstneid zurückblicken.

Unleugbar jedoch: einen Schönheitsfehler hatte der Prozeß, das fehlende Geständnis. Zu keiner Zeit des Verfahrens, weder in der Voruntersuchung noch in der Hauptverhandlung, auch später in der Strafanstalt nicht, hatte sich Maurizius zur Tat bekannt. Im Gegenteil, jede Frage nach der Schuld hatte er mit demselben beharrlich schroffen Nein beantwortet. Wer aber dann der Schuldige sein sollte, darüber hatte er ebenso beharrlich schroff geschwiegen. Das konnte natürlich seine Verurteilung nicht hindern, zu fest lag die Beweiskette um ihn, da war kein Entrinnen möglich. Auch der genialste Verteidiger hätte den Ring nicht sprengen können, um wieviel weniger jener mittelmäßige Dr. Volland (inzwischen längst verstorben), den Maurizius zu seinem Rechtsbeistand gewählt hatte. Herr von Andergast entsann sich des Mannes noch ganz gut, ein trockener Silbenstecher, Kleinstädter mit Seehundsschnauzbart und schwarzgerändertem, schiefsitzendem Zwicker auf der knochigen Nase. Er glaubte keineswegs an die Unschuld seines Klienten, er stürzte sich auf die psychiatrischen Sachverständigen, flüchtete in die formalen Einwände. Einen schwächlicheren Helfer hätte der Angeklagte nicht haben können. Maurizius kümmerte sich auch kaum um ihn, behandelte seine Zwischenreden und Fragen mit verächtlicher Ungeduld und gebot ihm sogar einmal in offener Verhandlung zu schweigen. Leichterdings hätte er einen besseren Advokaten haben können. Warum hatte er es unterlassen? Bei den Akten lag ein Brief des alten Maurizius an den Gerichtshof des Inhalts, Anna Jahn habe darauf gedrungen, daß Leonhart den Dr. Volland nehme, er sei der einzige Anwalt, dem sie vertraue, er habe schon ihrem Vater zufriedenstellend gedient, sei anständig und zuverlässig. Die Zuschrift war damals nicht beachtet worden; man hatte gar nicht nachgeforscht, schließlich war es nicht die Sache des Gerichts, sich um die Qualität des Verteidigers zu kümmern; heute, in der Einsamkeit des Arbeitszimmers, haftete an dem geringen Umstand eine gewisse Zweideutigkeit. Es war zunächst wie ein winziges Loch in einem ungeheuren Gefäß, durch das die wohl- und langverwahrte Flüssigkeit ausrinnt, ohne daß man freilich zu fürchten braucht, das Loch werde sich vergrößern; zunächst; alles schien nietfest. Weder Zweifel noch Unruhe regten sich in Herrn von Andergast. Er drehte die Schreibtischlampe ab und stand eine Weile im Finstern, unschlüssig, ob er in sein Schlafzimmer oder in Etzels Stube gehen sollte. Er wagte nicht, sich zu letzterem zu entschließen. Es war ihm zumut, als kehre er von dem Schauplatz des Prozesses auf einem schmalen, finstern Weg wieder in die Gegenwart zurück. Er mußte sich erst besinnen, wo er war. Jene Geschehnisse lagen immerhin achtzehn Jahre dahinten. Er richtete den Blick forschend auf die achtzehn Jahre. Sie umschlossen den inhaltsvollsten Teil seiner Existenz, eine unabsehbare Kette von Tagen. Gleichlauf, Gleichlauf. Achtzehn Jahre Mannesleben; grau geworden; nichts in der Hand. Das Äußere, ja: Amt, Karriere, Stellung; aber was hat man in der Hand? Genau genommen war es eine endlose Zeit. Es gibt eine Art von Langeweile, die sich durch das Leben alternder bürgerlicher Männer schleicht, die verheerend ist wie die gierige Tropenameise; der Gegenstand, den sie heimsucht, bleibt auf der Oberfläche völlig unversehrt, im Innern besteht er nur noch aus mehligem Moder. Ein Ruck, ein Stoß, und der Balken, ja das ganze Gebäude bricht in einen formlosen Haufen zusammen.

Es ist aber etwas in der endlosen Zeit gewesen, das ihr die steppenartige Eintönigkeit hätte nehmen können, wenn er es beachtet hätte. Dieses Etwas ist verschwunden. Man hat es übersehen, und es ist fort. Während all der unzähligen Tage ist es neben einem aufgewachsen, und wenn man die Vergangenheit nach ihm absucht, weiß man nicht viel mehr von ihm, als was der Hausmeister, der Amtsdiener, der Postbote unter Umständen auch wüßte. Ist er das gewesen, der komische kleine Stöpsel, der (unermeßlich lang mag es her sein, damals war ja noch Sophia im Haus, die Gedanken meiden die Tatsache) mit sinnlosem Jauchzen in der Kinderstube hin und her rennt? Das Bild erhebt sich wie aus faulem Wasser, wobei sich irisierende Ringe bilden; welch ein wunderlicher Automatismus des Gehirns, warum produziert es gerade dieses Bild unter den Tausenden, die möglich wären? Der Bub ist nicht älter als drei Jahre. Er ist nackt, unmittelbar vor dem abendlichen Bad, und läuft jubelnd seinem blauen Gummiball nach. Wie rosig das Fleisch ist, wie tolpatschig die winzigen Füße auf den Boden stapfen, geradeaus gerichtet wie bei einem kleinen Bären, was für ein unfaßliches Funkeln in den Augen, als sei das kniehohe Menschlein betrunken von seinem Lebensentzücken: Spiel mit mir, Papa; ich such dich! Warum magst du nicht? Gehst du schon wieder fort? Bleib doch da, weißt du was? Du bist die große Eisenbahn, ich bin der Schaffner; sogleich pfeift und prustet er, schreit: einsteigen, verwandelt sich frenetisch und restlos in das, was er vorstellt: Lokomotive, Waggons, Reisende, alles in einem. Der Vater hat nur einen zerstreuten Blick auf die Miniaturzauberwelt und das strahlende Geschöpf zu seinen Füßen, er schließt die Tür hinter sich und begibt sich wieder in den Bereich der ernsthaften Verrichtung.

Es wurde nach und nach angreifend lästig, wie sich die Bilder und Gesichter, die sich aus der Beschäftigung mit dem Prozeß ergaben, mit denen aus Etzels Kindheit vermengten. Es war, als hätte er eines jener Opiate eingenommen, die den Willen aufheben und den Geist in zuchtlose Phantasien stürzen. Trotzdem war er sehr wohl imstande, logisch zu überlegen. Er hatte nur fortwährend das Gefühl, wie wenn diese Überlegung an einer unsichtbaren Wand zerschellte, hinter der sich etwas Unerfahrbares zutrug. Eines Nachts lag er im Bett und schaute, mit unter den Nacken geschobenen Händen, starr in die Luft. Bei Männern von der Art des Herrn von Andergast hat das Imbettliegen etwas eigentümlich Widersinniges. Es gibt Figuren, zum Beispiel steinerne und bronzene Denkmalsfiguren, die man sich beim besten Willen nur aufrecht denken kann; ihre horizontale Lage erinnert sofort an Unordnung und Zerstörung. Ein unangenehmes Körpergefühl überkam ihn, er spürte die Zehen und den Rücken, er war so schmerzhaft umgrenzt auf einmal. Sein Gedanke war: es stimmt was nicht in dem Prozeß, aber was? An irgendeiner Stelle ist das Gefüge defekt, aber wo? Er überging den Verlauf. Er fing mit dem Anfang an. Die Ehe zwischen Leonhart und Elli Maurizius wurde ihm auf einmal bis zur äußersten Sichtbarkeit gegenwärtig. Das war neu und in gewissem Sinn störend. Man hatte stets die Ansicht vertreten, daß eine zu große Lebendigkeit der Auffassung das sachliche Urteil trübe. Jede Art von Phantasiebeteiligung war verpönt, und schon die Neigung dazu bei andern erweckte Mißtrauen. Niemals in seiner ganzen Praxis war es ihm vorgekommen, daß er die Dinge und Personen sah. War vielleicht jener quasi-opiumisierte Zustand daran schuld, durch den er auch gezwungen war, das vergangene Leben seines Kindes zu *sehen*, statt, wie er getan, es bloß zu *wissen?* Steckte, hier wie dort, hinter der gewußten Wirklichkeit eine andere, geheimnisvollere und zugleich wahrere? Jedenfalls war es nicht uninteressant, die Entwicklung der Vorgänge in dieser ungewohnten Weise zu verfolgen. Indem er regungslos zum Plafond des Schlafzimmers hinaufschaute, rollten sie vor seinen Augen ab wie ein Film.

Elli Hensolt hatte nicht leichten Herzens eingewilligt, die Frau des jungen Maurizius zu werden. Dreimal hat sie seine Werbung ausgeschlagen, ehe sie sich endlich entschloß. Sie sagte: Ich bin eine reife Frau, morgen werd ich alt sein, Sie sind ein Jüngling und werden noch zwanzig Jahre jung sein, wohin soll das führen? Was reizt ihn an ihr? Ist es eben diese Reife? Die Beruhigung, die von ihr ausgeht? Die Festigkeit des Charakters, die man ihr nachrühmt und die in allen ihren Handlungen zutage tritt? Hat er genug von flüchtigen Abenteuern, sehnt er sich mehr nach Führung als nach Verführung, mehr nach Ordnung als nach wechselnden Leidenschaften? Ist es, mit seinen vierundzwanzig Jahren, schon die Flucht ins bürgerliche Heim? Neben dem allem spielt der Umstand, daß Elli Hensolt eine vermögende Witwe ist, sicherlich eine Rolle, obschon er ihren Reichtum, wie sich später herausstellt, bedeutend überschätzt; er glaubt sie im Besitz von mindestens zweimal hunderttausend Mark, aber der verstorbene Hensolt hat ihr nur die Hälfte seines Vermögens testiert, die andere Hälfte ist einer wohltätigen Stiftung zugeflossen, der gesamte Nachlaß hat nicht mehr als hundertsechzigtausend Mark betragen. Das erfährt Leonhart erst wenige Tage vor der Hochzeit. Ob er darüber Enttäuschung empfunden oder sogar gezeigt hat, weiß niemand; er kann keinesfalls mehr zurück. Im übrigen ist Elli die Frau nicht, die man nimmt oder stehenläßt, je nachdem. Sie hat ihre Würde, sie ist noch stattlich; sieht man sie auf der Straße, im Salon, so gibt man ihr höchstens dreißig Jahre; sie weiß sich anzuziehen, hat ausgezeichnete Manieren, und wenn ihr auch Schönheit mangelt, fesselnd wirkt sie trotzdem; man kann sich gut denken, daß sie einen Mann wie diesen Leonhart Maurizius nicht gleichgültig läßt.

Ihr ist es von vornherein klar, was er in ihr sucht und braucht. Er hat sich zu Rande gewirtschaftet. Er ist müde von zu raschem und zu gierigem Genießen. Er hat jede Hand ergriffen, die ihm hingehalten wurde; eine jede hat sich dann seiner ganzen Person bemächtigt und den Widerstandslosen in eine Abseitigkeit verschleppt. Er entbehrt des Haltes. Er sieht sich selber in Gefahr und blickt nach Stützen umher. Menschen wie er fallen unweigerlich, wenn sie nicht im entscheidenden Augenblick von einem Stärkeren gepackt werden. Er ist durch zu viel Gesellschaft irritiert, durch zu viel Beifall blasiert, durch zu viel Erwartung, die er nicht mehr erfüllen zu können fürchtet, gehemmt. Es handelt sich, mit dürren Worten, um seine Rettung. Elli erkennt es, sie geht mit sich zu Rate, sie erwägt, was sie gewinnen, was sie verlieren kann, sie beschließt die Rettung. Sie traut sie sich zu. Die Aufgabe, kaum gestellt, beansprucht ihr ganzes Leben, sie weiß es. Eines verlangt sie als Bedingung: Vertrauen. Ohne vollkommenes, unbedenkliches, ungemessenes Vertrauen kann sie das Wagnis nicht auf sich nehmen. Sie will alles wissen, in jeder Lage, unter allen Umständen, es darf keine Geheimnisse und Verheimlichung geben, über die Vergangenheit nicht, über die Gegenwart nicht. Sie will Vertrauen haben, dann kann sie Vertrauen geben, vollkommenes, unbedenkliches, schrankenloses. Er findet das Verlangen nicht nur gerecht, sondern auch natürlich, er selbst kann sich ein anderes Verhältnis nicht denken, es ist genau das, was ihm vorschwebt. Feurig leistet er das Gelöbnis, das sein moralischer Einsatz in die Ehe ist. Er ist überzeugt, daß er es niemals brechen wird, sie glaubt ihm, weil sie alsbald an seinem Herzen noch weniger zweifelt als an seiner Ehre. Ihre Liebe beruht gleichsam auf einem Schöpfungsakt. Sie hat das Gefühl, sich ihn erschaffen zu haben.

Als sie durch den anonymen Brief von der Beziehung Leonharts zu der Tänzerin Gertrud Körner und der Existenz des Kindes Hildegard erfährt, nach anderthalb Jahren ihrer Ehe, mitten im harmonischen Zusammenleben, glaubt sie an eine Verleumdung. Sie vernichtet das Schriftstück und versucht, nicht weiter daran zu denken. Bald aber merkt sie an Leonharts Unruhe, es ist nicht alles, wie es sein sollte. Er hatte ihr nach und nach alles gebeichtet, seine Mitteilsamkeit in diesem Punkt hatte sie sogar bisweilen amüsiert, es lag so was knabenhaft Prahlerisches darin. Sie weiß von der Apothekerstochter, die sich ihm leichtsinnig an den Hals geworfen und deren er nach einem Sommer überdrüssig geworden, von der Frau des Krefelder Seidenfabrikanten, die ihm auf öffentlicher Promenade Eifersuchtsszenen gemacht, von der kleinen Wiener Pianistin, die ihn fast dazu gebracht, mit ihr nach Amerika zu gehen; von gelegentlichen Liaisons minder verbindlicher Art, die sich ausgelebt hatten in einer Nacht, Mitgenommenes von allen Wegen, immer kam noch was Neues, noch ein gestohlenes Herz, noch eine getäuschte Anwärterin, noch ein geglückter Einbruch in einen ehelichen Frieden. Von einer Gertrud Körner keine Silbe. Es lag ihm doch nichts am Verschweigen, er hat es oft genug gesagt: Gott sei Dank, das ist vorüber, der Wirrwar zu Ende; seit du alles weißt, bin ich's erst richtig los. Wie froh sie das gemacht hat, um wieviel ernsthafter, männlicher er dadurch erscheint, um wieviel legitimer ihr Gefühl, geborgener ihr Leben an seiner Seite wird! Sie kann sich's nicht erklären: da ist ein Name, der Name kann nicht aus der Luft gegriffen sein, wer soll, noch so boshaft oder neidisch, derlei erfinden; es läßt sie nicht, sie muß es zur Sprache bringen: eines Tages, bei Tisch, berichtet sie ihm mit niedergeschlagenen Augen von dem Brief. Eine Weile antwortet er nicht, dann gibt er die Tatsache zu, er gibt erstens zu, daß er den Brief selber geschrieben hat. Auf der Schreibmaschine. Er behandelt es als einen Scherz, ihre weit erstaunten Augen machen ihm begreiflich, daß sie solche Scherze nicht versteht. Ja, also er wollte, daß sie vorbereitet sei, wenn er ihr die Sache erzählt. Warum das? Immer noch der dumme Bub im bestallten Privatdozenten, Pennäler auf Diebswegen; ich denke, das haben wir überwunden? Rückfall, leider Gottes. Einen anonymen Brief schreiben, der Mann an die eigene Frau! Vergessen wir es, es soll nicht gewesen sein; weiter, weiter. Er gibt ferner zu, daß er mit der Tänzerin ein Verhältnis gehabt hat, er hat mit ihr die Ferien in Mürren verbracht, er hat sie gern gehabt, vielleicht hat sie ihm ein wenig mehr bedeutet als seine übrigen Geliebten, möglich, er kann es nicht mehr genau sagen, sie sind als Freunde voneinander gegangen, im Winter hat sie dann das Kind geboren. Er gibt es zu, auch das. Nicht so freimütig wie bei allen früheren Geständnissen, bedrückt, winkelzügig. Sie will wissen, weshalb er gerade diese Beziehung verheimlicht oder doch die Mitteilung hinausgeschoben. Er erwidert scheu: wegen des Kindes eben. Sie faßt es zuerst nicht, dann verfärbt sie sich und wird still. Sie ist eine kinderlose Frau, sie ist durch ihren Körper verurteilt, es zu sein. Es ist unabänderlich. In einem Nu überlegt sie die Gefahren der Situation. Ihre Lage als Weib und Gattin erfordert in jeder Sekunde ihres Lebens die schärfste Wachsamkeit, die hellste Geistesgegenwart. In der Ehe zwischen einem fünfundzwanzigjährigen Mann und einer vierzigjährigen Frau ruht nicht nur die Erfüllung geheimsten Anspruches auf den Schultern der Frau, sondern ihr obliegt auch die schwierigste Selbstverleugnung, die es gibt, als ob das ihrer Natur Widerstrebende das Angenehme und Wünschenswerte wäre. So faßt sie in jenem schlimmen Moment den Gedanken an Adoption des verwaisten Wesens und hätte ihn auch ausgesprochen, wenn Leonhart sie nicht durch ein verhängnisvolles Wort, das wahrscheinlich nur seiner Verlegenheit entspringt, stutzig gemacht hätte. (Sowohl im Verhörsprotokoll Nr. 14 der Voruntersuchung wie auch in einem bei den Akten liegenden Brief Ellis an ihre Freundin, Frau Professor von Geldern, war dieses Gespräch erwähnt, der Adoptionsplan allerdings nur in dem zweiten Dokument, wie sich denken läßt.) Er sagt nämlich: Anna weiß es, ich wußte mir keinen andern Rat, als sie ins Vertrauen zu ziehen. Elli schaut ihn groß an. Auf einmal ist in ihr keine andere Regung mehr als Abwehr und Feindseligkeit gegen das Kind. Sie erhebt sich schweigend und geht hinaus. Wie ist es zugegangen, daß Anna Mitwisserin wurde, bevor sie selbst es wurde? Was ist da geschehen? Was ist gesprochen worden? Sie muß es ergründen. Sie spürt, Leonhart empfindet eine Zärtlichkeit für das Kind, die er sich vielleicht noch nicht eingesteht, die ihr aber deshalb um so bedrohlicher dünkt. Weiß Anna das auch? Hat sie es gebilligt, hat sie ihn in dem Gefühl ermuntert? Hat sie den Schutzgeist gespielt? Ganz ohne Zweifel, die Bestätigung läßt nicht auf sich warten: Anna hat das Kind nach England gebracht, Anna hat die Fürsorge übernommen, Anna hat die Korrespondenz in Händen, Anna verwaltet dieses plötzlich aufgetauchte Seelengut. Wie kommt sie dazu? Gebetenermaßen? Als Nothelferin? Sie, Elli, war in dieser Not keine Zuflucht? Hat man ihren Einspruch gefürchtet oder nur vorgeschützt, sie zu schonen? Annas Gesicht nimmt andere Züge an in Ellis Augen. Sie hat die Schwester geliebt. Sie hat ihre Schönheit bewundert. Sie begreift, daß es schon Glück ist, sie anzusehen; Gott schafft nur in seltener Schöpferlaune so ein Wesen.

Sie hält Anna für rein, für ein stolzes Mädchen, sie erwartet viel von ihren natürlichen Gaben, ihre Weltklugheit weiß sich in alle Verhältnisse zu schicken, ohne daß ihre Haltung als Dame Einbuße erleidet. Darum glaubt Elli nicht, daß sie sich etwas vergeben hat; in solcher Provinzstadt, wo alles, vom Gewürzkrämer bis zur Oberstengattin, Schlüssellochtratsch treibt, ist man schon kompromittiert, wenn man einem Mann öffentlich zulächelt, obwohl es kein Laster und keine Ehrlosigkeit gibt, die sich nicht hinter dem züchtig bemalten Vorhang austobt. Anna wird sich also in acht nehmen, auch wenn ihr der junge Schwager besser gefällt, als er ihr gefallen darf, denkt Elli; und daß er ihr gefällt, kann sie verstehen, er muß ihr gefallen, wo wäre die Frau, denkt sie, die ihm gegenüber kalt bliebe? Aber die Geschichte mit dem Kind Hildegard hat ein Band zwischen ihnen geknüpft, das fester ist, als gelegentliche Koketterie (obwohl Anna nichts weniger als kokett ist, aber jedes Weib hat seine Künste, und die Nichtkoketten sind im Ernstfall die gefährlicheren), gelegentliche Nähe bloß um sie schlingen könnte, unangreifbarer, da sie sich auf Menschenpflicht, auf Freundschaftsdienst dabei berufen dürfen; was immer unter der harmlosen Hülle sich abspielt, es schützt sie gegen Ellis Argwohn.

Aber Elli wagt gar nicht, zu argwöhnen. Sie wagt es vor sich selber nicht. So weit darf es überhaupt nicht kommen, daß sie die heiligste Versicherung, die er je gegeben, beim ersten besten Anlaß für brüchig, ja gebrochen hält. Es steht ja nun so mit ihr, daß sie liebt. Sie hat bis zu ihrem neununddreißigsten Jahr nicht erfahren, was Liebe ist. Das Glück der Ausschließlichkeit, das ihr das vorher freudlos zerlebte Leben zu einem täglich neuen Wunder macht, hat sie nicht gekannt. Muß sie nicht schon zittern vor dem, was ihre Augen noch gar nicht sehen, was sie nicht einmal als Angsttraum in ihre Sinne hineinläßt? Dennoch, die Angst ist ihre Lehrerin, und sie durchtränkt jede Tugend, die sie in ihrer Ehe zeigt.

Es ist ja die Ehe mit einem Mann, der am Anfang steht wie sie am Ende; einem Schoßkind des Glücks, dem alles geschenkt worden ist, was andere sich erringen, erlisten müssen, der Wohlwollen, Nachsicht, Förderung fand, wo vor andern, vielleicht nicht minder Würdigen unter seinen Alters- und Berufsgenossen, sich schnöde die Türen schlössen, der nur zu nehmen brauchte, wo andere vergeblich bettelten, nur zu sprechen, um Zustimmung, nur zu arbeiten, um Anerkennung, nur zu locken, um Gefolgschaft zu finden. Da wird jede Stunde zur Erprobung, jedes Zusammensein hat seinen besonderen Anspruch. Er natürlich darf davon nichts ahnen, alles muß leicht aussehen, Ermüdung darf nicht von ihm bemerkt werden; hat sie Kopfschmerz, versagen die Nerven, so verbirgt sie es heroisch, sie hat ja Zeit, sich zu pflegen und auszuruhen, wenn er nicht da ist, in seiner Gesellschaft ist sie frisch, elastisch, gespannt, heiter, bespricht seine Pläne mit ihm, verscheucht seine Mißstimmungen. Er hat Anfälle von Verzagtheit; obwohl ihn das Schicksal bisher in jeder Weise begünstigt hat, glaubt er sich wie alle innerlich unsicheren Charaktere von der Welt nicht verstanden, da wendet sie die raffinierteste Überredung auf, eine erfinderische, geistige Zärtlichkeit, um ihn zu den Dingen und zu sich selbst wieder in ein beruhigtes Verhältnis zu setzen. Ihre Gespräche bei solchen Gelegenheiten dauern oft bis in die späte Nacht, und wenn es ihr endlich gelungen ist, ihn zum Lachen zu bringen, dann weiß sie, sie hat gesiegt. Alles ist ihr erlaubt, nur nicht langweilig zu sein; und wirklich unterhält sich Leonhart so ausgezeichnet mit ihr, daß er in den ersten achtzehn Monaten der Ehe Abend für Abend zu Hause ist, allein mit ihr. Zur Verwunderung seiner früheren Freunde zeigt er sich weder in der Kneipe noch bei sonstigen geselligen Zusammenkünften, auch Elli äußert nicht das geringste Verlangen, ins Theater oder zu Bekannten zu gehen, drei- viermal im Lauf des Winters sehen sie einige Leute bei sich, drei- viermal folgen sie den Gegeneinladungen, das ist alles. Es hat eine Zeitlang den Anschein, als ob das so ungewiß schimmernde Bild des »genialen« Maurizius, wie ihn seine Bewunderer, des »skrupellosen Romantikers«, wie ihn Zweifler und Spötter manchmal nennen, unter dem Einfluß Ellis sich zu reineren Umrissen formte.

Die Akten geben hinlänglich genauen Aufschluß darüber, daß das Unheil bald nach der Auseinandersetzung wegen des Kindes Hildegard begonnen hat. Um diese Zeit kommt Anna Jahn schon beinahe täglich ins Haus der Schwester. Es ist ja ein behagliches Haus, geschmackvoll eingerichtet, gut geführt, hübsche Villa in der Gartenvorstadt, man fühlt sich wohl. Anna wohnt in einer dichtbesetzten Pension, sie beklagt sich über das schlechte Essen und die öde Gesellschaft. Tafelrunde von uninteressanten Studenten, ältlichen Fräuleins, die alle Familienverhältnisse der Stadt durchhecheln, vergreisten Junggesellen, die sie mit flauen Schmeicheleien bombardieren; es macht sie krank vor Nervosität. Zudem ist sie sich nicht schlüssig über die Wahl ihres zukünftigen Berufs, ihre Vermögensumstände sind desolat, in den letzten Monaten hat sie bereits von ihrem ererbten kleinen Kapital gelebt. Sie schwankt zwischen kunstgewerblicher Ausbildung und der Vorbereitung für das Examen in französischer und englischer Sprache. Sie sucht Rat bei Schwester und Schwager, beide bemühen sich, ihr zu helfen; doch kann sie sich nicht entscheiden, sie ist voll Unlust, sie spürt, daß sie sich für den Broterwerb nicht eignet, es fehlt ihr die Begabung, sie kann sich nicht unterordnen, sie kann nicht dienen, sie kann nicht verzichten auf das, was man damals »das Leben« nannte, wenn man um das Leben herumpromenierte. Leonhart, der sich zuerst ziemlich ablehnend verhalten hat, begreift ihr Zaudern und bestärkt sie darin. Er sieht in ihrer Verachtung des Erwerbs einen aristokratischen Zug, mit dem er auf alle Fälle sympathisiert. Elli hingegen warnt vor der Existenz eines Luxusgeschöpfes, die sich ohne Erniedrigung viel wesentlicherer Art als jene der arbeitenden Frau, nämlich Selbsterniedrigung, nur aufrechterhalten läßt, wenn man über die nötigen Mittel verfügt. Im übrigen wolle ja Anna nicht ins Kloster gehn, und es sei zu erwarten, daß sie bald genug einen Mann finde, der ihr ein Leben nach ihrem Sinn zu bieten vermöge. Anna zuckt die Achseln. Ihr schönes Gesicht verfinstert sich eigentümlich. In dem Tagebuch, das Elli um jene Zeit geführt hat, ist dies als auffallende Wahrnehmung ausdrücklich vermerkt. Später äußert sich Anna gegen Leonhart geringschätzig, die Schwester fürchte wohl, sie werde Geld von ihr verlangen; aber die Furcht könne er seiner Frau getrost ausreden, eher ließe sie sich die Hand abhacken, als daß sie was von Elli annähme; so verabscheuenswert ihr ein geiziger Mann sei, ein geiziges Weib erscheine ihr wie eine Mißgeburt. Das giftige Wort wirkt. Er kann sich einer ärgerlichen Bemerkung gegen Elli nicht enthalten. Eine seiner besten Eigenschaften ist Generosität, unleidlich ist ihm ängstliches Taschenzuhalten. Elli weist die Zumutung, sie wolle möglichen Geldforderungen der Schwester vorbeugen, ruhig zurück. Warst du's denn nicht, erwidert sie, der Annas damenhafte Neigungen immer am schärfsten mißbilligt, ja sich darüber mokiert hat, daß ihr Auftreten so wenig im Einklang mit ihrer sozialen Stellung ist, der ihre Ambitionen übertrieben gefunden hat? Es ist wahr. Leonhart schweigt. Er hat in der Tat keine Gelegenheit versäumt, sich über das »Fräulein Habenichts«, das sich aufspielte wie eine Prinzessin und dem keine Gesellschaft vornehm genug war, lustig zu machen. Wie sich die Dinge später entwickelten, ist allerdings zu vermuten, daß er sich damit nur rächen wollte für die hochmütige oder doch gleichgültige Haltung Annas gegen ihn. Sie war anfangs überzeugt, daß er Elli nur des Geldes wegen geheiratet und von vornherein auf das Vermögen des verstorbenen Papierfabrikanten spekuliert hat. Sollte sie ihn vielleicht deshalb besonders achten, den jungen Mann, der schamlos in das vergoldete Joch einer alten Frau gekrochen ist; Kurz nachdem er sich wegen des Kindes Hildegard an sie gewandt, hatten sie eine seltsame Auseinandersetzung. (Es scheint, daß der Entschluß, an ihr weibliches Mitgefühl zu appellieren und sie zu seiner Vertrauten zu machen, ganz plötzlich über ihn kam, ohne jedes Vorspiel, ohne daß er wissen konnte, ob sie ihn anhören, ob sie ihm nicht nach den ersten Worten die Tür weisen würde; möglicherweise wollte er sie überrumpeln, seit langem schon heimlich gereizt durch ihre Kälte, wobei ihm gar nicht bewußt wurde, was er riskierte. Er war eben ein Triebmensch und ließ sich treiben.) Nun, damals, bei dem zweiten oder dritten Beisammensein wegen des Schicksals der kleinen Hildegard, kam es auch wegen seiner Ehe zu einer Aussprache. Ihr häßlicher Verdacht, dessen Geständnis er ihr abpreßte, erbitterte ihn leidenschaftlich. In seiner Rechtfertigung war ein unüberhörbarer Ton von Glaubhaftigkeit. Womit verteidigt sich ein Mann unter dem Gewicht solchen Vorwurfs? Er wird auf die selbstlose Freundschaft hinweisen, die ihm von der Frau entgegengebracht worden ist, er wird sagen: einen Mann so zu verstehen, notabene einen, der sich selbst noch nicht gefunden hat, ist nur eine gereifte Frau fähig, deren Charakter gestählt ist, deren Geist keinem billigen Blendwerk mehr unterliegt; er wird den inneren Frieden preisen, den ihm diese Verbindung gegeben hat, das Gefühl der Verläßlichkeit, wie es den Kapitän eines havarierten Schiffes erfüllt, wenn er das Steuer in einer festen Hand weiß. Aber man muß tiefer gehen, das sind Gemeinplätze; sie enthalten nichts von Ellis kräftiger Persönlichkeit, ihrem empfindlichen Herzen, ihrem unbestechlichen Urteil über Menschen, ihrem Opfermut, dem Reichtum ihrer Seele. Leonhart gerät in schwärmerischen Eifer, Anna Jahn lauscht mit gesenktem Kopf. So viel Vorzüge bei einer andern sind fast eine Herabsetzung für die, die sie rühmen hört, erst recht, wenn es die eigene Schwester ist. Er erklärt, was er mit dem havarierten Schiff gemeint hat (bezeichnend für ihn, daß er so gern die Gelegenheit ergreift, von seinem gefährdeten Charakter zu sprechen, allerdings zumeist recht schönfärberisch, sich sozusagen als eine problematische Natur aufspielend); bevor er Elli getroffen, war er ein Spielball in der Hand beliebiger Menschen, er hätte sich eigentlich jeden Augenblick aufgeben können, betört von seinem Wahn, entmutigt bis zum Überdruß; purer Zufall, daß es nicht geschah, nur das freche Vertrauen in seinen Stern hielt ihn manchmal oben. Wenn er bis jetzt die große Liebe nicht kennengelernt und seine Ehe mit Elli in dieser Hinsicht einen wissentlichen Verzicht bedeutet, so hat er doch dafür anderes gewonnen, Edleres vielleicht, Haltbareres jedenfalls. Anna stutzt. Sie kann sich eines ironischen Lächelns nicht erwehren. Die Liebe nicht kennengelernt (die »große« Liebe, als ob's eine große und eine kleine gäbe!), was heißt das? Abgesehen davon, daß es eine Primanerfloskel ist, sieht es wie ein Köder aus, obschon kein sehr schlauer. So fängt man begehrliche Närrinnen, deren Begierde nur Naschhaftigkeit ist und denen man Resignation als Lockspeise hinwirft. Immerhin, die schmerzlich klingende Scheinwahrheit einer Beichte, deren Kern eine schmackhafte Lüge bildet, ist ein Rezept, das selten ohne Wirkung bleibt.

Aber Anna geht nicht so leicht ins Garn. Sie sieht den Schwager wohl mit etwas andern Augen an, doch sie traut ihm nicht sehr. Er ist so beredt, er argumentiert so geschickt, und er ruht nicht, sie von einem Vorurteil abzubringen, von dem sie nicht mehr bekehrt zu werden braucht: sie glaubt ihm, daß er Elli nicht aus habsüchtigen Motiven geheiratet hat, so dumm ist sie nicht, daß sie ein oberflächliches Urteil nicht aufgibt, wenn sie eines Besseren belehrt wird. Wozu also die beständigen Besprechungen, das Bestreben, ihrer habhaft zu werden, die vielen Fragen, das viele Zurredestellen? Sie hat schließlich seinen Wunsch erfüllt, ist mit einer Pflegerin in die Schweiz gereist, hat das Kind geholt und hat es zu ihrer Freundin Pauline Caspot gebracht. Diese Mrs. Caspot ist eine Arzttochter aus Düsseldorf, sie hat einen kleinen englischen Kaufmann geheiratet, der kurz nach der Hochzeit starb und sie fast mittellos zurückließ, worauf sie in Hertfort, ein paar Meilen nördlich von London, ein Heim für stellenlose Gouvernanten einrichtete und ein ganz anständiges Auskommen dabei fand. Anna korrespondierte regelmäßig mit ihr wegen des Kindes, gab genaue Anweisungen über die Erziehung (die alleinstehende Frau hatte sich des verlassenen Wesens mit Eifer angenommen) und schickte in Leonharts Auftrag jeden Monat das Geld für die Verpflegung, das er ihr für den Zweck übergab. Das alles erfordert natürlich bestimmte Abmachungen und Vereinbarungen, besonders da Ellis brüsk ablehnende Haltung es Anna gewissermaßen zur Pflicht macht, dem in praktischen Dingen so ungeschickten Mann beizustehen. Aber er wird nicht müde, davon zu reden, jede Woche muß sie einmal mit ihm in die Stadt, um ein Geschenk, ein Kleidchen, ein Spielzeug für das Kind zu kaufen, er bittet sie, ihm Photographien zu verschaffen, er will einen englischen Maler bestimmen, Hildegards Porträt zu malen, er beschwört Anna, dem Kind niemals ihre Teilnahme zu entziehen, er sagt: Du bist doch nun seine wahre Mutter, und ähnliches. Schwer, ihm etwas zu verweigern, seine Liebenswürdigkeit ist ungemein bestrickend, sie kommen einander näher, der Verkehr wird ungezwungener, es ergibt sich von selbst. Elli benimmt sich wie jemand, der mit zugeschnürter Kehle ein freundliches Gesicht machen will. Wo geht ihr hin? fragt sie, wo kommt ihr her? und lächelt. Anna fühlt sich ausspioniert. Trotz erwacht in ihr, eine spöttische Bemerkung, eine gelangweilte Miene genügt, und Leonhart wendet sich gereizt gegen seine Frau. Etwa: Sind wir in einem Kindergarten? Ist es verboten, miteinander zu plaudern? Elli lächelt. Abbittend. Sie findet nicht die rechten Worte mehr. Ihr ist, als ob zwischen ihr und Leonhart ein Schleier aufgespannt wäre, sie können nicht mehr harmlos zusammen sein, jedes Gespräch hat eine verborgene Härte, eine verdeckte Falle, die Einsamkeit, Zweisamkeit, in die sie sich zurückgezogen haben, wird unerträglich; widerspricht Elli einer Ansicht, die er äußert, so verstummt er sofort, hüllt sich stundenlang in Schweigen; wenn sie dann sein Gesicht anschaut, weiß sie, was er sinnt, und hat Angst, hat Angst. Eines Tages bittet er sie um Geldzuschuß. Er ist in Schwierigkeiten, Annas Reisen, die Unterbringung des Kindes haben beträchtliche Summen verschlungen, er kann sich nicht rühren, er braucht sechshundert Mark. Sie schreibt einen Scheck auf ihre Bank, er sieht ihn an, der Scheck lautet auf vierhundert. Ich habe dich um sechshundert ersucht, bemerkt er kalt. Sie erwidert, es seien nicht mehr Zinsen fällig. Er zuckt geringschätzig die Achseln. Zinsen? Willst du mich auf Zinsen legen? Behandelst du mich wie einen Studenten, der seinen Monatswechsel überschritten hat? Ich weiß, was ich tue, entgegnet sie mit abgewendetem Blick, und ihre Finger flechten sich ineinander, wenn wir anfangen, vom Kapital zu zehren, sind wir in zehn Jahren fertig. Er lacht ihr ins Gesicht: In zehn Jahren hoff ich's so weit gebracht zu haben, daß ich auf deine Großmut verzichten kann; oder willst du bis an mein Lebensende den Vormund spielen? Elli zuckt zusammen, eine ihm unbekannte stumme Wildheit zeigt sich in ihrem Gesicht, sie sagt, indem sie ihm die Hand auf die Schulter legt: Du hast die Vormundschaft selbst gewollt. Sie schützt dich vor dir. Wenn es sein muß, werde ich dich auch gegen deinen Willen vor dir schützen. Er schweigt und macht große Augen. So hat sie nie gesprochen. Es ist wie ein drohendes Programm. Er ahnt plötzlich, worauf er sich gefaßt machen muß.

Nun fängt er an, die Abende außer Haus zu verbringen. Sie klagt nicht, beklagt sich nicht. Sie trachtet, offenen Zwist zu vermeiden. Sie sieht, daß sie mit jedem Schritt auf unterhöhlten Boden tritt, und bei jedem zittert sie vor dem nächsten. Sie fragt ihn nicht, zu wem er geht, erkundigt sich nicht, wenn er spät heimkommt, wo er war; aber bei seinen gewundenen Erklärungen und unverkennbar erdichteten Berichten von Konferenzen, Sitzungen, beruflichen Pflichten, denen er angeblich höchst ungern obliegt, wird ihr weh und bang. Einmal ertappt sie ihn auf einer glatten Lüge. Dort, wo er gewesen sein will, sind die Leute tags vorher abgereist; er hat übersehen, daß sie es leicht erfahren konnte. Er verschweigt ihr, aber sie weiß es, daß er fast täglich ins Kasino geht und Poker spielt. Er ist wieder, wie vor der Ehe, in maßloses Trinken und Rauchen geraten, von geregelter Arbeit ist keine Rede mehr; erst unter Waremmes überwältigendem Einfluß redet er wieder (aber redet nur, es bleibt bei Anläufen) von disziplinierter Tätigkeit, was nicht hindert, daß er die Nächte in Gesellschaft des verhängnisvollen Menschen verzecht, verspielt, verdebattiert.

In ihren bereits erwähnten Aufzeichnungen hatte sie sich des öfteren mit der Person Waremmes beschäftigt, bald in einer hingeworfenen Notiz, bald in längeren Betrachtungen, auch in einem Brief an Frau von Geldern äußerte sie sich über ihn. Sie überblickte ihn natürlich so wenig wie die meisten Menschen, die mit ihm zu tun hatten. Alles, was über ihn ausgesagt wurde, war genau so richtig wie das Gegenteil davon. Niemand kannte sich aus. Eine Zeitlang sprach die ganze Stadt nur von ihm, besonders am Anfang, im Winter 1904 auf 1905; da war es wirklich, als ob der Hecht in den Karpfenteich gefahren wäre und das Wasser zu Schaum schlüge. Spieler, Salonlöwe, Weiberheld, nun, das kennt man, der Typus ist nicht aufregend; zugleich aber Philolog, Philosoph, Dichter, Politiker, und in welchem Format! Kein hergeschneiter Dilettant, kein Gedächtnisakrobat, sondern ein produktiver Geist, etwas wie ein Teufelskerl, ein Universalgenie. Er arbeitet an einer neuen und, wie es heißt, grandiosen Übersetzung des ganzen Plato, aus der er seinen Freunden bisweilen Bruchstücke zum besten gibt, und hält Privatvorlesungen über Hegel und den Hegelianismus, der ja eben im Begriff ist, wieder in Blüte zu treten. Er veröffentlicht einen Band Deutsche Oden von Hölderlinschem

Klang und führt in einer Zeitschrift für Altertumskunde den profunden Nachweis, daß die Parsifalsage durchaus nicht rein französischen Ursprungs sei, sondern in altgermanischer Mythe wurzele. Wie man hört, war er persona grata beim Fürstbischof von Breslau und ist durch diesen an den rheinischen hohen Klerus warm empfohlen worden. Als überzeugter Katholik besucht er die Messe, lebt aber dabei geschieden von seiner Frau. Er hat weder Vermögen noch regelmäßiges Einkommen, weigert sich aber, ein Lehramt oder eine dotierte Stellung anzunehmen. Ist es, weil er seine Unabhängigkeit bewahren will (wenn er es beteuert, glaubt man ihm unbedingt), oder fließt ihm Geld aus irgendwelchen dunklen Quellen zu? Auch das könnte man glauben. Seine stärkste Wirksamkeit ist die philosophisch-politische. Mit aller Leidenschaft, die ihm innewohnt, verkündet er die deutsche Weltmission und erklärt, Deutschland müsse in seiner Enge ersticken, an den zerstörenden Elementen im eigenen Haus zugrunde gehen, wenn es sich nicht durch einen Krieg Luft mache. Dieser Krieg ist ihm religiöse Angelegenheit, er nennt ihn heilig, er fühlt sich als seinen Peter von Amiens. Indem er sich auf die historische Überlieferung stützt, die am Ausgang eines gesegneten Mittelalters durch die lateinisch-keltische Flut unterbrochen worden ist, errichtet er im Geist ein römisch-deutsches Imperium, das von Sizilien bis Livland und von Rotterdam bis an den Bosporus reicht. Alles muß dieser Konstruktion dienen, Kunst und Dichtung, Gotik und Barock, Renaissance und Antike, Christus und die Kirchenväter. Entweder ist es wirklich die Idee, die ihn zum Fanatiker macht (falls er einer ist), oder Fanatismus (falls er ihn hat) ist ein Bestandteil seines Wesens und treibt die Idee aus sich heraus, weil die Zeit dafür reif ist. An Anhängern fehlt es nicht; Bewunderer, können sie auch seiner hungrigen Eitelkeit nie genügen, umschwärmen ihn gelehrig, und die Vermutung einiger kühler Beobachter mag nicht aus der Luft gegriffen sein, daß ihm mächtigere Leute den Rücken decken als eroberungslustige Professoren, verabschiedete Generale und eine Schar entflammbarer Studenten, Leute, die sehr genau wußten, was sie wollten und denen die ganze Kaiserherrlichkeit des Mittelalters gestohlen werden konnte, sofern sie nicht mit solch berauschendem Traum auch ihr Geschäft machen konnten. Dazu war ein Geisteskoloß wie dieser Waremme fraglos von hohem Nutzen, ob er nun selbst bis zum Grunde seines Herzens überzeugt war oder nicht; deshalb auch urteilte man nachsichtig über seine Frauengeschichten, seine ewigen Geldkalamitäten, seine persönliche Unverläßlichkeit und die Dunkelheit seiner Herkunft, über die er sich, vergeßlich wie einer, der schlecht lügt, weil er zuviel lügt, in ständig veränderten Erzählungen erging.

Es stellt sich heraus, daß er ein Freund Anna Jahns ist, oder doch ein guter Bekannter von ihr. Er hat sie im vorigen Jahr in Köln kennengelernt und ihr beim Karneval für eine Liebhaberaufführung die Rolle eines Pierrot so vollendet einstudiert, daß sie ungeteilten Beifall damit erntete. So sagt man; was an der Sache wahr ist, läßt sich schwer erforschen; Anna selbst hat nie darüber gesprochen, Anna spricht überhaupt nicht von ihren Erlebnissen. Auffallend ist nur, daß sie seitdem nicht mehr ins Theater geht und alles, was mit dem Theater zusammenhängt, geradezu verabscheut. Auch über die Person Waremmes schweigt sie sich aus, wenigstens gegen Elli erwähnt sie seiner nie, die Bekanntschaft mit Leonhart hat keineswegs sie vermittelt. Es scheint, der Antrieb ist von Waremme ausgegangen, wie wenn er in diesem jungen Menschen die für ihn geeignete Beute von weit her gewittert hätte. Bald sind die beiden unzertrennlich, schon am Vormittag geht Leonhart in Waremmes Wohnung, nachmittags reitet er mit ihm aus, nicht selten ist Anna mit von der Partie, das Trio erregt natürlich sattsam Aufsehen in den Straßen, schließlich führt ihn Leonhart in sein Haus ein. Ein Rest von Instinkt hat ihn lange zögern lassen, es zu tun; das erste Zusammensein mit Elli verläuft auch peinlich genug. Ihre Abneigung gegen den Mann ist elementar, ihr wird unwohl, wenn sie sein fahles Gesicht mit dem Unterkiefer eines Negerboxers nur sieht, die wasserblassen Augen mit dem schamlos glitzernden Blick, den fetten Hals, die fetten Hände mit den vielen Ringen: alles, alles ist ihr unbeschreiblich verhaßt, die spöttisch akzentuierte Höflichkeit, die sofort einen ausdrücklichen Unterschied macht zwischen einer Frau und einem Mann, wie die souveräne Leichtigkeit seiner Konversation. Es ist wahr, im Vergleich mit ihm ist Leonhart, was ein Lakai im Vorzimmer eines Fürsten ist; aber das ist nicht Ursache für sie, ihn erniedrigt zu sehen, Rangordnung machen nicht die Menschen, die ist von Gott, so oder so; nur was er an sich selber tut, darf sie bekümmern. Sie fleht ihn an, von dem Menschen zu lassen. Er gebärdet sich, als habe sie was Ehrenrühriges von ihm verlangt. Du scheinst keine Ahnung zu haben, wer Gregor Waremme ist. O doch, sie hat die Ahnung, wie der Mann auf sie zuschritt, hat sie das herzlähmende Gefühl von unabwendbarem Schicksal gehabt; das aber hütet sie sich zu sagen. Und überdies, fährt er fort, ist er der einzige Mensch, der sich Annas wirklich annimmt. Was soll sie darauf erwidern? Sie steht da, und ihr schwindelt. Für denselben Abend war verabredet, daß er mit ihr zu einem Tee bei Geheimrat Eichhorn geht; er hat versprochen, sie abzuholen. Er kommt nicht, es wird neun, zehn, elf, sie hört auf zu warten. Am andern Morgen redet er sich aus, er sei nicht dort gewesen, Waremme habe eine eben vollendete Abhandlung vorgelesen. Zwei Stunden später ruft die Geheimrätin an. Weshalb sind Sie nicht gekommen, Elli? Es war ein so reizender Abend, man hat sogar getanzt, und das schönste Paar sind Dr. Maurizius und Anna gewesen, unstreitig. Elli stottert hilflos in den Apparat, sie spürt, wie ihr das Blut im Herzen bitter wird. So nichtig ist sie ihm schon, daß er sie nicht einmal einer gut erfundenen, einer dauerhafteren Lüge für wert hält? Sie mag ihn nicht zur Rede stellen, es ist schon zu weit gediehen, so weit wie ein Brand, der des Wasserstrahls spottet; mit Stricken gefesselt sieht sie zu, wie er vor ihren angstvoll aufgerissenen Augen sinkt und sinkt, noch kann sie nicht glauben, daß alles vorbei sein soll, noch hofft sie und wartet und denkt, es ist eine flüchtige Trübung nur, er kann unmöglich vergessen haben, was er ihr zugelobt und worauf sie ihr Leben gebaut hat. Doch während sie sich noch solcher Täuschung hingibt, sammeln sich bereits die dämonischen Kräfte in ihr, mit denen sie um ihn und seinen Besitz kämpft und ihn und sich vernichtet.

Eines Nachmittags um die Dämmerzeit öffnet sie, von einem Gang in die Stadt zurückkehrend, die Tür zum Wohnzimmer; da fahren Leonhart und Anna erschrocken auseinander, fassungslos starren sie die auf der Schwelle Stehende an; Anna macht ein paar Schritte zum Fenster und ordnet das verwirrt in Stirn und Wangen hängende Haar, verbirgt ihr über und über flammendes Gesicht; Leonhart verbleibt wie angewurzelt beim Sofa und wendet sich mit einer flehentlichen Gebärde zu Elli. Es fällt kein Laut. Als Anna sich einigermaßen gesammelt hat, packt sie ihren Mantel und Hut, die auf einem Sessel liegen, geht mit stürmischen Schritten zur Tür und heftet, während sie an ihm vorübereilt, auf Leonhart einen Blick von so glühender Verachtung, daß dieser, fahl wie ein Handtuch, dieselbe flehende Gebärde wie vorhin an seine Frau nun an Anna richtet. Aber ihre Augen blitzen ihn nur unsäglich stolz an, als sei es schmählich für sie, im gleichen Raum mit ihm zu sein, den sie auch darum so schnell wie möglich verläßt. Laß mich durch! ruft sie der Schwester gebieterisch zu, Elli weicht schweigend zur Seite, und sie verschwindet. Ihre leichten, hastigen Schritte sind noch nicht verklungen, da tritt Leonhart vor seine Frau hin und sagt beschwörend: Beim ewigen Gott, Elli, sie hat keine Schuld. Da Elli immer noch schweigt – vor ihr dreht sich ja das ganze Zimmer mit den Möbeln im Kreis –, wiederholt er, sinkt dabei auf die Knie und umfaßt ihre Schenkel: Glaub mir,

Elli, ihr kannst du nichts vorwerfen, sie ist rein wie der Tag. Sein Betragen ist theatralisch, Elli fühlt es; dennoch, in seiner Stimme, in seiner Miene ist Aufrichtigkeit und Wahrheit. Was könnte Elli tiefer verstören als eben dies?

Über den Zwischenfall gab es zwei Aussagen, die im wesentlichen übereinstimmten, die eine von Leonhart selbst, die andere von dem Dienstmädchen Frieda, die ihn belauscht hatte. Er verlieh der Situation der drei Menschen anscheinend das gültige Gepräge. Ungefähr so: Leonhart, der sinnlich betäubte Schwächling, fasziniert von der schönen Schwägerin und nur darauf bedacht, sie zu Fall zu bringen; diese, in einer mittelbaren Abhängigkeit, unsicher über ihre Zukunft, erwehrt sich der leidenschaftlichen Nachstellungen, so gut sie kann, trachtet auch, ihn mit allen Mitteln zur Vernunft zu bringen, unterliegt aber dabei, da sie doch ein neunzehnjähriges, unerfahrenes Mädchen ist, jeweils dem Zauber, der von dem Mann unleugbar ausgeht, so daß sie trotz ihrer Zurückhaltung der Schwester in zweideutigem Licht erscheinen muß. Sie will Elli nicht hintergehen; auch wenn sie Leonhart liebte, könnte sie der Schwester nicht den Gatten abspenstig machen; sogar wenn er sich von Elli scheiden ließe, könnte sie den Gedanken nicht ertragen, das Leben der Schwester zerstört zu haben. Und ist es denn seine Absicht, Elli zu verlassen? Ganz und gar nicht. Erstens besteht eine ähnliche, nur viel stärkere Abhängigkeit wie für Anna auch für ihn; er ist ein den kleinen, luxuriösen Behaglichkeiten des Daseins zu verhafteter Mensch, als daß er sich entschließen könnte, wieder in die unsichere Enge seiner Junggesellenwirtschaft zurückzukehren, angewiesen auf die Launen eines despotischen Vaters. Sodann riskiert er seine Stellung in der Gesellschaft, auf die er den größten Wert legt, seine wissenschaftliche Karriere; man verzeiht in den Kreisen, in die er sich so schmiegsam eingelebt hat, jede heimliche Vergehung, nie aber den offenen Skandal. Er sieht sich also gezwungen, zu lavieren, denn auf das eine oder das andere zu verzichten, dazu ist er der Mann nicht. Zum Verzicht gehört klare Erkenntnis; solche Halbcharaktere machen sich aber selten ihre Lage und ihre verborgenen Regungen völlig klar, sie schwimmen lieber im Ungefähr. Und hier beginnen die Rätsel in dem sonst so uninteressanten Dreieck.

Trotz der unhemmbar wachsenden Leidenschaft für Anna, einem Gefühl, neben dem nichts anderes mehr Raum hat in seinem Innern und das schließlich niemand mehr verborgen blieb, lebt er mit Elli als mit seiner Ehegattin weiter. Es mag von ihm aus begriffen werden. Er sucht vielleicht in ihren Armen Vergessenheit, aber von ihr ist schwer zu glauben, daß sie ihm die geben kann, da sie doch in ihrer Qual nicht ein noch aus weiß. Vielleicht will er sie über seinen Zustand täuschen, wobei man freilich voraussetzen müßte, daß eine Frau wie Elli in dieser Hinsicht getäuscht werden kann. Vielleicht versagt sie sich ihm nur nicht; vielleicht hofft sie noch, vielleicht glaubt sie an eine Magie ihres Blutes, die ihn ihr zurückgewinnen kann, vielleicht ist etwas dem Ähnliches wirklich vorhanden, und nicht bloß das Erbarmen des Weibes, das sie in einen Abgrund reißt, der wie eine mit Feuer gefüllte Gletscherspalte ist, nicht bloß das Mitleid der mütterlichen Geliebten, die ihr Letztes hergibt, weil das Letzte eben gefordert wird. Daß er es fordert, daß er es nimmt, während er nur das vergötterte Bild der jungen Schwester vor Augen hat, und so sichtbar und spürbar, daß für Elli ein Grauen ist, was für ihn ein Glückstraum, das macht sein Bild fast abstoßend. Der Wollüstling geht die dunkelsten Wege in der Welt.

Jedoch es hat außerdem den Anschein, als könne er nicht von ihr los. Sie hat irgendeine unbegreifliche Macht über ihn, die ihn hält. Er könnte es wahrscheinlich selbst nicht erklären. Möglich, daß es etwas ist, wovor er sich zu schämen hat. Manchmal durchschaut eine Frau, und sie braucht dazu nicht einmal bedeutend zu sein, den Mann in einer Weise, die ihn mehr an sie kettet als Sinnlichkeit oder Interessen. Es gibt Männer, denen es den Lebensnerv lähmt, wenn man ihre Gedanken errät, bevor sie sie in Tat umgesetzt haben, weil sie so organisiert sind, daß sie nur durch die Verschleierung ihres inneren Wesens eine äußere Wahrheit erlangen. Wenn nun derselben Frau neben dieser intellektuellen Gabe noch eine gewisse Blutgewalt eigen ist, so ist sie für ihn doppelt zu fürchten, dreifach, zehnfach, je nach der Größe der Gewalt. Das schafft die tiefsten Abhängigkeiten, die wir kennen. Er hat sich ihr überliefert durch das Vertrauensgelübde. Er ist, wie viele schwache Naturen, krankhaft empfindlich im Punkt der Ehre, das heißt in der Weise empfindlich, daß er ihre Integrität unter Umständen auch durch den fadenscheinigsten Selbstbetrug aufrechterhält. Sich vergangen zu haben, wird er hartnäckig bis aufs äußerste in Abrede stellen, auch wo der Beweis gegen ihn erdrückend ist. Er will in ihren Augen nicht fallen, das ist es. Ihre Bewunderung, ihr zartsinniges Verständnis hat ihn allmählich in eine Atmosphäre des Mitsichselbst-Einverstandenseins gehoben, die ihm zum Leben nötig ist, und so hat er noch immer die Gebärde, den Blick, ja das Wort des früheren Vertrauens, als er längst nicht mehr wagt, ihr Geständnisse zu machen. Es ist, wie wenn ein Maschinenrad ohne Transmissionsriemen läuft. Er fürchtet sich. Er läßt es lieber darauf ankommen, daß sie es auf Umwegen, nach und nach und ohne sein Zutun erfährt. Dadurch gewinnt er Zeit. Man weiß nie, was zwischen heut und morgen passieren kann. Er fürchtet sich vor der Veränderung ihres Gefühls, vor ihrem Wissen, vor der unvermeidlichen Entscheidung, und vor allem fürchtet er sich vor dem, was er ihre Eifersucht nennt. Bei der Vorstellung eines Ausbruchs möchte er sich am liebsten aus dem Staub machen, die Leidenschaftlichkeit in ihr bedroht seine Fundamente und hat für seine sensiblen Nerven etwas Barbarisches.

Eifersucht – ein Begriff, der hier wenig besagt. Es handelt sich um eine hoffnungslose Krankheit, einen Krebs der Seele, gegen den es kein Heilmittel gibt, keinen Arzt, keine Linderung, nicht einmal Pausen der Erschöpfung. Sie nimmt alle Gerüchte gierig auf, es ist kein Mangel an Zuträgern. Da und da ist Anna mit ihm gesehen worden. Am Sonntag sind sie zwei Stunden im Kunstverein gewesen. Vorgestern abend hat er sie von der Pension abgeholt, und sie haben einen Spaziergang am Rheinufer gemacht. Er hat ihr von der Universitätsbibliothek aus ein Buch geschickt, in dem ein Brief gelegen ist. Sie hat am Mittwoch seine Vorlesung besucht, ist in der zweiten Reihe gesessen und hat ihn ununterbrochen angeschaut. Er ist, in einer Schneenacht, von elf bis halb zwei Uhr vor ihrem Haus auf und ab gegangen. Dann wieder: Sie ist im Garten der Villa gewesen, während Elli in der Stadt war, Leonhart ist hinuntergegangen, und sie haben, um die strohbedeckten Beete schreitend, einen heftigen Wortwechsel gehabt, wobei sie mit gesenktem Kopf nur geflüstert, er aber aufgeregt gestikuliert und bisweilen die Hände gerungen hat. Waremme hat ihn gestern im Wagen vom Kasino abgeholt, hinter der Pfarrkirche ist Anna eingestiegen. Das Dienstmädchen Frieda erzählt grinsend, das Fräulein Anna habe schon morgens um halb neun telephoniert, und sie habe ihr gesagt, die Herrschaft schlafe noch. Elli kann sich zu keiner Tätigkeit mehr aufraffen. Sie läßt im Haus sieben gerade sein, kümmert sich nicht um die Mahlzeiten, die Lieferanten bekommen wochenlang die Rechnungen nicht bezahlt. Den Vormittag über bleibt sie bei verhängten Fenstern im Bett; wenn sie endlich aufgestanden ist, erscheint sie, die früher so adrett, so sorgfältig auf ihr Äußeres bedacht war, übernächtig, unfrisiert, ein altes Tuch um die Schultern gewickelt, als friere sie bis auf die Knochen. Sie sitzt am Fenster, sitzt vor dem Ofen, sitzt und schaut ins Leere. In ihr Gesicht sind tiefe Runen gegraben, ihr Teint ist bleigrau; wenn sie ihr Bild im Spiegel erblickt, schaudert ihr. Kommt Leonhart nicht zu Tisch, so fängt sie an zu telephonieren, ruft seine Bekannten und Freunde an, erkundigt sich, ob er dort ist, ob sie wissen, wo er ist, schickt Frieda zu andern, die kein Telephon haben, in verschiedene Restaurants, ins Kasino. Natürlich erfährt er es, man macht sich über ihn lustig; Waremme prägt das Wort vom kühnen Ausreißer, der übers Schürzenband stolpert; zornig stellt er sie zur Rede; sie behauptet, es sei ihr bang gewesen, sie habe sich eingebildet, er liege irgendwo krank. Manchmal am Abend erträgt sie das Alleinsein nicht länger, stürzt aus dem Haus, kaum daß sie sich Zeit genommen, in einen Mantel zu schlüpfen, läuft in die Stadt, irrt sinnlos durch die Straßen, starrt fremde Leute auffallend an, verfolgt ein junges Paar, in dem sie Leonhart und Anna zu sehen vermeint, erregt bedenkliches Kopfschütteln bei den Passanten. Dann rast sie wie gehetzt wieder heim, wartet, wartet, wartet. Endlich kommt er, es ist Mitternacht, oft viel später noch, müde, wortkarg, scheu. Er wagt nicht, sich zurückzuziehen, ihr gebieterischer Anspruch auf seine Nähe macht ihn feig. Ist keine Vernunft mehr in ihr, daß sie sich demütigt, um seinen Blick bettelt, um eine geringe Zärtlichkeit bettelt, daß er die Hand in ihre legt, nur das, nur eine Minute lang? Wie ratlos sie ist, wie gänzlich verloren! Vor ihn hingekauert schluchzt sie in den Erdboden hinein; auf einmal geschieht das Gefürchtete, sie rast: In den Schlamm hast du mich gezogen, in die Gemeinheit, wo sind deine Versprechungen, was verheimlichst du mir, was hast du im Sinn? Und sie verflucht die Schwester und droht sich umzubringen, erst das verräterische Weibsbild, dann ihn, dann sich. Bilde dir nicht ein, daß du mit mir verfahren kannst wie mit den andern; ich bin keine, die sich abfinden läßt, bei mir geht's um alles, ums Leben, um die Ewigkeit, das hast du gewußt. Er, feig wie ein Hund, tröstet, beschwichtigt, leugnet, schwört, heuchelt Neigung, Freundschaft, Ergriffenheit, er kann nicht los, er kann nicht enden, er möchte ins Bett und schlafen, es ist ihm alles so verdrießlich, so zuwider, er zwingt sich zu einer lügenhaften Liebkosung, damit der Wahnsinn nicht ausbricht, wie er sich vor sich selbst entschuldigt, und sie: Töte mich, dann ist wenigstens Ruhe. Hat es nicht den Anschein, als habe dieses »Töte mich« in einer der finstern Stunden in ihm Wurzel gefaßt, als habe sie in seinen Augen den Wunsch gelesen, der schon vor ihrer verzweifelten Forderung in ihm war, und als stammten von daher die schrecklichen Ahnungen, deren Beute sie in der Folge ist, immer wenn das abgemüdete Herz einen Augenblick sich sammelt?

Nacht für Nacht die gleichen Szenen, fruchtloser, erbitterter, höllischer mit jedem Mal. Ihm graut vor seinem Haus, vor der Treppe, vor dem Licht. Einmal wirft er unterwegs den Schlüssel zum Gartentor in den Rhein und muß nachher über den Zaun klettern. Er weiß nun schon alles auswendig, die Worte, das Händeringen, die Tränen, die Erklärungen, zum Schluß das jammervolle Flehen, sie nicht allein im Zimmer zu lassen (sie schlafen jetzt nicht mehr beieinander), dann ihr ruhloses Wandern durch die Zimmer, wenn er sich endlich losgerissen, Veronal genommen hat und, von der unablässigen Furcht gepeinigt, einzuschlafen versucht. Bisweilen pocht sie noch einmal an seine Tür, als wolle sie sich versichern, daß er wirklich da ist. Man hat oft um vier Uhr morgens im Wohnzimmer der Eheleute noch die Lampen brennen sehen und ihre Stimmen gehört; in einer Nacht hat die Frau derartig aufgeschrien, daß der patrouillierende Schutzmann an der Villa läutete, um zu fragen, ob etwas passiert sei.

An einem Nachmittag geht Elli aus, spricht erst bei ihrer Schneiderin vor, nimmt hierauf in einer Konditorei den Tee, wozu sie zwei Gläser Kognak trinkt, und begibt sich dann in Annas Wohnung. Anna ist vor vierzehn Tagen umgezogen, sie hat eine elegante kleine Etage bei einer Majorswitwe gemietet; woher sie die Mittel dazu hat, ist nie erörtert noch aufgeklärt worden. Allerdings hat Gregor Waremme sie seit einigen Wochen als seine Sekretärin engagiert, sie arbeitet jeden Vormittag drei Stunden mit ihm; aber das reicht wohl kaum – bei ihren Ansprüchen – für

Strümpfe und Schuhe, außerdem soll es nur für kurze Zeit sein. Es soll nämlich zu Ende des Monats eine sogenannte deutsche Tagung stattfinden, die hervorragendsten Vaterlandsfreunde sind zur Teilnahme aufgefordert worden. Waremme ist die Seele der Veranstaltung, die einen repräsentativen Charakter tragen soll; die Vorbereitungen, die Korrespondenz, die Beschaffung der notwendigen Fonds geben ihm viel zu tun. Er betreibt die ganze Angelegenheit mit um so größerem Nachdruck, als sich kürzlich wiederum eine neue Skandalgeschichte an seinen Namen geheftet hat, eine homosexuelle Affäre, in die einige junge Adelige eines vornehmen Korps verstrickt sind und die zu unterdrücken seine Gönner sich mit allen Kräften bemühen. (Es gelang ihnen aber doch nicht ganz, ein sozialistisches Blatt brachte, vorläufig ohne Namennennung, einen ziemlich alarmierenden Artikel; und man entschloß sich vorsichtigerweise, die Tagung auf den Herbst zu verschieben. Infolge der Ereignisse, die sich mittlerweile abgespielt hatten, unterblieb sie dann.)

Es ist schon bald Abend, im dunkelnden Zimmer wartet Elli auf die Schwester. Sie geht ruhlos auf und ab, manchmal hält sie inne, lauscht an der Tür, steht am Fenster, durchsucht die Papiere auf dem Schreibtisch, dann wieder auf und ab. Dann öffnet sie eine der Schreibtischladen; das erste, was ihr in die Hände fällt, ist eine Photographie Leonharts, die sie gar nicht kennt, unter der sie die Worte liest: »18. Mai 1905 sieben Uhr abends. Seit dieser Stunde weiß ich, daß ich eine unsterbliche Seele besitze. Leonhart.« Sie starrt auf das Bild. Sie lacht auf. In einem der letzten Briefe an die mehrmals erwähnte Freundin schreibt sie über den Moment: »Mir war, als hätt ich dort, wo meine Brüste sind, zwei tiefe wunde Löcher.« Ihr ganzer Körper wird von Lachen geschüttelt. Da tritt Anna ins Zimmer. Was tust du da, Elli? Die verhaßte rauhe, schwermütige Stimme. Elli reißt das Bild in vier Stücke und wirft sie Anna vor die Füße. Wie weit beabsichtigst du, die liederliche Komödie noch zu treiben! schreit sie ihr ins Gesicht. Entweder du oder ich, eine von uns beiden geht; und wenn ich's sein muß, weißt du, wohin ich geh, und du hast wenigstens ausgesorgt, und man kann dir zu deinem Kuhmagd-Gewissen gratulieren. Anna lehnt sich an die Wand, breitet die Arme mit einer Bewegung aus, als wolle sie sich an der Mauer festhalten, sie wird totenbleich und fällt zusammen. Ohne sich um sie zu kümmern, die wie eine Epileptikerin zuckend daliegt, will Elli sich entfernen. Aber sie hat noch nicht die Tür erreicht, da stehen Leonhart und Waremme vor ihr, beide im Smoking. Sie sind gekommen, um Anna abzuholen; ein Herr von dem Busche hat sie mit andern Freunden zum Diner ins Hotel geladen. Waremme tritt zu Anna, beugt sich zu ihr nieder, bemerkt die in Fetzen gerissene Photographie, erhebt sich kopfschüttelnd und wendet sich an Leonhart mit den Worten: Sie sehen, mein lieber Maurizius, daß Sie es so weit nicht kommen lassen durften. Zugleich gibt er ihm einen Wink, sich Annas anzunehmen; er selbst, sonderbar genug, geht auf Elli zu, die schweigend, zitternd ihrem Mann gegenübersteht, reicht ihr den Arm; sie, noch sonderbarer, nimmt seinen Arm, und er führt sie durch den Korridor, wo die Majorswitwe, die natürlich gelauscht und alles gehört hat, wie eine Fledermaus davonhuscht. Unten wartet der Wagen, er läßt sie einsteigen, setzt sich neben sie, fährt mit ihr nach Hause, geleitet sie in ihr Zimmer, spricht etwa eine Viertelstunde mit ihr. Sie hat das Gefühl, ein großer Arzt oder ein herzenskundiger Priester habe sich ihrer angenommen. Ihre Antipathie ist wie verweht, sie kann selbst nichts sagen, aber sie gibt sich, still weinend, dem Zauber seiner Nähe hin. Er ist so sanft, so gütig, so weise, sein Auge umfaßt ihr ganzes Elend. Wie kann das sein, denkt sie, so ein Mann existiert und man glaubt ihn hassen zu sollen? Sie billigt stumm seinen Rat, daß Leonhart sich in den nächsten Tagen von ihr fernhalten soll, er wird ihn so lange bei sich einquartieren, er soll auch Anna nicht sehen, am besten wäre es, wenn Anna hier im Haus der Schwester Unterkunft fände, er wird es ihr dringend empfehlen, es ist wichtig, schon um das üble Gerede zum Schweigen zu bringen. Er beteuert ihr Annas Unschuld, er sagt: Ich werde Ihnen, gnädige Frau, in kurzer Zeit den schlagendsten Beweis dafür erbringen. Was er im Sinne hat, kann nicht mißverstanden werden. In unbezwinglicher Erregung packt Elli seine Hand und will sie küssen. Um Gottes willen! ruft er aus und drückt seine Lippen auf ihre Stirn. In dieser Nacht schläft Elli dreizehn Stunden tief und traumlos. Der große Arzt hat ihr geholfen. Leonhart bleibt die ganze Woche über bei Waremme. An einem Morgen zu Anfang Oktober kommt er bloß in den Garten, schneidet Rosen und schickt Frieda mit einem Strauß zu ihr. Sie ist so freudig erschüttert, daß sie das Mädchen umhalst und abküßt. Alles kann wieder gut werden, schreibt sie in ihrer unfaßlichen Verblendung an die Freundin; das Bittre ist nur, daß mich die letzten zehn Monate um zehn Jahre älter gemacht haben, ich bin eine alte Frau heute. Für Leonhart haben sich unterdessen die Dinge verhängnisvoll zugespitzt. Anna in seinem eigenen Haus und unerreichbarer als durch eine zehnstündige Eisenbahnfahrt von ihm getrennt. Hinter ihm, Wächter jedes Schrittes, Waremme, dem er versprochen hat, Anna, die im November für ein Jahr nach England reisen soll, zu meiden, ja, bis dahin nicht einmal zu sehen. Das ist aber das Schlimmste nicht. Er schuldet Waremme zweitausendachthundert Mark. Es ist eine Schuld, die er in den allernächsten Tagen begleichen muß, was auch immer geschehe; Waremme hat das Geld, um ihm zu helfen und im Vertrauen auf sein Ehrenwort, dem Fonds für die »deutsche Tagung« entnommen. Immerhin ein Freundschaftsdienst, der seinesgleichen sucht; und man kann es Waremme nicht verübeln, daß er zur Bezahlung drängt, da er doch sonst als Defraudant zur Rechenschaft gezogen werden kann. (Die Summe wurde übrigens zwei Tage vor dem Mord ersetzt, freilich nicht von Leonhart, der es gar nicht erfuhr; aber wie und von wem kam nicht zur Sprache.) Es kann wahr sein, was er später aussagte, daß ihm Waremme das Geld von selbst anbot, ohne daß er ihn erst viel bitten mußte. Waremme ist in Geldangelegenheiten von souveräner Großzügigkeit, hierin mußte ihm Leonhart wie ein etwas degenerierter, weil in Bagatellen erstickter Bruder vorkommen, zudem wußte er ja um die Bedrängnis des Freundes. Bei seinem Schneider hatte er eine auf siebenhundert Mark angewachsene Rechnung, im Tattersall schuldete er hundert Mark, einem kleinen Geldverleiher vierhundert, und auf zwölfhundert Mark belief sich eine Spielschuld, deren Begleichung unaufschiebbar war. Während der nervenzerrüttenden täglichen Auseinandersetzungen mit Elli wagte er an diese sich nicht zu wenden, jetzt wagt er es erst recht nicht. Vielleicht hält ihn ein Überbleibsel von Stolz davon ab, vielleicht erwägt er, daß er gerade in diesem Moment nicht in noch tiefere materielle Hörigkeit zu ihr geraten darf, vielleicht ist es aber nur die alte Furcht, mystische Furcht vor der Richterin. Ja, er schickt ihr Rosen und wagt es dennoch nicht, an ihr besänftigtes Gemüt zu appellieren; er will nicht den Schein erwecken, als hätte er es nur deswegen getan; wie niedrig, wie *demaskiert* stünde er dann vor ihr da! So faßt er den Plan zu der Reise nach Frankfurt. Dort hat er einige reiche Freunde. An den Vater denkt er erst, nachdem er von diesen mit aller in solchen Fällen gebräuchlichen Liebenswürdigkeit abgewiesen worden ist. Am Abend noch fährt er im Auto auf das väterliche Gut. Den Wagen hat ihm, um die Verweigerung des Darlehens minder empfindlich zu machen, der junge Juweliersssohn zur Verfügung gestellt, an den er sich als letzten gewendet. In diesen Stunden muß sich alles in seinem Kopf verwirrt haben. Er kann es nicht mehr aushalten, ohne Anna zu sein, er lebt nicht, wenn er sie nicht sieht. Er hat ihr von Frankfurt aus ein Telegramm geschickt, sie hat nicht geantwortet. Jetzt, von unterwegs, telegraphiert er an

Elli, meldet seine Ankunft für den folgenden Abend. Er will nach Hause, dort ist Anna, alles andere ist gleichgültig, auch die Katastrophe, die ihn erwartet, wenn er ohne Geld zurückkehrt. Um den Vater weich zu stimmen, erzählt er ihm ein halb Dutzend Lügen und Aufschneidereien, zum Beispiel: er sei im Begriff, nach Italien zu reisen, wolle eine Arbeit vollenden, die ihm den Professorentitel eintragen wird, habe sich vorher noch von ihm verabschieden wollen, und anderes mehr. Allein selbst er, bei seinem geringen Scharfblick und großem Eigendünkel, merkt schon beim dritten Satz, daß er bei dem Alten nichts erreichen wird, daß Bitten und Tränen nichts fruchten würden, ebensogut könnte er den Tisch zwischen ihnen versöhnlich stimmen. So ist ihm ein Weg um den andern verrammelt. Was bleibt übrig als die unsinnig schreckliche Tat, mit der die Gedanken schon manchmal feig und lüstern gespielt haben mögen? Er fährt in ein Hotel nach Königswinter, schickt das Auto zurück und schläft bis zum Mittag. Als er aufsteht, rasiert er sich den Schnurrbart ab, kauft sich einen langen gelben englischen Ulster mit hochaufstellbarem Kragen, telegraphiert abermals an Elli und *widerruft* das gestrige Telegramm: kann man deutlicher handeln? zielbewußter sich aus der Ratlosigkeit erheben? Allerdings behauptet er später, er habe zuerst Anna sprechen wollen, habe beabsichtigt, sie in den Garten rufen zu lassen, und damit sie ihn nicht sofort erkenne und die Unterredung verweigere, habe er sich unkenntlich gemacht, die abendliche Stunde würde ihn ja dabei begünstigt haben, er hätte ihr dann vorgeschlagen, noch in derselben Nacht mit ihm zu fliehen. Den Ulster zu kaufen, sei er genötigt gewesen, weil er nur den Sommermantel mitgehabt und das Wetter plötzlich kalt geworden war. Klägliche Erklärungen. Der Zusammenhang, gegliederte Kette, liegt offen zutage.

Was nicht hindert, daß in Herrn von Andergast Zweifel über Zweifel entstehen. Es ist ungefähr wie Selbstspaltung der kleinsten

Teile. Die nämliche Konstruktion, deren Festigkeit, wie es ehemals geschienen, jedem Angriffe getrotzt, zeigt nun dem geschärften Blick überall Risse und Sprünge. Und sind es nur Erfahrung und Zeit, die das nachprüfende Auge geschärft haben, von Anwaltschaft und Parteinahme befreite Sachlichkeit? Sollte nicht da eine gewisse kleine Blendlaterne aus Amorbach in Funktion getreten sein, gar nicht Gleichnis, sondern ganz wirklich, ganz dinghaft greifbar, obschon von einer unsichtbaren Hand regiert? Sie läßt ihren grellen Schein auf die Gestalten und Vorgänge fallen, um sie in das noch unerforschte Dunkel zu verfolgen. Aber auch ein Paar Augen wirken mit, ein Paar sechzehnjährige frische, kühne Augen, dahinter ein Wille, der sich mitzuteilen weiß und dessen Unwiderstehlichkeit in umgekehrtem Verhältnis zur Entfernung seines körperlichen Trägers steht.

Das macht ja auch die Erscheinung so deutlich: Entfernung. Und zwar eine Entfernung, räumlich und zeitlich, auf die der eigene Wille keinen Einfluß mehr hat und die alles, was die Erinnerung aus ihr produziert, zur Zwangsvorstellung werden läßt. Da ist er nun wieder, mitten im Gewoge der Schattenfiguren, der braunlockige Knabe, fünfjährig etwa, im Matrosenanzug, Hände in den Hosentaschen, der Mund frech zum Pfeifen gespitzt, vor der Stiege stehend und über das Rätsel sinnierend, wie man hinuntergelangen könnte, ohne die Stufen zu benützen. Man sieht ihm an, daß er Stufen verachtet, er hat ja erst kürzlich seine Überzeugung verkündet, daß er fliegen kann, daß er dazu jedoch einer komplizierten Zauberformel bedarf, die man nur auszusprechen vermag, wenn man fünf Minuten in die Sonne geschaut hat, ohne mit den Augen zu zwinkern. Das probiert er jeden Tag einmal und ist äußerst ungeduldig, wenn es nicht gelingt, äußerst beschämt, wenn er behauptet, es sei gelungen, und ihm nachgewiesen wird, daß er geschwindelt hat.

Herr von Andergast sieht folgendes Bild vor sich: Es ist ein Sonntagvormittag, er hat Etzel ins Liebigmuseum mitgenommen. Der Knabe steht vor einer antiken Venus und starrt sie mit eigentümlich erschrockenen, tief staunenden Augen an. Eine junge Dame geht auf Herrn von Andergast zu, um ihn zu begrüßen. Etzel richtet den verlorenen Blick auf sie, dann auf die Statue, dann wieder auf die lebendige Frau, dann sagt er, Herr von Andergast glaubt noch jedes Wort zu hören, in zögerndem Tonfall: Sehen alle Damen so aus, Papa, so wunderbar schön? Eine geheimnisvolle Angst ist in dieser Frage, die leuchtenden Augen können sie nicht verbergen, die Angst der Engel vielleicht, wenn Gottes ausgestreckter Arm auf die gehäufte Schuld der Kreaturen und auf den blut- und kummergedüngten Weg weist, der von irdischer Liebe durch den Tod hindurch zur himmlischen geht. Aber diese Erkenntnis oder Ahnung ist eben eine des Zweiten Gesichts und von heute, damals ging man darüber hinweg. Wie über alles schließlich. Die Lebensäußerung an sich ist ja so selbstverständlich. Wenn einer da ist, ist er eben da. Kindheit ist ein unvollkommener Zustand; ihn zu einem möglichst vollkommenen zu machen, ist die Sache der Eltern und der Lehrer. Der Vater ist was Überragendes, er hat die Weltgeschäfte zu besorgen, und das von ihm erzeugte Geschöpf hat nichts weiter zu tun, als ihn sich zum Muster zu nehmen und folgsam in seine Fußstapfen zu treten. Der einzelne Tag macht keinen Einschnitt, die Stunde lädt nicht zum Aufenthalt ein, sie müssen addiert werden, die Summen der Zahlenkolumnen bedeuten: Klassenaufstieg, Konfirmation, Semestralzeugnis, Jahreszeugnis, Examina; die Endsumme ergibt Inhalt und Wert des Lebens. Eine Rechenaufgabe.

Herr von Andergast entsinnt sich einer schweren Krankheit, die Etzel um sein achtes Jahr herum gehabt hat. An einem Abend, ziemlich spät, tritt er ins Kinderzimmer an das Bett des Knaben. Die Mutter ist um diese Zeit längst nicht mehr im Haus. Das

Gesicht des Kindes ist hochrot, die Augen glühen, die Haare kleben schweißnaß an der Stirn. Vierzig Grad Fieber. Als Etzel des Vaters ansichtig wird, malt sich ein befremdlicher Schrecken in seinen Zügen, er wendet den Kopf weg und stammelt unverständliche Laute. Die Pflegerin sucht ihn zu beruhigen, streicht ihm mit der Hand über den Scheitel und sagt sanft: Schau doch, Büblein, es ist dein Papa. Aber das Kind bäumt sich, als solle es gezüchtigt werden, und seine trockenen Lippen lallen: Die Rie soll kommen. Man holt die Rie, sie kniet bei seinem Lager nieder und nimmt seine Händchen in ihre Hände. Da wird er still und flüstert nur: Ich will nicht sterben, hörst du, Rie, und sag's auch der Mama, ich will nicht sterben. In diesem »Ich will nicht« liegt eine so ungeheure Entschlossenheit, daß die Rie, entgegen ihrer sonstigen wehleidigen Art, mit tiefem Ernst erwidert: Das ist gut, Etzelein, wenn du nicht willst, wirst du auch nicht sterben; dann weißt du auch, daß wir dich brauchen. Wunderliche Närrin, denkt Herr von Andergast. Obschon er bewegt und in ernstlicher Sorge war, erschien ihm dieses Wort damals ebenso töricht wie unpassend. Man kann ein Kind lieben, selbst dann, wenn man ihm die Tatsache sorgfältig verhehlt (und hat »man« das Verhehlen nicht bis zu einem Punkt getrieben, wo von der Tatsache schließlich nicht mehr viel übrig war?), aber man kann ihm nicht sagen, daß man es brauche. Und man braucht es wohl auch nicht; man »braucht« Könige, Generäle, Offiziere, Richter, Staatsanwälte, Soldaten, Arbeiter, Dienstboten; aber Kinder müssen zur Brauchbarkeit erst erzogen werden.

Nein, von Liebe konnte wohl im ganzen nicht eigentlich gesprochen werden, kaum von einer der zahlreichen Abarten des Begriffs. Wie die Dinge heute sich gestaltet haben, in dem vollkommenen Zusammenbruch der sogenannten privaten Existenz, liegt kein Grund vor, sich darüber noch länger zu täuschen.

Er grübelt und grübelt, sucht und sucht ...

Krankheiten wie jener Scharlach sind meist bedeutungsvolle Reifestationen in der Entwicklung eines Kindes. Herr von Andergast erinnert sich, daß er schon kurz nachher den Jungen in merkwürdiger Weise aus den Augen verloren hat. Das heißt, das Bewußtsein der gottähnlichen Herrschaftsgewalt über ein menschliches Wesen wurde unsicher und die befohlene Bewegung allmählich zur Eigenbewegung, beleidigend für das Selbstgefühl des Erziehers. Er hat Mühe, den Knaben zu erschließen. Es ist ein so seltsamer, unausgesprochener Trotz zu spüren. Man kann nicht einmal auf eine Verfehlung, einen Ungehorsam hinweisen; es ist nur der Trotz an sich. Er entsinnt sich, daß er an einem Pfingstfeiertag mit dem Zehnjährigen über Land fuhr. Sie sitzen in einem Abteil erster Klasse, Etzel beugt sich aus dem Fenster, Herr von Andergast ersucht ihn, es zu lassen und still auf seinem Platz zu sitzen. Allerdings hat er keinen besonderen Grund zu dem Verbot, es fällt ihm eben ein, er will in Ruhe die Zeitung lesen, er findet es nicht schicklich, daß der Junge fortwährend den Kopf aufgeregt durchs Fenster steckt. Aber als dann Etzel kerzengerade, mit betonter Artigkeit dasitzt, dem Vater gegenüber, schaut er diesem unverwandt ins Gesicht. Und in dem Anschauen, obgleich sich Herr von Andergast die Miene gibt, als beachte er es nicht, ist etwas Aufreizendes: eine forschende Verwunderung, eine heimliche, anstößige Neugier nach der Beschaffenheit des Menschen, der sein Vater ist, sogar ein heimliches Funkeln von Spott in den hellen, kurzsichtig verkniffenen Augen. Eine Sekunde lang verspürt Herr von Andergast siedendheißen Zorn und ist nah daran, den Arm zu heben und den Jungen zu schlagen. Den ganzen Tag über bleibt er wortkarg und unfreundlich, und von Zeit zu Zeit fühlt er wieder den hellen, musternden, heimlichen Blick des Knaben auf sich gerichtet.

All die Heimlichkeit überhaupt in solchem Kind! Es ist immer, als langweile sich Etzel auf der geraden Straße und ergreife jede

Gelegenheit, um auszubiegen, um die Ecke zu gehen und dort was Heimliches zu unternehmen. Kommt er dann wieder zum Vorschein, so sieht er aus, als habe er einen Diebstahl verübt und bringe das Gestohlene eilig und schlau in Sicherheit. Es ist ja auch alles Diebstahl: die Erfahrungen, die er sich holt und die nicht überprüft werden können, die Worte und Begriffe, die er aufsammelt, die Bilder, mit denen er unersättlich die Phantasie füllt. Spießgesellen da und dort, jede Tür öffnet sich zur Welt, und jede neue Erkenntnis der Welt ist Befleckung der unschuldigen Seele. Lernen ist entweder Fieber oder Last, Wissen entweder Überhebung oder vordringlicher Zweifel. Einmal hatte Herr von Andergast ein Gespräch mit dem Pfarrer, und der würdige Herr sagte: Der Bub hat einen unbequemen Geist, wahrhaftig, er glaubt nur, was man ihm sonnenklar beweisen kann, und die Nadel im Heuhaufen zu suchen ist erst der rechte Spaß für ihn, mit dem hätte sogar unser Herrgott keinen leichten Stand.

Aber dabei lächelte der geistliche Mann. Wie sie alle lächelten, wenn sie von ihm redeten oder bloß ihn sahen. Auch der von seinem papierenen Metier ausgedörrte Registraturbeamte hatte ein Schmunzeln um die welken Lippen, wenn er seiner ansichtig wurde. Sogar der übellaunige Dr. Malapert lächelte, sooft er ihm im Haus begegnete. Und immer war es ein freundliches, ein aufmunterndes und unerwartet frohes Lächeln, das die Menschen für ihn hatten. Was mochte die Ursache sein? Vermutlich Äußerlichkeiten. Es gibt Knirpse, die sich in einer Art bewegen, als seien sie Riesen. Das wirkt außerordentlich komisch. Er hatte entschieden etwas von einem spitzbübischen Gnom, der den Leuten treuherzig in die Augen blickt, und wenn er bei der Tür draußen ist, ihnen eine Nase dreht. Da kam vor Jahren noch eine alte, bucklige Großtante ins Haus, die pflegte ihn immer unter widrigem Zärtlichkeitsgestöhn abzuschmatzen; wenn sie endlich fertig war, rieb sich Etzel das Gesicht sorgfältig sauber, verbeugte sich gravitätisch vor ihr und sagte trocken: Danke vielmals, Tante Rosalie. War es die Possierlichkeit, das verbindlich-würdevolle Betragen mit dem Untergrund von verübten oder geplanten Schelmenstreichen, das ihm die Sympathien erwarb? Eine natürliche Anmut war ihm zweifellos eigen, eine flinke, liebenswürdige Frechheit; beides hatte er wohl von seiner Mutter, die war als Mädchen ebenfalls so graziös-frech gewesen, so schwer zu fassen. Oder ging die Sache noch ein wenig tiefer, lag das Anziehende in dem, was Herr Dr. Camill Raff in seiner schätzbaren psychologischen Auseinandersetzung »das Maß« genannt hatte; fühlten das die Menschen so genau, daß er das »richtige Maß« für sie hatte, daß er sie sozusagen nicht überforderte und als das, was sie waren, bestehen ließ?

Was es auch sein mochte, das Besondere, das alle an dem Knaben festzustellen sich beeilten, Herr von Andergast hatte seinerseits wenig davon wahrgenommen. Drängte es sich ihm gelegentlich einmal auf, so akzeptierte er es nicht, da er sich für verpflichtet hielt, es außer Betracht zu lassen. Es wäre mit den Grundsätzen unvereinbar gewesen. Es hätte die Richtlinien verschoben. Es hätte der Ordnung geschadet, der Regel widersprochen, und man hätte damit auf die »Direktiven« verzichtet.

Allein wenn er jetzt zurückdachte, wollte ihn bedünken, daß er bei alledem auf ganz anderes Verzicht geleistet. Auf ein gewisses erlaubtes Wohlgefallen zum Beispiel. Vielleicht auf etwas, das man den Liebesentschluß nennen könnte. Es wollte ihn bedünken, daß er damit eine hinlänglich prägnante Bezeichnung gefunden habe für einen ihm eingefleischten Zustand sterilisierter Enthaltsamkeit. Es wollte ihn ferner bedünken ... ja, was denn? was? Es war ja nun zu spät. Durchaus und in jeder Hinsicht zu spät ...

7.

Am letzten Tag der Woche, die mit dem Studium der Maurizius-Akten begonnen hatte, kam Herr von Andergast zur Teestunde nach Hause und vernahm, als er über den Korridor ging, leises Sprechen aus Etzels Zimmer. Die Tür war halb offen, er blieb stehen und sah drinnen seine Mutter, die am Tisch saß, und ihr gegenüber die Rie. Sie hatten die alten Aufsatzhefte Etzels vor sich liegen, die Rie hatte sie wohl aus den Schubladen und Regalen zusammengesucht, die Generalin blätterte darin, las hie und da ein paar Zeilen und machte mit halblauter Stimme zuweilen eine Bemerkung. Vielleicht hoffte sie, in den Heften irgend etwas zu finden, was auf den Verbleib des Knaben konnte schließen lassen, einen Zettel, einen vergessenen Brief. Alle ihre andern Bemühungen waren umsonst gewesen. Über dem Zusammensitzen der beiden Frauen hing eine Wolke von Traurigkeit. Die Generalin, in einer altmodischen spitzenbesetzten Mantille, mit einem ebenso altmodischen Stoffhütchen auf dem kleinen Kopf, sah vergrämt aus, sie konnte die Flucht des Enkels noch immer nicht fassen, noch weniger begriff sie, daß er ihr, der er schmeichlerisch seine Zuneigung glauben gemacht, kein Lebenszeichen zukommen ließ. Die Sorge zehrte sie auf. Herr von Andergast sah ihr spitzes kleines Etzelkinn und hörte, wie sie zur Rie sagte: »Verlieren wir den Mut nicht, gute Rie. Ich hab so ein bestimmtes Vertrauen. Das Blöde ist nur, daß ich schon so alt bin. Aber auch das hat seinen Vorteil. Die Menschen, die man liebt, gewöhnen einen durch ihre Abwesenheit nach und nach an den Tod. Es ist ein Training für alte Leute. Es gibt so viel Abwesenheit, und die Welt ist so groß.«

Herr von Andergast, der des Regenwetters halber Gummischuhe anhatte, ging unhörbar zur Flurtür zurück und schritt, ohne den Mantel abgelegt zu haben, wieder die Stiege hinunter und aus dem Haus. Plötzlich war ihm der Gedanke unerträglich gewesen, die

Mutter höflich begrüßen zu sollen, in das elegisch zerfurchte, demütig vorwurfsvolle Gesicht der Rie blicken zu sollen, verurteilt zu sein, vor dem mit Amtspapieren beladenen Schreibtisch zu sitzen, bis es Abend wurde, bis es Nacht wurde, als einzige Gesellschaft das Tintenfaß, die Notizhefte, die Stühle, das Sofa, die gräßlichen Bilder an den Wänden und die vor Schweigsamkeit starrenden Bücher.

Er schritt rasch aus, bis er an der Dammheide aufs freie Feld kam. Dort war der Wind von doppelter Heftigkeit, der Regen peitschte ihm ins Gesicht, die Wassersträhnen stachen wie Pfeile. Da er ohne Schirm war – er bediente sich grundsätzlich nie eines Schirms –, wurde er über und über naß. Er achtete nicht darauf. Es war eine gänzlich menschenverlassene Gegend, kein Haus, keine Hütte im Umkreis. Immer nach ein paar Dutzend Schritten blieb er stehen, atemschöpfend, die Hutkrempe festhaltend, blickte spähend in die Runde, aber seine Aufmerksamkeit galt nicht der Landschaft, dem Unwetter, dem wirbelnden Laub der Alleebäume, dem niedrig ziehenden verwühlten Gewölk, sie war nach innen gerichtet. Auf seiner Stirn malte sich die Anstrengung intensiver Denkarbeit. Die Brauen zogen sich mit jeder Minute dichter zusammen. Nach und nach schien er von der Umgebung überhaupt nichts mehr zu spüren, schien zu vergessen, wo er war, wo er hinging, und bisweilen sprach er Bruchstücke von Sätzen, abgerissene Überlegungen laut vor sich hin, was so von seiner Art und Gepflogenheit entfernt war, daß sich dabei der Ausdruck des Gesichts veränderte und wie aufgepflügter Boden die starre Kruste verlor.

Er kann sich nicht darüber täuschen: das logische Maschenwerk klafft. Damit setzen die Erwägungen ein. Bis zu einem gewissen Grad will er es entschuldbar finden, das Material war erdrückend, vom ersten Augenblick an hat man nur die eine, einzige Richtung verfolgt, eine alte kriminalistische Erfahrung schreibt jedem Verbrechen seine besondere Suggestion zu. An Justizirrtum ist nicht zu denken. In dieser Sache nicht. Sollte sich ein Fehler in dem Gewebe zeigen, jetzt, nach so langer Zeit, so wäre unter der Hand zu recherchieren. »Auf keinen Fall ein offizieller Schritt.« Die Augen der Welt auf das verjährte, abgeschlossene Verfahren zu lenken wäre eine lästerliche Dummheit. »Wenn ich sage: die volle Wahrheit ist vielleicht noch nicht aufgedeckt, so habe ich schon zuviel gesagt. Vielleicht ... nun ja ... vielleicht ... wir werden sehen ...«

Er kniff die Lippen zusammen und bohrte den Blick in die triefende Krone einer Ulme. Daß man den Gregor Waremme auch nach dem Urteilsspruch noch hätte beobachten sollen, wenigstens eine Zeitlang, will er zugeben, obschon das eine rein polizeiliche Maßregel gewesen wäre. Aber hätte man sich damals um das Nachher gekümmert, kümmern dürfen, so hätte man wahrscheinlich wünschenswerte Aufschlüsse über das Vorher seines Lebens erhalten. Dies letztere ist versäumt worden, unbegreiflicherweise, wie Herr von Andergast jetzt konstatiert, über die Vergangenheit des Mannes war nichts bekannt, sie wurde gar nicht erwähnt. Schließlich warum auch? Das Gericht jedenfalls hatte eine solche Verpflichtung nicht, auch das Interesse nicht. Dem Gericht ist der Kronzeuge kostbares Gut, seine Glaubwürdigkeit aus eigenem Antrieb zu erschüttern, wird es sich hüten. Mit Waremme, genau genommen, stand und fiel die Causa. Ohne ihn wäre man, namentlich bei dem starrsinnigen, dem vollkommen verrückten Leugnen des Täters, zu einem gedeihlichen Ende nicht oder nur schwer gelangt. (»Gedeihliches Ende« hieß natürlich: Schuldspruch und Aburteilung.)

»Zweifellos, da sind schwache Punkte. Untersuchen wir in Ruhe die schwachen Punkte!« Herr von Andergast mäßigt seinen ungestüm ausgreifenden Schritt, um die schwachen Punkte zu sammeln. Es müssen ihrer mehr sein, als er vermutet, denn nach einer

Weile pressen sich seine Lippen noch fester aufeinander. In dem Verhältnis Waremme–Anna Jahn fehlt jede befriedigende Aufklärung. Es muß sich zwischen ihnen bereits in Köln etwas ereignet haben, was auf ihre Beziehung einen Schatten geworfen hat. Das Einlernen der Rolle unter seiner Führung, ihre krankhafte Aversion gegen Theater und Theaterspiel noch ein Jahr später, niemand hat danach geforscht. Keine Andeutung, von welcher Beschaffenheit die Freundschaft war, ob sie eine erotische Grundlage hatte, ob an eine künftige Ehe gedacht war. Die eine Bemerkung gegen Elli Maurizius, er werde ihr binnen kurzem den schlagenden Beweis ihrer Unschuld erbringen, beweist nichts. Was bedeutete »Unschuld« in seinem Mund, was mochte ein Mensch wie dieser sich dabei denken? Man müßte wissen, wie sich die Dinge nach 1906 zwischen den beiden gestaltet haben. Aber da überzieht absolute Finsternis die Szene. Ist das Urteil gefällt, so verschwinden die Akteure vom Schauplatz. Das Gesetz kennt nur den Fall an sich, das erneute Leben hinterher darf es nicht antasten. »Was ich selbst als Privatperson weiß, darf ich nicht wissen.« Aber Herr von Andergast als Privatperson kennt nicht, notiert nicht das Tun und Lassen von Verurteilten und Zeugen, er verhält sich darin wie ein chemischer Stoff, der einen andern Stoff nur in einem bestimmten Aggregatzustand auf sich einwirken läßt. Er erwägt: Hätte eine mehr als freundschaftliche Intimität zwischen Waremme und der Anna Jahn bestanden, so wäre jener doch energischer gegen die Behelligungen aufgetreten, die sie von ihrem Schwager zu erdulden hatte. Andererseits besucht er sie ganz formlos in ihrer Wohnung, holt sie zu Festlichkeiten, zu sportlichen Unternehmungen ab, macht sich entschieden zu ihrem Kavalier und Beschützer. Räumt sie ihm dieses Recht nicht ein, so ist wieder unerklärlich, daß sie nach dem letzten schlimmen Auftritt mit Elli durch ihn bestimmt wird, in das Haus der Schwester zu ziehen, um sie zu betreuen, gewissermaßen in die Höhle des Löwen. Man müßte rein annehmen, daß sie des freien Willens beraubt war, um die krasse Schmähung, die sie von Elli erfahren, über Nacht zu vergessen. Und wie sieht es denn mit ihren Vermögensumständen aus? Trostlos, ohne Frage. Sie leistet ihm Sekretärinnendienst, dafür wird er sie wahrscheinlich entlohnt haben; hat er das nicht, war es nur ideale Hilfe von ihrer Seite, so muß man erst recht an ein nahes Verhältnis glauben. Was sie allerdings strikt in Abrede stellt. Wer gibt ihr die Mittel zu ihrer Existenz, da sie doch das Leben einer Dame führt? Wer bezahlt das luxuriöse Quartier? Leonhart? Er hat es geleugnet. Waremme? Es ist nicht erörtert worden. So oder so, eine bedenkliche Situation, gewiß keine eindeutige. Aber weiter. Da sie die Veranlasserin des Zerwürfnisses zwischen den Ehegatten ist und es unbedingt wissen muß, auch wenn sie sich schuldlos fühlt und vermutlich nicht am wenigsten darunter leidet: warum bleibt sie? Wenn sie den hartnäckigen Verfolger verabscheut, warum empfängt sie ihn immer wieder? War sie des Menschen überdrüssig, der ihren Ruf gefährdet, warum zeigt sie sich mit ihm an öffentlichen Orten? Wenn er im Haus der Schwester, seiner Frau, sich zu schamlosen Angriffen hinreißen läßt, so daß sie vor Verachtung und Empörung außer sich gerät, warum nimmt sie den Verkehr mit ihm wieder auf? Telephoniert, besucht seine Vorlesungen, hat seine Photographie mit einer, wie man gestehen muß, recht stürmischen, recht unmißverständlichen Widmung im Schreibtisch liegen? Sie hat sich seiner nicht zu erwehren vermocht, behauptet sie, hat quasi gute Miene zum bösen Spiel machen müssen, damit er nicht vollkommen den Kopf verliert und sie, Elli, sich selber in seiner Raserei ins Verderben reißt. Ist das plausibel? »Damals schien es uns plausibel genug. Herr des Himmels, ein neunzehnjähriges Kind, unerfahren bis zur Mitleidswürdigkeit, oft verstricken sich gerade solche, gerade durch ihre tiefe Unschuld, möglicherweise schmeichelt ihr die von ihr entfachte Leidenschaft, sie wärmt sich an dem Feuer, das sie entzündet hat, wer kennt die Weiber ...« Herr von Andergast schüttelt unwillig den Kopf. Es ist ein zu laxer Standpunkt, will ihn dünken. Sie hätte die Stadt verlassen müssen; den Vorwurf kann man ihr nicht ersparen, daß sie blieb, der verbrecherischen Begierde täglich frische Nahrung bot, lieber hätte sie bei Nacht und Nebel davonlaufen sollen, lieber ins Ungewisse, lieber in die Armut, als noch länger die tödliche Zwietracht der Eheleute schüren, unfreiwillig, nehmen wir an. Aber wie, wenn sie doppeltes Spiel gespielt hat? Wenn die beiden Männer bloß Schachfiguren für sie waren? Oder wenn ... gehen wir in den Unterstellungen bis zur letzten ausdenkbaren Möglichkeit, wenn sie mit Waremme im Einverständnis gewesen ist, die Entwicklung planmäßig zur Katastrophe getrieben hat? Ist eine solche Hypothese zulässig? Nein. Sie ist nicht zulässig. Sie ist auf keine Weise zulässig. Es ist eine abgeschmackte, eine romanhafte Hypothese. Mit derartigem Anwurf trauten sich damals die frechsten Verleumder nicht heraus, davor scheuten sogar die geschäftigsten Reinwascher des unseligen Maurizius zurück. Immerhin, lassen wir uns mal an diesem Zwirnsfaden in den Abgrund hinunter, setzen wir den Fall, es wäre so gewesen, da hätten doch die beiden sicher sein müssen, daß die achtzigtausend Mark, die Elli im Vermögen hatte, denn um die konnte es sich dann nur handeln, daß die der Anna Jahn zufielen. Wie war das mit dem Testament? Herr von Andergast beschließt, sich über das Vorhandensein und den Wortlaut des Testaments zu orientieren. Allerdings, gab es ein Testament nicht, und war der Ehemann als Mörder der Erblasserin wegen Erb-Unwürdigkeit von der Erbschaft ausgeschaltet, so war die Schwester, da die Ehe kinderlos geblieben, die rechtmäßige Erbin. Doch so weit können wir uns nicht versteigen. So tief in den Abgrund hinunter: nein. Da hätten sie in einer Berechnung, die der menschlichen Voraussicht spottet, mit absoluter Gewißheit erwarten müssen, er werde den Hals so in die Schlinge stecken, daß der Strick nur noch zugezogen werden mußte, da hätte alles, Delikte, Indizien, Zeugen, alles hätte am Ende klappen müssen wie das Schlagwerk eines Chronometers. »Unsinn. Verdammter Unsinn. So was gibt es nicht. Davon hätten wir was merken müssen. So fein gewebt wird grob und fängt den Weber ...«

Herr von Andergast blieb stehen. Über sein Gesicht breitete sich, entweder von der Anstrengung des Gehens unter dem Anprall des Sturms oder von der Wucht der ihn überfallenden Gedanken, eine ungesunde Röte aus, an der Stirn schwollen die Adern wie dunkelblaue Schnüre, und in den finster verengten Augen zeigte sich ein ihnen bis jetzt unbekannt gebliebener Schrecken.

Waremmes Bild, nicht länger abzuweisen, lebt in seiner Erinnerung auf. Er sieht ihn deutlich vor sich. Die kühne Stirn, der schräg in den Raum fixierte Blick, der ausladende Raubfischkiefer, alles von Brutalität förmlich durchschmolzen, der großdimensionierte Kopf mit den kurzen Borstenhaaren, die etwas feiste Gestalt. Dem Widerpart zu halten war ein Kerl von anderm Kaliber nötig als der dünn-nervige Hampelmann Maurizius. Trotzdem sprechen seine Vertrauten von schweren Neurosen, Depressionen und Weinkrämpfen, denen er nicht selten ausgesetzt sei. Man kann es glauben. Dieser Körper, der trotz seiner normalen Maße mächtig wirkt, mag eine Behausung zerstörerischer Funktionen sein wie bei Menschen, die ein ganz anderes Alter gegen die Zeiten hin haben als in der einen Zeit, in der sie leben. Er nennt sein Alter: neunundzwanzig, aber es ist, als wäre das eben bloß Zufall des Geburtsscheins. Wenn er zu reden beginnt, auch bei der gleichgültigsten Phrase, horcht alles auf. Das Zwingende liegt weder in der Stimme noch in der Wahl der Worte, sondern in der Genauigkeit des Ausdrucks, der Überlegenheit der Haltung. Das Auditorium hat das Gefühl: der versteht's, wie wenn es bisher nur Stümper an der Arbeit gesehen und nun einen Meister vor sich hätte. Zwischen ihm und allen übrigen Zeugen ist ein Unterschied wie zwischen armseligen Fragmenten und einem plastischen Ganzen. Sein Auftreten ist derart, daß sich der Vorsitzende sofort sichtlich zusammennimmt und der Verteidiger, der hilflose Dr. Volland, den Anblick einer geplatzten Null bietet. Aussichtslos die Versuche, wie sie da gegen die Belastungs-, dort gegen die Entlastungszeugen gebräuchlich sind, mit spöttischen Bemerkungen, leutseligen Fangfragen, triumphierender Entdeckung von Widersprüchen, die damit entschuldigt werden müssen, daß man »schlecht gehört« und sich »geirrt« habe oder daß der Untersuchungsrichter sich »verhört« oder »geirrt« habe; da bedarf es keiner Ermahnungen, keiner Gedächtnisnachhilfe, keines jener klippenreichen Kreuzverhöre, die schließlich Nähterinnen, Kutscher, Briefträger, auch Leute aus dem höheren Bürgerstand zum Zittern und Straucheln bringen können, hier aber gänzlich fehl am Orte wären, denn Waremme ist so sachlich, so kühl, so nüchtern wie Wasser. Während seiner Vernehmung kann Herr von Andergast nicht umhin, sich zu sagen: Gott sei Dank, daß er nicht auf der Anklagebank sitzt, dem wären wir nicht gewachsen. Der Verhandlungsleiter wird von Frage zu Frage höflicher, respektvoller, im Saal wird es so still, daß das Summen des Ventilators überm Fenster unerträglich störend ist. Jedes Wort ist ja nun entscheidend. Auf die Frage des Vorsitzenden, was seine Meinung über das Verhalten des Angeklagten vor der Verhaftung sei, erwidert Waremme, er glaube der Billigung des Gerichtshofes sicher zu sein, wenn er antworte, eine Meinung zu äußern stehe ihm nicht zu, er habe ausschließlich die Pflicht, Wahrnehmungen mitzuteilen und Tatsachen zu bezeugen. Man nimmt es hin, sonderbarerweise fügt man sich geradezu, obwohl es wie eine Zurechtweisung klingt. Richter, Staatsanwalt, Verteidiger, Geschworene, alle sind ihm gleichsam subordiniert, er selbst wird durch die bloße Gegenwart richterliche Instanz, und so gewinnt seine Aussage das Gewicht eines Urteils. Die Erschütterung in seinen Zügen überträgt sich auf die ganze Versammlung, man begreift, er sträubt sich, den Unglücklichen, der sein Freund war, dem Henker zu überliefern, doch Wissen und Augenschein sind stärker, der Eid ist gebieterischer, so hab ich's gesehen, so und so hat sich's zugetragen, hier steh ich, ich kann nicht anders. Und hinter ihm Leonhart Maurizius, das Gesicht in transparenter Blässe leuchtend, betrachtet ihn mit Augen, die von tödlichem Entsetzen weit werden, springt auf, streckt beschwörend die Hände aus, Waremme wendet sich ihm zu, plötzlich wankt er, Justizsoldaten fangen ihn auf, er verliert das Bewußtsein. Er, nicht Maurizius! Diese Szene macht ungeheuren Eindruck und wirkt wie eine geisterhafte Bekräftigung der Aussage ...

Herr von Andergast blieb abermals stehen, zog das Taschentuch aus der inneren Rocktasche und wischte sich das Gesicht ab. Das Tuch war im Augenblick zum Auswinden naß. Sein Bart war wie ein Schwamm im Wasser. Die Lider waren geschwollen, er konnte sie nur schwer öffnen. Von alledem nahm er keine Notiz.

Den Charakter des Gregor Waremme gründlich zu erforschen, hätte sicher zu interessanten Resultaten geführt, setzt Herr von Andergast seine grüblerischen Überlegungen fort und kämpft sich wieder in den Sturm hinein. Von seinen Hintergründen haben wir nichts kennengelernt, von der Oberfläche nur, was ihm beliebte zu zeigen. Es war eine Atmosphäre von Dunkelheit um ihn und eine theatralische Plötzlichkeit in seinem Auftauchen und Verschwinden. Man hat nichts mehr von ihm gehört. Seltsam. Ein so bedeutender Kopf, ein solcher Wille, solche Wirkung, von solchen Erwartungen getragen, und nach einer kurzen Gastrolle spurloser Abgang. Äußerst merkwürdig, ein Phänomen der Zeit. Ob es ernst zu nehmen ist, was der alte Maurizius in seinem Gesuch vorbringt: daß er seinen gegenwärtigen Aufenthalt ausfindig gemacht habe? Bei diesem Gedanken verweilt Herr von Andergast, er führt ihn zu einem Entschluß, den er laut vor sich hinspricht: »Muß mir den Alten bei nächster Gelegenheit kommen lassen. Nicht zu begreifen, daß ich es bis jetzt versäumt habe. Ist scharf zu verwarnen. Toll, was sich der Bursche an tückischen Verdächtigungen der Anna Jahn leistet ...«

Anna Jahn ... Die Gestalt erscheint, er macht eine Geste in die Luft, als wolle er sie bitten, noch ein wenig zu warten, er werde sich bald mit ihr beschäftigen. Einen Augenblick Geduld, scheint er zu sagen. Waremme hat ihn ja beinah restlos überzeugt, genau wie damals, das Gesamtbild läßt nichts zu wünschen und zu fragen übrig; vertieft man sich aber in die Einzelheiten, so verwirren sich auf einmal die Linien dennoch, und alles gerät ins Gleiten. Ad eins: Wo ist der Revolver hingekommen? Hat Leonhart Maurizius einen Browning vor der Tat besessen? Man hat es nicht nachweisen können. Waremme hat gesehen, wie er ihn aus der Manteltasche holte. Er hat ihn zielen sehen. Er hat gesehen, wie er die Waffe fortgeschleudert hat. Man hat sie aber niemals gefunden, im Garten nicht, hundert Meter im Umkreis nicht. Theoretisch ließe sich unter solchen Umständen denken, daß jemand von außen her geschossen hat, eine Möglichkeit, die uns der Herr Verteidiger sattsam vorgerückt hat. Aber wer soll geschossen haben? Wer in aller Welt? Ad zwei: Was ist geschehen, als Maurizius in den Garten kam? Elli konnte ihn nach dem zweiten Telegramm, worin er das erste widerrief, nicht mehr erwarten. Von wem hat sie erfahren, daß er kam? Selbstverständlich von Anna. Die Depesche an Anna, in der er sie bat, ihn vom Bahnhof abzuholen, hat er nicht widerrufen, entweder weil er den Kopf verloren und es schon vergessen hatte oder weil er insgeheim hoffte, sie würde vielleicht doch kommen. Also Anna, die vermutlich sofort begriff, daß das zweite Telegramm an Elli eine Falschmeldung war, durch die er Zeit gewinnen wollte, hat die Schwester von seiner bevorstehenden Ankunft unterrichtet. Schön. Das Telegramm, das er ihr sendet, läßt sie unerwidert, beachtet es auch nicht weiter, sichert sich vielmehr vor der Rückkehr des Gefürchteten den Beistand ihres Freundes. Ganz einleuchtend. Ganz logisch. Warum aber geht sie nicht fort? Es wäre das Einfachste. Sie braucht ja nur das Haus zu verlassen, sich zu irgendwelchen Bekannten in die Stadt zu begeben. Warum bleibt sie? Bleibt, bleibt, wieder und wieder? Ist es ihre Absicht, daß er nur Elli vorfindet, daß Elli ihn empfängt, voll Sehnsucht und Unruhe, wie sie ist, da er sich vor der Abreise nicht einmal von ihr verabschiedet hat, na, dann konnte sie nichts Klügeres tun, als sich aus dem Staub zu machen, und es bestand nicht die geringste Notwendigkeit, Waremme herbeizurufen. Darauf wird erwidert: sie muß die Schwester behüten, sie kann Elli in ihrer an Wahnsinn grenzenden Erregung nicht allein lassen. Wenn das nur stimmte! Versöhnung zwischen den Schwestern hat allerdings stattgefunden, aber sie scheint nur von kurzer Dauer gewesen zu sein, oder Elli konnte den Anblick der Rivalin doch nicht ertragen, denn nachdem sie den ganzen Nachmittag dagelegen und hemmungslos geweint und geschluchzt hat, läutet sie dem Mädchen Frieda, fleht sie an, ihr Gesellschaft zu leisten, es sei ihr so gräßlich bang. Während derselben Zeit spielt Anna unten Klavier. Herr von Andergast entsinnt sich, daß ihn diese Tatsache schon damals befremdet hat. Sie erklärt es ja einigermaßen plausibel mit ihrer Verstörtheit; oben die beinahe unzurechnungsfähige Schwester, sie unten, allein, schaudernd vor der Ankunft des verzweifelten Menschen, dessen Versuche, Geld aufzutreiben, wie zu vermuten, kläglich gescheitert sind. So spielt sie den Karneval von Schumann und hat dabei Schreckvisionen von verdächtigen Gestalten, die ums Haus lungern. In ein paar Minuten wird Leonhart dasein, sie hält es nicht mehr aus, stürzt ans Telephon und beschwört Waremme, zu kommen. Ganz gut, ganz gut, nur könnte es aussehen, als habe Waremme auf den Ruf gewartet. Da klappt alles zu gut. Man könnte auch den Verdacht schöpfen, daß Elli in der allerletzten Sekunde alarmiert worden ist, und die

Frage des Verteidigers an die Jahn war nicht aus der Luft gegriffen, wie sie es erkläre, daß Elli trotz ihres leidenden Zustandes, trotz der Herzkrämpfe, an denen sie seit dem Morgen litt, Zimmer und Haus verließ, um ihrem Gatten entgegenzugehen, nicht nur entgegenzugehen, entgegenzufliegen. Es war ein kritischer Moment, die Geschworenen hoben die Köpfe, die Bemerkung des Vorsitzenden, Fräulein Jahn sei wohl kaum imstande, darüber Auskunft zu geben, da sie doch nicht als Krankenpflegerin bei der Schwester gedient habe, erregte Unwillen im Publikum. Aber da war dann der alte Gottlieb Wilhelm Jahn, ein Onkel der Schwestern, zur Zeugenaussage über seine Nichten berufen, der auf die Stimmung der Geschworenen großen Einfluß übte, als er, gegen die Anklagebank gekehrt, mit erhobener Hand ausrief: Der Elende hat nicht bloß die eine leiblich gemordet, sein Weib, seinen einzigen Freund im Leben, sondern auch die andere geistig und in der Seele; der Fluch der ganzen Menschheit trifft ihn. Als er das sagte, der alte Herr mit dem riesigen weißen Bart, faltete Anna die Hände und schloß die Augen. Es war, wie die Ohnmacht Waremmes, einer der großen Momente des Prozesses.

Herr von Andergast ging schneller, mit weitausholenden Schritten. Er erinnert sich an die Schönheit des jungen Mädchens, die auch ihn damals faszinierte. Es ist, als wär's gestern gewesen, wie sie dastand im engen, schwarzen Kleid mit der weißen Halskrause und den weißen Spitzenärmeln über den schlanken, blassen Händen. Er hatte kurz vorher eine Reproduktion der Maria Stuart von Clouet gesehen und entsinnt sich noch genau, wie verblüfft er über die Ähnlichkeit war, die Anna Jahn mit dem Bildnis hatte. Der schmerzliche Mund, die Augen, »deren Blick kein Ende hatte«, wie ein Journalist damals aufgeregt schrieb, der Adel der Bewegung, die Zartheit der Figur, man konnte es nicht vergessen. Frevel, zu glauben, solch ein Wesen könne von Lüge auch nur wissen; die lebte in einer Welt für sich, hineingefroren in ein unnahbares

Element. Gerichtshof und Geschworene sahen eine Märtyrerin in ihr. »Sie hob sich von dem Prozeß ab wie eine weiße Blume von einem schwarzen Vorhang«, schrieb derselbe aufgeregte Journalist. Außerdem, juristisch betrachtet, war sie sozusagen die Achse des Beweisverfahrens; hätte Herr von Andergast die verschieben lassen, so schwand ihm der Boden unter den Füßen. Es kam ja auf Gottes weiter Welt nur ein einziger möglicher Täter in Frage. Absolut niemand außer ihm. Kein Mitschuldiger, kein Vertrauter. Wo wären die zu suchen gewesen? »Daraus folgt unweigerlich, daß uns, daß mir der Weg vorgezeichnet war wie mit einem diamantenen Griffel ...«

Er setzte sich gegen einen Windstoß zur Wehr, als sei es der letzte Ansturm seiner Zweifel, und sagte stehenbleibend: »Daher ist auch das Urteil nicht anfechtbar. In keinem Punkt.« Und nach ein paar Schritten, wieder stehenbleibend: »Ich übernehme jede Verantwortung.« Und abermals nach ein paar Schritten, fast schreiend: »Nein, das Urteil ist nicht anfechtbar.«

Aber das Diktum, so abschließend es klang, erstickte nicht den schüchternsten der Zweifel. Der Schrecken in seinem Auge weitete sich wie ein Tintenfleck auf einem Löschblatt. Er wich innerlich dem Schrecken aus, er ging mit seinen Gedanken scheu um ihn herum. Es war Unaufrichtigkeit gegen sich selbst, und er empfand sie quälend wie eine Störung des Lebensgleichgewichts. Als Kind hatte er, mit wachsender Abneigung, eine Wanduhr gesehen, wochenlang jeden Tag, deren Pendel einen unregelmäßigen und fehlerhaften Ausschwung hatte. Daran mußte er fortwährend denken. Auf der Rödelheimer Straße rief er ein leeres Auto an und fuhr in die Stadt zurück. In halbschlafähnlichem Zustand, bis auf die Haut naß, lehnte er in der Wagenecke. Wo mag der Junge sein? schoß es ihm plötzlich durch den Sinn. Die Gedanken gehorchten nicht mehr. Es war eine Sekunde, wo er den Wunsch mancher Kinder begriff, krank zu werden, damit sie nicht in die

Schule müssen. Wozu hätte es ihm aber dienen sollen, krank zu sein? Was gab es für ihn anderes als die »Schule«? Ja, er konnte sich in sein widerliches Schlafzimmer zurückziehen wie in eine entlegene Höhle, von Zeit zu Zeit würde die widerliche Rie an sein Bett trippeln, und nicht einmal die kleine Violet würde er zu sich rufen können ...

Violet Winston war eine junge Kalifornierin, die er vor drei Jahren, nach einem Herrendiner, im Russischen Hof kennengelernt hatte. Sie saß in der Hotelhalle und mühte sich umsonst, einem Kellner irgend etwas begreiflich zu machen. Herr von Andergast leistete Übersetzungshilfe. Sie war erst vor ein paar Tagen von drüben gekommen, wollte auf dem Sternschen Konservatorium studieren, kannte keine Seele in der Stadt, stand ganz allein in der Welt und hatte noch für ein halbes Jahr Geld zum Leben. Sie wurde seine Freundin, und er mietete ihr, sehr weit von seinem Hause, eine bescheidene Wohnung am Pestalozziplatz, wo sie ihn, zwei- bis dreimal im Monat, empfing. Das Verhältnis war von tiefster Heimlichkeit umgeben; dank der rigorosen Vorsicht des Herrn von Andergast war bis jetzt alles Gerede vermieden worden.

Reizvolle Aufgabe, sich nach dem Charakter eines Mannes, den man kennt, das Bild seiner Geliebten zu konstruieren. In vielen Fällen wird sich das Richtige annähernd treffen lassen, ohne daß man sich zu billig im Gegensätzlichen ergeht oder simple Anziehungen schematisiert. Doch wenn erwogen wird, daß, wie in diesem Fall, die Finsterkeit in einem Menschen nicht erotisch gelöst, nicht einmal seelisch vom andern Teil aufgenommen werden kann und daß eine fortgeschrittene Vereisung nur noch Vorwände des Lebens kennt, seine Wärme nicht mehr, seine Gestalt nur dem Scheine nach, so wird die Wahl, die Herr von Andergast mit der jungen Amerikanerin traf, nicht überraschen. Sie bot ihm nichts, sie war ihm nichts, denn sie hatte nichts zu geben, sie war selber – nichts. Und eben dieses Nichts brauchte er. Geist, Pikanterie,

Laune, Bildung, was sollte ihm das bedeuten, da er doch weder Erregung noch Erhöhung suchte, kaum das, was man Zerstreuung nennt, sondern eine Art Ruhegelegenheit, die ihm, wenn das Bedürfnis sich meldete, auch nebenbei erlaubte, als männliches Wesen zu existieren, und die mit Ignoranz und Banalität eher vereinbar war als mit erlesenen Eigenschaften. Er lebte ja seit zehn Jahren ehelos, und er wußte, daß die Wünsche des Körpers sich auf die Dauer nicht ersticken lassen ohne Gefährdung des geistigen Gleichgewichts. Er war ein unverbrauchter Mann. Der ergraute Bart, der kahle Schädel: Merkmale der Jahre, keine inneren des Abstiegs und der Schwäche. Aus einem Geschlecht stammend, dessen Männer und Frauen in strahlender Rüstigkeit achtzig, neunzig Jahre alt geworden waren, besaß er noch die physische Frische derer, die sich niemals einer Ausschweifung schuldig gemacht haben und einen unerschöpften Vorrat von Kräften in sich wissen. Nach der Trennung von Sophia hatte er auf jedes Attachement, auf jede Erwartung in bezug auf Frauen verzichtet. Er schloß derlei Empfindungen einfach aus seinem Leben aus. Aber es war nicht das Prinzip allein, das ihn so handeln ließ. Er hatte eine Erfahrung gemacht, die seinen Stolz fast tödlich verwundet hatte. Die Wunde war noch nicht geheilt, sie konnte niemals heilen. Unmöglich, daran zu denken, ohne daß das Blut in seinem Herzen sich sammelte und aufkochte. Daß sich ein solches Erlebnis in irgendeiner Form wiederholen könnte, der Gedanke bereits genügte, um jegliche Lockung von ihm fernzuhalten. Für ihn gab es in dem Betracht keinen Glauben mehr (in dem Betracht nicht und in anderm nicht). Wer konnte besser als er wissen, was Menschen unter Liebe verstehen, was sie damit vorspiegeln und wie sie in Wahrheit aussieht, die Liebe? Er hätte ein stattliches Wörterbuch der Entartungen, der armseligen Kompromisse und aller kleinen und großen Erbärmlichkeiten verfertigen können, die den Inhalt der dreihundert Arbeitstage seines Jahres ausmachten und in unleidlicher

Wiederholung den Inhalt aller andern Tage aller andern Jahre. Ein Buchstabe, ein Register, und das Individuum besteht nur noch aus Vorleben, Leumund, Straffälligkeit. Kommt der Daumenabdruck im Album noch nicht vor, auf ihrer Stirn und in ihren Augen gewahrt man ein nicht minder bezichtigendes Mal. Mögen sie den Faust lesen oder, manche, manchmal, das Vaterunser beten oder mit Sittensprüchen ihre Wände bekleben, wie die frommen Juden ihre heiligen Lehren an die Türpfosten nageln, das wird keinen einzigen von Betrug, Unterschlagung, Meineid, Diebstahl und Vergewaltigung abhalten, wenn sie nur die geringste Aussicht haben, sich der Verantwortung zu entziehen. Es gab, genau besehen, nicht Gute und Böse, Ehrliche und Schwindler, Lämmer und Wölfe, es gab nur Bescholtene und Unbescholtene, Bestrafte und Unbestrafte, das war der ganze Unterschied, und daß sie eins oder das andere waren, beruhte nicht auf einer Eignung oder einem Defekt, sondern auf einem von ihnen nicht beachteten Zufall. Er fragte nicht nach dem Manne und der Frau. Es gab für ihn keinen Herrn Soundso oder Frau Soundso. Er kannte die Stände, die Klassen, die Berufe, die Beschäftigungen, die Gruppen, die Antezedenzien, die sozialen Vernietungen und Brüche, die Bedingungen und Reibungen der Existenzen, die Kräfteverhältnisse, die Ausdrucksmöglichkeiten, alles bis zur spielenden Beherrschung, so daß er ebensogut mit einem Schlosser, einem Bauern, einer Prostituierten in deren Sprache reden konnte wie mit einer Gräfin und einem Minister; von der Person und ihrer Einunddieselbigkeit wußte er nichts und begehrte er nichts zu erfahren. Und so war es ihm gemäß und angenehm, daß Violet Winston ein Weibchen war wie der Weißfisch in einem See ein Exemplar der Gattung, eines unter hunderttausend gleichen, dessen Fang auf einem nicht sonderlich zu beachtenden Zufall beruhte.

Sie war hübsch, freundlich, gutmütig, gefällig und harmlos. Kein böser Atemzug war in ihr. Sie hatte eine weiße Haut, ein weißes, nichtssagendes Gesicht, korngelbe Haare, in deren Verwaschenheit ebenfalls etwas Nichtssagendes lag, kleine, runde, dicke Patschhändchen wie ein Baby und schöne, schlanke Beine. Ihre großen, blauen, dummen Augen erinnerten ihn, wenn ihr Blick auf ihm ruhte, an nichts. Wenn ihre karminrot geschminkten Lippen beim Lächeln die winzigen weißen Zähnchen hervortreten ließen, schienen auch diese an der süßen Nichtigkeit des Gesamtwesens teilnehmen zu wollen. Wenn man sie auseinandergenommen hätte, um nachzusehen, welche Gefühle sie gegen ihren großen düstern Freund in ihrem Innern hegte, so hätte man außer der gewissen animalischen, temperierten Zärtlichkeit einer schutzbedürftigen Kreatur wahrscheinlich nichts weiter gefunden als ein wenig kleine dumme Furcht. Und wegen dieser Furcht bewunderte sie ihn. Ja, sie bewunderte ihn, ungefähr so wie das Weißfischlein den riesigen, gefräßigen Hecht bewundern wird, der es nur deshalb nicht verschluckt, weil er es zu sehr verachtet. Wenn sie auf seinen Knien saß und ihn fassungslos anschmachtete, konnte sie nicht anders, als sich als »poor girl« und »poor little Violet« zu bezeichnen. Es war immer ein kleiner dummer Verwunderungsausbruch über die Ungleichheit der menschlichen Geschöpfe. Die Unterhaltung zwischen ihnen bewegte sich meist auf dem Gebiet der Utensilien. Sie hatte eine Photographie ihrer Vaterstadt Sacramento über dem Bett aufgehängt. Das Bild hing nach der Ansicht des Herrn von Andergast um reichlich drei Zoll zu tief. Das Gespräch darüber dauerte länger als eine Viertelstunde. Sie hatte Blumen gern, verstand sie jedoch nicht zu arrangieren, das gab Gelegenheit zu endlosen Beratungen, etwa darüber, ob man rosa Flieder und rote Nelken zusammen in eine Vase stecken könne. Obwohl adrett in der Kleidung, war sie in ihrem Geschmack ein wenig indianisch, auch hatte sie eine Vorliebe für zu starkes Parfüm. Herr von Andergast belehrte sie, wies sie zurecht, immer wieder, trocken, ernsthaft, geduldig. Ungeduld hätte er einem so lieben, dummen

Nichts gegenüber geradezu als Energieverschwendung betrachtet. Sie rechnete ihm ihre Ausgaben vor, und wenn sich ein überflüssiger Posten darunter befand, tadelte er sie sanft, bis in die törichten blauen Augen törichte kleine Tränen schossen, wobei er dann nachsichtig lächelte. Sie hatte viele Fehler, sie war vergeßlich, kokett, naschhaft, ziemlich leichtsinnig, aber es war alles so wenig, sie mitsamt den Fehlern war so wenig und in seiner Wenigkeit so unärgerlich. Weißfischlein. Manchmal setzte sie sich ans Klavier und sang ihre Heimatlieder. Ihr törichtes kleines Stimmchen füllte den Raum wie Zikadengezirp, und mit den törichten, dicken Babyhändchen begleitete sie sich selbst auf dem Pianino. Es war das vollkommene Idyll.

Der Gang im Sturm über die Felder lag Herrn von Andergast noch in den Gliedern, als er zu Violet kam. Er hatte zu Hause gegessen und sich sorgfältig umgekleidet. Sie beklagte sich schmollend. Sie fühlte sich vernachlässigt, seine Besuche waren in der letzten Zeit immer seltener geworden. In ihrem komischen Deutsch radebrechend, er hatte darauf bestanden, daß sie Deutsch lerne, sagte sie, sie fühle sich verlassen »like a single shoe«. Herr von Andergast beschwichtigte ihren Unwillen so mühelos, wie man ein brennendes Zündholz ausbläst. Sie hatte einen Unglückstag gehabt. Sie hatte ihre goldene Armbanduhr verloren. Sie sagte, sie werde nun nie mehr wissen, wieviel Uhr es sei. »Poor little Violet has lost the time.« Sie werde nachts jede Stunde aufwachen aus Angst, den Tag zu versäumen, und werde warten, bis die abscheuliche große Kirchenglocke schlagen würde. Herr von Andergast machte ein Gesicht, als denke er über ein Schachproblem nach, und sagte, man werde trachten, ihr eine neue Uhr zu kaufen, doch müsse sie ihren Verlust bei der Polizei melden. Er beschrieb ihr den Weg, das Haus, die erforderlichen Formalitäten. Dabei saß sie ihm gegenüber und blickte ihn mit ungemessener Bewunderung an. Sie hatte ihm eine Zigarettensorte gekauft, die er bevorzugte, brachte schnellfüßig die Schachtel, reichte ihm Feuer, zündete selbst eine Zigarette an; darauf sprachen sie friedlich und eingehend über das Aroma, den Preis und daß der Tabak ein wenig zu stark sei. Da Herr von Andergast mehrmals mit der Hand über die Stirn fuhr, bemerkte sie endlich sein ermüdetes Aussehen, und auf ihre besorgte Frage gab er zu, daß er ziemlich heftigen Kopfschmerz habe. Sie riß entsetzt die Augen auf, als ob ihr nie der Gedanke gekommen sei, daß ein so riesiges Wesen krank werden oder sich nur unpäßlich fühlen könne. Mit ängstlicher Vogelstimme schlug sie verschiedene Mittel vor; als er sie alle mild, aber entschieden ablehnte, begann sie zu schelten, und er ließ es sich gefallen. Sie sagte, er müsse sich hinlegen und ausruhen. Er sah es ein und gehorchte. Er legte sich auf das Sofa, sie deckte ihn mit einem großen Schal zu, löschte die Lichter bis auf eine beschirmte Eckenlampe aus und sagte, sie werde ihn allein lassen, werde derweil ins Schlafzimmer gehn und ihn nicht stören. An der Schwelle kehrte sie noch einmal um und strich ihm mit den dicken Fingerchen und einem zärtlichen Miauen über die Schläfen. »You are a naughty boy«, sagte sie, altklug nickend, »you work too much and you think too much. Viel zu viele. Sure.« Er lächelte freundlich. Er akzeptierte ihren mitleidigen Unwillen mit dem Ernst, mit dem man von einem Kind eine Spielmünze annimmt, das es für ein Goldstück erklärt. Lange lag er mit offenen Augen, seltsam gedankenleer, im halbverdunkelten Raum. Wieviel Zeit vergangen war, als er sich erhob, wußte er nicht. Er schaute auf die Uhr, aber so zerstreut, daß er die Stunde nicht mehr wußte, als er den Deckel zugeklappt hatte. Er öffnete leise die Tür zum Nebenzimmer. Violet lag im Bett und schlief. Am unteren Ende des Bettes hing eine rötliche Ampel vom Plafond. Violet hatte eine Vorliebe für Ampelbeleuchtung, und sie schlief nie im Finstern. Sie fürchtete sich vor der Finsternis und war darin keiner Belehrung zugänglich. Herr von Andergast stand neben dem Bett und schaute auf die Schläferin nieder. Da die Natur aus dem schlafenden Antlitz alle geistige Bewegung wegwischt, kehrt es in diesem Zustand völlig zu ihr zurück, und bei der kleinen Violet hatte sie dabei weniger Arbeit als bei jedem andern Menschengeschöpf. Da lag sie denn, ganz Pflanze, von oben ein wenig beglüht durch die sentimentale Ampel, von innen ein wenig durch ihre Jugend und Gesundheit. Manchmal zog ein Ausdruck von Bangigkeit über ihre Züge und machte sie für einige Sekunden um ebenso viele Jahre älter, aber es war nur wie eine kurze Welle, ohne den sichtbaren Anlaß einer Erschütterung des Wassers. Ein Seufzer, die Brust hob sich, dann lag der Körper wieder still. Wie alle an das Bewußtsein als einzige Lebensmacht geketteten Menschen liebte Herr von Andergast nicht den Anblick von Schläfern. Er mußte sogar stets ein leises Grauen überwinden, wenn er ein schlafendes Gesicht sah. Er trat an den Toilettentisch, ließ sich im Armstuhl nieder und blieb so, wartend, mit einer Viertelwendung gegen das Bett. Der Spiegelaufsatz über dem Tisch war so gestellt, daß er die Schläferin sehen konnte, wenn er einen Blick ins Glas warf. Es war eine Situation, die ihm gemäß war. Das Mittelbare war seinem Wesen gemäß. Allmählich schien er jedoch zu vergessen, wo er sich befand, das Kinn senkte sich langsam gegen die Brust hinab, die Augen starrten bohrend, unsäglich finster, unsäglich hart in eine verborgene Tiefe, und so saß er Stunde um Stunde. Es war etwas Ungeheures, das reglose Dasitzen und Starren, die mächtige Figur, der gewaltige Schädel, die steinerne Ruhe des Gesichts. Als er endlich den Kopf wieder emporhob und der Blick in den Spiegel fiel, gewahrte er im Glas nicht sich selbst, nicht die schlafende Violet, sondern er sah ... Waremme. Das heißt, eine Person, von der er ohne weiteres annahm, daß sie Waremme sei, die aber nur eine vage Ähnlichkeit mit jenem Waremme hatte, den er vor achtzehneinhalb Jahren zuletzt gesehen. Diese Person nun, er gewahrte nur den Oberkörper, der etwas überlebensgroß war, hatte den rechten Arm ausgestreckt, der linke war auf die Hüfte gestützt, und auf der flachen Hand stand Etzel, sehr klein zwar, doch sehr mutig, ja mit einer gewissen Unverschämtheit in den Mienen. Er hielt eine Blendlaterne in der Faust, der Schein der Laterne fiel grell in das Gesicht Waremmes (oder wer der Betreffende eben war) und machte es vollkommen durchleuchtet, als ob Haut und Knochen aus Gelatine bestünden und solcherart das Gehirn bloßgelegt würde, auf welches das Blendlicht hauptsächlich gerichtet war. Die ganze Gehirnmasse mit ihren Kanälen, Buchtungen, Wölbungen, unendlichen Faserungen und Äderungen krampfte sich unter der Wirkung des unwehrbar eindringenden Lichtstrahls fortwährend zusammen wie unter einem Operationsmesser, und da der Strahl, von der nervigen kleinen Faust gelenkt, auf und ab und hin und her fuhr, wie um eine bestimmte Stelle ausfindig zu machen, wurde nach und nach das quallig-ekle, schmerzhaft-zuckende Gebilde in jedem seiner Teile aufs deutlichste wahrnehmbar. Was geschieht mit mir, dachte Herr von Andergast ärgerlich, ich sehe Gespenster, mit offenen Augen Gespenster. Er drückte mit Zeige- und Mittelfinger die Lider zu; als er dann wieder in den Spiegel schaute, sah er das schlafende junge Mädchen, nichts andres, rosig beschienen von der Ampel, lächelnd unter dem Einfluß eines hübschen und sicherlich unbedeutenden Traums.

Herr von Andergast erhob sich leise und kehrte ins Wohnzimmer zurück. Er setzte sich an den dünnbeinigen, wackligen Schreibtisch, nahm Briefpapier und Umschlag aus einer Mappe, hielt die Feder gegen die Lampe, ehe er zum Schreiben ansetzte, dann schrieb er mit seiner großen Schrift, in gedehnten, vornüber geduckten Buchstaben, deren l und t und f wie windschiefe Telegraphenstangen aussahen: »Liebe Violet, der heutige Abend war leider der letzte, den ich mit Dir verbringen konnte. Die noch offenen Rechnungen werden bezahlt werden, das Monatsgeld von hundertfünfzig Mark läuft bis 1. Juli weiter. Es wünscht Dir ein glückliches Fortkommen auf Deinem Lebensweg W. A.« – Nachdem er das Briefblatt ins Kuvert gesteckt, lehnte er dieses, mit der Aufschrift »An Miß Violet Winston« versehen, an den Sockel der elektrischen Stehlampe, schraubte die Lampe ab, ging, abermals sehr leise, in den käfigartig schmalen Vorraum, schlüpfte in den Mantel, drückte den steifen Hut in die Stirn, trat ins Treppenhaus und ließ langsam die Tür einschnappen. Als er auf der Straße dahinschritt, bemerkte er nach einer Weile erst, daß es zu regnen aufgehört hatte und ein funkelnder Sternhimmel über der Stadt ausgebreitet war.

Der Diener rapportierte, Peter Paul Maurizius, für elf Uhr vorgeladen, warte im Anmeldezimmer. Dr. Nämlich, Staatsanwalt, raffte seine Dokumente in die Aktentasche und verschwand. Herr von Andergast saß eine Weile, den Kopf in die Hand gestützt, das geöffnete Notizheft vor sich. Er hatte sich klarzumachen, was er von dem Alten erfahren wollte. Er mußte jedes Wort wägen. Es war notwendig, ihn eine Weile mit seinen eigenen Angelegenheiten zu beschäftigen, um ihn dann mit der Frage nach Etzel zu überrumpeln. Bis zu welchem Grad er zu diesem Zweck abzulenken, zu verwirren, auf falsche Fährte zu setzen sei, mußte sich im Verlauf des Gesprächs ergeben. Unerfreulich und quälend, wie die beiden Angelegenheiten auf einmal zu einer einzigen wurden. Unerfreulich und quälend das Vexierspiel: Wo ist Etzel? Verflochten in das fruchtlose Rätselraten um ein bereits der gerechten Sühne überliefertes Verbrechen. Erst jetzt, als der Name Maurizius an sein Ohr schlug, wußte Herr von Andergast, daß er den Alten nicht deshalb zitiert hatte, um ihn »zu verwarnen« und bei der Gelegenheit einiges aus ihm herauszubekommen, worüber die Akten keine Klarheit gaben; das war der schwächere Antrieb; der wesentliche war, nach dem Jungen zu fragen, von Etzel zu hören, die sinnlose Unruhe zu verringern, die er sich, wie die Dinge lagen, nicht mehr ausreden, nicht mehr wegtäuschen konnte, und noch etwas anderes, Seltsameres, Unbequemeres: ein Verlangen, eine Leere, eine Unzufriedenheit, eine Ungeduld, etwas, das nagte und ritzte, als ob man an einem inneren Organ verletzt sei, von dessen Vorhandensein man bisher nichts gespürt hatte.

Der Raum, in dem der Oberstaatsanwalt amtierte, war ein zweifenstriges Eckzimmer mit der Aussicht auf das Versorgungshaus und die Hammelstraße, in deren zehn oder zwölf Schenken Vorgeladene und Zeugen der unteren Klassen viele Stunden des Tages zechten und randalierten. An der braungetünchten Wand hinter dem Schreibtisch hing ein lebensgroßes Bismarckbild. Der niedrige Bücherständer enthielt die Gesetzes-Kommentare, einige Jahrgänge der Juristenzeitung und die Reichsgerichtsentscheidungen. Die peinliche Sauberkeit und Ordnung hob nur die Kahlheit stärker hervor, die beklemmende Nüchternheit und Trostlosigkeit. Man sah auf den ersten Blick, daß es hundert genau so nüchterne und trostlose Räume in diesem Haus und zwanzig- bis dreißigtausend in allen Städten des Landes gab. Sie prägen die Gesichter der Männer, die sich während eines großen Teils ihres Lebens darin aufhalten, sie hauchen ihnen ihre Nüchternheit und Trostlosigkeit ein.

Der alte Maurizius blieb neben der Tür stehen, nachdem er sich tief verbeugt hatte. Er trug eine Art Jägerjoppe mit Hirschhornknöpfen. Im steifen linken Arm hielt er die unvermeidliche Kapitänsmütze. Herr von Andergast warf unter halbgesenkten Lidern einen schrägen Blick auf ihn, den Kriminalistenblick, der in einer Sekunde erfährt, was ihm ein langes Verhör unter Umständen vorenthält. Doch hier war die Ausbeute dürftig. Ein verwittertes, verkniffenes, eigensinniges, unbewegliches Greisengesicht. Gleichwohl war die mürrische Unempfindlichkeit des Alten nur beherrschte Verstellung. Hinter der äußeren Starrheit klopfte die Erwartung wie mit Eisenhämmern in seiner Brust. Ihn dünkte, daß endlich der große Wendepunkt gekommen sei. Wie war es anders möglich, wozu sonst die Vorladung, wozu die geheimnisvolle Sache mit dem Jungen? Er wagte kaum zu denken. Seit er den Zettel von der Oberstaatsanwaltschaft erhalten, hatte er nicht mehr gegessen und geschlafen, hatte seine Pfeife zu stopfen vergessen und, wenn er sie gestopft, vergessen anzuzünden. Da stand er nun, bereit zu hören, bereit zu reden. Aber er mißtraute seiner Zunge, er fürchtete das falsche, verfrühte, schädliche Wort. Es war ihm zumut, als stehe er nicht auf dem Fußboden, sondern in der Luft, und wenn er einen Schritt tat, müsse er hinstürzen. Faß dich, Mensch, sagte er immer wieder zu sich selber, auch der dort besteht aus Fleisch und Bein. »Ich habe Sie kommen lassen, um Ihren schriftlichen Tribulationen ein Ende zu machen. Nehmen Sie sich in acht, Sie können mal eklig hineinfallen.« Die Stimme klang kalt herüber. Da war noch nichts von einer Verheißung zu merken, nichts von Umstimmung. Nun ja, wir sind ja erst am Anfang. Die Herren Juristen, wenn sie nach Rom wollen, tun zunächst, als gingen sie nach Amsterdam. Maurizius verbeugte sich. Nichts weiter. Die Nasenwände drückten sich eng ans Nasenbein, die Nüstern wurden ganz konkav. Das majestätische Aussehen des Mannes am Schreibtisch schüchterte ihn maßlos ein. Er fühlte sich von dem Mann so abhängig wie eine Glocke von dem Querbalken, an dem sie baumelt. Er zitterte vor jedem neuen Wort, verriet aber nichts von seiner Angst, blickte nur starr hinüber, wie ein Steuermann auf das näher kommende Riff. Der Schicksalsgewaltige hatte einen Bleistift in der Hand und drehte ihn zwischen zwei Fingern beständig um und um, so daß die Spitze bald nach oben, bald nach unten zeigte. Das war eigentümlich, man hätte wissen müssen, warum er das machte, damit konnte er einen doch nicht schrecken wollen. »Ich möchte bei der Gelegenheit einige Fragen an Sie richten, mache Sie aber darauf aufmerksam, daß das Gespräch keinen amtlichen Charakter hat und beiderseits ganz unverbindlich ist. Nehmen Sie Platz.«

Das lautete schon besser. Na also. Wir sind auf dem Weg. Der Aufforderung, sich zu setzen, folgte er nicht. Das konnte eine Falle sein. Er antwortete mit der stereotypen Verbeugung. Es war die Höflichkeit eines Pinguins. Was ihn denn seinerzeit zu der Annahme bewogen habe, daß der Advokat Dr. Volland seinem Sohn aufgenötigt worden sei? Maurizius rieb die Lippen aneinander, um sie feucht zu bekommen. Ein lächerlicher Feuerfrosch hüpft rasend schnell vor seinen Augen. Wenn nur der Mann aufgehört hätte, den Bleistift um und um zu kehren. Das war ja zum Tollwerden. Der Bleistift wurde immer länger, er wurde so hoch wie ein Turm. Jetzt, liebe Gedanken, bleibt mir hübsch beieinander. »Es war keine bloße Annahme, Herr Oberstaatsanwalt; Leonhart hat mir gesagt, es sei gewünscht worden.« Der Bleistift, der verfluchte Bleistift; außerdem blitzte da noch so ein Diamant am Finger; gut, gut, man sah einfach zum Fenster hin, obschon es besser war, die Gefahr im Auge zu behalten, die Gefahr, in der alle Hoffnung steckte. Hatte er es recht gesagt? verständlich gesagt? Ihm war, als hätte er Sand zwischen den Zähnen und könne nicht ordentlich reden. – Von wem gewünscht? – Es war ihm eben nahegelegt worden. – Von einer bestimmten Person? – Von einer bestimmten Person. – Er täusche sich wohl über den wahren Sachverhalt. – Schwerlich, Herr Oberstaatsanwalt, (zu sich selber: das steht fest wie der Kölner Dom.) – Der Vorschlag könne von der Familie ausgegangen sein. – Das sei natürlich möglich, aber es sei da nur der alte Jahn gewesen, Gottlieb Wilhelm. – »Nun also ...« – »Gehupft wie gesprungen, Herr Oberstaatsanwalt.« – »Was meinen Sie damit?« – »Der hat nichts im Sinn gehabt, als mein Kind zu verderben.« – »Unsinn, Mann, sein Verderben hatte Leonhart selber besorgt, der schlechteste Verteidiger konnte nichts hinzutun, der beste nichts wegnehmen.« – Außerdem habe Leonhart der Anna Jahn freie Hand gegeben, sie solle den Advokaten für ihn wählen, den sie für den geeignetsten halte. – »Naja, da hat sie eben den Volland für den geeignetsten gehalten.« – »Sehr wohl, Herr Oberstaatsanwalt, aber man hat bald gesehen, was an dem dran war.« – »Es haben sich auch andere erboten, es ist Sache des Angeklagten, sich den Verteidiger zu wählen, er mußte bei der ersten Unterredung wissen, daß er nicht gut bedient war.« – »Herr Oberstaatsanwalt, es ist ihm egal gewesen.« – »Was, egal! Keinem kann das egal sein, dessen Kopf schon unterm Beil liegt.« – »Doch, Herr Oberstaatsanwalt. Wenn einer unschuldig ist und keine Möglichkeit mehr sieht, seine Unschuld zu beweisen, dann ist ihm das egal, was so ein Paragraphenreiter an Spitzfindigkeiten vorbringt. Da hätte schon unser Herrgott selber plädieren müssen, und wer weiß, ob das genügt hätte!« Es entstand ein minutenlanges Schweigen. Ein gedankenaufsaugendes, düsteres Schweigen. Maurizius' Körper schwankt ein wenig, wie die Spitze eines Mastbaums bei mäßiger Brise. Er warf einen scheuen Blick auf den Oberstaatsanwalt. Irgendwas geht in dem Mann vor, dachte er, und sein Herz hörte einen Augenblick auf zu schlagen. Herr von Andergast strich mit der Rechten langsam über das Gesicht, mit vier Fingern über die eine Wange, mit dem Daumen über die andere. Es erregte ihm ein seltsames sinnliches Behagen, seine Wangenhaut zu fühlen. Unschuld, dachte er und dehnte in verstocktem Hochmut die Lungen, Unschuld! freche, wilde Phrase, wo Recht und Gesetz gesprochen haben; Unschuld, wo der Täter überführt, die Sühne noch im Vollzug, der göttlichen und menschlichen Gerechtigkeit genuggetan ist! Unschuld. Es war, als habe ihm der Alte einen Stein gegen die Brust geworfen. Doch Maurizius sah gut: es ging etwas in ihm vor. Es gab ein Mittel, seine Überzeugung noch unumstößlicher zu machen, als sie ohnehin war. Er konnte den Augenschein haben, es stand in seiner Macht. Er konnte sich vergewissern, wie dieser Leonhart Maurizius das ihm auferlegte

Schicksal trug. Es war nicht ausgeschlossen, daß er ihm gegenüber das achtzehnjährige Schweigen brach, daß er seine Seele erleichterte, sich zur Demut bekehrte, zum Bekenner wurde. Solchen Sieg zu erringen war einiger Mühe wert. Das war es, was in Herrn von Andergast vorging und was der alte Mann, Geschöpf seines Wahns und seiner Hoffnung, durch geheimnisvolle Übertragung spürte. »Erinnern Sie sich vielleicht noch, wovon an jenem Oktoberabend zwischen Ihnen und Leonhart gesprochen wurde, als er Sie zum letztenmal aufsuchte?« Maurizius schüttelte den Kopf. Nicht, weil er die Frage verneinte, er wunderte sich nur, daß jemand glauben könne, es sei möglich für ihn, sich in dieser Sache an den allergeringsten Umstand nicht zu erinnern. Zugleich überzog sich sein Gesicht wie mit einem grauen Schleier. Der Mann dort hinterm Schreibtisch verstand zu zielen und zu treffen. Jetzt hatte er endlich den höllischen Bleistift beiseite gelegt, dafür schaute er einen mit den blauen Augen an, als wollte er einen einladen, direkt in sie hineinzuspazieren. Heiliger Heiland, was hatte der Mann für Blau in den Augen, es war, als ob sich alles drin spiegelte, was damals geschehen war! Er griff nach einem der Hornknöpfe an der Joppe und drehte ihn krampfhaft. Es ist überflüssig, zu erzählen, wie ihn der Junge mit Lügen traktiert hat, faustdicken Lügen, er deutet es nur an, mit gesenktem Kopf. Gelogen das mit der Studienreise im Auftrag der Regierung; gelogen das mit den zwölfhundert Mark, die er für seine letzte Arbeit hätte bekommen sollen, wenn der Verleger nicht falliert hätte; gelogen, daß ihn Herr von Krupp zur Begutachtung eines zweifelhaften Niederländers eingeladen; gelogen schließlich, daß er erst morgen habe kommen wollen, um Abschied zu nehmen, daß ihm aber jemand in Wiesbaden gesagt habe, der Vater sei krank, worauf er den Grafen Hatzfeld gebeten habe, ihm sein Auto zu leihen. Er war gar nicht in Wiesbaden, und ein Juweliersauto war ihm nicht gut genug, es mußte ein gräfliches sein. Was für armselige Lügen, eine hatte immer kürzere Beine als die andere; krank? nein, Peter Paul Maurizius hütete sich, krank zu sein, damals, solang er zu warten hatte, bis sein Tag kam, genau wie er sich heute krank zu werden hütet, da er erst recht zu warten hat, bis sein Tag kommt. O die kleinen, dummen Jammerlügen, sie sollten bedeuten: schau mich an, was ich für ein Kerl bin, wie ich geehrt werde, kannst stolz sein auf mich, hab's weit gebracht in der Welt! Wenn nur das Gesicht nicht gewesen wäre, das die Lügen Lügen strafte; sah aus, als ob er drei Tage und drei Nächte gesoffen und gehurt hätte, oder wie einer, den sie aus einem brennenden Hause geschleift haben, so daß ihm noch der Schrecken im Genick sitzt.

Der Hornknopf war abgedreht. Maurizius hielt ihn in der Hand, schaute ihn bestürzt an und ließ ihn in die Tasche gleiten. Seine Erzählung war ein monotones, kaum verständliches Gemurmel gewesen. Nun machte er zwei Schritte ins Zimmer hinein, als brauche er zu dem, was er jetzt sich zu sagen entschloß, die größere Nähe des Zuhörers. »Er hatte sich wohl vorgestellt, daß ich ihm mit Fragen zu Leibe rücken und ihm schöntun sollte. Er hatte sich wohl gedacht, nachdem wir Jahr und Tag ... das war ja nun mal so, Herr Oberstaatsanwalt, wegen dieser Heirat ... da gab's bei mir keine Freundschaft mehr, da war's aus, da hätt er ebensogut Leonhart Schulze heißen können. Er hatte sich wohl gedacht, ich sollte ihm, da er von selber kam und in der Nacht vor mir dasaß und so herumredete, als sollt er morgen ins Narrenhaus kommen, da hatte er sich vorgestellt, ich sollte ihm die Hand bieten. Das war's, sehr geehrter Herr. Und das tat ich nicht. Ich merkte wohl, wie der Hase lief, aber ich, ich tat nichts dergleichen. Und das, Herr Oberstaatsanwalt, das wird mir auf dem Gewissen sitzenbleiben. Das wird mir angerechnet werden. Der Mensch ist ein Luder. Wo der Mensch nicht will und sich verbockt, wird er zum Luder. Schlechtweg. Worum hat sich's denn gehandelt, ich bitte.« (Er trat noch einen Schritt näher, legte die flache Hand auf den Kopf, und die riesigen nackten Ohrlappen wurden blutrot.) »Um zweitausend Mark. Sagen wir um dreitausend Mark. Wenn ich ihm die gegeben hätte, wenn ich's nicht in meiner schuftigen Hoffart darauf angelegt hätte, nicht bloß, daß er vor mir zu Kreuze kriechen soll, das hat er ja schließlich getan, aber daß ich recht behalten soll in der Sache mit der Elli, wenn ich mich da überwunden und ihm die zweitausend oder dreitausend gegeben hätte, ich hätt es bewerkstelligen können, das ist so sicher, wie ich hier stehe, dann wäre alles anders gekommen. Dann hätt er sich für eine Weile frei gemacht, dann wär er nicht mit der Verzweiflung im Herzen zurückgefahren in sein verfluchtes Haus, dann wär er nicht ins Garn gelaufen wie ein blinder Vogel. Dann hätte er gesehen, was um ihn vorging und hätte sich hüten können. Das ist die Geschichte, Herr. Es ist um sein Leben gegangen, in jener Nacht, und sein Leben war mir nicht einmal dreitausend Mark wert. Bedenken Sie, was ein Leben wert ist. Bedenken Sie, hochgeehrter Herr, wie kostbar ein Leben ist. Läßt sich denn das beziffern? Dafür gibt es keinen Preis, so wenig, wie's für den Himmel einen Preis gibt, und mir war's um dreitausend Mark zu teuer.« Er warf die Hand vom Kopf herunter und legte sie, sich vorbeugend, mit einem lauten Schlag auf den Schreibtisch, unter die Augen des Herrn von Andergast, gleichsam als sichtbares Zeugnis und Opfer. Und als Herr von Andergast emporschaute, sah er, daß über das verwitterte Gesicht wasserhelle Tränen liefen.

Er erhob sich mit einem Ruck, schritt durch das Zimmer und blieb am Fenster stehen. »Sie sehen die Dinge in einem falschen Licht«, sagte er mit brüchiger Stimme und ohne das Gesicht vom Fenster abzuwenden, »Sie haben sich den Tatbestand so zurechtgezimmert, mit der Wirklichkeit hat das nichts zu schaffen.« – »Ich weiß nicht, was das ist, die Wirklichkeit«, erwiderte der Alte finster. Dann, nach einer Pause stummen Grübelns, mit eingezogenem Kopf und niedergeschlagenen Blicken: »Herr Oberstaatsanwalt, helfen Sie mir.« Herr von Andergast drehte sich um und ging auf ihn zu. Die Schädeldecke des Alten reichte ihm genau bis zur Schulter, und er entdeckte mit Ekel die rote Beule. »Was haben Sie mit dem Jungen gemacht, mit meinem Sohn?« fragte er rauh. Maurizius blinzelte und schien auf einmal in sich zu versinken. »Der Junge ist von selber zu mir gekommen«, sagte er nach langem Schweigen. »Nachher war mir's immer, als hätt ich's bloß geträumt. Mein Lebtag hatt ich nicht Erscheinungen oder was man so nennt. Ich bin seit achtzehn Jahren im Grunde ein toter Mann und ganz drunten, wo glimmt bloß noch son Funke. Ich wollte aber sagen ... folgendes wollt ich sagen: der Junge war mir wie eine Erscheinung. Mit dem gewöhnlichen Verstand ist das nicht auszudrücken, was das mit dem ist. Nun ja, wir unterhielten uns so, zweimal oder dreimal, glaub ich. Er interessierte sich für die Sache. Las auch alles, was ich ihm zusteckte, das Material. Eines Tages bekam ich den ganzen Pack zurück und dazu einen geschriebenen Zettel. Auf dem Zettel stand: ich geh jetzt fort, ich muß mit Gregor Waremme reden, wenn ich wiederkomme, wissen wir, ob ja oder nein. Kein Wort weiter. Ich hab ja so gelacht. Oder nein, eigentlich nicht gelacht. Du Engelsjungchen, hab ich mir gedacht, du Engelsnärrchen. Und es war ein wunderliches Gefühl dabei, so ungefähr: schön, Gottes Mühle mahlt endlich.«

Herr von Andergast kehrte zum Fenster zurück. Er stand gegen das helle Rechteck wie ein schwarzer Rammpflock. »Sie wissen seinen Aufenthalt nicht?« – »Ich weiß ihn nicht, und was ich darüber vermute, möcht ich nicht sagen.« – »Warum das?« – »Es ist 'n Aberglaube, Herr Oberstaatsanwalt.«

»Er hat Ihnen seitdem nicht geschrieben?« – »Nein, Herr Oberstaatsanwalt.« – »Und Sie wissen ... oder wissen Sie es nicht, wo dieser ... dieser Waremme sich aufhält?« – »Soll das, Herr Oberstaatsanwalt, als eine amtliche oder eine private Frage zu gelten haben, mit Verlaub?« – »Es ist ... vorläufig ... eine private Frage.« – »Dann, Herr Oberstaatsanwalt, weil ich nun den Aberglauben mal hab, möcht ich, mit Verlaub, die Frage vorläufig unbeantwortet lassen.« – »Es ist gut.«

Das war Entlassung. Aber Maurizius rührte sich nicht. Herr von Andergast, mit dem nur ihm eigenen Ausdruck von gepreßtem Widerwillen, worunter sich Empfindungen verbergen konnten, die nicht an die Oberfläche dringen zu lassen er zur Genüge geübt war, warf hin: »Was die andere Sache betrifft ... ich rate Ihnen, sich keinen Erwartungen hinzugeben. Man wird sehen.« Der Alte hob mit einer heißen Schreckensfreude den Blick. »Gewiß ... ich ...es versteht sich von selbst, daß man ... was wäre denn im günstigsten Fall zu hoffen?« stotterte er heiser. – »Im günstigsten Fall? ... man könnte schließlich die von Ihnen angesuchte Begnadigung befürworten.« Die Lautlosigkeit, mit der sich der Alte entfernte, hatte etwas Gespenstisches. Er fürchtete vielleicht, das Wort könne zurückgenommen werden, wenn er sich noch bemerkbar machte.

Als Herr von Andergast eine Viertelstunde später die monumentale Steintreppe hinunterstieg, wobei er seinen Mantel fröstelnd zuknöpfte, war ihm, als ginge er durch das Innere einer gewaltigen Muschel, deren Brausen sein Ohr peinigte. Die Hallen und Stiegen waren schon verödet, aber die Luft zitterte von verklungenen Schritten und verklungenen Worten. Hinter den Mauern saßen die Schreiber, über Akten und Erlässen gebeugt, und schrieben. Mit ihren Federn griffen sie in die Menschenschicksale ein, doch ihre Mienen waren so gleichmütig, als hätten sie bloß den Befehl, ein bestimmtes Quantum Tinte auf eine bestimmte Menge Papier zu übertragen. Türen schlugen zu, elektrische Glocken schrillten, schnarrende Stimmen diktierten in Maschinen oder schrien in Telephone. Klagen wurden vorgebracht, Eide geschworen, Verdikte gefällt, Gesetze ausgelegt. Es ist ein gegliedertes Wesen, worin alle gehorsam und pflichtbewußt wirken: die Referendare, Assessoren,

Staatsanwälte, Advokaten, Kammerräte, Archivare, Sekretäre, Rendanten und Richter, eine ehrwürdige Hierarchie, deren Gipfel und obersten Geist sie nur erschauernd ahnen können. Doch ahnen sie ihn, wissen sie ihn, drinnen in der Muschel? Erschauern sie denn davor? Das ist die Frage. Die Muschel scheint allerdings den Ozean zu enthalten, wenn man in sie hineinhorcht, aber sie täuscht seinen ewigen Orgelgesang nur vor, und sie braust, weil sie hohl ist.

II. Zwischenreich

8.

Verfolgung während der Fahrt hatte Etzel nicht zu befürchten. Er wußte, daß der Vater erst am Donnerstag von seiner Dienstreise zurückkehrte, bis dahin war er in Berlin. Die Frage war nur: was dann? wo Unterschlupf finden? wo sich verbergen? Daß die Bitte, die er in dem Abschiedsbrief an den Vater gerichtet, er möge ihm nicht nachstellen lassen, unerfüllt bleiben würde, darüber gab er sich keiner Täuschung hin. Er mußte aber den Rücken frei haben und sich nach Erfordernis bewegen können, sonst taugte die ganze Geschichte nichts. In jedem Gasthaus, in jeder Pension, in jeder Herberge mußte er polizeilich gemeldet werden. Es unter falschem Namen zu tun, würde vermutlich wenig Erfolg haben, da sie doch, wenn sie ihn suchten, seine Personbeschreibung hatten und in diesen Dingen gewitzt waren. Bekannte hatte er dort nicht, keine Menschenseele, an die er sich wenden konnte, außer vielleicht, ach, vielleicht (ein ängstlicher Seufzer begleitete den Gedanken) Melchior Ghisels. Allein, es war ohne weiteres anzunehmen, daß ein Melchior Ghisels sich um so niedrige Angelegenheiten nicht kümmern konnte, falls er sich um einen Etzel Andergast überhaupt zu kümmern geneigt war. Wohin also? Es war eine große Sorge.

Der Zufall kam ihm zu Hilfe. Während er aufrecht in der Ecke des Abteils saß und die mit jeder ablaufenden Stunde ihn unüberwindlicher dünkende Schwierigkeit erwog, fiel sein Blick auf eine fünfundvierzig- bis fünfzigjährige Frau, die den Platz ihm gegenüber innehatte und ihn schon seit einiger Zeit mit einer Art von Spott betrachtete. In seine Überlegungen vertieft, hatte er den Mitreisenden wenig Aufmerksamkeit geschenkt, der Wagen war ziemlich voll, allerlei Bürgersleute waren unterwegs, Kleingewerbetreibende, Handlungsreisende, Frauen, Kinder, junge Mädchen; erst von Kassel ab leerten sich die Bänke, und bis Hannover stiegen wenig neue Passagiere ein. Die Frau aber blieb und fing alsbald ein Gespräch mit ihm an. Sie war ungebildet, schwatzhaft und ziemlich gutmütig, daneben war ein Zug, den er bei Kleinbürgerinnen oft wahrgenommen, etwas Abgerackertes, Zerriebenes, etwas im Gesicht, das ihn an die Pferde erinnerte, die manchmal in den Straßen niederstürzen und dann mit einem störrisch-fragenden Jammer in den Augen auf dem Pflaster liegen. Nach den ersten paar Worten schon wußte er ihren Namen, auch Familienverhältnisse und Vermögensumstände blieben ihm nicht lange verborgen. Sie hieß Schneevogt, ihr Mann war Buchhalter in einem Warenhaus, ihre neunzehnjährige Tochter Melitta ging ebenfalls ins Geschäft, die Wohnung lag in der Anklamer Straße im Berliner Norden, drei Zimmer und zwei Kammern, welch letztere sie an Herren vermietete. Sie erzählte, sie komme aus Mannheim, wo sie ihren Bruder begraben habe, einzigen Bruder, der es auch zu etwas gebracht habe im Leben, Buchbinder sei er gewesen, außerdem Schachmeister und Schriftführer bei der Liedertafel; als sie hingefahren, habe sie gehofft, etwas zu erben, eine Kleinigkeit wenigstens, die Hoffnung sei zu Wasser geworden, es sei nicht das Schwarze unterm Nagel da, schundiges Mobiliar und Schulden. Es sei so schwer, sich durchzubringen, sie habe insgeheim auf den teuren Verstorbenen gerechnet, man müsse sich doch verdammt rackern und komme dabei auf keinen grünen Zweig, der Mann sei fortwährend kränklich, und was sein Salär sei, lieber Gott, grad um nicht zu verhungern, es sei ihm nicht an der Wiege gesungen worden, daß er mit siebenundfünfzig Jahren bei Hering und Kartoffeln solle existieren müssen, ein intelligenter Mann, leider zu anständig, damit sei kein Fortkommen in der heutigen Welt; Melitta liefere ja auch den Hauptteil ihres Monatsgelds an den Haushalt ab, aber was sei mit siebzig Mark viel anzufangen, ein bißchen amüsieren wolle sich doch so junges Volk auch usw. usw. Es ging wie ein Wasserfall, ununterbrochen, mit einer gleichmäßig schrillen Stimme und so, als ob von Etzel nicht bloß Mitleid und Verständnis für all das Mißgeschick erwartet würde, sondern als ob er auch sein Quantum Schuld daran habe. Unglück ist für solche Wesen ausschließlich das Ergebnis des Verschuldens, niemals des eigenen, sondern entweder der Gesamtheit, die die Gaben und Verdienste des betroffenen Ichs nicht zu schätzen und zu verwerten gewußt, oder bestimmter einzelner, die im entscheidenden Moment, aus Bosheit, Schwäche oder Unverstand, versagt haben. Sie konnte sich nicht genugtun in bitteren Rückblicken, Vergleichen mit dem Los von dem und jenem Bekannten, verächtlichen Bemerkungen über die Unfähigkeit eines Herrn Schmitz, der es gleichwohl zum Fabrikleiter gebracht, einer Frau Hennings, Tochter eines Flickschusters, so wahr ich dasitze, die einmal Kinderhemdchen genäht habe, Marienburger Straße, wo sie am schofelsten ist, und jetzt in einer Grunewaldvilla residiere und im Auto fahre. Wenn zum Beispiel der Verstorbene Grütze gehabt und vor drei Jahren die Chance ausgenützt hätte, so hätt er sein Geschäft verkaufen können, und wie stünde sie, Frau Schneevogt, jetzt da, wie? himmelschreiend, wie? Dabei schrie sie wirklich, beugte sich weit zu Etzel hinüber und blitzte ihn drohend und vorwurfsvoll an. Er nickte. Er war durchaus ihrer Meinung. Er fand, daß die Familie Schneevogt weit würdiger sei, im Auto zu fahren und im Grunewald zu wohnen als Frau Hennings, die Kinderhemdchen genäht hatte, und daß der verstorbene Buchbinder eine unverzeihliche Unterlassungssünde begangen habe. Voll ehrlichen Anteils blickte er der Frau ins Gesicht, bereit zu jeder Konzession, die sie von ihm verlangen würde, bereit zuzugeben, daß Herr Schneevogt ein kaufmännisches Genie sei, Melitta, die trotz ihrer bezaubernden Stimme von keinem Agenten und keinem Theaterdirektor lanciert wurde, eine große Sängerin und Frau

Schneevogt selbst etwas nie Dagewesenes an weiblicher Tugend und Tüchtigkeit. Die Frau war erbaut von seiner Einsicht. Sie nahm ihn in Gunst. Als sie ein halbes Dutzend belegte Brote aus einem schmierigen Paket wickelte, lud sie ihn ein, mitzuhalten. Sie hatte dürre, zittrige, verarbeitete Hände. Die Hände interessierten ihn. Er sagte zu sich selbst: das müssen geizige Hände sein. Um so höher rechnete er ihr die belegten Brote an, von denen er zwei verzehrte. Er sah zu, wie die Frau aß. Sie aß mit einer genußlosen Gier. Ihre Augen standen eng beisammen und hatten einen unsteten Blick. Das Gesicht konnte niemals hübsch gewesen sein. Doch es war ausgedörrt von Sorgen, Neid und Unzufriedenheit. Unter diesen Gefühlen schlummerte eine schier unfaßlich hohe Einschätzung der eigenen Person. Wenn es mir, mir nicht gut gehn soll, wem darf es dann überhaupt gut gehn? Etzel nutzte die Essenspause aus und deutete, nicht ohne Vorsicht, seine Verlegenheit an. Er suche Quartier, der Preis spiele keine entscheidende Rolle, obwohl er nicht eben auf Rosen gebettet sei, aber er müsse sich einige Wochen verborgen halten. Häusliche Zerwürfnisse haben ihn von zu Hause fortgetrieben, er muß warten, bis alles wieder eingerenkt ist, unterdessen hat er die Stellung eines Privatsekretärs angenommen, sein Name ist Mohl, wenn es erlaubt ist, sich vorzustellen, Edgar Mohl. Warum er den Namen des Schulkameraden gewählt, gerade den des dicken Fressers, war ihm selber rätselhaft. Besonders schlau dabei, daß er sich nicht Claus genannt, es fiel ihm im Augenblick ein, daß seine Wäsche mit einem E gemarkt war. Das Ganze war eine Augenblickseingebung.

Frau Schneevogt kniff, ihn musternd, die Augen zusammen. Da von Geschäft die Rede war, wurde sie für eine Weile zurückhaltender. Ihr Blick schätzte ihn ab: Charakter, Herkommen, Mittel. Das Resultat schien sie zu befriedigen. Netter Junge, offenes Gesicht, vermutlich von guten Eltern. Die Sache versprach etwas. Beide Kammern waren gegenwärtig frei. Im Winter hatten zwei Techniker von den Borsig-Werken drin gewohnt, vorzügliche Leute. Sie vermiete nur mit Pension, Frühstück und eine Mahlzeit, mittags oder abends. Das mit dem Verborgenbleiben solle wohl heißen, daß er nicht gemeldet werden wolle? Darauf stehe hohe Strafe, wie er wissen werde, da seien sie eklig hinterher. Aber als er einwarf, in Anbetracht des schwierigen Umstands könne er vielleicht etwas mehr zahlen, fiel sie ihm hastig ins Wort, als wolle sie Ungebührliches nicht von ihm fordern: »Naja, das werden wir besprechen, jedenfalls kommen Sie mal mit mir mit, daß Sie sich die Bude ansehn können. Es wird zwar Mitternacht, bis wir nach Hause kommen, aber dafür können Sie ja morgen ausschlafen.« Er seinerseits überlegte: das hat sich prächtig getroffen, bei dem Buchhalter Schneevogt in der Anklamer Straße werden sie mich nicht ausfindig machen, da müßten sie schon die Häuser einzeln absuchen. Er war zufrieden. Der Zug klappert durch silbergraue Nebel, die Ebene, horizontlos, kocht wie das Meer. Aber es ist Frühling, alles ist fremd, infolgedessen alles lockend; sogar die leise Angst in der Brust, Weltangst, Menschenangst, erregt das Blut in nicht unangenehmer Weise.

Die Kammer, die er bezog, gegen einen finstern Hof gelegen, war fünf Schritt lang und drei breit; die Ausstattung: schmales Bett mit einem Strohsack und einer Wolldecke, verrosteter eiserner Ofen, invalide Kommode mit drei Füßen, runder Waschtisch aus Blech und einer Schüssel von dem Umfang eines Rasierbeckens, Holztisch und zwei Stühle mit strohgeflochtenen Sitzen. An der graugetünchten Wand prangte ein Öldruck, die Schlacht bei Vionville, längs des Bettes zeigte die Mauer verdächtige Blutspritzer, die er eine Weile fragend betrachtete, bis ihm einfiel, daß sie auf eine Wanzensiedlung deuteten. Er hatte Wanzen nie gesehen. Von der Decke hing ein Gasarm mit Auerbrenner und Marienglaszylinder herab. Das einzige Fenster hatte keinen Vorhang, man konnte in die gegenüberliegende Wohnung sehen, in der zahlreiche

Menschen zu hausen schienen; es huschten anderntags beständig neue Gesichter an den Fenstern vorüber. Hübsch ist es nicht dahier, dachte Etzel, während er seinen Rucksack auspackte, aber es kann mir gleich sein; darum daß es hübsch sein soll, bin ich nicht da. Der größte Übelstand war, daß die Kammer keinen eigenen Eingang hatte; um zu ihr zu gelangen, mußte er durch das Zimmer gehen, worin die Haustochter schlief. Zwar war das Bett von einer dünnen Stoffportiere verdeckt, aber Etzel fühlte sich geniert dadurch. Tut nichts, redete er sich zu, es ist nicht anders; wär's anders, so wär's eben leichter. Den Preis zu fixieren zögerte Frau Schneevogt lange, sie müsse es erst ausrechnen, ihren Mann zu Rate ziehen; was die Pension betreffe, sei ein genauer Überschlag zu machen, er müsse natürlich vorliebnehmen; wenn er eine Mahlzeit absage, müsse sie sie trotzdem berechnen; wieder ein wortreicher Sermon, der in einer Hymne auf die eigene strenge Redlichkeit gipfelte. Endlich rückte sie mit Ziffern heraus, sechzig Mark im Monat für Logis und Kost, sieben Mark fünfzig für Bedienung, Beleuchtung und Wäsche. Etzel dachte nicht daran, zu feilschen, er zählte siebenundsechzig Mark fünfzig von seiner Barschaft ab und brachte sie ihr, eine Promptheit, die ihm eine hohe Meinung bei ihr erwirkte: von da an hielt sie ihn für »etwas Besseres«, war aber zugleich eine Beute widerstreitender Empfindungen; einerseits schloß sie ihn mit einer gewissen gröblichen Zuneigung in ihr dürres Herz und bedauerte ihn, weil er so verlassen in der Welt stand, andererseits bereute sie, nicht mehr verlangt zu haben, studierte, was sie noch herausschlagen könne, und witterte daneben ein Geheimnis, dessen Entdeckung nicht bloß noch greifbareren Profit abwerfen, sondern auch ihre ganze Existenz umgestalten konnte. Man kann häufig beobachten, daß es immer die subalterne Natur ist, die zu phantastischen Lebenskombinationen neigt und sich mit Lust im Unwirklichen bewegt; Sympathie und Interesse sind dann wie zwei ungleiche Geschwister, die sich vertragen möchten und nicht recht wissen, wie. Sie durchschnüffelte natürlich alle seine Habseligkeiten, fand aber nichts, was ihr einen Hinweis gab. Er hatte sich vorgesehen und keinen Fetzen Papier, keinen Buchdeckel ungeprüft gelassen. Glücklicherweise bewies sie wenig Methodik in der Spionage, ihr Gehirn hielt nichts fest außer dem alltäglichen Jammer, sie lag in Zank mit den Hausparteien, mit Mann und Tochter, mit Polizei und Regierung und dem lieben Gott. Wenn sie Etzels habhaft wurde, schüttete sie ihre Klagen aus, wie grausam das Schicksal mit ihr verfuhr, wie sanft mit andern, der Schluß war ein Tränenstrom und eine kleine Rechnung, vierzig Pfennig für die Reparatur des Türschlosses, achtzig Pfennig für die neue Wasserflasche, da die alte einen Sprung bekommen (wovon er nichts wußte). Er widersprach nicht, zog sein Geldtäschchen und zahlte. Immer flog ein wollüstiges Beben über ihre Züge, wenn sie das Geld in ihre knochigen, armen Hände nahm, ob es nun vierzig Pfennig waren oder, wie beim erstenmal, sechs Zehnmarkscheine und einiges Silber. Etzel konnte sich dann nicht satt sehen an ihren Händen, dem irren Spiel der greifenden Finger, es fesselte ihn wie das Gebaren von hungrigen Raubtieren, denen man ein Stück Fleisch durchs Gitter schiebt; er wünschte, so viel Geld zu haben wie nötig war, um die Gier dieser Hände zu stillen, nur damit sie sich ruhig hinlegen konnten. Aber so viel konnte er wahrscheinlich nie haben noch erwerben, und in der Nacht, wenn er wachend lag und an Waremme dachte (er wachte oft auf, denn der Wohnung gegenüber war eine Tanzschule, wie sich bald herausstellte, und bis zwei Uhr raste immer ein gräßliches mechanisches Klavier), schweiften seine Gedanken auch zu der Frau, und er fragte sich, ob die Hände wenigstens still ruhten, während sie schlief ... Von der Tanzschule fiel der Lichtschein herüber in seine Kammer, er hängte in der zweiten Nacht den Mantel über das Fenster, konnte aber dessenungeachtet lange nicht einschlafen, weil ihn die Wanzen plagten.

Schlaf, Halbschlaf, Erwachen, Traum, Halbtraum, Halbwachen, ewiges Gleiten von einem ins andere. Was soll ich tun? dachte er, wie mach ich's am klügsten? wie geh ich am sichersten? wie fang ich's an? Anfangen, das hieß also ans Gelingen glauben. Er glaubte ans Gelingen, weil es gelingen mußte. Nur in den allertrübsten Minuten, zwischen Halbschlaf und Halbtraum, wenn in der Welt draußen, auch in der Tanzschule nicht, und in der Welt drinnen kein Lichtstrahl mehr auszunehmen war, regten sich Zweifel, und einmal traf ihn die Vorstellung wie ein Hieb in den Nacken: wenn er tot wäre! wenn er vorige Woche, wenn er gestern gestorben wäre? Dann stünd ich da wie der Ochs vorm neuen Tor und könnt mich trollen. Aber bei klarer Überlegung beschloß er, das könne nicht sein. Dann wäre das Gesetz in ihm selber aufgehoben gewesen, dann war ich ein Minus in der Schöpfung, sagte er sich, alle Dinge haben eine tiefere Wahrheit, als die man sehen und fassen kann; wie kann Waremme gestorben sein, da Maurizius noch im Zuchthaus sitzt? Das war das Vorwärtszwingende, nie ganz Ausdenkliche: der Mann im Zuchthaus und daß jeder Tag, der hier verging, auch ein vergangener für ihn dort war und man sich nicht genug beeilen konnte, dem ein Ende zu bereiten, damit die Welt aufhörte, ein krüppelhaftes Mißgebild und eitriges Geschwür zu sein, das einem leid und weh tat.

Am andern Tag ging er in die Usedomstraße, Ecke Jasmunder Straße und stieg in den ersten Stock hinauf; am Treppengitter hing ein Pappendeckel-Schild, auf welchem in großen schwarzen Lettern zu lesen war: Mathilde Bobike Mittagstisch Wochenabonnement 4 Mark 50 Pfennig. Es war eines von den Häusern, in die jahrelang kein frischer Luftzug dringt und wo vom Torweg bis zu den Mansarden ein abgelagerter Geruch von Hammelfleisch, gekochtem Kohl, Windeln, Leder und Spülwasser steht. Er verlangte Frau Bobike zu sprechen; alsbald erschien eine sechs Fuß hohe Dame mit knochigen Zügen und eisgrauem Scheitel, blickte wortlos auf ihn herunter, und nachdem er ihr mitgeteilt, daß er einen Monat lang bei ihr zu essen wünsche, schob sie ihm wortlos eine Quittung hin, er bezahlte achtzehn Mark, und sie händigte ihm wortlos ein schmales Heft ein, das vier Blätter mit je sieben Speisemarken enthielt.

Die heiligernste Entschlossenheit zu einer Sache bringt sogar in einem Kind erleuchtete Gedanken hervor. Aber Etzel war nur der Statur und den Jahren nach ein Kind, ein Begriff übrigens, der in der Anwendung auf die Sechzehnjährigen eine Verlegenheitsübereinkunft derer ist, die die Kindheit verloren haben einen Tag, nachdem sie gewesen ist. Sie weisen auf den Erfahrungsmangel hin, jedoch ihre Erfahrung ist bloß ein mühseliges Mosaik, das kein Bild, eine fleißige Addition kleinster Ziffern, die selten ein Resultat ergibt, weil nur wenige Menschen fähig sind, wahrhafte Erfahrungen zu machen; es sind keine lebendigen Säfte da, der Baum trägt nur hölzerne Früchte, sie haben kein aufbewahrendes Herz. Es ist die Idee des Lebens, die den Menschen schöpferisch macht, die angeborene ewige Idee, die er von sich selber erschafft. Dann ist Jugend nur ein Intervall, und was ihr an Rückblick und summierender Vergleichung fehlt, ersetzt sie durch inneres Dasein, einfach durch leidenschaftliche Gegenwart. Gewillt, das unmöglich Scheinende zu unternehmen, schaute Etzel die Welt, in die er sich damit begab, zunächst einmal furchtlos an. Das Kosthaus der Mathilde Bobike florierte unter dem Titel einer Mittagspension für bessere Herrschaften, das heißt, es versammelten sich täglich zwischen zwölf und eins in einem öden, saalartigen Raum und zwei kleineren Nebenzimmern dreißig bis vierzig Personen von zweifelhafter Beschaffenheit, allerlei Entgleiste und Strauchelnde, mattgewordene Schwimmer auf dem großen Strom, Leute von angefaulter Eleganz und schlechtverdeckter Armut, stellenlose Kommis, reisende Virtuosen, kleine Vorstadtschauspieler und -schauspielerinnen ohne Engagement, Agenten, die vor einem gewagten oder nach einem mißlungenen Coup waren, Barmixer und Eintänzer aus den Vergnügungsstätten der Umgegend, ein paar Provinzler, die mit ihren letzten Hoffnungen in die Hauptstadt gekommen waren und nun festsaßen wie ein Wrack auf einer Sandbank, ein oder das andere politisch verdächtige Individuum, eine Ehefrau, die aus dem gemeinsamen Haushalt geflüchtet war, ein junges Mädchen, Pfarrerstochter aus dem Osten, das zum Kino wollte. Er legte es vom ersten Augenblick darauf an, niemand vor den Kopf zu stoßen und durch ein gefälliges, zutrauliches, bescheiden-gesprächiges Wesen die Sympathien zu gewinnen. Er freundete sich rasch mit seinen Tischnachbarn an und verwickelte sie zwischen Kartoffelsuppe und Gemüsepudding in Gespräche, die seine Wissenschaft von den sozialen Grenzgebieten nicht unwesentlich erweiterten. Es war gleich von einer Defraudation die Rede, die einer irgendwo begangen, auch sein Name wurde augenzwinkernd genannt, und wie man mit einer geringen Portion Geriebenheit durch alle Maschen der Gesetze schlüpfen könne. Man sprach von einem gewissen Kabarett-Erich, der im Viktoriacafé Klavier spielte und mit der jungen Frau des Besitzers nebst viertausend Mark durchgegangen war. Man sprach mit einer Mischung von Neid und Bewunderung darüber, wie Etzel bisher nur von bedeutenden Kunstleistungen, höchstens von einem sportlichen Rekord hatte sprechen hören. Hinter ihm unterhielten sie sich über die Börse, am Tisch links erklärte ein schwindsüchtig aussehender Maler, wieviel Geld heutzutage mit Bilderfälschungen verdient werde; rechts wurde aufgeregt über die Höhe der Bestechungssumme gestritten, die ein Wohnungskommissar bei einer bestimmten Gelegenheit eingesteckt hatte. Er lauschte gelehrig, voll Interesse, mit dem Lächeln eines Anfängers, der sich ein Beispiel nimmt, alles kam aufs Verbergen an, am liebsten hätte er sich auch vor sich selbst versteckt, als ob der Umgang mit der eigenen Person eine lästige Sache wäre, als ob man nichts von sich spüren und wissen dürfe unter Umständen wie den vorliegenden. Er war ja ohnehin ein Doppelter, Edgar Mohl und Etzel Andergast, und er spielte Doppeltsein, um sich bei der strengen Verrichtung, der er sich unterzogen, ein bißchen mit sich selber zu amüsieren, den einen gegen den andern zu hetzen, den einen am andern zu messen, allein immer ferner rückte E. Andergast, der doch der eigentliche Körper war, indes E. Mohl, der Schatten, an prahlerischer Leiblichkeit zunahm und auf seinen gefährlichen Wegen keine Einrede duldete.

Er hatte schon zu öfteren Malen heimlich forschend um sich geschaut, aber keiner von allen Gästen schien ihm der zu sein, den er mit so erregter Spannung suchte. Endlich, es war schon drei Viertel eins und die Mehrzahl der Kostgänger bereits aufgebrochen, trat ein Mann herein, dessen Erscheinung keinen Zweifel in ihm beließ. Es war ein mittelgroßer Mann in einem grauen, langen, altmodischen Gehrock, grauer, sackig hängender Hose und einer blaugeblümten, etwas schäbigen Samtweste. Sein Gang war nachlässig, langsam und schwer. Erst nach ein paar Schritten nahm er den breitkrempigen Filzhut ab und entblößte einen von eisgrauen Borsten bestandenen Schädel von einer Mächtigkeit, daß von dem Moment ab der Körper um fünf Zoll größer aussah. Augen und Blick waren von einer Brille mit schwarzen Gläsern völlig verdeckt, und diese schwarzen kreisrunden Flecke hoben die Leichenfarbe des verfalteten, bartlosen, massigen, qualligfetten Gesichts derart scharf hervor, daß es wie eine künstliche, zum Zweck der Furchterregung weiß angestrichene Maske wirkte. Etzel senkte unwillkürlich den Kopf auf seinen Teller herunter. Er hatte ein Gefühl, als habe man ihm etwas Beizendes in den Schlund geträufelt, und er mußte ein paarmal heftig schlucken. Er wagte nur verstohlen hinzuschauen, aber er spürte den Mann wie ein ungeheures, auf ihm lastendes Gewicht. Die meisten Leute kannten ihn, manche nickten ihm zu, als er an seinen Tisch ging; er aß allein, und man hatte für ihn sogar ein Tischtuch aufgelegt, manche riefen: »Tag, Professor!«, denn Professor wurde er allgemein genannt, auch von den Leuten auf der Straße, die ihn bloß vom Sehen kannten.

Heut in einer Woche, beschloß Etzel, sprech ich ihn an, außer es ergibt sich vorher von selber günstige Gelegenheit. Dazu bestand aber wenig Hoffnung, der »Professor« redete mit niemand. Auch wenn die Tische dicht besetzt waren und man vor Stimmenlärm das eigene Wort nicht hörte, saß er unbeteiligt an seinem Extratisch am Fenster und las in einem Buch, das er aus der rückwärtigen Tasche des lächerlichen Gehrocks fischte und neben seinem Teller aufschlug. Er schien keinen zu sehen und was sie sagten nicht zu verstehen. Ich sprech ihn an, beschloß Etzel, und bitte ihn, mir englische Stunden zu geben. Kein so erstaunliches Wagnis, sollte man meinen, da es der von allen gewußte Beruf des Mannes war, Unterricht zu erteilen und Schüler zu werben. Gleichwohl war Etzel von dem Gedanken erleichtert, daß er Zeit vor sich hatte. Das Blut schoß ihm zu Kopf, das Herz pochte wie ein kleiner Benzinmotor, wenn er sich Begegnung und Zusammensein ausmalte. Es war nicht Feigheit, es wurde ihm nur das Maßlose dessen, was er durchführen wollte, schaudernd bewußt; und wenn er es dann vollkommen, bis in die Fingerspitzen und in die Seele hinein wußte und spürte, lächelte er, ungefähr wie einer, der auf einem brennenden Haus steht und die Höhe abschätzt, die er unbedingt hinunterspringen, sich die Stelle bezeichnet, wo er unbedingt landen muß, wenn er nicht mit Sicherheit Hals und Beine brechen will. Es muß freilich ein tüchtiger Springer und im ganzen ein etwas magisches Subjekt sein.

Indessen nutzte er die gegebene Frist planvoll, und der Plan war, sich im Kosthaus Bobike beliebt zu machen, von allen gekannt zu sein, als bon camarade zu gelten, sich kleinen Dienstleistungen zu unterziehen, von jedem für seinesgleichen genommen zu werden, ein munteres Wesen zur Schau zu tragen, durch allerlei Schnurren zur Unterhaltung beizusteuern und sich auf diese Weise der Aufmerksamkeit des »Professors« unmerklich aufzudrängen, so daß er von seiner Person Notiz nehmen mußte und eine gewisse Vorstellung von ihm bekam, die sich im weiteren Verlauf fruchtbringend erweisen sollte, die Vorstellung nämlich eines gutmütigen, anstelligen Jungen, der des Vertrauens würdig, der Führung bedürftig und zu allen möglichen Dingen zu gebrauchen war. Er sah ja bald, der »Professor« (bei sich selbst nannte ihn Etzel stets Waremme, der Name Warschauer war gar nicht vorhanden für ihn) lebte ganz einsam, schien keinerlei Anhang und Beziehung zu haben; aber er sagte sich nicht mit Unrecht, daß es keine noch so fest ummauerte menschliche Existenz gab, zu der sich nicht ein Zugang finden ließ, wenn man klug und geschickt war. Es genügte nicht, sich ihm einfach als Schüler anzutragen, es war besser, wenn schon günstige Voraussetzungen mitspielten. Er trat auch hier als »Privatsekretär« auf, erfand aber dazu die Geschichte von einem durchgegangenen Onkel, seinem einzigen Verwandten auf der Welt, Erhalter und Vormund, der ein kleines Erbkapital für ihn verwaltet habe und den er seit vielen Wochen suche, er habe zuverlässige Nachricht, daß er sich in Berlin aufhalte, und zwar in dieser Gegend. Die sentimentale Erzählung wurde gläubig aufgenommen. Sie fügte sich durchaus in das Milieu. Er verstand sich darauf, Effekte zu unterstreichen, indem er sie zurückhielt, er hatte die Fähigkeit, die Menschen durch einen Blick, eine Miene zu überzeugen. Er machte jedermann begreiflich, daß er jedermanns Bestes im Auge habe; daher billigte man ihm zu, was er für sich selbst bescheiden beanspruchte, Wohlwollen und etwas Nettigkeit. Seine lachenden Augen wirkten auf den gemeinsten Rohling beruhigend. Seine Anmut war von einer volkstümlichen Art. Wenn er es darauf anlegte, konnte er durch die betrübte Bewegung, mit der er die Kappe in die Stirn schob, Gelächter erzeugen. Stadtreisende in Gummiartikeln und vagabundierende Artisten sind nicht Figuren, die sich gesellschaftliche Reserve auferlegen; der beschäftigungslose Zahntechniker, den man unten vor dem Krämerladen trifft, wo er nach einer Büchse mit Thunfisch schielt, während er dann für zehn Pfennig Weichkäse zum Abendbrot verlangt, ist froh, wenn man ihn anredet. Was den Leuten an ihm gefiel, war seine trockene Selbstverständlichkeit. Unterhielt er sich mit einem Kokainisten, so schien er sich zu wundern, daß nicht alle Menschen Kokain schnupften; hatte er es mit einem Säufer zu tun, so war es, als zolle er ihm Anerkennung wegen der Tatkraft, die er im Trinken bewies, und blickte freundlich drein, als sei ein solcher Zustand der natürlichste von der Welt. Eines Tages machte ihm ein geschminkter Jüngling einen zärtlichen Antrag; als er begriffen hatte, versprach er, sich die Sache zu überlegen. Wenn sein Innerstes bewegt war, konnte er aussehen wie ein Kasperle; wenn er es mit einem zornigen Menschen zu tun hatte, machte er ein Gesicht wie eine alte Kinderfrau, die einen Säugling beschwichtigen muß. Keine Entartung erstaunte, keine Niedrigkeit verletzte ihn, keinem Laster bezeigte er Abscheu, und selbst der Anblick eines Verbrechens hätte vermutlich keinen Zug in seinem friedlich lächelnden Antlitz verändert. So sehr hatte er sich in der Gewalt. Es war wie das Spiel von einem, der hinter seinem eigenen Rücken agiert, und so verdächtig ihm alle Romantik war, so verwerflich alles Traumwesen, etwas davon, Rudimente, nehme ich an, kam doch bei alledem zum Vorschein, wenn auch oft nur in Form von Widerstand; im Grunde war es eben derselbe Etzel, den seine Großmutter, die Generalin, als er drei Jahre alt war, beobachtet hatte, wie er auf dem Teppich sitzend und einen Suppenlöffel in der Hand sich bemühte, den Sonnenschein zu essen, der in einem durchleuchteten Staubband ins Zimmer fiel, und dann, als er die Lauscherin bemerkte, den Löffel wütend und beschämt in den Kohleneimer schleuderte.

Wie der durchgebrannte Onkel heiße, wurde gefragt. Mohl heiße er, gleichfalls Mohl. So? Mohl? meldete sich ein Zigarrenagent, im Matthäuskeller habe er von einem Mohl gehört. Ein anderer verwies ihn auf den sogenannten »Halbseidenen«, der im Marburger Loch als Stammgast verkehre, der sei eine wandelnde Auskunftei, es gebe in ganz Wedding keine Seele, die er nicht kenne und deren Lebenslauf er nicht wie am Schnürchen herzusagen wisse. Ein dritter Ratgeber, ein Mensch mit quittengelbem Teint und einer Narbe über dem linken Auge, der irgendwelche Beziehung zur Marine gehabt haben sollte, empfahl ihm, er solle einmal im Wintergarten, in einigen Tanzdielen und bei verschiedenen Buchmachern nachfragen, in neunzig von hundert derartigen Fällen habe auch der Besuch eines gewissen Kaffeehauses in der Nähe des Alexanderplatzes Erfolg. Ferner nannte er ihm mehrere Gasthöfe in der Oranienburger, Elsässer und Lothringer Straße, wo gewöhnlich Leute logierten und bei drohender Gefahr rasch von einem ins andere wechselten, die der Öffentlichkeit ihre »Schmalseite zu zeigen wünschten«. Man habe, lehrte er unter respektvollem Schweigen der Tafelrunde, zu unterscheiden zwischen vornehmen, halbvornehmen, kleinbürgerlichen und proletarischen Zufluchtsorten, man müsse wissen, was ein Asyl, eine Herberge, ein Keller sei. Wer unter Polizeiaufsicht stehe, wähle natürlich eine andere Unterkunft, als wer eines Verbrechens wegen verfolgt werde; jenen könne man in geringer Tiefe loten, diesen erst in größerer; einer, der nur für eine Weile verschwinden wolle, entferne sich nicht weit vom Oberwasser und sei gewöhnlich leicht stellig zu machen, auch wenn er unter falscher Flagge segle, was beim Onkel Mohl immerhin zu befürchten sei. Manchmal führe die Erkundigung bei Damen rasch zum Ziel (»frage nur bei edlen Frauen an«, zitierte er meckernd), so habe er neulich einen Burschen, in dessen Kielwasser er lange gesegelt, ohne ihn entern zu können, dadurch erwischt, daß er sich an die Weißenseer Salome in der Landsberger Straße gewendet habe. Etzel zollte dem Redner für die ausgiebige Unterweisung begeisterten Dank. Um nun auch sein Licht leuchten zu lassen, entwickelte er vor dem verwunderten Auditorium, das nach dieser Glanzleistung nicht zögerte, ihn als entschieden »helle« zu bezeichnen, eine Art Popularphilosophie der sozialen Gruppierungen, indem er bewies, daß bei dem dichten Beieinander der Menschen innerhalb bestimmter Schichten und bei dem Übergang in die nächst höhere oder niedrigere Schicht jeder jeden kenne. Jeder Schneider kennt zwanzig Schneider, jeder Händler zwanzig Händler, es gibt Geschwisterberufe, Vetternberufe, der Schlosser berührt sich mit dem Fahrradhändler, der Glaser mit dem Baumeister, der Bürovorstand übersieht zwei Dutzend Angestellte, der Kellner bedient täglich zweihundert Gäste, weiß von vielen nicht bloß den Namen, sondern auch die privaten Verhältnisse, das Ladenfräulein interessiert sich für die Kunden, weiß fast von jedem, wer er ist und was er treibt, die Chauffeure kennen die Leute, die in der Nähe ihres Standplatzes wohnen, die Trambahnschaffner kennen die Morgen-, Mittags- und Abendpassagiere, die meisten Menschen gehen immer zur selben Zeit durch dieselben Straßen, es kommt gar nicht darauf an, wieviel »Bekannte« einer hat, ob der *Professor*, der Abgeordnete, der Fabrikant zweitausend hat und der arme Student, der Hausierer, der kleine Bankbeamte, der *entlassene Zuchthäusler* nur fünfzig oder zehn, deswegen ist er doch von »Bekannten« umgeben, auf jeder Staffel seines Lebens ist ein »Bekannter«, der ihn auf die nächste Staffel zu einem andern »Bekannten« führt, jeder gehört zu seiner Schicksalsgilde.

Junge Menschen, wenn sie etwas Gescheites vorzubringen glauben, sprechen gern für die Galerie; von solcher Eitelkeit war Etzel ziemlich frei, er hatte einen andern Grund, mit erhobener Stimme zu sprechen und die Umsitzenden zu stillem Zuhören zu nötigen, er wünschte einfach, vom »Professor« gehört zu werden;

und während er redete, paßte er auf jede Bewegung von Waremme-Warschauer auf wie ein Luchs. Gesicht und Miene konnte er wegen seiner Kurzsichtigkeit nur undeutlich wahrnehmen, doch war ihm, als unterbreche der Mann seine Lektüre, um zu lauschen; und am Schluß seiner Ausführungen gewahrte er, daß jener das Gesicht ein wenig zur Seite wandte, wie wenn er herüberschielen wolle (er saß halbrechts gegen Etzel), und dann den hypertrophischen Unterkiefer eigentümlich malmend hin und her schob. Es sah genau so aus, als wolle er eine Wespe abwehren, sei aber zu faul, die Hand aufzuheben. Jetzt kennt er also meine Stimme, dachte Etzel, jetzt bin ich quasi ein »Bekannter« von ihm.

Nicht bloß, daß ihn seine Tischfreunde um mancherlei Besorgungen baten, zum Beispiel er solle beim Nachhausegehen den Umweg über den Linienkeller machen und einem dort wartenden Herrn, der so und so aussehe, dies und das ausrichten, oder er möge dem Fräulein Else Grünau, Gollnowstraße 27, sagen, Heinrich Balle könne sie am Abend nicht abholen, oder er solle in den Sportpalast hinaus (da habe er gleich das Geld für die Untergrundbahn), sich den Rennfahrer Paul rufen lassen und ihm mitteilen, wenn er bis vier Uhr nachmittags nicht das Bewußte abliefere, kriege er's mit Christoph Jansen zu tun, und anderes mehr; auch Frau Bobike selbst betraute ihn mit gelegentlichen Botengängen: einen säumigen Zahler zu mahnen, einen Lebensmittellieferanten, dem sie ihrerseits Geld schuldete, zu vertrösten, einer jungen Dame, der sie vor zwei Jahren ein Grammophon auf Raten überlassen hatte und die momentan im Krankenhaus lag, zu bedeuten, daß das Instrument wegen Nichteinhaltung der Bedingungen, es waren noch zwei Raten fällig, zurückzugeben sei, ein Korsett zum Ausbessern mitzunehmen, eine Flasche Benzin aus der Drogerie zu besorgen, aufs Meldeamt zu gehen und eine Adresse zu erfragen, am Schönhauser Tor sich nach einem Predigtamtskandidaten Klapprot zu erkundigen und anderes mehr. Er tat es willig. Seine

Heiterkeit blieb immer die gleiche. Er ging und ging, wohin man ihn auch schickte. Selten benutzte er ein Verkehrsvehikel, erstens wollte er sparen, zweitens fesselte ihn das Unterwegs. Er kam von belebten Vierteln, wo unzählige Menschen kalt, böse und eilig aneinander vorüberstießen, in die öden, wo Gasanstalten, Laubenkolonien, Gefängnisse, Spitäler, Fabrikschlote und Kirchhöfe den Eindruck machten, als befinde man sich in einer gigantischen Folterkammer mit gigantischen Folterwerkzeugen und daneben seien schon die Verliese und die Gräber. Er stand in Stuben, wo die Nässe von den Mauern rann, in Kellerwohnungen, wo am Abend Kerzen in Flaschenhälsen steckten und immer jemand fieberkrank auf einem mit Lumpen bedeckten Sofa lag. Er sah Kinder mit Runzeln im Gesicht, die vielleicht noch nie einen Baum, eine Wiese erblickt hatten, und wenn er mit einem von ihnen redete, war's, als mokiere er sich über sich selbst, weil er nicht ebenso verhungert und verwahrlost war. Einmal mußte er sich vor dem Hause der Heilsarmee durch eine Schar von Arbeits- und Obdachlosen drängen, und er ging durch die schauerlich stille Versammlung mit einer Miene, so arglos, als bewege er sich unter seinen Kameraden auf dem Spielplatz. Das erwähnte Fräulein Else Grünau fand Gefallen an ihm, und es bedurfte seiner ganzen List und treuherzigen Schwatzhaftigkeit, um aus der Schlinge zu schlüpfen. Es hatte alles nichts auf sich, es war nicht des Hinschauens wert, solang jede Stunde für den Mann im Zuchthaus eine mehr war. Unerbittlich wie die Uhr. Der Gedanke bewirkte, daß die Stunden zu steinernen Rädern wurden, unter deren Knirschen alles Leben der Erde seufzend verhauchte.

Er stand täglich um sieben auf, verließ um acht das Haus und kehrte am Abend zurück, um sechs oder um sieben, bisweilen noch später. Er mußte ja die Fiktion von seiner Sekretärstellung aufrechterhalten. Man fragte natürlich, bei wem er in Dienst sei. Bei einem Schriftsteller im Westend, Kastanienallee, sagte er und nannte einen erfundenen Namen. Es war unvorsichtig, Melitta Schneevogt hatte den Schneevogtschen Einfall, im Adreßbuch nachzusehen, und fragte ihn anderntags höhnisch, wie es seinem Chef gehe. Er begriff; nur nicht rot werden, dachte er, wurde auch nicht rot und entgegnete frech, der Name sei ein Pseudonym. »Sind Sie am Ende politisch? Spitzel vielleicht?« inquirierte ihn das Mädchen finster. »Wenn ja, dann machen Sie sich dünne, eh wir Schweinereien mit der Polizei kriegen.« Nein, er sei nicht politisch, sagte er mit entwaffnendem Lächeln und entfernte sich aus dem Gesichtsfeld der unerfreulichen jungen Dame. Was tat er aber mit all der Zeit vom Morgen bis zur Speisestunde bei Frau Bobike und von eins oder halb zwei bis zum Abend? denn die übernommenen Aufträge waren immer bald erledigt. Nun, er ging und ging. Von den zwei Paar Schuhen, die er mithatte, waren nach einer Woche bei einem die Sohlen durchgelaufen, beim andern die Absätze schiefgetreten, man mußte sie reparieren lassen. Übler waren die Füße zugerichtet, die so unermüdlich drin marschierten, wund und voller Blasen, erst allmählich härteten sie sich und vernarbten. Da er vor Mitternacht nicht ins Bett kroch und dann noch in aussichtslosem Kampf gegen die Wanzen lag, hätte bei seiner zarten Konstitution diese Lebensweise seine Gesundheit schädigen müssen, wäre er nicht gespannt gewesen wie eine aufgezogene Feder. Er ging und ging, sinnierte, erwog, sammelte sich, schaute und ging. War er müde, so setzte er sich auf eine Bank vor der Charité oder im Humboldthain oder bei Regenwetter in einem der vielen Bahnhöfe. Manchmal zog er seine griechischen und Lateinhefte aus der Tasche und lernte, manchmal sagte er Gedichte vor sich hin, die er auswendig kannte, Verse von Rilke und George, manchmal las er in einem Band Melchior Ghisels. Aber es hatte was Quälendes plötzlich, daß das nun kein körperloser Geist mehr war, daß ein erreichbarer Mensch dahinterstand, den er, wenn er nur den Entschluß faßte, noch heute sehen, vielleicht sogar sprechen konnte. Aber er dachte an den Besuch bei Ghisels, wie der Gottgläubige an eine Wallfahrt denkt, sich »entschließen«, das war schon zu klein, das mußte sein wie willenloser Flug, wie hingeschwemmt von einem Element – nur so verlosch die Furcht davor, dies Lampenfieber der Liebe; das Auge eines solchen Mannes war ja das Auge des Himmels selbst.

Unter Frau Bobikes Kostgängern befand sich auch ein verkrachter Student namens Schirmer. Er war eine Zeitlang Hilfslehrer an einer freien Schule gewesen, dort hatte man ihn wegen einer Skandalgeschichte davongejagt, nun suchte er Brot und Unterkommen. Er war am selben Tag wie Etzel Speisegast des Hauses geworden und saß mit ihm am selben Tisch, ein blonder, untersetzter, ziemlich versoffen und nicht sehr intelligent aussehender Mensch mit braunen Bartstoppeln im Gesicht, die wie Unreinlichkeit wirkten. Er war Feuer und Flamme für den »kleinen Mohl«, wie sie ihn alle nannten, und wenn Etzel eine seiner trockenen Bemerkungen machte, sich über Weltzustände verbreitete, eine seiner Possen vollführte, zum Exempel einen schlecht aufgelegten Omnibusschaffner, einen stotternden Zeitungsausrufer nachahmte, stieß Schirmer ein wieherndes Gelächter aus, schlug mit der Faust zehnmal dröhnend auf den Tisch und schaute sich, gleichsam Applaus einsammelnd, im ganzen Raum triumphierend um. Wenn solch ein Anfall vorüber war, wischte er sich mit einem riesigen blauen Taschentuch die Tränen aus den Augen. Eines Mittags, es war gerade eine Woche verflossen, seit Etzel das Kosthaus frequentierte, brachte Schirmer im Gespräch mit dem Marinefachmann etwas selbstgefällig ein lateinisches Zitat an. Etzel lachte und ergänzte es durch die zweite Zeile des betreffenden Distichons, es war ein Horazisches, was in dem Fall ganz witzig war, freilich nur für ihn und den Studenten verständlich. Schirmer bekam den habituellen Verzückungsausbruch, dann sagte er: »Mohl, mir scheint, Sie haben die Schulbank doch nicht umsonst gedrückt, schad um

Ihre Talente.« – »Warum schade?« erwiderte Etzel, »wenn man sie hat, können sie einem doch nicht schaden. Ich kann noch mancherlei«, fügte er mit leidlich gut gespielter Großtuerei hinzu, »ganze Gedichte aus dem Catull kann ich zum Beispiel aufsagen. Wollen Sie mal hören?« – »Achtung, meine Herren«, rief Schirmer und wischte sich mit der Papierserviette den Mund ab, denn man war schon beim letzten Gang, »Achtung, der kleine Mohl wird ein lateinisches Gedicht deklamieren. Also los!« Etzel lächelte seltsam und fing an:

»Quid est Catulle? quid moraris emori? sella in curuli Struma Nonius sedet, per consulatum perierat Vatinius, quid est, Catulle? quid moraris emori?«

Die Zuhörer machten verdutzte Gesichter, es klang ihnen wie Hindostanisch, und hätten sie auch verstehen können, daß hier Catull sich selbst aufforderte zu sterben, weil Vatinius ungestraft Meineide schwören durfte, was hätten sie sich dabei denken sollen? Aber der Knabe fuhr fort, und seine Wangen flammten, als könne er sich, im Sinne des Gedichts, vor Staunen nicht fassen:

»Risi nescio quem modo e corona qui, cum mirifice Vatiniana meus crimina Calvus explicasset admirans ait haec manusque tollens: di magni, salaputium desertum ...

... ihr Unsterblichen, was hat der Knirps für ein Maulwerk!« übersetzte er gleich die letzte Zeile, und da grinsten sie ihm alle anerkennend zu, während der alberne Schirmer nicht fertig wurde mit Bravoschreien und lärmendem Händeklatschen. Ach Gott, hätt ich nur jetzt eine Brille! dachte Etzel, und er hatte Ursache dazu: der »Professor« wandte wieder wie neulich das Gesicht zur Seite, nur ein wenig weiter noch, und wie neulich malmte sein erschreckender Unterkiefer. Allein das flüchtige Interesse, das die wunderliche Szene vielleicht in ihm erweckt hatte – für gewiß konnte man es nicht sagen –, schien nur von kurzer Dauer; ein paar Sekunden später hatte er sich wieder in sein Buch versenkt.

Und wieder ein wenig später – er hatte seine Mahlzeit beendet und erhob sich vom Stuhl – stand Etzel vor ihm und redete ihn an. Er wolle gern englische Stunden bei ihm nehmen, der Herr Professor sei ihm von vielen Leuten empfohlen worden, er habe die Absicht, im nächsten Jahr auszuwandern, vorher wolle er sich eine gründliche Kenntnis der Sprache aneignen; zu welchem Preis der Herr Professor den Unterricht erteilen würde? Waremme-Warschauer richtete die schwarzen Brillengläser so langsam gegen das Gesicht des Knaben, als suche er mit einem Opernglas erst das Objekt im Blickfeld. »Eine Mark die Stunde«, sagte er mit einer geschnittenen, etwas heiseren Stimme, wieviel Stunden wöchentlich der junge Mann zu haben wünsche? Drei? Vier? Gut; Montag, Mittwoch von vier bis fünf, Sonnabend von vier bis sechs. Der Name? Mohl? M-O-H-L? Gut. Auf Wiedersehen.

Es sieht aus, dachte Etzel geknickt, als hält er sich bis jetzt nicht einen Pfifferling um mich gekümmert.

Warschauer bewohnte im dritten Stock desselben Hauses ein einziges Zimmer, allerdings ein so großes, daß es durch eine Schiebetür in zwei Räume geteilt worden war. Hinter der Tür, in einem fensterlosen Alkoven, befand sich das Bett. An den Wänden waren in säulenartigen Stößen zwei- bis dreihundert Bücher geschichtet, meist broschierte Exemplare, und zwar auffallend viele Spezialwerke über jüdisches Altertum, semitische Sprachwissenschaft, hebräische Lexika, Talmudausgaben, Bibelexegesen, Jahresberichte orientalischer Gesellschaften und kabbalistische Schriften. Regale gab es nicht. Da war keine Atmosphäre, die ein »Heim« andeutet; es war ein Magazin von anscheinend nicht zusammengehörigen, zufällig zusammengeratenen Gegenständen. An der Decke und in den Ecken hingen Spinnweben. Die Fensterscheiben waren so lange nicht gewaschen worden, daß sie kaum noch durchsichtig waren. Zierat, Bilder, irgendwelche bequeme Behelfe, außer einem alten zerschlissenen Sofa, schienen dem Bewohner unbekannt. Es war das traurigste, verwahrlosteste, stallähnlichste Quartier, das Etzel je gesehen hatte. Nachdem er sich durch einen stockfinstern Gang durchgetastet, an dem noch fünf oder sechs Parteien hausten, ein Kolporteur, eine Waschfrau, ein Krankenpfleger, ein Photograph mit kinderreicher Familie, hatte er angeklopft, niemand hatte sich gerührt, und er stand dann in der Mitte der öden Stube wie ein Pilz in einem Möbelwagen. Nach einer Weile trat Warschauer aus der Schiebetür und nickte dem neuen Schüler mit einer Freundlichkeit zu, die das lehmig-fahle Gesicht für mehrere Sekunden dem eines grinsenden alten Weibes ähnlich machte.

So wüst und schmutzig seine Umgebung ist, so peinlich sauber ist er an seiner Person. Bisweilen steht er auf, greift nach einer Bürste, die an der Wand hängt und schabt über Rock und Weste. Alle fünfzehn bis zwanzig Minuten verschwindet er durch die Schiebetür, wäscht sich umständlich die Hände, dann begibt er sich wieder, mit dem Altweibergrinsen, auf seinen Platz, legt die fetten weißen Hände, die so kurzgeschnittene Nägel haben, daß sich die Fingerkuppen wie Hütchen darüber wölben, mit prälatenhafter Bedachtsamkeit auf seine Knie und fährt im Unterricht fort. Seine Methode ist einfach und praktisch. Er legt das Hauptgewicht auf Lautgebung und lebendige Mitteilung, die Grammatik exemplifiziert er beiläufig. Er bezeichnet Sichtbares, Hörbares und schreibt einzelne Vokabeln mit Kreide auf eine Tafel, die auf einem Gestell neben dem Tische lehnt. Er merkt nach kurzer Zeit, daß er einen jungen Menschen von humanistischer Bildung vor sich hat, das verdoppelt seine grimassierende Freundlichkeit, an der nur die Epidermis Anteil hat, und da er Fundamente voraussetzen darf, wird sein Verfahren abkürzend. Er weist auf etymologische Wurzeln hin und auf Eigenschaften der Engländer, deren Resultate die Gedrungenheit von Wort und Sprache sind. Das prägt sich ein. Es fallen Bemerkungen wie achtlos hingestreute Kleinmünze eines Millionärs. Aber was er sagt, ist ohne Augen gesagt, ohne Blick; die schwarzen Brillengläser sind wie äußere Bestätigung davon. Ich möcht ihm die Brille herunterreißen, denkt Etzel, es ist ja, wie wenn er einen vexieren wollte. Sein Lerneifer und seine geistige Schnelligkeit setzen Warschauer in ein Erstaunen, das offenbar erheuchelt ist, es macht manchmal sogar den absurden Eindruck, als wolle er die Begeisterungsausbrüche des lächerlichen Schirmer parodieren. Etzel fühlt sich befangen, das jesuitische Getue ärgert ihn, in der zweiten Stunde fragt er, warum ihn der Professor verhöhne, er bilde sich ja auf seine spärlichen Kenntnisse nichts ein. Erschrocken-beschwörende Geste Warschauers, zu deuten: um Gottes willen, junger Mann, was denken Sie von mir, wie käm ich dazu, ich, wer bin denn ich? Aber es ist Komödie. Wie alles andere. Je mehr Etzel sich um ihn bemüht, je mehr nimmt seine scheinheilige Jovialität zu. Er merkt natürlich, daß das kein gewöhnlicher Junge ist, die gute Kinderstube ist unverkennbar, seine Artigkeit und Gefälligkeit verraten geheime Absicht; wo kommt er her? was hat er im Sinn? Doch es ist nicht beunruhigend, wenn einem ein Hündchen um die Beine schnuppert, mag es schnuppern, zu dem Fußtritt, der es verscheucht, ist immer noch Zeit; indessen wirft man ihm ein Stückchen Zucker und hie und da mal einen Knochen hin, mag es schnuppern, mag es nagen. Das ungefähr drückt Waremme-Warschauers Wesen aus, Etzel versteht es gut genug. Trotzdem gelingt es ihm, sich in die Lebensgewohnheiten des Mannes einzuschmeicheln, einzuzwängen; er macht es wie der Parasit, der seinen Wirt zur Domestikation bringt. Die schmarotzerischen Manöver beginnen damit, daß er zehn Minuten, zwanzig Minuten vor der ihm anberaumten Stunde kommt, auch wenn ein anderer Schüler noch beim Unterricht sitzt (allzu viele Schüler hat der »Professor« nicht), und daß er nach der Stunde noch bleibt, auch wenn Warschauer sich an seine Arbeit begibt. (Soviel Etzel ergründen kann, ist er im Auftrag eines

Museumsdirektors und unter dessen Namen mit einer Zusammenstellung von Schriften über arabische Bildwerke beschäftigt, für erbärmliches Honorar, denn der Direktor, eine Berühmtheit in seinem Fach, könnte es ja selber tun, wenn er ein wenig mehr Zeit hätte.) Etzel hat sich mit den Büchern zu schaffen gemacht, auf denen millimeterhoher Staub liegt, er reinigt sie, ordnet sie, beschließt, einen Katalog anzufertigen, und fragt erst nicht lang, ob es Warschauer recht sei. Er beobachtet, daß Warschauer, der weder trinkt noch raucht, eine Vorliebe für starken schwarzen Kaffee hat, den er auf einer kleinen Kochmaschine selbst bereitet. Er nimmt ihm die Verrichtung ab. Der Zufall, dessen Bündniswillen er dabei wieder anzuerkennen hat, hilft ihm weiter. Warschauer tritt sich einen Nagel in den Fuß und kann mehrere Tage das Zimmer nicht verlassen. Er hat niemand zur Bedienung (das Sonderbare ist, daß er trotz seiner elenden Umstände nicht arm oder gar bettlerhaft erscheint, es macht im Gegenteil oft den Eindruck einer Inszenierung zu irgendeinem geheimnisvollen Zweck, was freilich auf Täuschung beruht), sein Bett macht er selbst, seine Schuhe putzt er selbst. Etzel holt ihm das Mittagessen aus Frau Bobikes Küche, den kalten Abendimbiß aus einem Geschäft drüben in der Demminer Straße. Er ändert natürlich seine Tageseinteilung nach den veränderten Umständen, aber die Tage haben ja nur gewartet, von hier aus regiert zu werden. Er besorgt Verbandstoff und Lysol aus der Apotheke, wäscht die Wunde, verbindet sie sachgerecht und zeigt sich so geschickt, als hätte er unlängst einen Sanitätskurs absolviert. Die Gespräche, die sie führen, denn es ist klar, daß sie bei so angenäherter Lebensweise nicht wie zwei Klötze nebeneinander existieren können, werden immer regsamer von Etzels Seite, er wird geradezu zum unermüdlichen Schwätzer, während Warschauer sich beinahe verlegen in unzugänglichere Hintergründe zurückzuziehen scheint. Er erschöpft sich in gleisnerischen Danksagungen, gleisnerisch entsetzter Abwehr, als ob eine

Person wie er solcher Guttaten, solcher Opfer in keiner Weise würdig sei. Es gibt aber Momente (Etzel kann nicht umhin, zu erschrecken, bis ins Innerste zu zittern, wenn sie eintreten, obwohl er sich gleichzeitig sagt – wie einer, der mit zusammengebissenen Zähnen in einen brennenden Ofen langt, um eine Kostbarkeit herauszuholen –, daß nichts seiner Sache förderlicher sein kann), Momente der Zärtlichkeit, die allerdings in nichts anderem besteht als in einem Betastungsversuch, einem Auffunkeln der Augen hinter den schwarzen Gläsern, dem komischen leeren Malmen des hypertrophischen Unterkiefers. Es ist Etzel zumute, als ob ein Golem aus Lehm erwache und schnaufend um sich greife, weil sich ein Appetit nach Menschenfleisch in ihm meldet. Eines Tages plaudert er in seiner halb angenommenen, halb ihm eigenen harmlosen Bubenart darüber, was er unternehmen wird, wenn er in Amerika sein wird (unter dieser Fiktion nimmt er ja bei Warschauer Unterricht). Er will zunächst Cowboy werden, sich späterhin so viel erarbeiten, daß er sich ein großes Landgut mit Wassern und Wäldern und Vieh und Wild kaufen kann, dort will er in Freiheit leben. »In Freiheit leben«, es hat in seinem Mund einen Klang von entschlossenem Enthusiasmus. Warschauer hebt den Kopf empor und läßt ein dumpfes Kichern hören. Er streckt den Arm aus, zieht den Knaben zu sich heran, so nahe, daß Etzel in einer Mischung von Abscheu, instinktivem Sträuben und zweckbewußtem, zweckbesessenem Gewährenlassen den Atem des Mannes über seine Stirn streichen fühlt, und sagt, pagodenhaft nickend: »In Freiheit leben? dort? dort in Freiheit? Junge, Junge, Junge ...« Und lacht, gleichsam in den Eingeweiden drinnen, gallig amüsiert. Etzel reißt sich los und zuckt unwillig die Achseln. »Ich weiß schon«, knurrt er, »ich weiß schon ... Sie ...« und stockt trotzig, steht trotzig da und schüttelt die Haare zurück. Die Augen hinter den schwarzen Gläsern sind mit jenem Ausdruck auf ihn gerichtet, den Etzel bei sich menschenfresserisch nennt, obwohl weder etwas Grausames noch etwas Böses in ihnen ist, nur diese seltsame schlaftrunkene Lüsternheit des aufwachenden Golems. Es sind vielleicht uralte Märchenerinnerungen, die in seiner Seele umgehen, vorgestern war er noch ein Kind ...

Warschauer will heute abend zum erstenmal ausgehen, in einer Bierhalle am Stettiner Bahnhof findet eine Volksversammlung statt, da will er hin; Etzel hat vorgeschlagen, ihn zu begleiten, weil der Professor doch noch nicht ganz sicher auf seinen Beinen ist. Für alle Arten von Menschenzusammenrottungen hat Warschauer eine Leidenschaft, ob es nun Umzüge, öffentliche Schaustellungen, Streikdemonstrationen oder gewöhnliche Straßenaufläufe sind, die Masse zieht ihn unwiderstehlich an; am wohlsten fühlt er sich in geschlossenen Räumen, wenn er unter Tausenden von Menschen eingekeilt ist und wortgewandte Redner die Menge zu fanatischen Kundgebungen aufpeitschen, das macht ihn vollkommen glücklich, und er hat Etzel auseinandergesetzt, daß es ein Anonymitätsrausch ist, ein Entpersönlichungsglück. Etzel hat es nicht ganz kapiert, aber jener wird wohl noch öfter darüber sprechen, tröstet er sich. Um halb neun wollen sie aufbrechen, vorher soll Etzel noch den kalten Aufschnitt aus der Demminer Straße holen. Pfeifend, die Hände in die Taschen versenkt, tritt er den Weg an, auf dem Rückweg kann er nur die eine Hand in der Tasche behalten, die andere muß das Paket tragen, das ziemlich umfangreich ist, weil er auch ein Pfund Kirschen gekauft hat, aber am Pfeifen hindert ihn das nicht.

Schon auf der Stiege hört er Warschauers sonore, träge, tiefe Stimme, oho, denkt er, der Professor hat Besuch. Jedoch es ist nur Paalzows Junge, Paalzow ist der Photograph von nebenan. Paalzows Junge ist genau so alt wie Etzel, aber er ist ein verkommener Geselle, der bereits einigemal mit dem Jugendgericht zu tun gehabt hat. Er ist am Vormittag schon dagewesen, Warschauer hat es ärgerlich angedeutet, er will Geld haben, und zwar aus einem

Anlaß, der mit zynischer Dreistigkeit vom Zaun gebrochen ist, Warschauer bezeichnet es empört als einen Brandschatzungsversuch. Er hat vor ein paar Tagen eine Büchersendung von dem Museumsdirektor erwartet, mußte ausgehen und wollte vorher die Mutter Paalzow bitten, sie möge, falls der Bote in der Zwischenzeit komme, die Bücher für ihn in Empfang nehmen. Es war aber niemand bei Paalzows zu Hause, die Stube war leer. So viel ist an der Sache richtig; Paalzows Junge behauptet aber, der Professor habe bei dieser Gelegenheit die Türe von Paalzows Stube offengelassen, und infolgedessen seien ihm ein Paar Schuhe gestohlen worden, die ihm der Professor ersetzen müsse, er verlange nicht den vollen Wert dafür, sondern bescheidenerweise bloß drei Mark. Aber »'nen Taler« müsse er kriegen, sonst mache er ekligen Krach und werde es dem Professor schon versalzen. Als Etzel eintrat, stand er mit untergeschlagenen Armen im Zimmer, den Hut schief auf einem Ohr, und forderte frech »seinen« Taler. Warschauer saß am Tisch, hielt die Feder in der Hand und schaute nur schief zur Seite, wo der Bursche stand. Er war bei solchen Überrumpelungen lächerlich feig. Etzel ging hinter Paalzows Jungen zum Fenster, das geöffnet war, es war ein warmer Maiabend, legte das Eßpaket, nachdem er sich eine Handvoll Kirschen genommen, auf die Brüstung und beugte sich hinaus, als wolle er zu verstehen geben, daß ihn die Angelegenheit nicht zu kümmern habe und er nach keiner Seite hin Partei ergreifen wolle. Tief unten im Hof stand ein leeres Holzkistchen, senkrecht unter dem Fenster, und er beschäftigte sich eine Weile damit, die Kirschenkerne in das Kistchen hineinzuspucken, was aber nicht gelingen wollte. Indessen wurde Paalzows Junge immer unverschämter, das verachtungsvolle Schweigen Warschauers flößte ihm Mut ein, und im grellsten Berliner Jargon schrie er, er werde sein Geld schon zu bekommen wissen, und wenn er die blödsinnige Studierbude da anzünden müsse. Da drehte sich Etzel um, schritt auf ihn zu, stieß ihn mit dem Ellbogen an und sagte: »Nu mach mal, daß du rauskommst.« Paalzows Junge fuhr herum wie gebissen und starrte ihm giftig ins Gesicht. »Draußen werden wir mal die Sache vernünftig besprechen«, fuhr Etzel augenzwinkernd fort, als ob er den Professor für einen Idioten halte, es aber nicht merken lassen dürfe und hier angestellt sei, um seine Geschäfte, namentlich ein so schwieriges wie das mit Paalzows Jungen, gentlemanlike zu regeln. Als er den Krakeeler vor der Tür hatte, sagte er: »Hör mal zu, Paalzow. Die Geschichte stinkt. Mir brauchst du nichts vorzumachen. Ich verstehe, daß du da ein nettes Ding drehen willst, aber einen ganzen Taler ist das Ding nicht wert; gleich dich mit fünfzig Prozent aus, da hast du eine Mark fünfzig, das verrechne ich mit dem Professor, und jetzt verdufte.« Zögernd, mißtrauisch, nicht recht wissend, was er von dem Knaben halten sollte, alles in allem unbehaglich berührt, nahm Paalzows Junge das Geld und schlurrte mit finsterer Miene stiernackig über den Gang davon.

Als Etzel ins Zimmer zurückkam, hatte Warschauer die Gaslampe über seinem Schreibtisch angezündet, und man hörte das kratzende Geräusch seiner Feder. Durch das offene Fenster drangen gedämpft, über die Häuserdächer herüber, das Bellen der Autohupen und die Glockensignale der elektrischen Tram. Etzel setzte sich auf einen Bücherstoß, und mit den Beinen baumelnd fing er wieder an, Kirschen zu essen. Auf einmal wandte sich Warschauer auf seinem Sitz um und fragte: »Sie haben ihm Geld gegeben, dem Lumpen?« Etzel nickte lebhaft. »Warum? Es ist dumm und schlecht, solch erpresserischer Kanaille Geld zu geben. Warum also? Haben Sie's denn so dick?« Etzel spuckte ein paar Kerne in weitem Bogen durchs Fenster und erwiderte:»Ich hab's gar nicht dick. Aber erstens soll hier kein Krawall sein. Zweitens, was heißt Lump? was heißt Kanaille? Ein armseliger Kerl. Den kann man ja um den Finger wickeln für eine Mark fünfzig. Wollte sehen, ob er wirklich so ein armseliger Kerl ist. Das ist das ganze Positive an ihm, drei Mark mit fünfzig Prozent Rabatt. Bin ich schuld?« – Warschauer rückte etwas weiter auf seinem Stuhl herum. »Das Positive, wie meinen Sie das?« fragte er. Etzel spuckte emsig Kerne. »Na ja, was man eben Positives braucht, wenn man nicht draufgehn will«, versetzte er gleichmütig, »ein kleines Ideal zum Beispiel, einen Glauben, einen Menschen, eine Sache. Das haben die alle nicht.« Er machte eine vage Handbewegung zur Tür hin, um gewissermaßen die sämtlichen Paalzows Jungens zu bezeichnen, die draußen nach »Positivem« schmachteten.

Warschauer schwieg und kehrte sich wieder seiner Arbeit zu. Allein nachdem einige Minuten verflossen waren, legte er die Feder hin, wandte sich abermals um, stützte den rechten Ellbogen auf die linke Hand, bedeckte Kinn und Mund mit der rechten und schaute so Etzel eine Weile an, der sich nicht im geringsten gestört zu fühlen schien. »Der Teufel soll mich holen, wenn ich aus Ihnen klug werde, Mohl«, sagte er endlich leise. »Am Ende heißen Sie auch ganz anders, wie? Na also, heraus mit der Farbe!« Es klang nicht argwöhnisch oder drohend, sondern wohlwollend, gleisnerisch betulich, und hatte wieder den »menschenfresserischen« Unterton.

Etzel sprang mit einem Satz von dem Bücherstapel herunter. »Vielleicht heiß ich ebensowenig Mohl wie Sie Warschauer heißen«, antwortete er frech, »vielleicht. Wer weiß!«

Warschauer erhob sich sehr langsam. Er ging sehr langsam auf den Knaben zu. »Hallo, Junge?« kam es aus seiner Brust herauf, mit einer neuen Stimme, einer gleichsam versunken gewesenen, »hallo, Junge?«

»Ich sag bloß: vielleicht«, beharrte Etzel, um eine Schattierung blasser, und hielt dem schwarzen Funkeln der Brillengläser mit dem dringlichen Blick stand, den seine Kurzsichtigkeit erforderte, »vielleicht heiß ich ... wie könnt ich nur heißen? vielleicht heiß ich Maurizius. Es gibt ja noch welche, die so heißen. Warum kann ich nicht Maurizius heißen ...?«

Warschauer-Waremme sah aus, als hätte jemand von der Straße, weit über die Dächer herüber, nach ihm gerufen. Seine Züge verkrampften sich zu einem düster lauschenden Ausdruck des Nachdenkens. »Maurizius –?« wiederholte er grübelnd. Er strich sich mit der fetten weißen Hand langsam über die Stirn. Plötzlich machte er noch einen Schritt auf Etzel zu, nahm seine Brille ab und schaute ihm mit befremdeter Neugier starr ins Gesicht. Zum erstenmal sah Etzel seine Augen, wasserblasse, lichtlose, fast gestorbene Augen.

9.

Die Generalin hatte von Sophia von Andergast einen Brief erhalten, der sie ungesäumt zu folgender Antwort veranlaßte:

Liebe Sophia, ich finde es richtig, daß Du herkommst. Übrigens hast Du nicht nach mir zu fragen, und ich hab Dir nicht einmal zu raten. Ich finde Deinen Entschluß so richtig, daß ich Dich einlade, bei mir zu wohnen, wenn Du es annimmst, bin ich froh. Hoffentlich bist Du nicht schon unterwegs, und diese Zeilen treffen Dich noch. Wer sollte Deine Verzweiflung besser begreifen als ich? Bin ich doch, seit der Bub fort ist, in einem scheußlichen Zustand selber. Darüber, was Du tun sollst, werden wir sprechen. Von mir freilich kannst Du wenig Hilfe erwarten, ich bin eine unnütze Alte und nicht bloß durch diese traurige Tatsache in meiner Bewegungsfreiheit gehemmt. Dein Sohn ist der Sohn von meinem, voilà tout. Aber diesmal, Sophia, steh ich zu Dir, und soweit Mut und Kräfte reichen, will ich Dir auch *bei*stehen. Natürlich zittre ich bei dem Gedanken einer Begegnung zwischen Dir und Wolf. Es muß aber sein, Du hast recht. Er muß Dir Rechenschaft ablegen, vor Gott und Menschen ist er dazu verpflichtet.

Du hast Dein Kind von ihm zu fordern. Wenn er Dir auch nicht wird sagen können, wo es ist, leider, so wird er sich doch verantworten müssen, wie es dahin kommen konnte, daß er es nicht weiß. Deine Freunde haben Dir nicht falsch berichtet, niemand weiß etwas über das Verbleiben unseres Jungen. Ach Gott. Ich schlafe keine Nacht mehr. Ich zerbreche mir immerfort den Kopf über das Warum und Wo. Dein Brief hat eine letzte blöde Hoffnung in mir zerstört, nämlich, daß er zu Dir geflohen sein könnte. Er sprach in letzter Zeit oft von Dir, ich aber durfte ihn nicht anhören; und was geschah? Er schwieg von Dir. Da kam ich mir erst recht wie eine unbrauchbare Scharteke vor, zu nichts gut in der Welt. Ach, nicht alt werden, oder wenn, nicht alt sein. Nach alledem wirst Du Dich um so mehr über diesen Brief wundern. Aber der Umstand, daß Du, die Mutter, erst von Fremden, nenn sie Freunde, die Fremden, fremd sind sie in dem Fall eben doch, also von Fremden erst erfahren mußtest, daß Dein Kind ihn verlassen hat und nicht mehr aufzufinden ist, war der Tropfen, der das Gefäß zum Überlaufen gebracht hat. Schön, er hat die drei Briefe ignoriert, die Du ihm in den letzten Monaten geschrieben hast, ich will es zur Not noch verstehen, aber Dir, Dir nicht mitzuteilen, wenigstens von seinem Anwalt Dir schreiben zu lassen, daß das passiert ist, was Dich ebenso angeht wie ihn und tausendmal mehr vielleicht, das ist mir zu viel – Konsequenz. Ihr zieht überhaupt so merkwürdige Konsequenzen, ihr jüngeren Leute, auch Du, mir ist ja manches unerklärlich auch an Dir, aber ich will nicht schwatzhaft werden, wenigstens nicht auf dem Papier, Du wirst es mir vielleicht erklären. Ich habe Dich jetzt neun Jahre nicht gesehen, liebe Sophia, oder sind es Gott behüte zehn? Und ich weiß nicht, was als Mensch aus Dir geworden ist, als Frau bist Du mir näher als damals, ich denke, wir werden uns ohne viele und große Worte verstehen, ich halte wenig von Worten, hingegen von Menschen, vorausgesetzt, daß sie welche sind, desto mehr. Es grüßt Dich Deine Dir wohlgeneigte Cilly von Andergast.

Um nicht beschuldigt zu werden, daß sie hinter seinem Rücken mit der Gegnerin konspiriere, hielt es die Generalin für notwendig, ihren Sohn von dem Briefwechsel zu verständigen. Sie tat es in einem Schreiben, das wesentlich kürzer gefaßt war als das an die ehemalige Schwiegertochter gerichtete, und fügte hinzu, daß Sophia morgen oder übermorgen ankommen und bei ihr im Hause logieren werde. Ein unerwarteter Hieb für Herrn von Andergast, der ihm die Fruchtlosigkeit jahrelanger Vorkehrungen schroff vor Augen führte. Er fand den Brief der Mutter nachmittags auf seinem Schreibtisch. Er las ihn, faltete ihn zusammen, legte ihn beiseite. Er nahm ihn wieder, las ihn wieder, zerriß ihn in vier Stücke, warf ihn in den Papierkorb. Zehn Minuten später holte er die Stücke aus dem Papierkorb hervor, warf sie in den Ofen, zündete sie an und sah zu, wie sie verbrannten. Dann schritt er auf und ab, dann hob er den Hörer vom Telephon, ließ sich mit dem Justizgebäude verbinden, forderte den Direktor Günzburg zum Apparat und beauftragte diesen, den Vorsteher der Strafanstalt Kressa sofort zu benachrichtigen, daß der Leiter der Oberstaatsanwaltschaft morgen vormittag dort eintreffen werde. Ob ein Kausalnexus zwischen dem so umständlich vernichteten Brief und der amtlichen Verfügung bestand, läßt sich nur vermuten. Keinesfalls hatte Herr von Andergast für die geplante Unterredung mit dem Strafgefangenen Maurizius vorher schon einen bestimmten Termin festgesetzt. Wenn es nicht Flucht vor Sophia war, so mochte es das Gleichnis einer Flucht sein, die innere Abwehr, die er vor sich selbst durch Veränderung des Aufenthaltes demonstrierte. Wenigstens nicht da sein, wenn sie kam. Denn entgehen, das wußte er, konnte er ihr nicht. Diesmal mußte er sich stellen.

Hoch türmt sich Kressa zwischen bewaldeten Hügeln, eine uralte Burg, Stammsitz eines königlichen Geschlechts. Daß die Nationen ihren Menschenabschaum dort in Sühnezwang halten, wo die Wiege ihrer Fürsten stand, ist wie eine Schauerballade auf die Vergänglichkeit irdischen Glanzes. Das Dienstauto des Herrn von Andergast schmettert ölrauchend den steilen Hang zu dem erst jüngst angebauten Trakt hinauf, der Vorsteher Pauli wartet bereits am Tor. Er ist ein schmaler, blasser, etwa dreißigjähriger Mann mit Zwicker und blondem Schnurrbärtchen, ehemaliger Lehrer im Ort Kressa. Er empfängt den Oberstaatsanwalt und führt ihn in seinen zur Linken befindlichen Amtsraum, eine peinlich saubere Stube, Mittelding zwischen bürgerlichem Wohnzimmer mit Deckchen auf Sofa und Stühlen, Photographien an den Wänden und Kanzlei mit Aktenschrank, Schreibtisch, Telephon und Signalapparaten. Am Schreibtisch sitzt ein Schreiber, bevorzugter Sträfling, den der hohe Besuch offenbar in atemlose Erregung versetzt, denn seine Augen sind wie verglast, die Hände greifen sinnlos nach links und rechts, um Papiere zu ordnen. Herr von Andergast nimmt Platz und fordert Pauli auf, mit einer Handbewegung fast nur, ihm Bericht zu erstatten. Er sagt Herr Vorsteher zu ihm und ist in höflicher Weise trocken. Pauli erklärt, seit dem letzten Ausbruchsversuch, der sich vor zehn Tagen ereignet hat, sei Ruhe in der Anstalt, besondere Klage liege jedenfalls nicht vor. Herr von Andergast wünscht Einzelheiten über den Ausbruch zu hören, der dank der Wachsamkeit des Nachtpostens im oberen Hof mißglückt ist. Das blutlose Gesicht des Vorstehers rötet sich schwach, es ist die Erinnerung an das betrübende Vorkommnis, an die Schande, in die es einen bringt, das schlechte Ansehen bei den Herren der Vollzugsbehörde und schließlich der Gedanke, daß man keinen Tag vor der Wiederholung sicher sein kann. Es gibt nur eines, das noch schlimmer ist und in den Folgen unheilvoller, die offene Revolte. Auch das hat man gehabt. Es scheint unvermeidlich. Nach zwei, drei Monaten friedlichen Auskommens ballt sich regelmäßig eine Katastrophe zusammen. Man tut für die Leute, was irgend möglich ist, sie haben ihre ordentliche Kost, ihre bemessene Schlafzeit, ihren Gottesdienst, ihre Erholungsruhe, man geht anständig mit ihnen um, verschafft ihnen Erleichterungen, wo es nur angeht, und doch, sie haben keine Einsicht, sie lassen nicht ab von Verschwörungen und strafbaren Verständigungen. Das alles malt sich in den Zügen des jungen Vorstehers, während er die Geschichte des letzten Ausbruchskomplotts erzählt, eine reizlose und trübselige Geschichte, die nur dadurch einige Verwunderung verdient, daß es den Leuten, es waren die vom Schlafsaal zwölf, in zwei Nachtstunden gelungen ist, die fünfundsiebzig Zentimeter dicke Mauer geräuschlos zu durchbrechen, ein Loch herzustellen, durch das sie bequem schlüpfen konnten, und sich an Bastseilen, die sie aus den Arbeitssälen nach und nach entwendet und im Schlafsaal versteckt hatten, unbegreiflich wie und wo, aus einer Höhe von dreiundzwanzig Meter herunterzulassen, fünf Mann. »Es war sinnlos, es war aussichtslos«, sagt der Vorsteher mit seiner leisen traurigen Stimme und niedergeschlagenen Augen, »denn dort hatten sie ja wiederum dreißig Meter Kletterei vor sich, und dazu waren die Seile nicht lang genug, sie hätten die letzten fünf Meter springen müssen. Einfach toll.«

Und sonst? erkundigt sich Herr von Andergast vorsichtig, wie um die Empfindlichkeit des Mannes zu schonen. Soviel er wisse, seien ein paar schwierige Leute hier. Ja, gewiß, gab Pauli resigniert zu. Da sei vor allem Hiß, der Mörder des Gendarmeriewachtmeisters Jänisch, der Herr Baron werde sich ja entsinnen, nächtlicher Überfall auf der Straße. Mit dem habe man seine Not, der Mann sei auf keine Art zu bändigen und ans Reglement zu gewöhnen, man habe ihn nun sechs Wochen im Hause, und jeden Tag melde er sich zu einer grundlosen Beschwerde, sei drei Monate in Dietz gewesen, dort habe er Bittschriften über Bittschriften eingereicht, er wolle weg, halte es nicht aus, bis man ihn endlich nach Kressa verbracht, und nun wolle er um jeden Preis wieder nach Dietz zurück. Er sei von einer krankhaften Arbeitsscheu beseelt, sein einziges Verlangen sei, zu schreiben, seine Lebensgeschichte wolle er niederschreiben und damit zugleich den Beweis seiner Unschuld liefern, nämlich daß er keinen Mord begangen, sondern durch die Brutalität seines Vaters, eines unheilbaren Säufers, von dem er ja auch im Suff gezeugt worden, ins äußerste Elend geraten sei und den Wachtmeister damals in der Winternacht nur um Zigaretten angebettelt, worauf der eine Bewegung in die Tasche nach seinem Revolver gemacht, da habe er, Hiß, aus Angst, erschossen zu werden, selber geschossen. Das könne man doch nicht Mord nennen, dafür könne man nicht lebenslänglich eingesperrt werden, es sei Notwehr gewesen, nichts anderes. Leider habe sich ein Aschaffenburger Rechtsanwalt gefunden, fuhr Pauli kopfschüttelnd fort, der sich der Sache dieses Lügners und Heuchlers als einer gerechten Sache angenommen und seitdem immerfort um Konferenzen mit seinem Klienten nachsuche und das Gericht mit Wiederaufnahmeanträgen überschwemme. »Sie werden ihn ja sehen, Herr Baron«, schloß der Vorsteher. »Wir haben ihm vor drei Tagen die Einzelzelle bewilligt, um die er gebeten hat, damit er schreiben könne, er hat Papier, Feder und Tinte erhalten, aber bis zur jetzigen Stunde hat er nicht eine Silbe geschrieben. So einer ist das.« Er sandte einen Blick zu dem Schreiber hinüber, der verstand sogleich, zog ein blaues Heft aus einer Lade und reichte es Pauli. Auf dem ovalen Schild war zu lesen: Meine Jugenderinnerungen. »Das hat er in Dietz verfaßt«, sagte der Vorsteher und gab Herrn von Andergast das Heft, der es aufschlug und eine Weile darin blätterte. Die eiligen gewandten Schriftzüge ließen auf einen Handelsangestellten schließen, im Stil wechselte eine unleidliche, tränenselige Geschwollenheit mit prahlerischer Selbstbewunderung, jedes dritte Wort enthielt einen orthographischen oder grammatikalischen Fehler, dabei herrschte erstaunliche Genauigkeit in einer Fülle nicht uninteressanter Details. »Ja, sie nehmen es sehr ernst mit ihrer eigenen Person und sehr nonchalant mit uns andern«, sagte Herr von Andergast, indem er das Heft weglegte und sich erhob. »Ich möchte, Herr Vorsteher, einen Gang durch die Anstalt machen und nachmittags um drei Uhr den Sträfling Maurizius zu einem Gespräch unter vier Augen aufsuchen.« Pauli verbeugte sich und läutete nach dem Inspektor. »Wie hält sich der Mann?« fragte Herr von Andergast im Ton der Beiläufigkeit, die rechte Hand schon an der Türklinke. Pauli lächelte mit emporgezogenen Brauen. »Oh«, antwortete er, »wenn alle so wären, Herr Baron. Da hätten wir ein leichtes Leben.« Der Inspektor, ein wohlgenährter Greis mit freundlichem, gescheitem Gesicht trat ein.

Ein eisernes Gitter wird aufgesperrt, man gelangt in einen düstern Hof, den die himmelhohen Mauern des Gebäudes umgrenzen. Der Inspektor geht voran, ihm folgen Herr von Andergast und der Vorsteher, den Schluß bilden zwei Aufseher in ihren Uniformen. Der Hof ist sauber gekehrt, überall macht sich eine Ordnung bemerkbar, die vielleicht nicht die alltägliche ist. Herr von Andergast weiß natürlich, was es mit solch angekündigtem Besuch auf sich hat, da ist alles, was Arme und Beine hat, zuvor in Tätigkeit versetzt worden, damit man sich keinen Rüffel zuziehe, und wo etwas faul ist, hofft man mit dem Hinweis auf eingerissene Gewöhnung oder nicht bewilligte Mittel auf Nachsicht. Aber er weiß auch, die Leute sind pflichttreu und obliegen ihrem harten Beruf mit Verständnis und Geduld. Es ist nicht mehr wie in früheren Zeiten, die allerdings gar lang noch nicht vorbei sind, wo die Strafhäuser verrufene Höllen waren, von deren Schrecklichkeit das Volk nur ängstlich zu raunen wagte, ihre Direktoren verantwortungslose Tyrannen, ihre Wärter Folterknechte. Man lebt in einem Kulturstaat, und der Strafvollzug wird nach humanen, es steht zu befürchten, manchmal nur allzu humanen Grundsätzen gehandhabt. Kressa genießt zudem in dieser Beziehung einen besonders guten Ruf.

Doch um eine der üblichen Revisionen vorzunehmen, ist er nicht gekommen. Er hat sich eines offiziellen Vorwands bedient, um den eigentlichen Zweck möglichst unscheinbar zu machen. Er wünscht nicht, daß es heiße, der Oberstaatsanwalt ist bei Leonhart Maurizius gewesen, offenbar nimmt er sich der Sache an, es ist etwas im Zuge. Er wünscht kein Gerede. Nein, es ist nichts im Zuge, man sei ganz beruhigt. So wird der Vorwand gewissenhafte Verrichtung.

Die fünf Männer klimmen schweigend eine steilgewundene Holztreppe empor, der Inspektor schließt eine eiserne Tür auf, es geht durch einen langen, fast kreisförmig gewundenen Gang, in der Höhe sind kleine vergitterte, nach außen verengte Fenster, abermals klirren die Schlüssel des Inspektors, eine zweite Eisentür öffnet sich, man tritt in einen der Arbeitssäle. Herr von Andergast zieht unwillkürlich sein Taschentuch und drückt es an den Mund. Ein Geruch schlägt ihm entgegen wie aus einem Tierzwinger. Er kennt den Geruch. Als junger Beamter hat er vor solchen Besuchen an Herzbeklemmungen gelitten, weil ihn der Geruch jedesmal einer Ohnmacht nahe brachte. Es riecht nach muffigen Kleidern, nach stockigem, warmem Leim, nach ranzigem Fett, nach schimmliger Mauer, nach Menschenschweiß und üblem Atem. Es ist ein rauher Tag, die Fenster sind in allen drei Sälen geschlossen. Etwa hundertfünfzig Männer jeden Alters bewegen sich teils frei, teils in hürdenartig mit Baststricken abgesperrten Pferchen. Sie flechten Strohmatten, drehen Seile, einige schustern, einige arbeiten an Hobelbänken. Ein gekrümmt dastehender Mensch nähert sich, kaum daß er seiner gewahr wird, mit schleichendem Schritt und geheimnisvoller Miene dem Vorsteher, zupft ihn am Ärmel und flüstert ihm ins Ohr, das mit dem Bohrwurm in seinem Gehirn werde nicht besser, er leide täglich ärgere Schmerzen. Der Vorsteher gibt sich den Anschein, als nähme er seine Klagen ernst, und wechselt einen wissenden Blick mit dem Inspektor, der die Achseln zuckt. Es besteht kein Zweifel, der Mann simuliert, gleichwohl gerät er in einen Zustand gefährlicher Erregung, wenn man ihm nicht glaubt und ihm Vorwürfe macht. Vielleicht hat er sich die fixe Idee vom Bohrwurm im Gehirn nur zurechtgelegt, um sich Beachtung zu erzwingen und vor sich selber was zu gelten. Der Inspektor ruft einen gewissen Buschfeld heran, der sich am Morgen eine Aufsässigkeit hat zuschulden kommen lassen, und stellt ihn leise und in einer netten Manier, gleichsam im Namen der gesunden Vernunft, zur Rede. Buschfeld hat während des Umsturzes 1918 den General Winkler in Darmstadt erschossen, nachdem er ihn zuvor geohrfeigt, aus keinem andern Grund, als weil er eben General war. Im übrigen war er ein harmloser Mensch, durchaus nicht unbeliebt. Buschfeld hat ein sonderbares Lächeln, während er sich rechtfertigt, fast wie ein Bub, dem man seine Renitenz vorwirft, halb beschämt, halb höhnisch, dabei blitzen seine herrlichen großen Zähne in dem wohlgebildeten, nur von langen Bartstoppeln verunzierten Gesicht mit dem stark entwickelten Kinn. Herr von Andergast tritt heran und hört zu. Wie alle hier, wenn ihnen bloß zu reden verstattet ist, kommt Buschfeld schon nach drei Sätzen auf seine Straftat und Verurteilung und beweist mit vielen, offenbar sorgsam überlegten Argumenten, daß er unschuldig ist. Da er Publikum um sich sieht, legt er sich ins Zeug, schildert die Situation, erklärt das Mißverständnis, dessen Opfer er geworden. Er lächelt fortwährend mit den herrlichen, großen Zähnen, und Herr von Andergast blickt in seine großen, stumpfen, wie Nußkerne braunen Augen. Es ist eine Begierde in den Augen, unhemmbar, verschlingend, beim leisesten Anpochen des Gedankens verrückt machend: das Draußen. Wenn er »draußen« sagt, so meint er Welt, Leben, Freiheit, Baum, Wiese, Weib, Himmel, Wirtshaus, ein glühendes Konglomerat seliger Dinge. Der fremde Herr da vor ihm, er kommt von »draußen«, er hat infolgedessen einen Nimbus, einen berauschenden Duft, etwas Unvergleichliches an Möglichkeiten. Er starrt ihn an und scheint verwundert zu fragen: Wie, du kommst von »draußen« und gehst wieder »hinaus« und bist nicht närrisch vor Glück? Das haben sie alle, jeder hat die verschlingende, verrückt machende Vorstellung vom »Draußen« in den Augen, die etwas anderes ist als Sehnsucht, mehr, viel mehr, jenseits davon, erhabener, finsterer, sternhafter, als irgendeine Sehnsucht auf Erden sein kann. Es gibt Augen, in denen sie nahezu erstorben ist, zu viel Zeit ist vergangen, der Geist hat die Bilder verloren, sie rascheln tot um ihn her wie verdorrte Blätter, dann ist auch der Mann selber verdorrt. Da ist ein fünfzigjähriger Mensch mit einem pechschwarzen Rahmenbart um das ganze seifig glänzende fahle Gesicht, eine Köhlerfigur. Er befindet sich seit neun Jahren im Hause. Er hat seinen Dienstgeber erschlagen, weil ihm der die zweitausend Mark vorenthalten hat, die er sich in vieljähriger Arbeit erspart und vertrauensvoll bei ihm hinterlegt hatte. Auf Verlangen erzählt er die Geschichte in seiner rheinischen Mundart, tiefer Atem hebt dabei seine Brust, der mächtige verbogene Körper erlebt die unerträgliche Unbill wie in einem fernen Echo wieder, das ihn durchschüttelt und durchtönt: wie er das Geld gebraucht und es gefordert, einmal, zweimal, fünfmal, wie der Bauer sich ausredet, sich herumdrückt, ihn vertröstet, wie er sich endlich überzeugen muß, das Geld ist nicht mehr vorhanden. Was kann da helfen? Kein Gott, kein Richter kann helfen, den Mann muß man kaltmachen, sonst frißt es einem das Herz ab. Verstörte Seele. Zermalmte, irre Seele. Neben dem arbeitet Schergentz, ein fünfundzwanzigjähriger Bursche, Brandstifter. Man hat niemals erfahren, weshalb er das Feuer gelegt hat, er ist ein braver Sohn und fleißiger Arbeiter gewesen. Eines Nachts zündet er die Nachbarscheune an, drei Menschen verbrennen. Warum? Niemand weiß es, er hat seit der Stunde seiner Verhaftung keine Silbe mehr gesprochen. Vater, Mutter, Zeugen, Untersuchungsrichter, Gendarme, Richter, Verteidiger, Geschworene haben sich vergeblich bemüht, keine Silbe, er ist stumm. Auch im Schlaf spricht er nicht, wenn er allein ist nicht, niemals vergißt er sich. Der Vorsteher redet ihm auch jetzt wieder zu, aus den Mienen des Inspektors und der Aufseher erkennt man, wie aussichtslos der Versuch ist. Herr von Andergast legt ihm schwer die Hand auf die Schulter, und den Blick der veilchenblauen Augen in die verstockt lohenden des Sträflings einbohrend, sagt er: »Na, Mann, was soll es denn eigentlich? Wem zuliebe? Ihnen selber sicherlich nicht? Na also –!« Aber diese Lippen sind versiegelt. Ein Mithäftling, einer von der »Intelligenzzelle«, hat vor Monaten die Meinung geäußert: In der ersten Minute nach der Entlassung wird er wieder sprechen, vorher nicht. Und so verrichten seine Hände die gewohnte Arbeit, während die düster geschlossenen Augen, schweigend auch sie, an den Männern vorüberschauen. Kein größerer Gegensatz als der zwischen ihm und seinem Nebenmann, dem jungen Giftmörder. Er hat den Vater seiner Braut mit Arsenik aus dem Weg geräumt, weil er die Heirat verhindern gewollt und sich weigerte, der Tochter eine Mitgift auszuzahlen. Glieder, Gelenke, Muskeln, Lippen, Stirn, alles zittert an ihm in konvulsivischer Bewegung, sein Gesicht rötet sich hektisch, wenn er von der unfaßlichen Ungerechtigkeit spricht, die ihm durch das Schuldurteil widerfahren, daß nichts bewiesen worden ist, daß er an Böses nie gedacht, daß die Zeugen seine Feinde waren, das Gericht voreingenommen. Er zitiert die Aussagen der chemischen Sachverständigen, die Aussagen des Apothekers, alles falsch, alles Verleumdung, jenes sei verschwiegen, dieses erfunden worden, alles um ihn zu verstricken, zu verderben. Warum? fragt Herr von Andergast trocken. Er hebt leidenschaftlich die Schultern hoch. Weltkomplott. Seine leisen Worte überstürzen sich, während er hastig flicht und mit einem flachen Schlägel die Matte klopft, die Zungenspitze näßt die Lippen und springt hervor wie bei einer Natter, die Augen sind beständig gesenkt, der ganze Mensch verkörperte Lüge. Doch wie armselig die Lüge, wie verkrochen-scheu, wie durchsichtig und wie krank. Der Leib gehorcht dem Willen nur noch scheinbar, er ist ein zerstörter Mechanismus, eine Maschine mit verrosteten Rädern und gebrochenen Röhren, daß er atmet, greift, schluckt und verdaut, ist eine Attrappe. Da ist im dritten Saal ein alter Mensch, sechzig, fünfundsechzig Jahre, er weiß es selbst nicht genau, dreiunddreißig Jahre hat er mit nur kurzen Unterbrechungen in der Anstalt verbracht, Typus des Rückfälligen. Vor elf Jahren ist er zum letztenmal eingeliefert worden. Er sieht aus wie ein gemütlicher Vagabund mit seinem graumelierten Kinnbärtchen, seiner dicklichen Figur, dem kurzen Hals, dem kleinen, runden Kopf, der kleinen Stupsnase, dem kleinen Mündchen, der kleinen, vorgewölbten Stirn. Herr von Andergast erkundigt sich bei ihm nach seiner Straftat. Er lächelt behäbig vor sich nieder, ach, son kleener Diebstahl, und prüft die Schneide des Hobels am Finger. »Na, Käsbacher«, wendet der Inspektor vorwurfsvoll ein, »Diebstahl, das hätte doch nicht elf Jahre abgegeben.« – »Jewiß nicht«, gibt der Alte zu, »'n bißchen Sittlichkeit war eben ooch dabei.« – »Nun, und sind Sie zufrieden mit der Behandlung?« fragt Herr von Andergast. – Zufrieden? Oh, das wohl, darüber sei nicht zu klagen, jetzt, seit die humanen Bestrebungen im Schwange seien, habe man es ausnehmend gut in »solchen Etablissemangs«. Die Humanität überhaupt, es sei eine schöne Sache damit. Nur das Fett könnte 'n bißchen reichlicher sein. Fett, er müsse es gestehen, entbehre er zuweilen. Dann, mit elegischem Augenaufschlag: »Am dreiundzwanzigsten Mai hab ich Geburtstag.« – »So. Und was möchten Sie denn da?« Der Inspektor, mit kennerischem Spott: »Blutwurst, das möchten Sie wohl gern, was?« – »Erraten, Herr Inspektor, Blutwurst, die hab ich fürs Leben gern.« Und der Gedanke an Blutwurst verschönt sein zusammengeschrumpftes altes Verbrechergesicht wie ein Sonnenuntergang das eines schwärmerischen Fräuleins. Für den gibt es nicht einmal das »Draußen« mehr.

Man steigt einen Stock höher zu den Einzelzellen. Herr von Andergast wünscht nur »Stichproben« zu sehen. In der ersten Zelle, die die Form eines Turmgelasses hat: ein Mörder aus Eifersucht, schlanker Mensch mit schwermütigen Zügen, Anfangsstadium der Schwindsucht. Man hat durch das Okular geschaut, da saß er in tiefer Versunkenheit am Tisch, als sich die Tür öffnet, springt er empor und steht militärisch stramm. Das ist, was man als gute Haltung bezeichnet, er ist darum auch hochbeliebt. Eine Marionette, die ihre innere Verzweiflung bis zur persönlichen Ausgelöschtheit zu verbergen weiß. Der Inspektor, die eiserne Tür wieder schließend, bemerkt sachlich: »Oft hört man ihn die ganze Nacht laut seufzen, viele Stunden lang.« Nächste »Stichprobe«: Ein hünenhafter Mensch, Gewalttäter, war beteiligt an dem Ausbruchsversuch vom vorigen Oktober. Er hatte sich eine Eisenstange zu verschaffen gewußt, damit wollte er auf dem Weg zum Bad den Wärter niederschlagen, das entscheidende Zeichen für die Mitverschworenen. Es geschah aber, daß der Wärter, der an dem Tag Dienst hatte, gerade der war, der ihm vor Wochen einmal heimlich ein Stückchen Kautabak zugesteckt hatte. Da konnte er nicht zuschlagen, die Eisenstange fiel ihm einfach aus der Hand. Er steht an der Mauer seiner Zelle und blinzelt. Er kann von seinem Zellenfenster aus, weit in der Landschaft, einen einzelnen, blühenden Apfelbaum wahrnehmen, der sich, in der Flußniederung, zart und fern gegen den Giebel eines Hauses abhebt; es kommt vor, daß der Mensch vom Mittag bis die Dunkelheit anbricht an die Mauer gelehnt dasteht und auf den fernen Apfelbaum starrt, regungslos, öffnet dann der Wärter die Tür, so bewegt er bloß wie schlaftrunken den Kopf und blinzelt, blinzelt ... So lang er »draußen« war, hat er solche Regungen nicht gekannt, was war ihm damals ein blühender Apfelbaum, er sah gar nicht hin, jetzt ist er was Ungeheures für ihn, Sinnbild alles Entbehrten und Versäumten, so wie für seinen Zellennachbar der Zeisig, den er halten und pflegen darf. Der ist ein Lebenslänglicher, er hat ein achtjähriges Mädchen erdrosselt und dann geradezu zerfleischt, aber er liebt seinen Zeisig so, daß ihm die Augen vor Rührung übergehn, wenn er ihn nur anschaut. Die Wände seiner Zelle sind mit allerlei Photographien, Zeitungs-Illustrationen, einer kleinen Farbendruckmadonna geschmückt, Vergünstigung für gute Führung, jedes dieser Dinge ist ihm ans Herz gewachsen, jedes kann er stundenlang betrachten. Mit kindlichem Lächeln begrüßt er die Eintretenden, es ist etwas tief Verdächtiges um dieses Lächeln, so natürlich und gewinnend es scheint, es erinnert an das Phantasieren eines Fieberkranken, er hat ein Tuch um den Kopf gewunden, der Vorsteher fragt, was denn los sei, er antwortet humorvoll, er sei in der Nacht auf der Kirchweih in Kressa gewesen – und lacht. Er drückt die Lippen an das Gitter des Vogelbauers und lockt den Zeisig, das Tierchen ist wohldressiert, er hat es dressiert, ihn zu küssen, es flattert herbei und stößt seinen Schnabel in die Lippen des Mörders, man ist in eine kitschige Szene aus einer populären Erzählung versetzt, worin die menschliche Seite verworfener Verbrecher dargetan werden soll, das unvertilgbar Göttliche vielleicht. Doch wie schauerlich ist es, wie entzogen dem erklärenden Wort, kann Gott etwas davon wissen?

Sie gelangen in die Schlafsäle. Der Vorsteher zeigt Herrn von Andergast das Fenster, durch welches vor anderthalb Jahren zwei Sträflinge ausgebrochen sind, der dritte Beteiligte ist zwischen den Gittern steckengeblieben. Kopf, Brust und Arme hatte er schon durchgezwängt, mit den Hüften blieb er stecken, die Stubenkameraden konnten ihn nicht befreien, so hing er von Mitternacht bis morgens mit dem fettbeschmierten nackten Leib quer wie ein Balken über der Tiefe und stöhnte vor Qual. Die zwei andern waren nackt in der Winterkälte über die Chaussee gerannt, waren in ein leeres Landhaus eingebrochen, hatten dort Kleider geraubt und waren entkommen. Der Vorsteher, das enge Gitter mit der Hand ausmessend, erklärt, daß es ihm noch heute ein Rätsel sei, wie ein ausgewachsener Mensch sich habe durch die Stäbe pressen können, kaum daß eine Katze mit knapper Not durchzuschlüpfen vermag. Herr von Andergast bemerkt: »Es scheint, der Freiheitsdrang verleiht diesen Menschen übernatürliche Fähigkeiten.« Vorsteher und Inspektor stimmen schweigend zu. Aber Herr von Andergast fühlt die banale Schwächlichkeit seines Ausspruchs, es ist ihm, seit er in diesem Hause weilt, fast krankhaft unzulänglich zumut, er kann sich nicht entsinnen, daß er sich selber je zuvor so zweifelhaft war. Es drückt sich in seiner Blässe aus, in der Unsicherheit seines Schrittes, er geht so schwer, als seien die Knochenkanäle mit Blei gefüllt. Vierzig Betten in einem Raum, sechzig im nächsten, er sieht das plötzlich, Betten übereinander, Betten nebeneinander wie Ehebetten, er sieht es plötzlich, er sagt, auf die Betten deutend, dumpf und unwillig, die Einrichtung sei unhaltbar. Die beiden Aufseher grinsen heimlich, die männlich-ernsten Züge des Inspektors geben erfahrene Sorge zu erkennen, der Vorsteher murmelt: »Ein Infektionsherd von Übeln.« Auch dieses Wort ärgert Herrn von Andergast durch seine Seichtheit, als steige Zorn in ihm empor, rötet sich seine Stirn. Er blickt immer noch über die leeren, getürmten Bettstellen hin, von einer Vision des Grauens getroffen, die das Gefühl quälender Unzulänglichkeit zu einer Ahnung von Schuld hinaufsteigert, er deckt die Hand über die Lider, er will die Betten nicht mehr sehen, unsäglich ekel machen sie ihm den Begriff des Menschen, Schleim, der sich aufbläht in Tücke und Wollust, das Innere der Brust ein abgegrenztes Stück Finsternis mit einem zuckenden Muskel inmitten, den zu einem Behälter von Tugenden zu machen stets das ergebnislose Geschäft von Dichtern und religiösen Schwärmern gewesen ist. Exemplum docet, sagt sich Herr von Andergast, als sie in die Zelle des gefürchteten Hiß treten, die nicht aufgesperrt werden muß, weil sich der Anstaltsgeistliche darin befindet und ein Wärter, jüngerer Mensch mit brutalem, von Rotlauf zerfressenem Gesicht, davor Wache steht. Der Seelsorger begrüßt Herrn von Andergast. Mit seinen wettergebräunten Zügen und der weißen Mähne gleicht er einem norwegischen Fischer. Doch wie bei vielen dieser Männer täuscht auch bei ihm der Anschein priesterlicher Kraft, der ihnen wie ein leuchtender Nimbus um die Stirn schimmert. Die Kraft, die sie einmal beflügelt hat, ist meistens aufgebraucht, sie haben einsehen gelernt, daß sie von dem Berg des Jammers nur Sandkörner abtragen können, daß der Stollen, den sie hineinbauen, sie selber jeden Tag von neuem verschüttet, sie sind müde geworden, sie haben keinen Glauben mehr an die Sendung und funktionieren als Beamte, weil der Staat sie dafür bezahlt. »Ein hoffnungsloser Fall«, raunt er Herrn von Andergast zu, die Schulter gegen den Sträfling bewegend, und über sein Gesicht breitet sich schaler Verdruß aus wie bei einem Menschen, dem man zum hundertstenmal zumutet, er solle einen Baum mit den Wurzeln aus der Erde ziehen. Hiß steht da mit geducktem Oberkörper, der Mund in dem zitronengelben Gesicht ist bösartig verkniffen, die fliehende Stirn ist von kleinen Schweißperlen bedeckt, die Augen, gelb wie die eines Panthers, sind in bodenlosem Haß auf den Pfarrer geheftet, und als ihn der Vorsteher anredet und ihn fragt, ob er mit dem Schreiben begonnen habe, richtet sich der Blick mit demselben Ausdruck bodenlosen Hasses auf den Vorsteher. »Konnte nicht«, knurrt er erbittert, »wie soll einer hier schreiben können, fortwährend brüllt der da drüben in seinem Käfig, da vergeht einem ja der Kopf ...« Der Haßblick wandert schleichend reihum, in jedes Gesicht, der Rücken duckt sich tiefer, die gefährliche Pantherbestie in dem kaum noch menschenähnlichen Wesen kann jede Sekunde ausbrechen. Herr von Andergast weicht unwillkürlich einen Schritt zurück, stumm verläßt er die Zelle, der Aufseher hat schon die nächste geöffnet, ihr Insasse ist der, der »im Käfig brüllt«. Es ist ein zu einer Disziplinarstrafe verurteilter Gefangener, er ist für drei Tage im eisernen Käfig eingesperrt, hockt in der Halbdunkelheit, rüttelt von Zeit zu Zeit an den Gittern wie ein Gorilla, brüllt von Zeit zu Zeit, klagend wie eine Kuh, die nach dem Kalb schreit, das geschlachtet wird. Streng ruft ihm der Inspektor zu: »Lorschmann, wenn Sie nicht Ruhe geben, laß ich Sie morgen hungern«, worauf ein knarrendes Geräusch aus dem Innern des Eingegitterten kommt, als hätte er eiserne verrostete Eingeweide. Da: Der »Mensch«! total vernichtet, der berühmte »Mensch«, selbst die äußere Form ist nur noch Zerrbild. Herr von Andergast steht an der Zellentür, als sei er selbst gefangen, warum ist ihm dies neu, ein in furchtbarer Weise Niegesehenes? Ist in seinen Augen etwas, was vorher nicht drinnen war, oder ist der Schein der Blendlaterne auf das dämonenhafte Bild gefallen wie unlängst in das Gehirn des Spiegelwesens?

Drei Uhr. Herr von Andergast hat im Gasthof in Kressa Mittag gegessen, das heißt, er hat eine Reihe von Speisen bezahlt, zu sich genommen hat er nur zwei Tassen schwarzen Kaffee. Die Zelle des Sträflings 357 wird aufgeschlossen und hinter ihm wieder verriegelt. Ein Mann erhebt sich vom Tisch, mit der gedrillten Raschheit, die das Haus fordert, steht still wartend da. Er ist ungefähr einen halben Kopf kleiner als Herr von Andergast, das graue Sträflingskleid hängt schlotterig um seine dürre Gestalt. Er steht sehr gerade, auch der Kopf ist nicht gebeugt. Die graue Gesichtsfarbe unterscheidet sich kaum vom Grau des Gewands, über einer hohen Stirn liegen schlohweiße, schlichte Haare, ungeschoren. Die Zelle ist fünfeckig, sie enthält die eiserne Bettstelle, den verdeckten Kübel, den Holztisch, den Holzstuhl, den Eisenofen, einen Ständer mit wenigen Büchern. Das Fenster geht auf den Hof, unten bewegen sich fünfzig Sträflinge schweigend im Kreis. Es ist der vorschriftsmäßige »Spaziergang«. Mehr als fünfzig haben im Hof nicht

Platz. Es dauert fünf Stunden, bis acht Partien ihren täglichen Spaziergang absolviert haben. Man hört das Schlurren der Füße auf dem Steinpflaster herauf. Es klingt, wie wenn der Wind in schlaffe Segel fährt und sie flattern macht.

»Sie werden sich kaum meiner erinnern«, beginnt Herr von Andergast konventionell das Gespräch. Es scheint ihm nicht um Bindung zu tun, er erweckt nicht einmal den Eindruck, als wolle er eine Stimmung sondieren. Ebenso formelhaft nennt er seinen Namen. Maurizius, der sich bis dahin nicht gerührt, hebt ein wenig das Kinn, als hätte er einen Stoß empfangen. Da er mit dem Rücken zum Fenster steht, kann man den Ausdruck seiner Augen nicht erkennen, sie nehmen sich wie zwei schwarze Kreise in dem langgezogenen Gesicht aus. Herr von Andergast setzt sich auf den Stuhl und erwartet, wie er durch eine Handbewegung andeutet, daß Maurizius ihm gegenüber auf der Bettstelle Platz nehme. Dieser zögert jedoch. Was ihm die Auszeichnung verschaffe, fragt er mit belegter Stimme, der man den seltenen Gebrauch anhört. Herr von Andergast sitzt vorgebeugt, die Hände zwischen den Schenkeln gefaltet. Die veilchenblauen Augen haben ihre strahlende Glut wiedererlangt. Es sei in einem Wort nicht zu sagen. Er wiederholt die zum Sitzen auffordernde Geste, faltet wieder die Hände. Ein Schweigen tritt ein. Sodann bemerkt Herr von Andergast, zu Boden blickend, er wünsche festzustellen, daß sein Besuch keinen amtlichen Charakter trage, sondern durchaus von privaten Erwägungen eingegeben sei. Maurizius läßt sich endlich auf der Bettstelle nieder, vorsichtig, wie um keine Silbe zu verlieren. Jetzt, wo das volle Tageslicht darauf fällt, sieht sein Gesicht geisterhaft aus. Man könnte denken, in den Adern fließt weißes Blut. Die Nase ist eingefallen, der Mund, von außerordentlich gefälliger, ja beinahe anmutiger Schwingung, ist hart verpreßt. Die Augen sind nicht mehr schwarze Kreise, sondern kaffeebraun mit einem milden, beständigen, freudlosen Blick.

Private Erwägungen? Welche könnten das sein? Herr von Andergast wendet dem Nagel seines rechten Mittelfingers eine ausgiebige Betrachtung zu. Dann, mit dem Augenaufschlag biederer Offenheit (entschieden, so gemacht er ist, ein Etzelscher Augenaufschlag), es handle sich um allenfallsige künftige Maßnahmen. Maurizius, schwach interessiert: Maßnahmen welcher Art? – Darüber könne doch schwerlich ein Mißverständnis herrschen. Habe denn Maurizius auf jede Hoffnung verzichtet? – Maurizius hebt langsam die Hand und legt sie auf seinen weißen Scheitel, eine Bewegung, bei der Herr von Andergast den alten Maurizius vor sich sieht, wie der vor ihm gestanden, die Hand auf dem Scheitel, es ist etwas Geheimnisvolles um Abstammung, was die Natur an Äußerlichkeiten vom Vater auf den Sohn verpflanzt, ist viel zeugender und oft auch wahrer als die Innerlichkeiten. Maurizius erwidert stockend, jedoch fest, er habe niemals, zu keiner Zeit, unter keinen Umständen den Gedanken an seine Rehabilitation aufgegeben. Herr von Andergast läßt die Zeigefinger beider Hände umeinander spielen. Rehabilitation? Daran sei wohl kaum zu denken. Es stehe jedenfalls in weitem Feld. Eine solche Möglichkeit, wenn sie vorhanden wäre, hätte ihn auch nicht zu der heutigen Unterredung bestimmen können. Man habe die reale Lage der Dinge in Betracht zu ziehen. Die zeige nur einen einzigen Weg. Und auch dieser Weg sei nur gangbar, wenn eine gewisse Bedingung erfüllt werde, die daran geknüpft sei wie die Angelschnur an die Rute. »Ich verstehe«, sagt Maurizius. – »Ich glaube selbst, daß wir uns verstehen«, sagt Herr von Andergast. Pause.

»Es ist wieder einmal ein Versuch am untauglichen Objekt«, beginnt Maurizius mit seiner ungeübten Stimme und blickt mit zusammengezogenen Brauen auf seine Knie. »Seit ich in dem Haus lebe, haben sich viele schon bemüht. Sie waren ganz wild vor Ehrgeiz nach dem einen Ziel, Direktoren, denn daß wir einen Vorsteher haben, ist ja eine neue Einrichtung, vier Direktoren, darunter ein ehemaliger Oberst, dann die verschiedenen Herren von der Vollzugsbehörde, auch ein Herr aus dem Ministerium war ein paarmal hier, nun, und vor allem die geistlichen Herren natürlich. Pfarrer Porschitzky, den wir jetzt haben, ist der siebente, der zu mir kommt. (Er zählt in Gedanken nach.) Ja, der siebente. Einer, ich weiß nicht, ob es der dritte oder vierte war, er hieß Meinertshagen, ging einmal zwei Tage und zwei Nächte nicht aus meiner Zelle. In derselben Zeit und mit weniger Anstrengung hätte er ein ganzes Negerdorf bekehren können. Es war schließlich, als ob man mir den Schädel zerhämmert hätte. Da sagte ich ihm in meiner Verzweiflung, damals konnt ich noch über so etwas verzweifeln: Herr Pfarrer, als Moses aus dem Felsen Wasser schlug, tat er ein Wunder. Sie wollen auch an mir ein Wunder tun, aber was Sie aus mir herauszaubern wollen, müßten Sie vorher erst hineinzaubern. Wie soll ein Mann eine Tat gestehen, die er nicht verübt hat? Da gab er es auf, aber von dem Tag ab war ich Luft für ihn. Er hat mir nicht geglaubt. Es glaubt mir keiner.«

Herrn von Andergasts Miene drückt ein gewissermaßen phrasenhaftes Bedauern aus. Er will nicht den Anschein erwecken, als »glaube« auch er nicht, aber Maurizius wird wohl wissen, daß er nicht »glaubt«. Man einigt sich vorläufig mit ihm auf der Basis höflichen Zuhörens. Man hat schon viel damit erreicht, daß er auf das Thema von selber gekommen ist, und möchte ihn um keinen Preis in seinen Ergießungen stören. Herr von Andergast weiß, daß diese Leute, zwangseinsam seit Jahrzehnten, bei dem geringsten Anstoß, auch wenn man sie nur durch einen Blick zum Sprechen ermutigt, in einen Automatismus der Mitteilung verfallen. Sie empfinden es als eine erlösende Wohltat, wenn man ihnen bloß das Ohr leiht, und rechnen auf Zwiesprache kaum. Aber es ist, als wittre Maurizius diese Spekulation seines Besuchers. Du magst dies und anderes vielleicht wissen, scheint ein flüchtiges Zucken seines Mundes zu bedeuten, aber was weißt du von den

»Jahrzehnten«? Was weißt du von der Zeit? Daß Zeit *ist*, wißt ihr alle nicht, nur daß sie *war*. Gegenwart ist für euch ein herrlicher Blitz zwischen zwei Finsternissen, für mich eine nicht endende Finsternis zwischen einem Feuer, das unter den Horizont versunken ist, und einem, auf dessen Aufgang ich warte. Ewiges, ewiges Warten ist meine Gegenwart, und solang ich warten muß, ins unabsehbar Ungewisse hinein, ist Gegenwart. Nur der kennt die Hölle, der erfahren hat, was Gegenwart wirklich ist. Wie die wächsernen Deckel über den Augen einer Puppe heben sich Maurizius' Augenlider. Es ist, als begriffe er jetzt erst, wer da vor ihm sitzt, daß es derselbe Mann ist, der ihn einst, vor vieler, vieler Zeit, mit übermenschlicher Unerbittlichkeit in diesen Abgrund gestoßen hat. Wie ist es möglich, daß du noch lebst? scheint sein nach innen grabender Blick zu fragen, indes er mit den seltsam kleinen, weißen Zähnen des Unterkiefers an der Lippe nagt, wie ist es möglich, daß du da bist, in meiner Gegenwart mit deiner Ungegenwart? Es ist ungefähr so, als säße Attila oder Iwan der Schreckliche vor einem, und die draußen seien ebenso unsterblich wie man selber. Da Herr von Andergast bei seinem auffordernden Schweigen beharrt und sich auf eine Magie verläßt, deren Stärke er aus analogen Fällen kennt (als ob bis jetzt nicht der kleinste Teil seiner Selbstgewißheit erschüttert worden wäre, als ob er ihre heillose Unterhöhltheit nicht spürte), greift Maurizius zum letzten Wort zurück, das in ihm wiederkehrt. »Nein, keiner hatte den Glauben«, spricht er vor sich hin, »es war nur die Anklage nötig, da war ich auch schon schuldig. Ich habe viele Freunde gehabt, damals, ich durfte sie Freunde heißen, unter dem Gesichtspunkt meines damaligen Lebens waren es Freunde, aber mit dem Tag, wo ich unter Anklage stand, waren sie weggeblasen. Ich sah mich immer nach ihnen um, ich konnte es nicht fassen, solch ein Abfall ... Ich hatte doch keinem was Böses angetan, hatte keinen verraten, ich dachte, sie müßten mich kennen, jeder Mensch hat doch sozusagen seinen moralischen Standard, man hatte einander so vieles anvertraut, keine Falte war unverdeckt geblieben, bildete man sich ein, ... und keiner ..., keiner, wie wenn man plötzlich unter fremdem Namen aufgetaucht wäre ..., in einer andern Welt ...« – »Einen vergessen Sie«, mahnt Herr von Andergast, »ich denke, Ihr Vater hat den Glauben niemals verloren.« Er entschließt sich nicht leicht zu einem Hinweis, der zuviel Familiäres enthält, aber erstens sagt er sich, daß er hier ist, um zu dissimulieren, zweitens beginnt ihn sein Gegenüber zu fesseln, es ist da eine Mischung von Bestimmtheit und Weite, von Kälte und vermutbarer, entschlossen eingedämmter Glut, die ihn aufzumerken zwingt und die mißtrauische Gleichgültigkeit, mit der er gekommen ist, verflüchtigen läßt. Maurizius nickt kaum merklich. »Ja, es ist wahr«, antwortet er, »Vater, ja, der ... Aber Vater, das zählt nicht. Es ist ein Unterschied zwischen Blutliebe und anderer. Gehört einem ein Mensch, so beweist es der Welt nichts, wenn man zu ihm steht. Eigentum tilgt Schuld. Auch Elli hatte ...« Er stockt, schüttelt den Kopf. Es war jedenfalls ein wunderliches Auch, wunderliches Beispiel, das er unterdrückte. Herr von Andergast zieht die Zigarettendose aus der Weste, reicht sie Maurizius geöffnet hin, der nimmt mit gieriger Eile, überrascht, eine Zigarette. Herr von Andergast gibt ihm Feuer, zündet sich selbst eine an, eine Weile schauen sie einander wortlos rauchend ins Gesicht. Herr von Andergast überlegt angestrengt. Endlich, als habe er angefangen, Zweifel zu hegen, und hoffe, auf eine Fährte gebracht zu werden, wirft er die Frage hin: »Wenn ich also annehmen soll, daß Sie nicht geschossen haben, wohlgemerkt, ich darf es nicht annehmen, ich suche mich nur in Ihre Auffassung zu versetzen, wer, nach Ihrer Auffassung, könnte sonst geschossen haben?« Um seine Lippen spielt ein freundlich-ermunterndes Lächeln, die Veilchenaugen blicken beinahe gütig. Maurizius starrt ihn an. Seine Brauen heben sich verächtlich, so daß auf der Stirn eine tiefe Kerbe erscheint. Es vergehen ungefähr anderthalb Minuten, während welcher sein Gesicht von einer Finsternis überzogen wird, die etwas von stummer Raserei hat. Ist es die Frage, die tausend- und abertausendmal im gleichen Ton, mit der gleichen Skepsis, mit dem gleichen Richter- und Henkertriumph gestellte Frage, die ihn so verwandelt? Schwerlich. Er hat Geduld gelernt. Er hat die Geduld der Frager kennengelernt. Er ist hart und taub dagegen geworden. Die Frage trifft in ihm nichts mehr, lockt und löst in ihm nichts mehr. Sie niemals, unter keiner Seelen- und Körperqual zu beantworten, nicht mit Blick, noch Hauch, noch Geste, das ist beschlossene Sache seit achtzehn Jahren und sieben Monaten. Da bissen sie auf Granit. Aber es ist nicht das. Es ist der Mann selber. Er begreift auf einmal: da sitzt der Gegner. Fünfundsiebzig Zentimeter von dir entfernt der Verdammer, der Verderber, der übermenschlich Unerbittliche, nicht bloß Repräsentant, von solchen waren viele hier, nein, die Person selber. Fügung und Schicksalsinkarnation. Alles Draußen verdichtet in ein einzelnes Individuum, Welt, Menschheit, Gericht, Urteil, alles Erlittene, alles in diesem Raum Ergrübelte, alle die ewige Gegenwart, alle die schlaflosen Nächte, die Demütigungen, Entbehrungen, Verzweiflungen, Todesängste, Todeswünsche, Lebensgier und Fleischesgier, der ganze Raub des Lebens: verleiblicht in dem einen Mann. Er fühlt sich ihm grauenhaft nah, so nah, wie einem im Traum zuweilen der eingeborene Widersacher ist. Mit ihm abzurechnen ist wie Stillung eines seit achtzehneinhalb Jahren ungewußt gehegten Verlangens. Doch er muß zur Ruhe kommen. Er darf den einmal gewesenen Menschen in seinem Innern nicht auferstehen lassen. Ihm ahnt, daß er mit dem Mann da Zeit hat. Er sagt still: »Ein Richter muß mir meine Schuld beweisen. Daß ich ihm meine Unschuld beweisen soll, wenn ich es nicht kann, geht gegen den Sinn der Welt. Es gibt Völker, die das längst eingesehen haben, und darum sind sie größer. Besseres Recht, besseres Volk.«

Herr von Andergast stand auf und ging zum Fenster. Indem er die Zigarette auf dem Sims zerdrückte, überlegte er sein ferneres Verhalten. Er fühlte sich verwirrt und bis zu einem gewissen Grad sogar hilflos. Mit gutgespielter Bekümmertheit sagte er: »So kommen wir nicht weiter. Sie haben sich festgelegt, was natürlich zu erwarten war. Ich beabsichtige nicht, den Herren Pastoren den Rang abzulaufen. Es wäre ein verkehrtes Beginnen, wie die Dinge liegen. Da mein Besuch, wie schon bemerkt, inoffiziell ist, erlaube ich mir auch nicht, Ihre Äußerungen anzuzweifeln. Ich könnte sonst antworten: Eine Fiktion, mit der man sich entschlossen hat zu leben, ist ein Tyrann, der verlernt hat zu sehen und zu hören. Aber lassen wir das. Ich dachte an Verständigung.« Er schwieg einige Sekunden, um den Eindruck seiner Worte zu prüfen, jedoch Maurizius rührte sich nicht und erwiderte nichts. Deshalb fuhr er fort, und seiner Stimme war anzuhören, daß er stark irritiert war: »Bezüglich unserer Rechtshandhabung befinden Sie sich übrigens im Irrtum. Wie die meisten Laien. Daß der Schuldbeweis vom Richter erbracht wird, ist im Gesetz ausdrücklich vorgeschrieben. Jeder gilt so lange für unschuldig, als seine Schuld nicht einwandfrei festgestellt ist. Das ist einer unserer fundamentalen Rechtsgrundsätze, es gibt kein Gericht, das ihn außer acht ließe.«

Maurizius hob ein wenig den Kopf. Haltung und Miene waren voll stummer Ironie. Er lächelte. Vielleicht über die juristisch gewundene Form der Belehrung mit »bezüglich« und »Handhabung«, vielleicht über den dozierenden Ton, mit dem eine Anstalt in Schutz genommen wurde, die ihr blutloses Scheinleben außer in verstaubten Pandekten nur noch in den Köpfen von Männern führte, die aus Buchstaben Begriffe zusammenleimten, mit denen sie dann eine gespenstische Symbiose eingingen. Er sagte achselzuckend: »Geschrieben steht es. Nicht zu leugnen. Manches steht geschrieben. Wollen Sie aber behaupten, daß es auch geschieht? Wo? wann? von wem? an wem? Hoffentlich glauben Sie nicht, daß ich nur von mir aus, von meinem Schicksal aus schließe. Ich komme da gar nicht in Betracht. Meine Fiktion, na ja. Halten Sie die wirklich für einen Erblindungs- und Ertaubungsprozeß? Es muß ein Trost für Sie sein, sich zu sagen, daß mich die sogenannte Fiktion achtzehneinhalb Jahre verhindert hat, mir darüber klarzuwerden, was rings um mich vorging und vorgeht. In dieser Welt da. In einer solchen Welt.« Er hatte völlig leidenschaftslos gesprochen, eher mit erschöpfter Kälte als heftig, doch hatte er sich erhoben und war einen Schritt vorgetreten. In einer solchen Welt; es klang wie aus dem Erdinnern, aus totaler Finsternis, gleichwohl ohne Anstrengung, weil dem Ruf infolge millionenfacher Wiederholung keine Hoffnung auf Gehörtwerden mehr innewohnte. Während er beide Mittelfinger ineinanderhakte wie Kettenglieder, eine Bewegung, die habituell zu sein schien und aus einsamen Grübeleien stammte, starrten seine kaffeebraunen Augen ununterbrochen auf das Kinn des Herrn von Andergast, nicht höher als auf das Kinn, was Herrn von Andergast außerordentlich unbehaglich war, so ungefähr, als ob ein zu niedriges Maß an ihn angelegt werde. »Wie gesagt, ich sehe ab von meinen persönlichen Umständen«, begann Maurizius wieder. »Für mich selbstverständlich ist mein Schicksal genau so wichtig wie das ganze Sonnensystem, als Erfahrung ist es trotzdem nur vereinzelt. Aber ich habe nicht bloß die eigene Erfahrung gehabt, ich habe tausend gehabt. Von tausend Richtern hab ich gehört, tausend hab ich vor mir gesehn, von Tausenden das Werk betrachten können, und es ist immer ein und derselbe. Von vornherein der Feind. Die Tat nimmt er für vollgetan, den Menschen in seinem Mindesten. Der Ankläger ist sein Gott, der Angeklagte sein Opfer, die Strafe sein Ziel. Ist es so weit mit einem gekommen, daß er vor dem Richter steht, so ist er erledigt. Warum? Weil der Richter mit Acht und Bann vorgreift. Mit Unglauben, mit Hohn, mit Verachtung, mit Besudelung. Ist sein Opfer nicht willfährig, so setzt er es unter einen moralischen Druck, der mit Brandmarkung endet. Das Urteil ist dann nur das Tüpfelchen aufs i. Es ist ein Geschäft. Es ist ein Virtuosenstück. Das Gesetz fordert von ihm die balancierte Waage, jawohl, er aber wirft alle seine Gewichte in die Schale, wo die Tat liegt, ohne zu zaudern. Wer hat ihn ermächtigt, den Täter mit der Tat in eins zu verkörpern, und was befugt ihn, den Täter nicht bloß zu verdammen, gut, mag er verdammen, es ist sein Amt, vielleicht; vielleicht ist es sein Amt, aber sich an ihm zu rächen? Richter! Das hatte einmal einen hohen Sinn. Den höchsten in der menschlichen Gemeinschaft. Ich habe Leute gekannt, die mir erzählten, daß sie bei jedem Verhör dasselbe schreckliche Gefühl in den Hoden hatten, das man verspürt, wenn man plötzlich vor einem tiefen Abgrund steht. Jedes Inquisitorium beruht auf einer Ausnützung von taktischen Vorteilen, die man sich meistens auf ebenso unredliche Weise verschafft hat, wie die Ausflüchte des in die Enge getriebenen Opfers unredlich sind. Doch Richter und Staatsanwalt erheben dabei den Anspruch auf Allwissenheit, und ihre Allwissenheit in Abrede stellen heißt ihre Rachsucht bis zur Hoffnungslosigkeit entfesseln, so daß nur der Heuchler, der Zyniker und der vollkommen Zerbrochene noch Gnade vor ihnen finden. Wo ist also der gerechte Ausgleich? Wo der Schutz, den Ihr Gesetz verlangt? Das Gesetz ist ja nur noch ein Vorwand für die grausamen Einrichtungen, die in seinem Namen geschaffen werden, und wie soll man sich einem Richter beugen, der aus dem schuldigen Menschen ein mißhandeltes Tier macht? Das Tier heult, es rast und beißt, denen draußen schaudert, und sie sagen: Gott sei Dank, daß wir von ihm erlöst sind. Es ist eine furchtbare Sache, die Art, wie sie erlöst werden, das sehen sie ein, manche wenigstens, doch es läßt sich nicht ändern, behaupten sie. Es läuft eben darauf hinaus, daß die, die im Himmel leben, nichts von der Hölle ahnen, und wenn man ihnen tagelang davon erzählt. Da versagt alle Phantasie. Nur der kann sie begreifen, der drinnen ist.«

»Sie gehen scharf ins Zeug«, sagte Herr von Andergast mit leisem Überdruß im Ton. »Die Folgen, die ein Verbrechen in der Seele des Verbrechers nach sich zieht, können für die Gesamtheit keinen Vorwurf bilden. Die Gerechtigkeit einer Strafe ermißt sich weder nach ihrer subjektiven Ertragbarkeit noch nach dem Verhalten der Organe, die sie diktieren. Schließlich wird jede menschliche Institution durch ihre Träger aus der Sphäre der Idee in die der unvollkommenen Übung herabgezogen, wir haben möglichste Annäherung zu suchen, das ist alles. Das dazwischenliegende Leiden, auch das erbarmungswürdigste, rechtfertigt vielleicht die Auflehnung, kann aber den Bau nicht erschüttern. Da Sie nicht erwarten können, daß ich mich auf Ihre Seite schlage, verlieren Sie Ihre Zeit mit solchen Entladungen. Vielmehr, Sie verlieren meine Zeit, und das ist in diesem Fall bedauerlicher.« Maurizius verzog spöttisch die Lippen. Seine Miene drückte aus: Ich weiß, daß Worte vergeblich sind, wozu das alles? Gleichwohl war etwas Erregendes um den Mann am Fenster. Er mußte immerfort hinschauen, nicht eine Sekunde wagte er den Blick in eine andre Richtung zu lenken. Die Stimme, die von dorther kam, klang wie durch ein Megaphon, was natürlich auf einer Täuschung seiner krankhaft gereizten, krankhaft zum Lauschen erzogenen Sinne beruhte, denn Herr von Andergast sprach verhalten und auf den engen Raum Bedacht nehmend, wenn auch mit einer Kühle, die durch die Bemühung, wohlwollend zu erscheinen, nur spürbarer wurde. »Was wollen Sie also?« fragte Maurizius rauh und senkte den Kopf auf die Brust, wie fast alle Sträflinge tun, wenn sie einen Beschluß ihrer Vorgesetzten entgegennehmen wollen. Herr von Andergast erwiderte lebhaft, als sei er förmlich befreit durch die Frage: »Ich will es Ihnen sagen. Sowenig mich Ihre theoretischen Erörterungen interessieren, so sehr interessiert mich alles Ihre

Person Betreffende. Um offen zu sein: Ich habe mich in den letzten Wochen ziemlich ausgiebig mit Ihrem Fall beschäftigt. Ich hatte natürlich ein ganz bestimmtes Bild von Ihnen. Ich hatte damals Gelegenheit genug, Sie zu beobachten und meine Wahrnehmungen zu fixieren. Das neuerliche Studium der Akten hat das Bild in keinem wesentlichen Zug verändert. Nun, ich komme hierher und sehe einen Mann, der nicht mehr die geringste Ähnlichkeit mit dem Maurizius von neunzehnhundertfünf und -sechs hat. Die Ursache wollen wir nicht untersuchen. Die verflossene Zeit dürfte ich als Faktor erst in Rechnung stellen, wenn ich wüßte, was sich an mir selbst verändert hat. Nehmen Sie also an, daß auch ich mit dem Staatsanwalt Andergast von damals wenig Ähnlichkeit mehr habe. Wissen möchte ich nur, ob Sie Ihr eigenes Bild in der Erinnerung bewahrt haben und wie sich das Bild in Ihnen zur Wirklichkeit verhält. Ich möchte auch wissen, wie sich etwa der fünfzehnjährige, der sechzehnjährige Leonhart Maurizius im heutigen spiegelt oder was zwischen denen zweien der fünfundzwanzigjährige für den sechzehnjährigen fühlt. Ja, das würde ich gern erfahren. Daraus ließe sich meines Erachtens manches Dienliche folgern. Es wäre eine entwicklungsgeschichtliche Aufklärung.«

Maurizius horchte auf. Warum sagt er »manches Dienliche«? fuhr es ihm zunächst durch den Kopf; wie rückhältig, wie undeutbar er sich ausdrückt. Der Mann am Fenster wurde ihm immer unheimlicher. Plötzlich schaute er mitten in ihn hinein. Er gewahrte eine Mischung von Selbstgefühl und Unsicherheit, von Autokratismus und Schwäche, von Uneinnehmbarkeit und widerwilligem, dumpfem Entgegenstreben, die ihn äußerst betroffen machte. Menschen wie er besitzen eine Sensibilität von ganz anderer Schärfe als die durch beständigen Umgang abgeschliffenen, die Atmosphäre allein vermittelt ihnen die verstecktesten Geheimnisse. Er dachte eine Weile nach. »Es gab damals einen berühmten, französischen Roman, Peints par eux-mêmes«, sagte er dann,

»Waremme brachte ihn uns. Wir lasen ihn. Wir, das heißt ich und ... aber das tut nichts zur Sache. Ich erinnere mich, es war sehr hübsch geschildert, wie sich die Figuren in Briefen kreuzweis selbst decouvrierten. Ohne es eigentlich zu wollen, alles Geschehen fügt sich dann wie gezahnte Räder, ein Laster greift in eine Tugend, Ränkesucht treibt Feigheit vorwärts. Es ist gewöhnlich so. Der beste Spiegel ist, wo einer sich selbst verrät, während er einen andern ins Netz lockt. Entschuldigen Sie mein Gerede, ich muß immer an so vieles zugleich denken. Wenn ich anfange zu sprechen, schießen nach allen Himmelsrichtungen die Gedanken auseinander wie aufgejagte Tauben. Was Sie verlangen, ist wirklich überraschend für mich. Sie haben so umwegige Hilfsmittel zur Kenntnis meiner Person doch nicht nötig. Damals zum mindesten holten Sie alles Wissenswerte über mich aus dem Leben heraus, aus den Tatsachen, das übrige war wundervolle Kombination. Mich selber konnten Sie dabei leicht entbehren, im Gegenteil, ich hätte Sie bloß gestört bei der Arbeit.« Der ätzende Sarkasmus in diesen Worten veranlaßte Herrn von Andergast zu einem hochmütigen Aufwerfen des Kopfes. Doch da Maurizius noch mit gesenkter Stirn vor ihm stand, blieb das Warnungssignal unbeachtet, und jener fuhr fort: »Es gibt ein Porträt von mir mit sechsundzwanzig Jahren, das ich Ihnen genau nachzeichnen kann und das Sie bestimmt wiedererkennen werden, denn es stammt von Ihnen selbst. Es wurde am einundzwanzigsten August neunzehnhundertsechs im Gerichtssaal ... soll ich sagen aufgestellt? ausgestellt? Doch es waren ja Worte. Wollen Sie hören? Hören Sie: Ein Mann von hoher geistiger Spannkraft und vollendeter Bildung, mit dem denkbar geringsten Widerstand ausgeliefert den Verführungen einer Epoche der Fäulnis und des drohenden moralischen Zusammenbruchs. Achten wir auf die Zeichen, meine Herren Geschworenen. Das Individuum täusche uns nicht über das Symptom, das singuläre Verbrechen nicht über die weit gefährlichere Strömung, die es trägt und der Sie einen wirksamen Damm entgegenzusetzen haben. Selten gibt sich die Gelegenheit so günstig, in einem charakteristischen Repräsentanten das ganze Verhängnis einer Zeit, die Krankheit einer Nation, ja eines Erdteils zu treffen und durch eine entschlossene Operation, wenn auch nicht zu heilen, so doch ihre Ausbreitung vorsorglich zu verhindern ... Bin ich genau? Ich glaube, ich bin's. Es fehlt gewissermaßen kein Komma. Aber das war nur der Rahmen. Furchtbarer das eigentliche Gesicht. Sie wundern sich wahrscheinlich über mein tadellos funktionierendes Gedächtnis. Es wird wenige geben, sagen Sie sich wahrscheinlich, die imstande sind, eine gesprochene Hinrichtung nach so langer Zeit Silbe für Silbe zu wiederholen. Nach so langer Zeit. Ja. Wenn mir jemand versicherte, es seien achtzehn Jahrhunderte statt achtzehn Jahre, ich würde um des Unterschieds willen kaum mit ihm streiten. Das sind verloschene Vorstellungen: Monate ..., Jahre ..., es spielt keine Rolle. Nun, früher, als man mir alle Bücher vorenthielt und ich, besonders in Winternächten, wo um sechs Uhr abends finster gemacht wird, bis zwei, drei, vier in der Nacht dalag und in der Vergangenheit herumgrub wie in einem eingestürzten Haus, gab ich mir Mühe, die Rede nicht zu vergessen, hätt ich doch jedes Wort niederschreiben können, als sie gehalten war, auf mein Gedächtnis könnt ich mich mehr verlassen als auf irgend etwas. Wenn ich aufgesagt hatte, was ich aus dem Shakespeare und aus Goethe auswendig wußte, dann kam die Rede. Also weiter: Wir müssen klarsehen. Der Zweck fordert von uns die stärkste Anstrengung unseres inneren Auges. Es darf über die menschliche Erscheinung des Angeklagten nicht der geringste psychologische Zweifel in uns bleiben, und ohne Anmaßung, lediglich im Gefühl meiner unabweisbaren Pflicht behaupte ich, daß ich jeden derartigen Zweifel in Ihnen zu lösen vermag, denn den Schlüssel zu dem Bezirk, der möglicherweise noch nicht vollkommen erhellt vor Ihnen liegt, habe ich von dem Wesen, der Gesinnung, dem sittlichen Werdegang des Schuldigen selbst empfangen. Treulosigkeit und Unverantwortlichkeit, das sind die Hebel seiner Handlungen. Jene stürzt ihn in den Irrgarten seiner Wollüste, und es wird wohl auch ein Garten der Qualen gewesen sein, nehme ich zur Ehre der menschlichen Natur an, diese hebt ihn aus allen Bindungen der Gesellschaft, der Familie, der gültigen Ordnung. Genuß ist die Fanfare, die ihn bezaubert und betäubt, den Genuß bezahlt er mit allem, was er erarbeitet, was er erworben hat, mit allem, was er geworden ist, mit seinem Herzen, seiner Vernunft, mit den Herzen derer, die ihn liebten, mit seinen Idealen, mit seiner Zukunft, und als er endlich zahlungsunfähig dasteht, wird er zum Mörder. Wir wollen nicht die ehrlich Ringenden in diesem Land beleidigen und entmutigen, so billig, so bereitwillig geuden nur die mit dem Hochgut des Geistes, die als Abenteurer in sein Gebiet eingebrochen sind und ihre Eitelkeiten zum Tausch setzen gegen den bewährten Schatz, den arglose Hüter ihnen preisgegeben. Jede Bestrebung zum Edlen ist ihm eine Sprosse auf der Leiter seines Ehrgeizes, unter seinen frivolen Händen wird das Heiligste zur Münze, mit der er sich falschen Anwert kauft. Die Wissenschaft ist ihm nur ein Karneval, auf dem er sich in einer vertrauenerweckenden Maske tummelt, nichts wird ihm zum Ernst, nichts zum tieferen Sinn, und als er die Ehe mit der sittlich unendlich hoch über ihm stehenden Frau schließt, zerschellt er an dem reinen Metall ihres Charakters wie ein poröser Stein. Dies ist ihm im Wege, die Scham vor ihr ist ihm im Wege, der latente Vorwurf, den sie für ihn bildet, zermürbt sein Selbstgefühl, der Anblick ihres Schmerzes, als sie erkennen muß, daß ihr Werk um ihn vergebens ist, der Kampf um seine Seele mit ihrer Niederlage endet, vergiftet sein Blut. Die bösen Schwächlinge, die mit einem glänzenden Firnis in der Welt auftreten, wollen nicht durchschaut werden, sie wollen als die geheimnisvollen, die verführerischen Komödianten genommen werden, die sie in ihren eigenen selbstverliebten Augen sind, so kam es, wie es eben kam. Es war dem unglücklichen Weib bestimmt, von ihm vernichtet zu werden, es lag in der Konstellation, physisch und sozial, und er hätte sich ihrer entledigt, auch wenn ihn seine trostlosen, materiellen Umstände nicht zu dem schauerlichen, letzten Mittel hätten greifen lassen, auch wenn ihm die wahnwitzige, die aussichtslose Leidenschaft für die Schwester nicht den Rest von Besinnung und Ehre geraubt hätte ...« Maurizius schöpfte Atem. Seine Schläfen waren mit kleinen Schweißperlen bedeckt. »Ich zitiere doch recht?« fragte er mit einer Art süßlicher Höflichkeit und schief zur Seite gekehrtem Gesicht. »Es war eine kühne Wendung, ein meisterhafter Griff, die Antriebe dort bloßzulegen, wo sie für die Männer aus dem Volk am unzulänglichsten waren. Daß Sie ihnen einen so hohen Standpunkt anboten, schmeichelte ihnen, machte sie willfährig. Bis dahin hatten sie geglaubt, diese ... diese Leidenschaft sei das alleinige Motiv gewesen. Jetzt sahen sie etwas viel Teuflischeres, den vom Schicksal auserwählten Mörder sahen sie jetzt. Eine fertige Sache, man brauchte gar nicht darüber nachzudenken. Sie kamen dann noch auf Gott zu sprechen, nicht wahr? Sie hatten das Bedürfnis, die einzelnen Teile des Scheusals noch einmal zusammenzufassen, die Desorganisation der Seele, so nannten Sie es, philosophisch nachzuweisen. Wohin steuern wir mit solcher Mannschaft an Bord, riefen Sie aus, und mit Beziehung auf einen gewissen Aberglauben der Seeleute prophezeiten Sie dem Schiff den Zorn des Himmels, wenn das faule Glied nicht ausgeschieden würde. Gott hat ihn verworfen, sagten Sie, warum sollen wir ihn schonen? Sehr gewagt, so was zu behaupten. Sie konnten doch unmöglich mit Sicherheit wissen, ob ich wirklich von Gott verworfen war. Aber unter dem Eindruck Ihrer herrlichen Rednerkunst ging es wie bei den Kindern in der Schule, wenn eines unter ihnen gezüchtigt wird, sie machen so brave und folgsame Gesichter, als ob sie lauter makellose Engel wären. Förmlich erleichtert sind sie von dem Strafgericht.«

Maurizius ließ sich wieder auf dem Eisenbett nieder, stützte die Ellbogen auf die Knie und den Kopf derart in die Hände, daß Stirn und Augen verdeckt waren. So verkrochen und verbogen blieb er sitzen. Herr von Andergast, gegen das Fensterkreuz gelehnt, die Arme verschränkt, betrachtete ihn mit karger Neugier, hinter der sich ein furchtähnliches Gefühl verbarg. Die fast wortgetreue Wiedergabe einer vor einem halben Menschenalter gehaltenen Rede flößte ihm Erstaunen ein, doch das Seltsame dabei war, daß nichts an der Rede ihm, dem Autor, vertraut oder nur bekannt vorkam, obwohl er mit ziemlicher Sicherheit beurteilen konnte, daß Maurizius sie nicht verzerrt und entstellt hatte, sondern daß sie ihn wie etwas Fremdes, etwas unsympathisch, ja widerwärtig Fremdes berührte, übertrieben, voll phrasenhafter Rhetorik und spielerisch in den Antithesen. Während er auf den zusammengebückten Sträfling niederschaute, wuchs die Abneigung gegen die eigene, eben aus anderm Mund vernommene Suada bis zu körperlichem Ekel, so daß er schließlich sogar mit einem Brechreiz zu kämpfen hatte und die Zähne konvulsivisch aufeinanderbiß. Es war, als kröchen die Worte wie Würmer an der Mauer entlang, schleimig, farblos, lemurisch häßlich. Wenn alle Leistung so vergänglich und im Vergänglichen so fragwürdig war, wie sollte man da bestehn? Wenn eine Wahrheit, für die man einstmals vor Gott und Menschen eingestanden, nach irgendwelcher Zeit zur Fratze werden konnte, wie sah es dann überhaupt mit der »Wahrheit« aus? Oder war nur in ihm selbst etwas morsch, das Gefüge seines Ich geborsten? Wie bedrohlich, wie verdächtig, wie zweideutig dann dies Hiersein, das ganze Gespräch. Es war wie ein hinterlistiger Versuch, sich selber in den Rücken zu fallen. Er zog die Uhr, ließ den Deckel springen: fünf Minuten nach vier. Doch der Gedanke, seinen Hut zu nehmen, sich mit beamtenhafter Würde zu verabschieden und unverrichteterdinge nach Hause zurückzukehren, erschien ihm vollkommen unsinnig.

Er stand da, mit verschränkten Armen, und wartete.

»Sie haben ganz recht«, sagte Maurizius endlich, unter seinen aufgestellten Armen hervor, von denen die Ärmel der Drillichjacke herabgeglitten waren, »es war ein feiner Einfall von Ihnen, mich daran zu erinnern, daß ich auch einmal sechzehn Jahre alt war. Daran hab ich schon lange nicht mehr gedacht. Auch damit haben Sie zweifellos recht, daß man das Produkt seiner Generation ist, das wird mir erst klar, wenn ich mir einen Leonhart Maurizius vorstelle, wie er mit sechzehn beschaffen war. Alles, wodurch man sich von ihm zu unterscheiden glaubt, ist so gering, wie ein Baumblatt-Individuum vom andern unterschieden ist. Jede Generation ist eine Gattung für sich, gehört einem andern Baum an. Ich möchte wissen, wie die Sechzehnjährigen von heute sind. Kennen Sie welche? Nun, Sie werden mir wohl kaum was darüber mitteilen wollen. Es ist ein tragisches Alter. Die große Wasserscheide des Lebens. Da hängt oft von einem einzigen Erlebnis die ganze Zukunft ab. Es vergehen Jahre, man hat es vergessen, plötzlich taucht es auf, und man sieht, daß man dadurch in eine bestimmte Bahn gelenkt worden ist. In der Sekunda des Gymnasiums beredeten mich mal ein paar Kameraden, mit ihnen ins Bordell zu gehen. Ich war bis dahin unberührt gewesen, wußte kaum, was ein Weib ist, während die andern bereits ihre Erfahrungen hatten, manche sprachen von der Liebe und von Frauen wie abgetakelte Lebemänner. Ich ging mit, weil ich mich genierte, meine Unschuld zu gestehen, infolgedessen tat ich besonders frech und unternehmend. In dem Haus führte mich ein Mädchen auf ihre Kammer, ich folgte ihr wie ein Opferlamm; als wir allein waren, fiel ich vor ihr auf die Knie und bat sie, mir nichts zuleide zu tun; erst lachte sie sich halbtot, dann schien sie sich zu erbarmen, zog mich auf ihren Schoß, war sehr zärtlich und fing an zu weinen. Das schnitt mir ins Herz, ich fragte sie, wie sie in das Haus gekommen sei; sie erzählte mir ihre Geschichte, einen von den sentimentalen Romanen, wie sie fast alle Prostituierten allen Neulingen und gelegentlich auch andern vertrauensseligen Kunden auftischen und die offenbar dutzendweise erfunden und verbreitet werden, weil sich die Wirkung so oft bewährt. Ich glaubte natürlich jedes Wort, war heiß vor Mitleid und Empörung, und sie redete sich in ihre Dichtung so hinein, daß sie förmlich in Rührung zerschmolz. Nicht bloß gab ich ihr alles Geld, das ich bei mir hatte, ich schwor auch, sie aus diesem Jammer zu befreien und ihr eine menschenwürdige Existenz zu verschaffen. Es gelang mir, von meinem Vater eine größere Summe zu erhalten, hundertzwanzig oder hundertdreißig Mark, wenn ich mich recht erinnere, damit kaufte ich das Mädchen los, mietete ein Zimmer in der Vorstadt und brachte sie hin. Ich besuchte sie jeden Tag, jede freie Stunde widmete ich ihr, mein ganzes Taschengeld stellte ich ihr zur Verfügung, wählte passende Bücher für sie aus, meist hoch-literarische, las ihr vor, unterhielt mich mit ihr über das, was sie selber gelesen hatte, und bildete mir in meiner Torheit ein, ich könne sie erziehen, veredeln, der menschlichen Gesellschaft geläutert zurückgeben. Sie war übrigens ein nettes Ding, ziemlich hübsch, sehr jung noch und sicher nicht schlecht. Es herrschte keinerlei sinnliche Beziehung zwischen uns, ich war darin so streng, daß ich es vermied, ihre Hand zu berühren, nicht etwa weil sie mir gleichgültig war, o nein, ich war sicher, sie zu lieben, und ich wollte sie überzeugen, daß es eine ›reine Liebe‹ war. Immer wieder sprach ich ihr von der ›reinen Liebe‹, sie hörte mir geduldig zu, ich dachte, es sei eine Offenbarung für sie, indessen, das braucht ja kaum erwähnt zu werden, machte sie sich über den dummen Buben lustig und langweilte sich zum Sterben. Ich sehe noch jetzt die finstere Souterrainstube, vor den Fenstern erblickte man die Beine der Vorübergehenden, nebenan war eine Schreinerwerkstatt, und man hörte das Kreischen des Hobels. Sie saß im Sofawinkel und schaute mich mit leerem Staunen an, dessen Sinn ich nicht begriff, oder sie lächelte schlau, und ich wußte das Lächeln nicht zu deuten, ich war von nichts erfüllt als von meiner schwärmerischen Illusion. Na, um zu Ende zu kommen, eines Tages erfuhr ich, daß sie ihr altes Gewerbe ganz unbekümmert weiterbetrieb und, während ich an meinen Seelenrettungsträumen spann, Nacht für Nacht Männerbesuche empfing. Es dauerte lange, bis ich mich von dem Schlag erholt hatte. In Wahrheit erholt man sich von so was vielleicht nie. Schön, das war der Sechzehnjährige. Der Romantiker Maurizius. Noch nicht der Satan, den Sie zehn Jahre später gemalt haben. Romantiker pur sang, ohne Bruch. Ernsthaft und schmerzlich. Doch es ist das: Über meine Jugend war ein Theaterhimmel ausgespannt. Die um achtzehnhundertachtzig Geborenen waren als junge Menschen in einer üblen Lage. Vom Haus und von der Schule bekam man alles mit, was man für das bürgerliche und für das sogenannte höhere Leben brauchte, die Grundsätze und die Ideale, die Monatsrente, wer die nicht hatte, zählte erst gar nicht mit, und die Bildung. Aber es war alles löcherig und fadenscheinig, nur die Rente, die war was Festes, das übrige war Talmi und billige Imitation, von den Weihnachts- und Hochzeitsgeschenken bis zur Begeisterung für Antike und Renaissance, vom studentischen Komment und den patriotischen Feiern bis zu ›Thron und Altar‹. Ich spürte das nicht so, ich war kein Rebell, ich hatte zuviel Freude am Leben, ich gab mir übers Allgemeine keine Rechenschaft, aber auf irgendeine Weise spürt man's doch, da man ja ein zugehöriger Teil ist, nur war in jenen Jahren alles selbstisch vereinzelt, und wer nicht entschlossen mit seiner Umgebung und dem Herkommen brach, solche waren ja auch da, der wurde langsam eingesponnen und zugedeckt, er mußte nur sehen, daß er sich dann mit seinen finstern Stunden abfand. Da war dann freilich das Leben entsetzlich abgewelkt, eine dunkle Spannung beherrschte einen, es war, als hätte man sich die Seele vermauern lassen und hätte nichts zum Entgelt dafür bekommen als das bißchen schäbige Karriere und die paar Freunde, an die man sich mit allen Herzenskräften klammerte. Das Edelkorn war in die eigene Natur so zufällig hineingesprengt, ohne Zusammenhang, das war dann ›romantisch‹, eine Kategorie für sich, eine Religion beinahe, und man konnte ›romantisch‹ sein und dabei recht wenig Gewissen haben. Ich weiß noch, daß ich mit neunzehn Jahren von einer Tristanaufführung als seliger neuer Mensch nach Hause ging und zu Hause meinem Vater zwanzig Mark aus der Kommode stahl. Beides war möglich. Immer war beides möglich. Daß man einem Mädchen heilig schwor, sie zu heiraten, um sie kurz darauf niederträchtig ihrem Schicksal zu überlassen, und daß man in feierlicher Stimmung Buddhas Leben und Worte in sich aufnahm. Daß man einen armen Schneidermeister um seinen Lohn prellte und vor einer Raffaelschen Madonna in Verzückung stand. Daß man sich im Theater von Hauptmanns Webern erschüttern ließ und mit Genugtuung in der Zeitung las, daß auf die Streikenden im Ruhrgebiet geschossen wurde. Beides. Immer war beides möglich. Romantik. Romantik ohne Boden und ohne Ziel. Da haben Sie noch ein Porträt. Selbstporträt. Finden Sie, daß es schmeichelhafter ist als Ihres; Es hat nur das Versöhnliche, daß es in jedem Fall wie gesagt zwei Möglichkeiten zuläßt. Ihres ist grausam unverrückbar, es läßt nur eine zu.«

Angesichts dieses leidenschaftlich bohrenden Bekenntnisdrangs, der einen ganzen Lebensinhalt zum Strömen brachte, wie wenn ein Stauwehr bricht und das Wasser über die Ufer spült, überkam Herrn von Andergast auf einmal eine Regung feiger Scheu, die Angst vor einer Wahrheit, die zu suchen man sich eingeredet hat und die *nicht* zu finden dabei die stille Hoffnung ist. Derlei Geistesverfassungen sind nicht allzu selten. Sie sind das Miniaturbild der Epochen, in denen »beides möglich ist«, wie der Sträfling Maurizius es formuliert hatte, nur ging er vermutlich darin irre, daß er sie ausschließlich für die Epoche seiner Generation in Anspruch nahm. Oder war es nur Ausfluß des hintergründigen Sarkasmus, den Herr von Andergast bereits mit soviel Unbehagen verspürt hatte? Kaum. Da kauerte ein zerfleischter Mensch, lechzend nach Mitteilung, mit fiebriger Gier nach Gehör verlangend, willig sich auszuschütten, sich hinzudehnen, zu zeugen, zu wissen, zu sagen, aus dem Formlosen seiner zermalmenden Einsamkeit wieder in die Kontur zu gerinnen. Herr von Andergast sagte ausweichend, aufs Geratewohl in eine neue Stille hinein: »Ganz richtig. Es war mir auch nur eine einzige Möglichkeit gelassen.« Maurizius hob den Kopf und starrte ihn an, mit einem wüsten Ausdruck im Gesicht. »Und wenn Ihre Voraussetzung falsch wäre?« fragte er von unten herauf, lauernd. Herr von Andergast versetzte schroff: »Das ist undenkbar.« – »Undenkbar? Köstlich. Ich frage ja nur: wenn –? Auch das Wenn können Sie sich nicht denken? Wenn sie aber doch falsch wäre?« – »Scheint es denn Ihnen denkbar?« – »Vielleicht.« – »Warum haben Sie dann geschwiegen? Während der Voruntersuchung, bei der Verhandlung, im Strafhaus geschwiegen, achtzehneinhalb Jahre?« – »Soll ich Ihnen sagen, warum?« (Wieder das düstere Lauern, von unten herauf.) – »Ich bitte.« – »Weil ich nicht einen Mord begehen wollte.« – »Wie ...? Wie das? Weil Sie ... ich verstehe nicht.« – »Gott verhüte, daß Sie es verstehen.« (Leises, spöttisches Lachen.)

Herr von Andergast, ziemlich ratlos, zog mechanisch die Uhr, ließ mechanisch den Deckel springen. Zwei Minuten vor fünf.

Plötzlich sprang Maurizius auf. »Unsinn«, stieß er hervor, »was quatsch ich denn da? Vergessen Sie das verdammte Geschwätz. Ich wollte Sie nur aushorchen. Es ist ein Gedanke, mit dem ich manchmal gespielt habe. Ich darf nicht laut denken. Hoffentlich halten Sie es nicht für ernst.« Er stand mit eingedrückten Schultern da. Herr von Andergast, als wolle er den Aufgeregten beschwichtigen, bemerkte ruhig, es handle sich ja nicht um Protokollaufnahme, er wisse zwischen Geständnis, auch dem Schatten von einem

Geständnis, und dem üblichen Versuch, alles auf ein totes Geleise zu schieben, wohl zu unterscheiden. Es ist eine überlegte Beleidigung, darauf berechnet, den Getroffenen zu reizen und zur Abwehr zu veranlassen. Aber Maurizius atmet erleichtert auf. »Geschwiegen«, spricht er vor sich hin und ballt die Fäuste an den schlaff hängenden Armen, »was bleibt einem schließlich übrig als zu schweigen. Das ganze Verfahren hat ja keine andere Absicht, als die Menschenwürde zu zertreten. Man kann sich nur durch Schweigen helfen. Der Trotz verhärtet einen, erstickt einen, aus Trotz verstummt man, das einzige, womit man noch ein trauriges bißchen Menschenstolz retten kann, ist der Trotz.« Sein Blick wird starr und geht in eine entlegene Vergangenheit zurück, es scheint, daß in seinem Geist eine beständige, stückweise, rasch fliehende Gegenwart von zeitlich weit auseinanderliegenden Ereignissen herrscht, die unvermittelt ein Bild, ein Wort, einen Traum von gestern neben solche von vor zwanzig Jahren rücken. Herr von Andergast wirft ein, abermals sehr ruhig, er habe noch keinen gesehen, der sich auf die Dauer in seine Trotzigkeit verbeiße, wenn es um den Kopf gehe, um Leben und Seligkeit; das sei eben der Sinn des von Maurizius so verächtlich kritisierten Verfahrens, daß es den Beschuldigten von seiner Eitelkeit entblöße, damit er gleichsam nackt dastehe, nackt vor der Tat, nackt vor dem Richter. Maurizius lacht hämisch durch die Nase. »Wundervoll«, ruft er heiser, »wundervoll getüftelt! Nackt vor dem Justizwachmann, nackt vor dem Polizeikommissar, nackt vor dem Schließer im Untersuchungsgefängnis, nackt vor jedem Schreiber. Aber das ist es gar nicht, das Nacktsein, weit gefehlt, das ist es gar nicht.« Er stellt sich in den Winkel der Mauer und agiert mit fahrigen Gesten. (Das Fahrige allein erinnert manchmal noch an seine Vorsträflingszeit.) Ein Öffnen und Wiederverkrampfen der Hände ballt gleichsam zusammen, was er, vom Moment der Verhaftung bis zu dem der Verurteilung, an unvergeßlicher Erniedrigung aushalten mußte. Der rohe Kasernenton untergeordneter Organe oder, schlimmer noch, ihre augenzwinkernde Vertraulichkeit. In ihren Machtbereich geraten heißt jeden Anspruchs auf Respekt verlustig gehen. Verfeinerung fordert ihren Hohn heraus, geistige Überlegenheit ihren Haß. Leistung, Verdienste gelten nichts mehr, was du bis gestern gewesen bist, ist ausgetilgt. Endlich können sie selber einen von denen kujonieren, die sonst das Privileg besitzen, sie zu kujonieren; und sie tun es mit boshafter Lust. Er leugnet seine Schuld? Kniffliges Manöver. Verdacht ist Verdacht. Verdacht ist so gut wie Beweis. Hierin überbieten sie womöglich noch die Vorgesetzten, da ja nach unten hin die Verantwortungen sich mindern. Bei ihnen kommt das Klassen-Ressentiment hinzu, sie sind überzeugt, daß die Reichen und die Gebildeten wider die Armen und Unwissenden trotz aller verkündeten Gleichheit vor dem Gesetz heimlich verschworen sind, und so wollen sie ihr Mütchen kühlen, gedeckt von demselben Gesetz. Als man ihn in dem Hamburger Hotel verhaftete, befahl ihm der Polizeibeamte, vom Bett aufzustehen, erlaubte ihm nicht, sich anzukleiden, er mußte, im Hemd, warten, bis alle Kleider durchsucht, alle Briefschaften und Papiere geprüft waren. Lange Jahre gehörte das Bulldoggengesicht dieses Mannes zu den Schreckbildern, mit denen ihn seine Phantasie peinigte, die verächtliche Miene, mit der er die feine Wäsche durchwühlte, das Nicken verdrängten Neides und befriedigter Rache, dies eine ganze Welt beleuchtende Kleinbürgernicken, als er die goldene Zigarettendose und die Toilettengegenstände musterte. Dann die erste Gefängnisnacht, zusammen mit einem alten Kuppler und einem syphilitischen Dieb, das Essen, die mürrisch hingeschobene Schüssel breiiger Rüben, der Gestank, der Schmutz, die jähe Degradation zur Hefe, der grüne Transportwagen, die Fahrt auf der Eisenbahn mit den zwei Gendarmen, die schon in Fangfragen dilettierten, die Untersuchungshaft, der Untersuchungsrichter, der alles bereits wußte, die Tat samt Umständen und Motiven, gegen jeden Einwand gewappnet war, die plausibelste Erklärung belastender Aussagen mit dem Lächeln des besser Informierten entgegennahm, Verhör auf Verhör anordnete, morgens, abends, nachts, die Fragenfolter so weit trieb, daß das Gehirn wie ein wunder Klumpen im Kopf glühte, unerlaubte Fallstricke legte, durch Strenge zu erschrecken, durch übertriebene Milde den Widerstand zu ermatten suchte, bald drohte, bald versprach, Mithäftlinge als Spione und Aushorcher dang, den ganzen Apparat der unterirdischen Justiz sich dienstbar machte, die Zeugen einschüchterte und unermüdlich an einem Gespinst webte, dessen Muster ihm vorgezeichnet war und das er fertigstellen mußte, weil er eben hierzu beauftragt und beamtet war. Da sehnt man sich nach der endlichen Erlösung, sogar die Hochnotpein im Gerichtssaal ersehnt man mit erschöpftem Herzen, man sieht, man hört, man spürt nichts mehr, man will nicht mehr kämpfen, man hat verzichtet, man schweigt. Alles ist gleichgültig geworden. Darum ist das Zuchthaus, in dem man dann verschwindet, wie das tröstliche Ruhen in einem Grab, wenigstens in den ersten Wochen. Keine Fragen mehr, keine rätselhaft feindseligen Zeugen mehr, kein Zureden des Advokaten mehr, keine Gerüchte, keine Ängste, keine Eidesformeln, keine Unterschriften unter ein abgefoltertes Protokoll, – balsamischer Frieden.

»Es ist vielleicht das erstaunlichste Pyramidensystem zweckbewußter menschlicher Energien, das ersonnen werden kann«, sagte Maurizius still, fast traurig vor sich hin. »Das geb ich gern zu. Ja, das geb ich zu. Enorm geistreich. Wenn man die Spitze erreicht hat, ist der Delinquent unten zerquetscht. Ich will nicht in Abrede stellen, daß es nicht auch wohlwollende, mitleidige, anständig fühlende Leute in dieser Armee von Jägern und Jagdgehilfen gibt. Es wäre undankbar, wenn ich's täte, vor allem hier in dem Haus waren einige, an deren Güte und Freundlichkeit ich mich ordentlich aufrichten konnte, da war zum Beispiel ein gewisser Mathisson, er ist vor sechs Jahren vom Dienst enthoben worden, weil er einem todkranken Sträfling einen Brief seiner Braut zugesteckt hat, der tröstete mich immer und sagte: Nur Geduld, Herr Doktor, er nannte mich stets Herr Doktor, nur die Zuversicht nicht verlieren, für Sie kommt schon noch der Tag der Gerechtigkeit. Das hat mir wirklich geholfen, wennschon ich seinen Glauben nicht teilte. Nein, dazu lag kein Grund vor. Na, und dann vor allem einer ... über den will ich nicht reden. Nein, über den kann ich nicht reden ... Und wie selten sind solche, wie müssen sie sich fürchten, wie sorgfältig ihre menschlichen Anwandlungen verheimlichen, Liebe zu erzeigen oder bloß Erbarmen ist ja Verstoß gegen die Disziplin, und da eine derartige Neigung bald ruchbar wird, paßt man natürlich scharf auf. Hält man sich vor Augen, daß alle diese Leute, und nicht nur die, das geht hoch hinauf, ich mag nicht sagen wie hoch, wenn man sich vorstellt, daß diese Leute einen büßen lassen für alles, was sie heimlich erbittert, für alles, was sie nicht erreicht haben, für ihre häusliche Misere, für ihre schlechte Bezahlung, für ihre soziale Gedrücktheit, für ihre ganze gescheiterte Existenz unter Umständen, wenn man überlegt, daß die Subalternen unter ihnen fast lauter Menschen sind, denen es Wollust ist, zu peinigen und leiden zu machen, und dafür können sie nichts, es ist der Machtrausch, der sie tröstet, denn ihr Leben ist ebenso finster wie der Kerker, den sie bewachen, oder wie die Schicksale, die sie regieren. Wenn man sich das vorstellt, muß man doch fragen, ob Menschen geeignet sind, Menschen zu verurteilen, Menschen zu strafen. Was bedeutet das denn, so wie es ist: strafen? Wer darf es? Wem steht es zu? Einer spricht es aus, gibt es weiter, die Maschine packt einen, man kommt unter die Räder: Strafe. Eine ungeheuerliche Heuchelei. Eine Pest von Heuchelei.« Er atmet hoch, wie ein Kind nach dem Schluchzen. »Aber ich falle Ihnen lästig«, fährt er in unzufriedenem Ton fort, als ärgere er sich über seine Redseligkeit, »es trifft sich nur so selten, daß man direkt zu einer Spitze sprechen kann. Die Spitze steht im Licht, was unten ist, davon weiß sie nichts.« Ein fahl aufleuchtender Blick, in welchem Angriff, Sichanklammern und wilder Trotz ist, trifft Herrn von Andergast. Merkwürdig genug, daß dieser das form- und titellose Sie, mit dem sich der Sträfling beständig an ihn wendet, ohne eine Miene der Mißbilligung hinnimmt. Es ist ihm vielleicht nicht wichtig, auf der Ehrerweisung zu bestehen. Fast scheint es, als habe er sein Amt, seine distanzierende Würde vergessen. Unwillig beengt lauscht er den Worten des andern. In manchen Augenblicken empfindet er sein Hiersein, das Gegenübersein, das Gegnerische (wie Maurizius) als einen Austrag lang gesammelter und explosionsbereiter Spannungen. Er hat dann das Gefühl der Selbstbezweiflung, als könne es kommen, daß er nicht standzuhalten vermöchte. Maurizius kontra Andergast. Eine Abrechnung am Ende? Nun, man wird sehen.

Er schreitet durch die Zelle. Zur Tür hin und wieder zurück. An Maurizius dicht vorbei. Er sagt: »Das alles ist freilich übel. Aber Sie verallgemeinern denn doch zu stark. Die Mißstände zugegeben, sie wachsen aus der Welt. Die Welt ist, wie sie ist, starr und nicht gut. Ich will nichts beschönigen. Gehen wir endlich auf des Pudels Kern. Für so dumm werden Sie mich nicht halten, daß ich die angeführten Gründe eines achtzehnjährigen konsequenten Schweigens glauben soll. Oder? Sie wollen von der Sache wegreden. Sie haben sich jedoch verraten. Also, weil Sie keinen Mord begehen wollten. Deshalb. Erstaunliches Argument im Mund eines verurteilten Mörders. Nun gut. Das nur am Rande. Auf welche Person zielte die Bemerkung? Das Rätsel scheint mir lösbar. Also die Anna Jahn sollte geschont werden. In welcher Hinsicht geschont? Warum geschont? Nehmen Sie es nicht zurück, tun Sie es nicht, Gott selbst hat es vielleicht aus Ihnen herausgerufen. Ja, Gott selbst. Fürchten Sie sich nicht. Sprechen Sie sich aus ...« Herr von Andergast kann nicht umhin, sich in dem Pathos seines Appells ein wenig unbehaglich zu fühlen. Maurizius hat sich an dem Auf- und Abgehen des Mannes mit der langsamen Kopfbewegung eines Hundes beteiligt, der seinen Herrn keine Sekunde aus dem Auge verlieren will. Er lauscht, öffnet ein wenig den Mund, die kleinen Zähne ragen hervor, er lauscht den Worten nach, senkt die Lider. »Jetzt meinen Sie wohl, Sie haben mich erwischt«, murmelt er gehässig; gleich danach, mit veränderter Stimme, leise, demütig: »Ist es sehr unbescheiden, wenn ich noch um eine Zigarette bitte?« Herr von Andergast beeilt sich, ihm das offene Etui hinzureichen, gibt ihm auch Feuer. Maurizius zieht den Rauch tief in die Lungen und stößt ihn durch die Nase wieder aus. Herr von Andergast setzt sich an den Tisch und kreuzt die Beine. Er sieht genau aus wie bei den obligaten Abendgesprächen mit Etzel, wohlwollender Freund, der bereit ist, über interessante Probleme zu diskutieren. Allein sein Blick flattert unmerklich, seine Stirn ist gerötet. Abermals schauen sie einander schweigend an. Ob Sophia wohl schon da ist? denkt Herr von Andergast mitten in dem Schweigen. Es quält ihn, sich auszumalen, mit welcher Miene sie vor ihn hintreten wird, um den Sohn von ihm zu fordern. Er würde das Schwerste auf der Welt tun, wenn er dem entfliehen könnte. Glücklicherweise ist die Aufgabe hier hinlänglich schwer.

»Haben Sie niemals Aufzeichnungen gemacht?« fängt er an zu fragen. Seine geduldige Gelassenheit, Ergebnis konzentrierter Selbstbeherrschung, wirkt nach und nach wie ein lösendes Medikament auf Maurizius. »Es hat mich nie gereizt«, entgegnet er; »wozu? für wen? als man mir schriftliche Arbeiten erlaubte, gegen Ende des Jahres elf, habe ich vorgezogen, mich meinen Fachstudien zuzuwenden, aber da es mir an Material fehlte, mußt ich notgedrungen ins Allgemeine gehen. Zu lang hatt ich in mich selber hineingestiert, war schon ganz blind davon geworden. Das müßt ich mal einem Menschen begreiflich machen ... man kann es aber nicht. Man kann es nicht. Der Leib wird zur Schraube und hineingebohrt in etwas Gräßliches. Was ich sagen wollte ... ja: Viele Monate hindurch hab ich an einer Sache geschrieben, Geschichte des Madonnenkultus auf Grund bildnerischer Darstellungen. Ich kam zu eigentümlichen Resultaten dabei, auch in bezug auf mein Leben. Während ich schrieb, übersetzte ich es gleich ins Italienische und Spanische, an beiden Sprachen hatt ich von jeher viel Freude. Eine Weile spielt ich sogar mit dem Gedanken an Publikation, hielt so was für möglich, glaubte, es könne mir helfen. Aber nur eine Weile. Innerlich war ich längst fertig mit dieser Art Zeitvertreib, da kam ein neuer Direktor, Oberst Gutkind, nomen non est omen. Er verbot mir das Schreiben, konfiszierte meine Bücher, auch die Manuskripte sollt ich abliefern. Er wollte mir nicht wohl, der Herr Oberst, ich war ihm geradezu ein Dorn im Auge, warum, hab ich nie ergründen können. Ich habe nicht erst gebettelt und gehandelt, sondern die Schriften vernichtet. Seitdem ist mir die Lust zu dergleichen vergangen.« – »Von dem Vorgang ist mir nichts bekannt geworden«, sagte Herr von Andergast mit zusammengezogener Stirn. – »Glaub ich gern. Was wird denn bekannt? Sogar ein Mann wie Sie würde ziemlich entsetzt sein, wenn er wüßte, was alles *nicht* bekannt wird. Dem Herrn Oberst wär's beinahe gelungen, mir mit seinen talentvollen Quälereien den Garaus zu machen, wer hätt ihn daran verhindern sollen, wenn ihn nicht vorher noch der Schlag gerührt hätte. Sonst konnte ihn ohnehin nichts auf der Welt rühren. Es stand eben nicht in den Sternen, daß ich sein Opfer werden sollte. Na, schön, dann hab ich wieder Seegras gezupft, Schachteln geklebt, Baststricke gedreht, Matten geflochten und, das ganze Jahr sechzehn, Knöpfe an Militärmäntel genäht.« – »Ich würde großen Wert darauf legen, wenn Sie sich entschließen könnten, eine Art Selbstbiographie abzufassen. Ich verspreche mir viel davon. Es käme unter Umständen der Absicht zustatten, die ich zu Beginn unseres Gesprächs angedeutet habe. Ich würde dem Vorsteher entsprechende Befehle geben, Sie könnten auf alle Erleichterungen rechnen ...« Maurizius macht ein Gesicht, als suche er die Falle hinter dem Anerbieten. Er schüttelt den Kopf. »Mein Leben ist ein ausgebrannter Stamm«, erwidert er; »was hat es für einen Zweck, am Aschenstumpf die Jahresringe zu zählen oder wehleidige Betrachtungen darüber anzustellen, wie hoch mal die blühende Krone geragt hat? Nein.« – »Mißverstehen Sie mich nicht, ich will keinerlei Pression ausüben«, versichert Herr von Andergast mit einem Ernst, der gewissermaßen eine neue Auffassung der Lage signalisiert, über die er sich gedanklich erst Rechenschaft geben muß, »nicht einmal mehr um Geständnisse ist es mir zu tun, wie ich zu den Dingen momentan stehe ...« – »Sondern?« – Herr von Andergast, den Kopf zwischen die Schultern ziehend, macht eine Bewegung mit den Armen, als wolle er, ohne Rücksicht auf die Folgen, die Unsicherheit enthüllen, in die er geraten ist. Nichts könnte nachhaltigeren Eindruck auf Maurizius üben als diese stumme Verzichterklärung. Wenn es nicht wirklich eine Sorte von Kapitulation gewesen wäre, unvorgesehen, vom Augenblick erzwungen, dem hoffnungslosen Herumirren im Kreis, wäre es ein genialer Schachzug gewesen.

Maurizius' Gesicht wird noch fahler, als es für gewöhnlich schon ist. Es hat den Anschein, als könne er über etwas, das ihn maßlos quält oder etwas, was er tun und sagen möchte und nicht tun und sagen kann, nicht mit sich einig werden. Seit Jahr und Tag ist dies der erste Besuch von »draußen« in seiner Zelle, seit Jahr und Tag der erste Mensch, der in seiner Sprache mit ihm spricht. Millionenfach sich kreuzende Empfindungen stürmen in wenigen Sekunden auf ihn ein. Unmöglich, eine einzelne festzuhalten, jede Regung wird von einer stärkeren, dunkleren, bangeren, wilderen fortgeschwemmt. Wie einer, der auf eine wüste Felseninsel deportiert seit ungemessener Zeit sich nach einem Menschenauge sehnt und nach Mitteilung schmachtet, zu vergessen fähig ist, daß der, der ihm endlich als seinesgleichen entgegentritt, derselbe ist, der ihn verdammt und ausgesetzt hat, so zittert, so fiebert er bloß nach der physischen Nähe, nach Wort und Botschaft. Botschaft geben, Botschaft haben, es ist beinahe eines, im Austausch ringt er sich vielleicht wieder empor aus der schauerlichen Geisteskrankheit, zu der ihm das Nur-mit-sich-selbst-Sein geworden ist. Setzen Sie sich doch, hört er sagen, und er setzt sich, gehorsam, eilig, wie hingeschmissen. Seine Augen, voll unsinniger Traurigkeit, haben die Phosphoreszenz, die den seelischen Verwesungsprozeß anzeigt. Noch drei, vier Monate, und der letzte innere Funke ist erloschen, die beispiellose Energie, mit der er bis zur Stunde dagegen angekämpft hat, verbraucht. Der Mensch, der als Mensch zu ihm redet, gibt ihm wieder den Menschenbegriff, spannt ihn noch einmal in einen Rahmen von Dasein. Es reicht dann wieder für ein Jahr, er muß sich an ihn klammern, muß ihn verstricken, ihm eine Tür zu sich öffnen, und was er hierzu an armseliger List aufwendet, verhüllt nur schlecht sein irres Verlangen. Da fällt der Name Anna Jahn. Es sei Maurizius zweifellos bekannt, daß Anna Jahn geheiratet habe? Antwortet er? Er hat bereits geantwortet, als er sich noch zu besinnen scheint. Vor acht Jahren hat er es erfahren. Auf die Frage, ob ihm die Nachricht unerwartet gewesen sei, an seinen Gefühlen etwas verändert habe, lacht er. Oder war es kein Lachen, nur ein verunglückter Versuch, Vergessenhaben vorzutäuschen? Jedenfalls war der Name in dem Raum noch nie vernommen worden, die Zelle wird doppelt so groß, der Tisch doppelt so hoch, der Kopf schwillt an, es ist, als bekäme man eines der Gase eingepumpt, die alle Dimensionen übertreiben. Was weiß man denn von diesen ... diesen Gefühlen, wie? Ach so, man dürfe dem Frager einigen Scharfsinn zutrauen. –Scharfsinn, pah! Kein Scharfsinn kann da hin. – Worte, das seien Worte, der Mensch gibt sich kund, ob er will oder nicht. Es folgt Frage auf Frage und Antwort auf Antwort. Er hat die Nachricht von seinem Vater. Sie stand in einem Brief. Anderes, in demselben Brief Befindliches hatte die

Zensur nicht durchgelassen. Wahrscheinlich ebenfalls Anna Jahn Betreffendes. Da er jenes zuerst für Lüge gehalten, verspürte er auch kein Verlangen, das Fehlende zu wissen. Erst nach und nach hat er sich an den Gedanken gewöhnt, die Möglichkeit bei sich selber zugegeben. Warum nicht? Warum sollte sie nicht heiraten? Welche Verpflichtung bestand für sie, ledig zu bleiben? Hätte sie Nonne werden sollen? Nun, vielleicht, vielleicht wäre das Kloster das Richtige gewesen. Der Vater freilich, in seinem bodenlosen Haß, klaubte alle Verleumdungen eifrig auf, die über sie umliefen, vor langer Zeit einmal, vierzehn, fünfzehn Jahre mag es her sein, deutete er bei einem seiner Besuche etwas niederträchtig Gemeines an, nämlich sie und Waremme sollten ... doch das will er gar nicht wiederholen, der Alte hat sich auch wohl gehütet, je wieder davon zu reden, abgesehen davon, daß die Bewachung der Privatgespräche bald darauf sehr streng wurde, aber wenn er von da an seinen Halbjahrsbesuch machte, wußte er kaum was zu sagen, stand nur da in seiner jämmerlichen Betrübtheit und starrte den Sohn hilflos an. Er hatte den Mut nicht mehr, seine Wahnidee aufs Tapet zu bringen. Dem Vernehmen nach sei die Duvernonsche Ehe recht glücklich geworden, schaltet Herr von Andergast trocken ein. – »Duvernon? Ah so, das ist der Mann. Möglich.« – »Es sollen auch Kinder dasein. Zwei Mädchen.« Die ans Kinn geschmiegte Hand von Maurizius zitterte. »Kinder? wirklich Kinder? Kann das sein? Kinder? Sie sagte einmal, sie wolle niemals Kinder haben.« – »Da war sie selber noch ein halbes Kind.« – »Sie hatte in dem Sinn kein Alter. Sie sagte nie etwas, was nicht in ihrer Natur war.« – »Doch hat gerade sie sich Ihrer unehelichen Tochter mit aller Gewissenhaftigkeit angenommen ...« Maurizius drückt die Zeigefinger in die Augen. Seine Lippen werden vollständig weiß. »Hildegard ... ja ...« flüstert er. – »Besteht die Beziehung nicht mehr? Ich meine: zwischen Anna und Ihrer Tochter?« – »Das weiß ich nicht.« – »Wie ... Sie wissen es nicht ... hat man Ihnen denn ...?«

– »Nein«, schreit Maurizius auf, »nichts. Nichts hat man. Ich weiß nichts von meinem Kind.« Herr von Andergast zeigt weder Bestürzung noch Ungehaltenheit über den verzweifelten Ausbruch, der jäh wieder erlischt. Er fragt teilnehmend nach den näheren Umständen und erfährt, Maurizius habe Anna Jahn durch Dr. Volland, den sie zum Mittelsmann gewählt, das Versprechen geben müssen, sich um Hildegard nie mehr zu kümmern, er müsse für das Kind gestorben sein, unter dieser Bedingung wolle Anna die fernere Erziehung mit aller Sorgfalt leiten. Herr von Andergast findet die Selbstüberwindung lobenswert, die den geistigen Frieden des jungen Wesens gewährleistet, und meint, es bestehe kein Zweifel, daß Anna Duvernon sich an die übernommene Verpflichtung genau so gebunden erachten werde wie Anna Jahn. Maurizius dreht den Hals wie gewürgt. Ja. Ja. Mag sein. Aber er weiß es nicht. Er müßte wissen. Ein Zeichen müßte er haben. Weiß er denn, ob das Mädchen noch lebt? Was ist da draußen nicht alles verdorben und gestorben inzwischen. Herr von Andergast wundert sich über die leidenschaftliche Anhänglichkeit des lebenslänglich verurteilten Zuchthäuslers an ein Geschöpf, das er seit dessen Säuglingsalter nicht gesehen hat, und es ist unentschieden, ob er es überhaupt gesehen hat. Es scheint ein Fall von Phantasievergötterung zu sein, ein Anker, ins Ewige hinaus geworfen. In unbefangenem Ton, wie man mit einem guten Bekannten beim schwarzen Kaffee plaudert, wirft er die Bemerkung hin, Anna Jahn müsse in ihrer Jugend, aus ihrem späteren Leben sei ja wenig bekannt, ein schwer faßlicher Frauencharakter gewesen sein, zum Beispiel sei es ihm stets unerklärlich erschienen, daß sie ihre Sorgfalt und Bemühung diesem Kinde habe angedeihen lassen, Frucht des Verhältnisses zwischen dem Schwager und einer fremden Frau. Maurizius will antworten, preßt die Lippen zusammen, schweigt, und ein scheuer Blick streift sein Gegenüber. Dann: »Nicht so unerklärlich, wenn man bedenkt, was sie schon erlebt hatte und was sich dann abspielte, als sie zu uns kam. Davon ahnt ja niemand was.« – »Allerdings«, gibt Herr von Andergast zu, »was wir erfahren haben, ist so äußerlich wie der Bericht eines Unglücksfalles in einer Zeitung. Die Wirklichkeiten liegen wohl dahinter.«

Lange schaut Maurizius stumm vor sich nieder. Sein Kopf macht nervöse Ruckbewegungen, als ob er eine unbequeme Annäherung abwehren wolle. Es sind aber nur Schatten. Er verkehrt mit Schatten, er befragt Schatten, er ringt mit Schatten. Endlich hebt er die Augen, blickt dem Oberstaatsanwalt prüfend ins Gesicht und sagt mit einer Stimme, die aus speichellosem Gaumen kommt: »Ich will versuchen, es zu erzählen. Ich glaube, es ist ganz gut, wenn ich es mal erzähle. Bis zu einem gewissen Punkt kann ich's immerhin riskieren. Schon um es selber mal zu hören. Um zu sehen, was noch davon da ist. Aber nicht heute. Ich bin zu erschöpft von dem Bisherigen, hab mich nicht mehr in der Gewalt. Morgen. Am besten ganz in der Frühe.«

Herr von Andergast nickt und erhebt sich. An der Zellentür gibt er das Zeichen, der Wärter öffnet. Es ist halb acht, als er das Gasthaus in Kressa betritt und ein Zimmer für die Nacht fordert. Sophia muß warten, denkt er in einer Mischung von Triumph und Furcht, während er am Fenster der Wirtsstube sitzt und zu der grauen Gefängnis-Zwingburg emporstarrt. Aber es ist ein flüchtiger Gedanke, dem keine rechte Bedeutung mehr innewohnt. Alle Gedanken sind nun flüchtig und bedeutungslos, die den Kreis verlassen, in dem der Sträfling Maurizius steht.

10.

Etzel begriff natürlich sofort, daß er sich in eine gefahrdrohende Situation begeben hatte. Gut, daß ich endlich seine Augen sehe, dachte er, während er sich vorsichtshalber in eine etwas entfernte Gegend des Zimmers zurückzog, sie sind nicht angenehm, die

Augen, er hat alle Ursache, sie zu verstecken. Woran erinnern sie einen nur, an Lurche oder sonst was Scheußliches, pfui Teufel. Er war blaß vor Spannung, wie sich die Sache weiterentwickeln würde. Daß er nicht im Vorteil war, lag auf der Hand. Er hatte das Visier geöffnet, jener nicht. Daß sie heute noch in die Versammlung am Stettiner Bahnhof gehen würden, war wohl ausgeschlossen. Jetzt hatten sie an anderes zu denken, alle beide.

Langsam setzte Warschauer die Brille wieder auf die Nase. »Sonderbar«, murmelte er gedehnt, mit einem Ausdruck, als bohre er mit den Augen einen Tunnel in eine völlig verschüttete Vergangenheit. Dabei musterte er den Knaben unausgesetzt. »Ich hab Wurst und Sprotten gebracht«, sagte Etzel mit einem nicht recht glückenden Versuch, unbefangen zu sein, und deutete auf das Päckchen, das noch auf dem Sims lag, »Brot ist in der Tischlade, Butter auch, glaub ich, wollen Sie nicht essen?« Warschauer räusperte sich. »Schließen Sie das Fenster, Mohl«, sagte er schullehrerhaft, mit eigentümlich hämmernder Stimme, »es wird kühl.« Etzel tat, wie ihm geheißen, ein Nachtfalter flatterte in sein Gesicht, während er die Fenster zumachte. Hoch über den Dächern zuckte es im roten Dunst wie von Scheinwerfern. Inzwischen hatte er wieder Mut gefaßt, er nahm das Eßpaket, schnürte es auf, trat zum Tisch, holte zwei Teller und den Brotlaib aus der Lade, legte geschäftig ein blaukariertes, ziemlich schmutziges Tischtuch auf, klapperte mit Messer und Gabel und stellte den Schnellsieder für den Kaffee bereit. Warschauer sah ihm eine Weile schweigend zu, ging dann in den Alkoven, ließ die Schiebetür offen und wusch sich mit der gewöhnlichen Umständlichkeit die Hände. Als er wieder zurückkam, spielte sich folgendes ab:

Er setzte sich, begann mit in sich gekehrter Miene lustlos zu essen. Etzel, der sich immer mehr den Anschein der Munterkeit gab, als hätte er den unheimlichen, kleinen Wortwechsel längst vergessen, zündete den Kocher an und löffelte den gemahlenen

Kaffee auf ein Brettchen. Dabei zählte er laut: eins, zwei, drei. Während des Zählens machte ihm der Gedanke das Herz schwer, daß er bis jetzt noch nicht den leisesten Beweis dafür hatte, daß dieser »Professor« Warschauer und Gregor Waremme ein und dieselbe Person war. Er hatte sich lediglich auf die Angaben des alten Maurizius verlassen, aber genügte das? Freilich hatte ihm auch sein Instinkt verraten, daß er auf der richtigen Fährte war, sobald er Warschauer nur erblickt hatte, aber irgendwelche Gewißheit besaß er nicht. Das beharrliche Schweigen des Professors flößte ihm unbestimmte Bangigkeit ein, die er nicht merken lassen durfte, er spürte wohl, von der ersten Frage und Antwort hing alles ab, und indem er in die Spiritusflamme schaute, entwarf er einen Kriegsplan. Er seinerseits wagte nicht, das Schweigen zu brechen, hütete sich auch, einen neugierigen Blick, eine beunruhigte Miene zu zeigen, sah nur aufmerksam bald in die Flamme, bald in den Blechtopf hinein. Es war Respekt, ja eine ahnungsvolle Scheu vor der Figur des Professors, die ihn zu solchem Verhalten nötigten; Figur im Sinne eines jungen Geistes, der sich ein einheitliches Bild, ein wie Dichtung geschlossenes Wesen neben die zufällige und ungenaue Wirklichkeit stellt und dieses Wesen auch in seiner ganzen Tiefe und Ausdehnung konzipiert. Endlich legte Warschauer das Besteck hin, fuhr mit dem Zeigefinger ein paarmal im Mund herum, was Etzel gräßlich unappetitlich fand, und sagte herrisch, fast befehlend: »Na, also? Was denn? Wie lang soll ich noch auf Erklärungen warten, my dear Mr. Mohl oder Mr. Nobody oder wie Sie sonst heißen? Was bedeutet die Anrempelei? Wer hat Sie geschickt? Was steckt hinter dem Gefasel? Schön, hier bin ich, Georg Warschauer alias Gregor Waremme, was wollen Sie, junger Mann?«

Es gab also hierüber keinen Zweifel mehr, Gott sei Dank. Doch Etzel schrak bei der Nennung des Namens zusammen wie bei einem Schuß und brauchte einige Sekunden, um sich zu sammeln.

»Gleich, Herr Professor«, erwiderte er dienstbeflissen, mit einem hurtigen, harmlosen, wichtigen Lächeln, »gleich, ein bißchen Geduld bitte, das Wasser kocht bereits.« Derweil konnte er noch überlegen. Warschauer trommelte mit den kurznägeligen Fingern dumpf auf der Tischplatte. Etzel manipulierte in aller Ruhe, endlich war er fertig, goß das dampfende Getränk in die Tasse und schob diese zu Warschauer hinüber. Dann lehnte er sich mit den Ellbogen über den Tisch, blinzelte ein wenig, zögerte ein wenig und fing an, vom alten Maurizius zu berichten. »Ein unglücklicher, alter Mann, Herr Professor. Haben Sie eine Ahnung, wie alt der ist? Vierundsiebzig. Unglaublich, daß so jemand noch lebt. Er behauptet, er stirbt nicht eher, als bis sein Sohn Leonhart aus dem Zuchthaus entlassen ist. Wo doch nicht die mindeste Aussicht dazu besteht. Lebenslänglich verurteilt, weshalb sollen sie ihn entlassen? Aber er hat sich's in den Kopf gesetzt und läßt nicht um die Welt davon ab.« Er verbreitete sich, führte aus, sehr plausibel und mit charakteristischen Einzelheiten, daß er den Alten seit Jahren kenne, seine Großeltern hätten eine Zeitlang Haus an Haus mit ihm gewohnt, zu denen sei der sonst so menschenscheue Greis häufig zu Besuch gekommen und habe stundenlang von nichts anderm erzählt als von seinem Sohn und dessen schrecklichem Schicksal. Ihn, Etzel, habe er nach und nach ins Herz geschlossen, ihm alles anvertraut, alle seine Hoffnungen, die Schritte bei Gericht, alle Fehlschläge, die ganze Geschichte und den Verlauf des Prozesses. »Sie müssen ihn übrigens kennen, Herr Professor«, schaltete er in einem schmeichlerischen Ton ein, »er hat gesagt, er war mal hier bei Ihnen.« Warschauer blickte verwundert empor. »Ja, er hatte mit vieler Mühe und großen Kosten Ihren jetzigen Namen und Wohnort ausgekundschaftet und reiste einfach her. Setzte sich eines Tags auf die Eisenbahn, um mit Ihnen zu reden. Aber ich glaube, er hat nicht eine Silbe gesprochen, er hat sich nicht getraut, der einfältige, alte Kerl, ist Hals über Kopf wieder umgekehrt. Erinnern Sie sich nicht?« Es schien, daß in Warschauer die Erinnerung erwachte. Es sei einmal, gab er zu, ein ziemlich vertrackt aussehender Alter dagewesen, eine Art Bauer oder Kleinstädter, er entsinne sich, stand an der Tür, glotzte wie ein Kalb, fragte, ob ein Zimmer zu vermieten sei, und marschierte wieder ab. Mochte ungefähr ein Jahr her sein. »Also das war der ... hm ... der Vater Maurizius. Wie merkwürdig. Aber ... (wiederholtes Räuspern) was wollte er denn? Weshalb kam er?« – »Wegen gewisser Briefe ...«, flüsterte Etzel, abermals in dem schmeichelnden Ton, und beugte sich noch weiter über den Tisch. Warschauer, der geräuschvoll den Rest des Kaffees schlürfte, behielt die Tasse in der Hand und fragte erstaunt: »Briefe? Was für Briefe?« – »Er sagt, Sie müßten Briefe haben, die Ihnen der Leonhart damals geschrieben hat, noch vor dem Unglück. Auch andere Briefe, die er an die Fräulein Jahn geschrieben hat. Er schwört darauf, daß Sie sie haben. Er gäbe sein halbes Vermögen drum, wenn er sie bekäme. Und da er selber sich nicht getraut hat damals und zu alt und kränklich ist, um wiederzukommen, ... kurz, mir ist's nahegegangen, wie er sich so abgehärmt hat, meines Bleibens war dort sowieso nicht mehr, ich wollte ja immer schon nach Berlin, so sagte ich ihm, ich will's versuchen, vielleicht gibt er mir die Briefe.« Warschauer schüttelte den Kopf. »Ich weiß nichts von Briefen«, bemerkte er abweisend, »leere Einbildung. Da haben Sie sich umsonst bemüht, junger Mohl.« Die Worte klangen spöttisch, hatten aber den Ton vollkommener Aufrichtigkeit. Etzel hatte auch nicht erwartet, etwas anderes zu hören, doch nahm er eine enttäuschte Miene an und fragte schüchtern: »Wirklich nicht? Sehn Sie doch mal genau nach, Herr Professor. Mir zuliebe. Nämlich, Sie können sich nicht vorstellen, was der Alte für einen Kultus mit seinem Sohn treibt. Gar nicht wie mit einem Verbrecher, keine Spur, wie mit einem Heiligen fast. Vergöttert ihn geradezu. Die dümmsten Kleinigkeiten sammelt er aus seiner früheren

Zeit. Sein Kinderspielzeug hat er aufgehoben. Verrückt, sag ich Ihnen. Vielleicht schaun Sie doch noch unter Ihren Papieren nach ...« Hinter den schwarzen Gläsern funkelte es flüchtig auf. Der Blick senkte sich, glitt über den Fußboden hin, kehrte zurück, kroch am Körper des Knaben hinauf bis zu dessen Gesicht und begegnete dort einem andern Funkeln, hell und stark, wie von Bronze. »Ich besitze keine Briefe«, stieß er böse hervor und malmte mit dem Kiefer, »ich besitze überhaupt nichts Schriftliches von ... von Leonhart Maurizius, keine Briefe an mich, keine an ... ›die‹ Fräulein Jahn. Schluß damit.«

Etzel richtete sich auf, sah ein wenig bestürzt vor sich hin, drückte die Hand vor den Mund, eine Knabengebärde, die er sich nicht abgewöhnen konnte. Er stand vor Warschauer, der in seinem langen, grauen Gehrock mächtig und formlos auf dem Stuhl kauerte, schlank und klein wie ein Ausrufezeichen. »Waren Sie denn nicht befreundet mit ihm, Herr Professor?« erkundigte er sich mit unschuldiger Neugier, »ich dachte, Sie seien sein Freund gewesen ...« Warschauer zog verächtlich die Brauen zusammen und entgegnete ausweichend, in schläfrig-unwilligem Ton: »Freund ... kann sein ... möglich ... da waren viele ... damals ... möglich.« Etzel trat einen Schritt näher. »Und sagen Sie mir eins, Herr Professor«, fuhr er eifrig, gleichsam unüberlegt, zu fragen fort, »glauben Sie eigentlich, daß er den Mord begangen hat? Ich meine«, verbesserte er sich hastig, da ihm, dem Kronzeugen Waremme gegenüber, die Ungeheuerlichkeit der Frage Angst einjagte, »ich meine, ob er schuldig ist, auch wenn er ... auch wenn er den Schuß abgefeuert hat?«

Warschauer gab keine Antwort, sah ihn nur mit einem unbeschreiblich toten, kalten, gefrorenen Blick an. Es war, als hätte er die Frage nicht gehört oder sie gleich darauf vergessen. Etzel konnte sich eines leichten Schauders nicht erwehren.

Vermutlich hatte Warschauer-Waremme seine kleinen Finten und Verstellungskünste viel früher durchschaut, als Etzel sich's träumen ließ. Zu dieser Zeit hatte er ja von dem durchdringenden Geist des Mannes und seiner wahrhaft monströsen Erfahrung nur einen sehr undeutlichen Begriff. Er spürte ihn, die geduckte Ruhe, die etwas unterirdisch Kochendes hatte und manchmal einen verheerenden Ausbruch fürchten ließ, das undefinierbar Zerrissene und Verwüstete, das an eine von einem Wolkenbruch heimgesuchte Landschaft erinnerte, das Schleichende, Ungesellige, Argwöhnische wie bei einem gehetzten, kranken, doch immer noch ungeheuer starken Höhlentier, er spürte alles, ermaß es aber nicht. So blieb ihm auch einstweilen verborgen, daß Warschauer die Motivierung, er sei nur wegen Erlangung der Briefe zu ihm gekommen, mit einer Skepsis aufnahm, der glücklicherweise zuviel Gleichgültigkeit zugemischt war, als daß er sich zu einer für den jungen Menschen jedenfalls unbequemen Inquisition hätte herbeilassen mögen. Er sah, daß der Aufwand in keinem Verhältnis zum Zweck stand, erst wochenlanges Um-den-Bart-Gehen, listige Veranstaltungen bei Frau Bobike, Sprachstunden, Famulusdienste und dann das: Es war putzig und ridikül. Immer, wenn er einen flüchtigen Gedanken daran verschwendete, bezeichnete er es bei sich mit einem Grinsen als putzig und ridikül. Denn der Junge selbst, seine Haltung, seine Art zu reden, seine guten Manieren, die zu verleugnen ihm trotz gelegentlichen Anlaufs zu Derbheit und Saloppheit nicht gelingen wollte, diese und jene Anzeichen von guten, häuslichen Umständen, die Beschaffenheit der Strümpfe, der Wäsche, Schnitt der Kleider, nein, es war zu lächerlich, zu unverschämt, fand Warschauer, ohne sich mehr zu ärgern als über das Kratzen einer Maus. Einige Tage später geschah es, daß er den Knaben zu sich herzog, zwischen seine Knie preßte und ihm dringlich und aufmerksam ins Gesicht schaute. Sodann nahm er jede von Etzels Händen einzeln und schaute auch diese an, die Finger, die Nägel, die inneren Flächen. Endlich sagte er: »Sie haben eine zarte Haut, Kerlchen, sind schon als Baby nach allen Regeln moderner Hygiene gepflegt worden, he? Feiner junger Herr, nicht schlecht geboren, dünne Schläfen, delikate Gelenke und vif im Kopf. Ich mag Sie leiden, Mohl, ich mag Sie verteufelt gut leiden.« Damit ließ er, widrig kichernd, Etzel los, der ihn mit Augen betrachtete, in denen sich äußerste Bestürzung spiegelte. Er kam sich plötzlich so klein vor wie sein eigener Daumen. Na, du bist mir ein schöner Satan, dachte er und kehrte sich mutlos ab. Warschauer schlug vor, er solle mit ihm in eine Konditorei gehen und Schokolade trinken.

Er zog offensichtlich keinerlei Konsequenzen daraus, daß er Etzels Annäherungsmanöver als das erkannt hatte, was sie waren. Vielleicht amüsierte es ihn sogar, zu beobachten, wie weit er sie vervollkommnete und wohin sie ihn noch führten. Er war der Ansicht, daß die Menschen ihre Beweggründe und Zwecke von selber bloßlegten, wenn man ihnen nur Zeit ließ. Sie spulten sich einfach ab wie der Zwirn von der Rolle. Er war so sicher. Er war so unerreichbar, daß er sich einen Zynismus leisten konnte, der andern als Demut und Bescheidenheit erschien. Als sie in der Konditorei an der Rheinsberger Straße in einer schummrigen Ecke einander gegenüber saßen, sagte er mit jenem süßlichen Wohlwollen, bei dem Etzel stets das Gefühl hatte, als zwicke man ihn mit Fingernägeln ins Ohr: »Sie können mich fragen, was Sie wollen, Mohl, ich werde Ihnen mit Vergnügen Auskunft geben. Auf die Weise werden Sie Nützlicheres erfahren, als wenn Sie Indianer auf dem Kriegspfad spielen und meine Fußspuren beschnüffeln. Das ist kein Geschäft für Sie. Sie sollen bei mir was lernen.« Etzel errötete bis in die Haare. »Alles andere interessiert mich nicht, wissen Sie«, fuhr Warschauer fort und leckte seine Lippen ab, an denen Schokolade klebte, »interessiert mich nicht und berührt mich nicht. All solches Hintenherum, Aufpassen und Belauern, das ist mir wie Flohstiche, da blick ich gar nicht hin, denn greif ich erst mal zu, Junge, o weh! ein Knips, und der Floh ist kaputt.«

»Ich mag Sie leiden, kleiner Mohl.« Denkt euch an den Rand einer Wüste in einer schweren, aber reglosen Nacht eine brennende Kerze hingestellt, so habt ihr, die Phantastik des Bildes zugegeben, den ungefähren Sinn dieser Worte. Der Vorgang ist so dunkel wie die Seelenverfassung des Mannes, der in seiner Beziehung zur Welt beim letzten Stadium der Zersetzung hält. »Es interessiert mich nicht, es berührt mich nicht.« Das ist der Schlüssel. Selbstausschaltung. Man gewinnt den Eindruck eines Menschen, der zwischen gläsernen Wänden und gläsernen Mauern herumgeht und es aus Ekel und Verachtung unterläßt, die Augen aufzuheben, um einen Blick hineinzutun. Er könnte alles sehen, links und rechts, vorn und hinten, er hat den Röntgenblick, aber es macht ihm durchaus keinen Spaß. Er ist in einem Grade illusionslos, daß er nicht den Finger regen würde, um seine anscheinend ziemlich tristen Umstände zu verbessern. Die Reden, die zwischen Menschen gewechselt werden, gleichviel worüber, sind ihm unerheblicher als Insektengeschwirr; sie dienen dazu, Taten glauben zu machen, die nie getan werden, und andere zu verdecken, die geleugnet werden, wenn man sie mit den Reden konfrontiert. Sämtliche großen Worte, die klingenden Panazeen, als da sind: Religion, Vaterland, Menschheit, Ethik, Nächstenliebe usw. betrachtet er wie aufgeklebte Zettel in einer Kurpfuscher-Apotheke, und außer der Dummheit und der Habsucht anerkennt er keine wirksamen Eigenschaften, die zu untersuchen sich lohnte. Alles was auf andere Defekte zurückgeführt wird, sind nur Folgeerscheinungen jenes allmächtigen Paares. Er hat keine Gelegenheit, seine Ansichten zu verkünden, und wenn sie sich ihm böte, würde er sie meiden wie die Pest. Warum sollte er sich mitteilen? Man könnte ihm ebensogut zumuten, auf dem Potsdamer Platz Purzelbäume zu schlagen. Käme ihn auch das Bedürfnis an, sich gesprächsweise zu äußern, er wüßte keinen Zuhörer, denn er ist so einsam, daß im Vergleich dazu der Sträfling 357 in Kressa eine gesellschaftliche Existenz führt. Schließlich kann sich der mit seinen Wärtern unterhalten und an seine Genossen anschließen, diese Einsamkeit aber ist freiwillig und gewünscht. Immerhin eine auffällige Ähnlichwerdung der Schicksale, die einen Geist von kleinerem Zuschnitt zu Grübeleien über okkulte Zusammenhänge veranlassen könnte. Er ist weit davon entfernt. Es hat ihn seit vielen Jahren nicht mehr verlockt, sich umzuschauen und seine Wege nach rückwärts zu verfolgen. Nicht als ob er die Vergangenheit aus dem Gedächtnis verloren hätte. Wie wäre das möglich, er trägt sie ja, doch eben darum ist es überflüssig, sich mit ihr zu beschäftigen: Sie ist für ihn nicht wie für die meisten Menschen die verwitterte Inschrift auf einem Grabstein, sondern der Blutbach in seinen Adern, der in den Meerbusen des Todes hinüberrauscht.

Was er an dem Knaben »leiden mag«, läßt er nicht in den Bereich der Überlegung. Die Jugend allein ist es nicht, er braucht sie nicht, sucht sie nicht, schätzt sie nicht. Er betrachtet sie als einen Zustand unerquicklicher Kämpfe und anmaßender Träume. Es rührt wohl zum Teil daher, daß er die Erinnerung an die eigene Jugend in sich erstickt hat, er haßt sich, wenn er sich in ihr denkt. Ja, sehr jung ist er, der »junge Mohl«, aber in seiner Sechzehn- oder Siebzehnjährigkeit liegt etwas anziehend Selbstverständliches, keine hysterische Besoffenheit, kein Pubertätsqualm, keine schleimige Schneckenhaus-Romantik. Ist das der neue Geist? Kommen solche jetzt? Heitere, flinke, kühle Burschen, die überall gleich merken, wo ein Nagel von der Wand gefallen ist und eine Konservenbüchse aus dem Vorrat fehlt? Schwerlich. Das entwickelte Exemplar meldet höchstens einen Typus an, der schon wieder verwaschen ist. Aber da ist ein Reiz, ein bestimmter Reiz, wirksam wie feines Gift, verführerisch wie edles Parfüm. Sympathie? Nein, damit hat es wenig zu tun. Eher damit, daß man es haben möchte. Aber wie: haben? was: haben? Es ist bisweilen eine Hautannehmlichkeit, wie ein Pelz auf dem nackten Leib. Eine Wärme und ein Kitzel. Es begreift das »Putzige und Ridiküle« in sich. Aber das genügt nicht. Wenn man es sorgfältig analysiert, ruft es ein Gefühl von Zärtlichkeit und Haß hervor, von mittelpunktloser Eifersucht, von dem Verlangen, einen Abgrund zu überbrücken, in dessen Tiefe eine zerschmetterte Welt vorliegt. Da er ihm versprochen hat, er solle bei ihm was lernen, wird er versuchen, diese Welt zu heben, nicht um ein Vineta aufzuzeigen, was ein Märchengebilde wäre, ganz im Gegenteil. Der Jüngling ist wie ein Sohn, den man zu zeugen versäumt hat, entstanden durch eine Art Protoplasma-Wunder, um in einer grausigen Öde lichtvoll zu erscheinen. Man muß sich seiner bemächtigen, auf welche Weise, läßt sich nicht vorherbestimmen. Die Wißbegier, die das Wesen des Knaben durchflammt, auf ein Ziel gerichtet, das er, Warschauer, allerdings lieber nicht aufs Korn nehmen möchte, gibt vielleicht die Mittel in die Hand. Er entdeckt, daß es etwas Hinreißendes ist um ein Paar Augen, die einen wirklich anschauen. Abstruser Einfall, das mit dem ungezeugten Sohn. Wahrhaftig, der Gedanke eines Verrückten oder eines Teufels, im Hinblick darauf, daß die bloße physische Nähe des Knaben ihm manchmal eine ähnlich zwitterhafte Empfindung verursacht wie die Berührung eines Pfirsichs, der in der Sonne gelegen hat.

Wißbegier ... Schwache Bezeichnung. Man brauchte kein Seelenerrater zu sein, um zu verstehen, daß es mehr war, mehr als zugeflossenes Interesse, mehr als Anhänglichkeit an eine nennbare Person. Nun, man muß abwarten, beschloß er und ließ sich zunächst auf nichts ein. An jenem Abend hatte er Etzel einfach fortgeschickt, und dieser war danach ziemlich verschüchtert oder stellte sich wenigstens so. Es vergingen Tage, ehe er sich wieder zu einer Andeutung vorwagte. Inzwischen verdoppelte er seinen Diensteifer, brachte die Nachmittage, die Abende in Warschauers

Stube zu, verkroch sich in einen Winkel, wenn andere Schüler und Schülerinnen Unterricht hatten, begann ein Verzeichnis der Bücher anzulegen, ordnete die Schubladen mit der Wäsche, nähte locker gewordene Knöpfe an den Kleidern des Professors fest, trug die Manuskriptblätter zu dem Museumsdirektor, büffelte Vokabeln und Regeln und machte sich möglichst unscheinbar. Eines späten Nachmittags kam er mit einem Strauß Maiglöckchen an, den er unterwegs gekauft hatte, und reichte sie Warschauer mit einem trotzigen Lächeln. Dieser gebärdete sich auffallend übertrieben und tartüffisch. Er schlug entzückt die Hände zusammen und rief in einem singenden Derwischton: »Wundervoll, kleiner Mohl, wundervoll! Maiglöckchen, welcher Glanz in meiner niederen Hütte! Eine zartsinnige Idee. Da merkt man wieder die gediegene Erziehung, die ästhetische Veranlagung. Unter keinen Umständen könnte sich etwa Paalzows Junge so was ausdenken! Bezaubernd. Leider haben wir keine würdigen Behälter, müssen mit einem gemeinen Wasserglas vorliebnehmen. Allein der Geber adelt das Gefäß ...« So ging es noch eine Zeitlang weiter, Etzel wurde so nervös, daß er ihm ins Gesicht hätte springen mögen. Plötzlich bemerkte Warschauer, daß die Nässe von ihm troff. Er war ohne Schirm im Regen gegangen, Mantel und Mütze waren zum Auswringen, die Strümpfe klebten an den Beinen. Da begann das Getue erst recht. Der Professor jammerte, als hätte er einen Schwerverwundeten vor sich. Er drang darauf, daß sich Etzel der Schuhe und Strümpfe entledigte, hängte Mantel und Jacke zum Trocknen auf, holte eine Wolldecke aus dem Alkoven und wickelte ihn ein, hieß ihn sich aufs Sofa legen, was Etzel erst nach einigem ärgerlichen Weigern tat, und schickte sich alsbald an, ihm zur Erwärmung Tee zu kochen. Seine Bestürzung, seine Geschäftigkeit, sein Gewimmer, die Art, wie er die Hände aneinanderrieb und fortwährend »tz, tz, tz« machte, war so augenscheinliche Komödie, daß es Etzel endlich nicht mehr ertrug und ihn mit blassen

Wangen anschrie: »Hören Sie doch auf. Das tun Sie alles nur, um mich zu verhöhnen. Weil Sie von wirklichen Sachen nicht mit mir reden wollen. Ich hab aber genug davon. Ich geh heim.« Und er warf die Beine vom Sofa und setzte sich aufrecht. Warschauer streckte eben den Arm nach der chinesischen Teeschachtel auf dem Holzregal. Er drehte sich langsam um. »Von was für wirklichen Sachen, mein lieber, junger Freund?« erkundigte er sich honigsüß, mit gespielter Überraschung. – »Nun, ich hab Sie ja schon einmal gefragt«, stieß Etzel verdrossen hervor. »Sie haben mir nicht darauf geantwortet.« – »Was? Um was handelt es sich?«, forschte Warschauer, sich noch immer stellend, als wisse er nicht, wovon die Rede sei. – »Ich hab Sie gefragt, ob Sie glauben, daß er schuldig ist ... Maurizius.«

Warschauer tat groß erstaunt. Die Teeschachtel in der einen, den Deckel in der andern Hand, schritt er kniesteif zum Sofa. »Da Sie über die Fakta so genau orientiert sind, kleiner Mohl, wird Ihnen doch bekannt sein, daß ich es damals beschworen habe.« Die Stimme klang jetzt nicht mehr ölig, sondern trocken. »Ja, schon ... das schon ...« erwiderte Etzel und heftete die Augen verschlingend auf die schwarzen Brillengläser, »aber man kann sich täuschen. Ist jede, jede, jede Möglichkeit ausgeschlossen, daß Sie sich getäuscht haben?« – »Donnerwetter«, murmelte Warschauer. Es war das dreimalige »jede«, das ihm den Ausruf abnötigte. »Eine derartige Täuschung hätte doch immerhin auf einem realen Vorgang beruhen müssen, junger Mohl«, sagte er und stellte die Teeschachtel fast unhörbar auf den Tisch. – »Gewiß«, gab Etzel zu, »er kann zum Beispiel geschossen und nicht getroffen haben.« – Warschauer grinste. »Soso. Geschossen und nicht ... Merkwürdig. Eine beachtenswerte Theorie.« – Etzels Augen funkelten zornig. »Ich sag Ihnen was, mit Ihrem Sarkasmus können Sie mir nicht imponieren. Das ist, wie wenn einer nicht ehrlich ringen will, sich in Sicherheit bringt und die Zunge heraussteckt. Schämen Sie sich.« – »I understand«, sagte Warschauer ruhig und starrte den erregten Knaben eine Weile aufmerksam an. »Ich will offen mit Ihnen reden, Mohl«, sagte er dann, »auch wenn ich mich getäuscht hätte, es hätte keine Täuschung sein dürfen.« – »Was heißt das? Erklären Sie mir's, bitte ...« Warschauer ging zweimal durch das Zimmer, die Hände auf dem Rücken und mit ihnen die Rockschöße schwenkend. »Um das zu erklären, Mohl ... es war selbstverständlich eine rhetorische Figur. Kein Gedanke an Täuschung.« Er stand schon wieder beim Sofa. »Wie fühlen Sie sich? Heiß? Wenn Sie mir kein Fieber kriegen ...« – »Um das zu erklären ...«, sprach Etzel seine ersten Worte nach, hartnäckig wie ein Kind, dem man eine angefangene Geschichte vorenthält. – »Was für eine Ungeduld! Zähme deine wilden Triebe, Freundchen«, spottete Warschauer mit orgelnder Stimme und nahm seinen Marsch wieder auf, das Kreuz eingedrückt (wodurch sein stolzierender Gang dem eines Hahnes ähnlich wurde), die Rockschöße schwenkend. – »Erst wollen Sie offen reden, dann ist es wieder eine rhetorische Figur«, erzürnte sich Etzel, »wer kennt sich da aus.« – Warschauer seufzte. »Mein lieber, guter Mohl, das ist alles so weit weg ... das ganze tragische Possenspiel ... so weit weg ... total unter den Horizont gesunken ... lauter Schatten ... lauter Phantome ... am besten, man hüllt es in Schweigen.« Er ging um den Tisch herum, ergriff die Teedose, stülpte den Deckel darüber und schlug mit der flachen Hand darauf; ein kategorisches Schlußzeichen.

Etzel dachte verzweifelt: Elender alter Kerl, eben war er so schön im Zug, was tu ich nur, was fang ich an? Äußerlich blieb er still, er sah wohl, daß er für heute nicht weiter drängen durfte. Doch bäumte sich alles in ihm auf gegen dies lahme Gehaspel Schritt vor Schritt, als ob man mit den Füßen im Morast steckte und der andere, am Rand stehend, sich immer mehr entfernte, während er vorgab, einem zu helfen. Er sah auch, daß er auf die bisherige

Art nichts erreichte, er mußte eine neue finden. Gegen den ist Trismegistos ein wahrer Ofen von Gemütlichkeit, faßte er seine Erbitterung zusammen, und plötzlich erschien sein Vater vor ihm, halbabgekehrt sitzend, die Beine gekreuzt, unbewegliches Monument. Es war ein scheues Erinnern, das zum Bild wurde und gleich wieder zerfloß. Er hatte keine Zeit, in seinem Gehirn keinen Raum für andere Überlegungen als die eine: was tu ich nur, was fang ich an? Während er grübelte und sich den Kopf wund dachte, hatte ihm der Instinkt bereits den richtigen Weg gewiesen. Instinkt und Anteil. In dem Maß, wie ihm die Person Warschauers immer rätselhafter wurde, immer unaufschließbarer, wuchs auch das Beunruhigende an dem Mann, er konnte nicht ablassen, ihn zu beobachten, zu studieren, zu belauschen, und er verspürte das brennende Verlangen, in sein unbekanntes Leben einzudringen, dort, wo Georg Warschauer aufhörte und Gregor Waremme begann. Denn von Waremme wußte er so gut wie nichts. Waremme stand hinter einem Nebel. Waremme war der Meister, der sich verbarg, Warschauer nur der unbedeutende Gehilfe, der die Befehle empfing. Zwei Gestalten, scharf abgetrennt voneinander, viel schärfer als etwa E. Andergast und E. Mohl. Von denen war wieder Mohl der Wichtigere, obschon er der Spätere war. E. Andergast hätte niemals Warschauer begegnen können, das war E. Mohls Aufgabe gewesen, und Mohl hatte nun auch dafür zu sorgen, Waremme stellig zu machen; armer Mohl, ironisierte sich Etzel, du allein gegen alle zwei, Warschauer und Waremme. Mit solchen Gedankenspielereien verscheuchte er manchmal seine Anfälle von Mutlosigkeit. Was Warschauer betrifft, so nahm er das ihm halb heimlich, halb mit naiver Ungeduld entgegengebrachte Interesse freundlich auf und wartete nur auf den Anstoß, es zu befriedigen, ich habe ja schon erwähnt, daß ein derartiges Verlangen, insofern es ihm selber galt, seiner vollen Bereitwilligkeit sicher war. Zwei Tage nach dem letzten Gespräch geschah es, daß Etzel unter einem

Stoß alter, verstaubter Broschüren eine hervorzog, auf der mit kühnen, unverkennbar jugendlichen Schriftzügen der Name Georg Warschauer stand. Dazu Monat und Jahr: April 1896. Warschauer, der zufällig nach ihm hinschaute, bemerkte sein betroffenes Gesicht, kam heran, blickte auf den Namen und sagte: »Stimmt, so heiß ich, das ist mein wirklicher Name. So heiß ich von Hause aus.« Etzel machte große Augen. Komisch, dachte er in einem Gefühl, als sei er überlistet worden. Es ist also nur eine Einbildung, daß Warschauer ein Überbleibsel von Waremme ist, vor Waremme gab's schon einmal einen Warschauer, Waremme ist bloß ein Zwischenfall ... Und er flüsterte den Namen leise vor sich hin. Warschauer nickte. »Ja«, bestätigte er, »Georg Warschauer, Sohn jüdischer Eltern aus Thorn. Damit Sie es genau wissen, Freund Mohl. Und darüber wäre mancherlei zu sagen.«

Er schien aber für jetzt keine Lust dazu zu haben, wie wenn ihn der Raum störte oder die frühe Nachmittagsstunde, doch dünkte es Etzel, als sei er nah daran und müsse sich innerlich nur noch lockern. »Wir wollen einen Bummel machen, kleiner Mohl«, sagte er, »das Wetter ist schön, wir wollen uns ein wenig das Leben ansehen.« – »Mir ist's recht«, antwortete Etzel, »aber beim Bummeln wird's nicht bleiben, zuletzt werden wir doch wieder in einer Konditorei landen.« – Warschauer meckerte. »Naja, ich weiß eine, wo es nicht so stumpfsinnig ist wie da drüben in der Rheinsberger Straße, auch nicht weit, neben dem Zehdenicker Kasino, da spielt um fünf, heut ist Sonnabend, wie? da spielt die Jazzmusik.« Etzel war's zufrieden, obwohl ihm der Sinn nicht nach Jazzmusik stand, aber da er Warschauers Vorliebe dafür kannte und ihn nicht mißgelaunt machen wollte, ging er mit. Sie saßen anderthalb Stunden in wüstem Trubel, Tisch an Tisch mit Kleinbürgerinnen, Vorstadtdirnen, kleinen Beamten, Ladenschwengeln und Professionaltänzern von anrüchiger Eleganz, geschminkt und grausig abgelebt. Warschauer war vergnügt, das Drehen, Schleifen, Schieben,

Sichwinden der Tanzpaare, die erhitzten Gesichter im Dämmerdunst, besonders aber das Schmettern, Quietschen und Heulen der Instrumente regte ihn geradezu auf vor Wonne. Einmal packte er Etzel beim Handgelenk und raunte ihm zu: »Junge, so ein Saxophon ist unbezahlbar. Das wiegt eine dreibändige Kulturgeschichte auf. Schauen Sie sich den Mann beim Schlagwerk an, Mohl, schaun Sie ihn an! Sieht er nicht aus wie ein richtiger Torquemada? Grausam, finster, fanatisch –? Herrliches Exemplar, bestimmt hat er als kleiner Junge Maikäfern die Beine ausgerissen und Katzen die Schwänze geröstet.« – »Sehr möglich, aber was begeistert Sie daran so?« fragte Etzel kühl. Warschauer tätschelte seine Hand. »Biologisch, rein forschungsmäßig«, versicherte er mit hochgezogenen Brauen. »Kennen Sie die junge Dame dort?« unterbrach er sich und wies mit dem Kinn auf ein hageres, unhübsches Mädchen, das an einem der Nebentische aufgestanden war und Etzel dreist fixierte. Es war Melitta Schneevogt. Sie erhob warnend den Finger, als wolle sie sagen: Jetzt hab ich dich, Duckmäuser. Etzel nickte ihr kollegial zu, er bemerkte, daß ihre Haare kurzgeschnitten waren, als er sie zuletzt gesehen, hatte sie noch eine Frisur getragen. Mit der geht was vor, auf die sollte man achtgeben, fuhr es ihm durch den Kopf, doch vergaß er es sofort.

Es dämmerte schon, als sie aufbrachen, in der Gegend des Senefelder Platzes war Feuerlärm, bald gewahrten sie braunrote Flammen, die zwischen den Straßenschluchten hochschlugen. Leute fingen an zu rennen, berittene Schupo sprengte vorüber. Eine Möbelfabrik brannte. Sie strichen eine Weile durch die benachbarten Straßen, hörten zwischen den Signalen der Löschmannschaften das Knallen und Prasseln des Feuers, dann wurde das Gewühl zu bedrohlich; bei der Schröderstraße kamen sie zu einer Parkanlage, da war es fast menschenleer. Sie setzten sich auf eine Bank, durch die Kronen der Linden schimmerten purpurne Funkenschleier. Ein Hund schlich lautlos vorbei, kehrte um, blieb vor ihnen stehen, schnupperte erwartungsvoll und verschwand wieder. Warschauer sagte: »Also das mit dem Namen, das will ich Ihnen erklären ...«

»Richtig, mit dem Namen«, rief Etzel, als hätte er die ganze Zeit über nicht mehr daran gedacht. Er setzte sich seitlings zu Warschauer hin, um besser zu hören und, da es ziemlich finster war, besser zu sehen. »Der Name ist natürlich das wenigste«, fuhr Warschauer fort, »ein Schlüssel, freilich einer zu besonderen Türen. Haben Sie mit Juden verkehrt, Mohl?« – »Und ob. Bei uns gibt's Juden die Menge.« – »Hatten Sie jüdische Kameraden?« – »Auch.« – »Standen gut mit ihnen?« – »Ganz gut.« – »Also keine prinzipielle Gegnerschaft?« – Etzel schüttelte den Kopf. Er kannte das, die prinzipielle Gegnerschaft, aber er hatte sie sich nicht zu eigen gemacht. – »Keine elterlichen Anweisungen, Verbote und dergleichen?« – »N– nein ...« – »Das klingt zögernd. Also doch?« – »Manchmal. Hab mich aber nicht drum gekümmert. Wenn sich's um nette Kerle gehandelt hat, hab ich mich nicht drum gekümmert.« – »Schön. Das wollt ich wissen.« Er schwieg ein paar Sekunden und stocherte mit seinem Stock im Sand herum. »Können Sie sich vorstellen, daß ein Mensch sich selber über seine Geburt belügt? Komplizierte Sache. Der nicht sein wollen, der man ist, die Wurzel verleugnen, aus der man gewachsen ist, das heißt die eigene Haut wie einen geborgten Mantel tragen. Ich war das Kind jüdischer Eltern, die in der zweiten Generation bürgerlicher Freiheit lebten. Meinem Vater war noch gar nicht zum Bewußtsein gekommen, daß der Zustand scheinbarer Gleichberechtigung im Grunde nur Duldung war. Leute wie mein Vater, ein ausgezeichneter Mann sonst, hingen religiös und sozial in der Luft. Den alten Glauben hatten sie nicht mehr, einen neuen, will heißen den christlichen, anzunehmen weigerten sie sich, teils mit guten, teils mit schlechten Gründen. Der Jude will Jude sein. Was ist das: Jude? Vollkommen befriedigend kann es kein Mensch erklären. Mein Vater war stolz auf die Emanzipation, eine listige Erfindung das, sie nimmt dem Unterdrückten den Vorwand, sich zu beklagen. Die Gesellschaft schließt ihn aus, der Staat schließt ihn aus, das körperliche Getto ist zu einem seelischen und geistigen geworden, man wirft sich in die Brust und nennt es Emanzipation. Haben Sie mal darüber nachgedacht, junger Mohl, oder sind Sie zufällig einem Menschen begegnet, der Anlaß hatte, selbst über gewisse ... na, sagen wir Disharmonien nachzudenken? Nicht? Sie hatten Wichtigeres zu tun, ich verstehe, aber vielleicht ist Ihnen trotzdem zu Ohren gekommen, was sich gegenwärtig hierzulande abspielt? Ich spreche nicht davon, daß sie das Bettelalmosen eines jämmerlichen Bürgerrechtes am liebsten wieder zurücknehmen möchten. Täten sie's doch, es wäre wenigstens ein ehrliches Verfahren, es wäre lobenswerter als ... na, lassen Sie mich nur ein Beispiel anführen, als Grabsteine in jüdischen Friedhöfen zu demolieren, meinen Sie nicht? Was sagen Sie dazu, geschätzter Mohl? Grabsteine demolieren ... he? Friedhöfe schänden ... Das ist neu in der Kulturgeschichte, he? Dernier cri. Ich finde, daß dagegen alle Brunnenvergiftungs- und Ritualmordexzesse zwar blutrünstige und hirnlose, aber, wenn man großzügig denkt, durch Wahn und Leidenschaft entschuldbare Veranstaltungen waren, was finden Sie? Sie schweigen, kleiner Mohl? Ich ehre Ihr Schweigen. Sehen Sie, das mit den Grabsteinen ist ein Symbol, infernalisch, einzigartig. Haben Sie mal beobachtet, wie sich auf einem verbrannten Blatt Papier die letzten Funken verlaufen, eh es ganz schwarz wird? So ist das. Die letzten Funken von Würde, Selbstachtung, Anstand, Humanität oder wie die Schwindelworte sonst noch lauten, verlaufen sich, und alles wird schwarz. Aber ich schweife ab. Ich habe allerdings den Satz geprägt: Abschweifen heißt ein Thema ausschöpfen. Ich will auch bei meinen Familienerinnerungen nicht länger verweilen. Nur Geduld, ich komme schon vorwärts, nämlich zu mir. Vorher noch ein

Axiom, teurer Mohl, und eines von allgemeiner Gültigkeit: In jedem Leben gibt es einen Augenblick, wo sich der Mensch nach den polaren Gegensätzen seiner Natur entscheiden kann. Wo demnach Shakespeare ebensogut ein genialer Räuber à la Robin Hood hätte werden können wie Dramenschreiber, Lenin ebensogut Chef der zaristischen Geheimpolizei wie der Vernichter des Systems. Möglicherweise wäre ich unter einem bestimmten Anstoß, der aus unerforschlichen Ursachen nicht erfolgte, ein jüdischer Führer, ein Luther des Judentums geworden. Statt dessen ... na ja, davon rede ich eben. Unser äußeres Tun hängt von einem tiefen Dualismus ab, der uns eingepflanzt ist wie der Instinkt von rechts und links. Lassen Sie sich niemals erzählen, Mohl, daß ein Mensch unter gewissen Umständen nicht anders hätte handeln können, als er gehandelt hat. Es ist nicht wahr. Die Frage ist nur, wie weit man zurückgeht, um den Punkt zu finden, wo seine Freiwilligkeit noch intakt war. Ich kann immerhin mit einer Sorte von Erlebnissen aufwarten ... langweile ich Sie auch nicht? Wirklich nicht? Schön. Worunter ich als Knabe schon wie ein Hund litt, das war die moralische Feigheit meiner Stammesgenossen. Daß sie sich zufrieden gaben mit ihrer Helotenexistenz und sich mit einem mythologisch verkünstelten Gefühl von Auserwähltheit trösteten, ja, das. Oder in dem ihnen gnädig eingeräumten Pferch die Herren spielten, vielmehr das Herrentum ihrer Herren nachäfften. Ich haßte sie, sämtlich. Ich haßte ihr Idiom, ihren Witz, ihre Denkungsart, ihren Geschäftsgeist, ihre spezifische Melancholie, ihre Anmaßung, ihre Selbstpersiflage. Ich zerbiß nachts mein Kopfkissen vor Wut, wenn ich an eine Schmähung, eine Zurücksetzung dachte, ob sie nun mir oder meinem Vater oder irgendeinem Juden überhaupt widerfahren war. Ich zitterte in der Schule vor Scham und Empörung, wenn nur das Wort Jude fiel, schon bei einfacher Feststellung, begreifen Sie das? Es war alles darin enthalten, in der Art, wie es ausgesprochen wurde, das Vorurteil, die Geschichtsfälschung, der eingefleischte Haß, dem die Jahrhunderte nichts von seiner Roheit und Giftigkeit geraubt hatten. Denn ich wußte Bescheid. (Er stieß mit dem Stock auf den Boden.) Mit neun Jahren wußt ich schon Bescheid, mit fünfzehn hatte ich ein gründliches Studium in dieser Hinsicht hinter mir und war jeder Disputation gewachsen. Aber mit Disputationen erschüttert man keine Tatsachen, auch die verworfensten nicht, in unserer Welt nicht mehr, und von allen Tatsachen gab es eine, die mir vollkommen unerträglich war, nämlich, daß ich von irgendeinem Gebiet des Lebens und Wirkens sollte ausgeschlossen sein. Was, ich? Ich mit meinen Gaben, mit meinem Verstand, mit der Glut in meinem Innern, ich sollte nicht, unter keinen Umständen, sagen wir beispielsweise: auf einem Ministerstuhl sitzen? Nein, unter gar keinen Umständen, Präsident einer wissenschaftlichen Akademie sein? Und das hieß, sich hoch versteigen, mein Lieber (er lachte in die Luft hinaus), das waren schon Phantasieprätensionen, mein Ehrgeiz durfte sich nicht einmal an eine Professur wagen. Unter keinen Umständen konnte ich zu der Geltung gelangen, die der mittelmäßigste Kopf, sofern er nur nicht das Femezeichen trug, als selbstverständlich zu beanspruchen hatte. Der Gedanke machte mich toll. Ich konnte forschen, konnte auf meine Weise lehren, konnte Werke schaffen, niemand würde mich mehr als üblich daran hindern, zuletzt würden sie mir ihre Anerkennung nicht vorenthalten und, wenn ich Wunderbares leistete, am Ende sogar ihre Bewunderung nicht, aber ... im Tiefsten würden sie mir nicht glauben, im Tiefsten würden sie mich und meine Leistung leugnen, nur unter der stärksten Pression würden sie mir die Ehre erweisen, mit der sie sich untereinander verschwenderisch beschenken. (Er nahm den Schlapphut vom Kopf und setzte ihn sogleich wieder auf.) Aber das alles waren ja Überlegungen. Unmöglich, das Wesentliche wiederzugeben, das Gefühl: es ist mir versagt ... ja was: versagt? einfach versagt, zu sein! mitzusein! dazusein! Denn ich konnte nur sein, damals wenigstens, ich konnte nur sein, wenn ich die Welt hatte, die vollständige Fülle der Welt, ohne Abzug und Abstrich, die ganze strahlende Breite geistiger Existenz. Darum fällt der Einwand, den Sie wahrscheinlich im stillen bereits gemacht haben, daß von allen diesen Gründen jeder einzelne genügt hätte, mich mit denen meines Stammes solidarisch zu erklären, aus den Widerständen doppelte Kraft zu ziehen, dieser Einwand fällt in sich zusammen. Wie gesagt, ich liebte sie nicht. Da ich sie nicht liebte, entband ich mich der Zugehörigkeit. Sie konnten mir für das, was ich entbehrte, keinen Ersatz bieten. Ich war kein Renegat, wenn ich sie verließ, ich gehorchte meiner Notwendigkeit. Ich liebte sie nicht, das ist nur die Hälfte der Wahrheit. Die ganze Wahrheit ist, daß meine Liebe drüben war, bei den andern. Kein seltener Fall: Der Zurückgestoßene verliert seine Seele an die, die ihn zurückstoßen. Ein sehr jüdischer Fall. Was ihm verwehrt ist, das ist die Verheißung des Juden, was er nicht hat, sein teuerster Besitz. Immer wieder das verlorene Paradies. Auch ein jüdischer Fall. Sündenfall. Dort haßte ich, hier liebte ich. Ich liebte ihre Sprache ... ihre Sprache? meine! so gut, wie meine Augen mein sind ... liebte ihre Geschichte, ihre Heroen, ihre Lieder, ihre Landschaften, ihre Städte. Ich liebte das alles tiefer, als sie selber es lieben, und verstand es besser als sie. Das ist keine Prahlerei, mein Sohn, es ist Schicksal. Im übrigen ... ich habe den Beweis erbracht. Nun, gehen wir zurück. Angefangen hat es mit Legendenbildung. Als meine Mutter starb, eine einfache Frau, die noch an alten jüdischen Bräuchen gehangen hatte, machte ich sie zu einer Christin, Tochter eines abgedankten Militärs. Ich redete es mir so fest ein, daß es mir zum Faktum wurde, mit den überzeugendsten Einzelheiten versehen wie in einer russischen Erzählung. Dabei kam aber doch nur ein Mischblut zustande, ich wollte aber Vollblut sein, und indem ich einen heimlichen Ehebruch mit einem schlesischen Rittergutsbesitzer dazudichtete, schaltete ich den jüdischen Vater, der inzwischen auch das Zeitliche gesegnet hatte, bei meiner Erzeugung eigenmächtig aus. Es war kein Wagnis weiter. Die Natur hatte mich begünstigt, ich war blond, unverfälscht germanenblond (er lachte wieder unangenehm), mein Gesichtsschnitt, Sie können es nicht leugnen, ist unorientalisch, erinnerte schon in meiner Jugend an den bäurischen Typus bei uns. Abgesehen davon, der Wille formt das Antlitz. In der Prima des Gymnasiums führte ich bereits den Namen Waremme. Durch Adoption. Mein Adoptivvater war katholischer Schriftsteller, Traktätchenverfasser, Agent in dunklen Geschäften und Hetzapostel, er war völlig närrisch mit mir, er hielt mich für ein Genie. Vielleicht hatte er so unrecht nicht. Damals war ich's vielleicht. Jedenfalls verstand ich es, die Menschen daran glauben zu machen. Nicht weil ich's erlistet hätte, denken Sie das nicht, ich hatte die Welt in der Faust und modelte sie mir wie ein Stück Wachs. Nie habe ich um Menschen geworben. Aber bis zu einem gewissen Einschnitt in meinem Leben hatte ich unbedingte Gewalt über alle, die in meinen Kreis traten, ich lernte Menschen beherrschen, eine Wollust ohnegleichen, eine Kunst, die geübt sein will. Der erwähnte Namenswechsel geschah unter dem Protektorat eines Domherrn und mit Hilfe eines gewiegten Advokaten. Daß Taufe und Übertritt zur Kirche damit verbunden waren, versteht sich. Ich hatte dann freien Weg vor mir. Sagten Sie etwas, Mohl? Ich dachte, Sie sagten etwas. Freien Weg, so ist es. Unsichtbare Hände ebneten ihn. Die Universitätsjahre, Breslau, Jena, Freiburg, immer von Osten nach Westen, lauter Triumphstationen. Ja, von Osten nach Westen, immer weiter, von der Tiefe in die Höhe, dann wieder in die Tiefe, die allertiefste Tiefe: von Osten nach Westen wie die Sonne. Aber ich schweife wieder ab. Ich lebte sorgenlos, mein Vater hatte mir zwar so gut wie nichts hinterlassen, aber Mittel flossen mir reichlich zu, glänzende Empfehlungen öffneten mir alle Türen, ich wurde Mitglied exklusiver Verbindungen, ich sprach mit gefürchteten Würdenträgern wie mit meinen Vettern, und ich legte mich dabei nicht auf die Bärenhaut, Mohl, in keiner Weise. Rabiater Fleiß ist ja das Erbteil meiner Rasse, ich wußte nicht wohin mit all den Kräften in mir, Kräften aus unterirdischen Strömen, aus dem unverbrauchten Vorrat von Geschlechtern, ich fühlte mich zu merkwürdigen Dingen berufen, ich war meinen Tagen nicht feind, ah, in keiner Weise, der Philosoph Waremme beflügelte den Dichter Waremme, dieser den geistigen Schätzeheber, der Mittler zwischen den Menschen den Führer, dieser wieder den Politiker, und da zeigte sich das Ziel, schöpferische Politik, dazu fühlt ich mich berufen, die Idee eines verwandelten Europa, einer kontinentalen Einheit unter deutscher, deutsch-römischer Hegemonie enthusiasmierte mich, ah, was für Träume! rasende Träume! Ich wollte mich natürlich an kein Amt binden, ich schlug die lockendsten Angebote aus, es war mir alles zu gering, ich hatte Angst, mein Stern würde verlöschen, wenn ich ihn als Lampe benützte, aber dann, mitten im Fluge, kam der Sturz. Im übermächtigsten Flug der gräßlichste Sturz. Aber die Katastrophe hatte eine sonderbare Logik in sich, eine unheimliche Logik, ich hatte sie nicht sehen wollen, ich glaubte, ihr trotzen zu können, ich ... aber zum Teufel, Mohl, Sie lassen mich da schwatzen, schauen mich an wie der Hungrige die Butterstulle ... ich glaube, es ist verdammt spät geworden ... auf, auf! ...«

Es war nicht sehr spät, zehn Uhr. Sie legten den Weg schweigend zurück. An der Usedomstraße wollte Warschauer den Knaben verabschieden. Etzel bat, noch mit hinaufkommen zu dürfen. Er sei nicht müde, so wenig müde, daß er sich vor dem Bett fürchte. Warschauer lachte, mehr im Magen als im Gesicht. »Verspekuliert, lieber Mohl«, knurrte er, »heut gibt's keine Geschichten mehr. Warschauer und Companie schließen das Büro.« Er steckte den Schlüssel in die Haustüre. Etzel hatte die Empfindung: Jetzt darfst du nicht lockerlassen, sonst ist alles hin, morgen ist das Aufgetaute wieder zugefroren. Mit Schrecken dachte er an sein schwindendes kleines Kapital, es wurde trotz sorgsamster Sparsamkeit jeden Tag weniger, was dann, wenn es zu Ende war? Er konnte sich nicht bei Warschauer einnisten, der hatte selber nichts, das hieße auch, sich ihm auf Gnade und Ungnade ausliefern. Die Zeit drängt, der alte Mann in Hanau zeigt sein verstörtes Gesicht wie einer, nach dem schon der Tod greift, für den andern im Zuchthaus verrinnt wieder eine Woche und wieder eine Woche, Trismegistos sitzt mit übereinandergeschlagenen Beinen, halbabgekehrt, und schiert sich nicht um Gerechtigkeit. Irgendwo im Unbekannten sucht die Mutter nach ihm, es ist nicht zu ertragen länger, nicht zu ertragen, er hat alle Mühe, sich zusammenzunehmen, und daß er sich nichts merken läßt, darauf kommt es an, daß er kaltblütig bleibt, den Kopf oben behält. Er erkennt nun auch, wohin ihn der Mensch zieht, dieser Warschauer-Waremme, in eine Aberwelt wird er hineingesaugt, in die unermeßlichen Finsternisse einer machtvollen Seele, er hat sich das alles anders gedacht, einfacher, schwierig wohl, jedoch mehr im Sinn einer Rechenaufgabe, eines mit List und Geduld aufzudröselnden Knotens, nicht in solcher Weise schwierig, daß ein Leben mit seiner ganzen Problemlast ihm auf die Brust sich wälzt, ein geheimnisvoller fremder, dunkler Charakter, an dem alles erst enträtselt werden muß, jeden Tag von vorne mit einem Minimum an Erfahrung und einem Maximum an Selbstverleugnung (denn nichts ist ihm geheuer an Waremme, nichts liebt er an ihm, nichts macht ihn weich, stimmt ihn versöhnlich, am liebsten möchte er ihn gebunden vor sich sehen und ihn mit einem glühenden Eisen in der Hand zwingen, zu gestehen: Ja oder nein; nichts weiter: Ja oder nein), ach, alles, Stück um Stück, herausklauben, Stück um Stück wieder zusammensetzen und nicht wissen, ob man was erreichen wird, das Ja oder Nein. Er friert, es ist ihm kalt, er fiebert, es ist ihm heiß, alle fünf Minuten wechselnd, er sagt sich, wenn du dir nachgibst, bist du ein Schuft oder ein Tropf, also halte fest.

Er ging mit hinauf. Eine halbe Stunde hatte Warschauer bewilligt. Er hatte nicht mit der Ausdauer, mit der Geriebenheit seines »Famulus« gerechnet, vor allem nicht mit dem eigenen, aufgerührten, sich selbst herausfordernden Mitteilungsbedürfnis, das ihn automatisch weitertrieb, genug, es war, wie ich gleich vorausschicken will, drei Uhr nachts, als Etzel das Haus verließ. Als er auf die Straße trat, in der Gegend des Exerzierplatzes fahlte der Himmel schon, war er zunächst nicht imstande, Fuß vor Fuß zu setzen, er legte sich der Länge lang auf die steinerne Staffel vor einem Schnapsladen, der eben geschlossen worden war, drückte die flachen Hände gegen die Schultern, preßte die Lider zu und atmete, so tief er konnte. Dabei zitterte er fortwährend. Dies, wie gesagt, vorausgeschickt.

Auf dem engen Gangflur oben war Lärm, als sie die Stiegen erklettert hatten. Widerlich streitende Stimmen drangen aus der Paalzowschen Wohnung. Paalzows Junge flegelte seine Mutter wegen Geld an, dazu quäkste ein Säugling erbärmlich. In Warschauers Stube war die Luft wie ranziges Fett, der Professor fand die Streichhölzer nicht gleich und fluchte leise, endlich brannte die Gasflamme, da sahen sie einen Heerbann großer schwarzer Küchenschaben, die unter der Alkoventür herauskrochen und ekel um das Gestell mit dem Proviant wimmelten. »Gediegen«, sagte Etzel, stand eine Weile tiefsinnig, dann tränkte er ein Handtuch mit Spiritus, warf es über das Geziefer, wo es am dichtesten krabbelte, und als einige hundert betäubt dalagen, griff er zum Besen und kehrte sie seelenruhig zur Tür hinaus. »Kaffee?« fragte er. Warschauer nickte, und der Kocher wurde zum soundsovielten Male heute in Funktion gesetzt. Warschauer ging mit seinem Tambourschritt auf und ab, das Kreuz hohl, die Hände unter den Rockschößen, die Stirn ungewöhnlich finster. Ein Grammophon im dritten Stock spielte heiser krächzend einen Gassenhauer, Etzel summte den Text mit: »Fräulein Len, schlafen gehn ...« – »Ich bitte, hören Sie doch mit dieser unanständigen Scheußlichkeit auf, Mohl«, sagte Warschauer pastoral, blieb stehen und sandte ihm einen zornigen Blick zu. »Auch recht«, gab Etzel zurück, »werd ich's das nächste Mal fertig singen. Aber eine Liebe ist der andern wert, heißt es, so sagen Sie mir doch, Herr Professor ... nein, ich bin nicht still ... ist mir egal, wenn Sie auch noch so wütend dreinschaun, es muß jetzt ... hätten Sie erst gar nicht angefangen. Wer A sagt, muß B sagen, tun Sie, was Sie wollen ... jetzt haben Sie die Soße serviert, wie, und Braten soll's keinen geben? Hören Sie zu, ich hab was drangesetzt ... es handelt sich um ... Herrgott, glauben Sie mir oder glauben Sie mir nicht, aber lassen Sie mich nicht so zappeln ... das ist eklig, wissen Sie, eklig ist das von Ihnen ...« Mit geballten Fäusten und blitzenden Augen hatte er sich vor Warschauer aufgepflanzt, als wolle er ihn niederboxen. »Tz, tz, tz«, machte Warschauer ironisch, »was diese Null, dieser Leonhart Maurizius, in Ihrem sonst so aufgeräumten Köpfchen für 'ne Unordnung angerichtet hat! Also, was wollen Sie wissen? Womit kann ich dienen? Nur nicht zuviel auf einmal, Junge. Wenn Sie mich löchern, ich bin imstande und gebe Ihnen was zum besten, daß Ihnen die Lust vergeht. I had a good time with you, my boy, you will have a bad time with me. Guter Junge, ahnungsloser Junge, plätschert mutwillig im lauen Wasser herum, kitzelt den Haifisch an der Flosse, kommen Sie her zu mir, Mohl, ich will Ihnen ein bißchen das Fell streicheln, kommen Sie augenblicklich her ...« Der Golem. Die Golemstimme, schlaftrunken und lüstern. »Nein«, flüsterte Etzel und suchte hinter einem Bücherstoß Schutz. »Hasenfuß«, spottete Warschauer, »begreifen Sie nicht, daß Sie einen Mann von differenzierter Anlage vor sich haben? Ein Korn gröber und ... ich warne Sie. Der Nachlaß des Feingehalts entzieht sich Ihrer Beurteilung. Gott sei Dank. Wäre das nicht der Fall, so wären Sie bereits eine verfaulte Frucht. Ich warne Sie vor denen mit dem edlen Augenaufschlag, vor den Griechenfrömmlern, vor den Priestern des neuen Rhythmus, den Esoterikern und Illuminaten, die bei ihren schwarzen Messen den hermaphroditischen Gott feiern. Diese Leute werden nicht unterlassen, Jagd auf Sie zu machen, der Kult hat Scharen von Anhängern gewonnen, aus einem einfachen Grund, sie wollen den Mars mit dem Eros verkuppeln, um ihn nach seiner grausamen Niederlage geheimbündlerisch zu stärken. Verschlagene Instinkte toben sich aus. Sie verstehn mich nicht? Um so besser. Von mir jedenfalls haben Sie nichts zu fürchten. Die Brücke zwischen uns beiden hat in dem Betracht nicht mehr Stoff als ein Regenbogen. Noch immer begriffsstutzig? Ah, es dämmert ihm was, Halleluja!« Er ging rasch auf Etzel zu, nahm seinen Kopf zwischen beide Hände, sah ihn durchbohrend an und küßte ihn auf die Stirn. Etzel rührte sich nicht. Es war das Menschenfresserische, gemildert durch eine Art intellektueller Hoheit. Dennoch lief es ihm kalt über den Rücken. »Also –?« murmelte er obstinat. Warschauer grinste. »Das nenn ich die Situation ausnützen«, mokierte er sich, »nichts hat er im Kopf als das eine ...« – »Also?« beharrte Etzel kindisch und wild. – »Nun ja«, erwiderte Warschauer ruhig, »wir mußten aneinander zerschellen, er an mir, ich an ihm.«

Er schritt überlegend auf und ab, die linke Hand im Nacken, den rechten Arm im Takt schwenkend wie ein Soldat. Das Wasserglas auf dem Tisch klirrte von der Erschütterung. Eigentlich sieht er furchtbar aus, fett und finster, dachte Etzel, während er mit aufgerissenen Sinnen lauschte. Es waren zunächst nur hingeworfene Bemerkungen. Manches klang wie Phrase, z. B. daß ihm in Maurizius die antipodische Natur begegnet sei. Jedoch als er es präzisierte, fielen grelle Schlaglichter auf die Beziehung. Es war tatsächlich ein Zusammenprall gewesen, aber die Stoßkraft lag mehr auf der Seite des eindringenden Körpers, der andere wurde nur aus seiner Passivität gerüttelt. Er hatte daher keine Wahl, als sich der Bewegung anzuschließen. »Es blieb mir nichts übrig, ich mußte ihn hinter mich, unter mich bringen, ich mußte ihn unschädlich machen.« – »Warum denn?« fiel Etzel erstaunt ein, »Sie haben doch eben gesagt, daß er eine Null war –?« Ohne sein Schreiten zu unterbrechen, streckte Warschauer den rechten Arm in die Luft. »Allerdings. Aber eine repräsentative Null. Eine Null an einer Stelle, wo sie eine gewaltige Ziffer bilden half. Das ganze öffentliche Leben setzt sich aus solchen Nullen zusammen. Jedenfalls war er eine Null mit beachtenswertem Anhang, außerdem eine begabte Null, eine glänzende Null, eine Null, von der man sicher sein konnte, daß sie mal in die Höhe stieg wie ein gefüllter Ballon. Aber das war nicht ausschlaggebend. Den Ausschlag gab ... Passen Sie auf. Hier stand Waremme, Gregor Waremme: verwandelt. Ich hatte mir die Welt erobert, Position für Position. Ich hatte mich glücklich in ihr eingebaut, ich hatte mein Gefühl nach ihr gestimmt, ich hatte an den Menschen, die ich brauchte, eine Arbeit vollbracht, notabene, nur um sie von mir zu überzeugen, nur um sie an mich glauben zu machen, eine Arbeit, die ich noch zehn Jahre nachher in allen Nerven spürte. Man hat mir von Salvini erzählt, einem genialen Schauspieler. Sie haben vielleicht von ihm gehört, daß er nach jeder großen Rolle einen Kollaps erlitten hat. Einer meiner Freunde, ein Theaterregisseur, war mal Zeuge, wie er nach dem fünften Akt von Othello hinter den Kulissen bewußtlos zusammenbrach und ein Arzt sich anderthalb Stunden lang bemühte, ihn wieder ins Leben zu rufen. Es gibt, selbstredend, solche und solche Schauspieler. Manche sterben einen herzzerreißenden Tod auf der Bühne, und wenn der Vorhang fällt, reißen sie Zoten. Sie schaun mich wieder mal so naiv verwundert an, kleiner Mohl, das Gleichnis mit dem Schauspieler macht Sie offenbar stutzig. Aber ich war ein Schauspieler, ich mußte spielen, und wenn ich nicht mit vollendeter Kunst, mit der letzten Hingabe spielte, so konnt ich einpacken. Schauspieler: Stoßen Sie sich nicht an dem Wort. Nehmen Sie es nicht in einem plebejischen Sinn, vergessen Sie nicht, daß es ein Jahrhundert her ist, daß Goethe den Wilhelm Meister und das Gedicht auf Miedings Tod geschrieben hat, und mehr als hundertfünfzig Jahre seit Lichtenbergs Briefen über Garrick. Seitdem ist der Schauspieler zum Angestellten von Industriekonzernen herabgesunken und seine Figur eines der Pappendeckelideale des Kleinbürgertums geworden. Das nebenbei. Ich erinnere mich, daß ich einmal eine ganze Nacht lang mit Maurizius darüber debattierte. Er verstand mich nicht. Er war von einer Dummheit in dem Punkt, zum Tollwerden. Natürlich war ich ein Schauspieler, natürlich. Und er war keiner, o Gott, wie war er keiner! Daß ich es war, hat mich ruiniert, daß er es nicht war, hat ihn ruiniert ...« – »Wieso?« fragte Etzel atemlos vor Neugier, »erklären Sie mir vor allem, wieso waren Sie ein Schauspieler?« Unwillkürlich machte er ein paar Schritte hinter dem stelzenden Warschauer her, was so lächerlich aussah wie die bekannten Karikaturen von Eisele und Beisele. »Jede ungewöhnliche Geistes- und Charakterleistung beruht auf einer sublimierten Verwandlungskunst«, dozierte Warschauer. »Halten Sie sich doch vor Augen, welche Wissensgebiete ich zu beherrschen hatte, die heterogensten Disziplinen, Philosophie, Theologie, Nationalökonomie, Geschichte, Sprachwissenschaften, Staatsrechtslehre, jede von innen her, von ihrer Idee aus; daß ich von vornherein entschlossen war, mich keiner von ihnen als Melkkuh und Amt- und Titelfabrik zu bedienen, aus wohlerwogenen Gründen, wie ich Ihnen bereits angedeutet, da ich ja höher hinauswollte; daß ich infolgedessen lavieren, nicht nur meine eigene Person stets an der richtigen Stelle zur stärksten Wirkung bringen, sondern auch die Bewunderer, die Anhänger, die Boten, die Proselytenmacher mit genauester Berechnung ihrer Kräfte und Talente unterrichten, verteilen, anfeuern mußte, daß ich dabei beständig in einem Netz verwickelter Interessen stand wie ein Ordensgeneral, denn nach meinen damaligen Begriffen ging es um was Ungeheures. Eine mächtige Partei zählte auf mich, der Kaiser war auf meine Person aufmerksam gemacht worden, der Vatikan schickte seine stillen Unterhändler zu mir, und bedenken Sie nun, last not least, daß ich bei alledem noch dafür zu sorgen hatte, meine frühen Spuren zu verwischen, meinen Ursprung zu verschleiern, daß ich sozusagen immer einen dunklen, metaphysischen Rest von schlechtem Gewissen in mir zu beseitigen hatte, der meine reine menschliche Unbefangenheit mir selbst zuletzt als das Produkt einer Anstrengung, wenn nicht einer Qual verdächtigte. Summieren Sie das alles und leugnen Sie dann, daß es nichts Geringeres war als ein Tanz auf einer Turmspitze ... Jener hingegen ... keine Ahnung! im warmen Nest. Keinen Begriff. Von alleine entstanden. Die Lilie auf dem Feld. Der Mühelose. Leonhart der Mühelose. Hatte er nötig, zu spielen? Gab es für ihn eine Rolle? Was wußte er von dem Stück, in dem er auftrat, da er doch gar nicht ›auftrat‹, sondern sich ›gehen ließ‹? Gehen ließ! Der Mühelose – ließ sich gehen. Hatte seinen Platz an der Table d'hôte, sein Billett lag immer an der Kassa. Die Wissenschaft? Ein Basar, aus dem man sich versorgt. Mit kostspieligen Sachen natürlich, denen man die Massenherstellung schwer ansieht. Kenner sind ja selten, und man muß schon Pech haben, wenn man sie nicht hinters Licht führen kann. Die Kunst? Edelbetrieb. Die Arbeit? Adelt bekanntlich. Nur vor das Vergnügen haben die Götter den Schweiß gesetzt. Und vor die Liebe den Einsatz eines Herzens, das ... nichts einzusetzen hat. Die Null in der Null.« Er lachte gallig und seltsam dröhnend auf. – »Ich kann trotzdem nicht begreifen«, wagte Etzel, der in grüblerischer Haltung an der Schiebetür lehnte, einzuwenden, »grade weil Sie so über ihn urteilen, will mir's nicht in den Kopf, daß sich da ein Gegensatz bilden konnte, zwischen Ihnen und ihm. Wie war denn das möglich? Der Mühelose ... ja. Aber warum denn gerade er? Hundert andere, so scheint mir's wenigstens, hätten es ebensogut sein können. Da muß doch ... jetzt sag ich was, Professor, aber fahren Sie mich nicht an ...« – »Nun?« – »Ich meine, da muß doch ... darf ich's sagen?« – »Keine Angst, Mohlchen. Was muß da doch ...?« – »Da muß doch die Fräulein Jahn schuld gewesen sein. Schuld ... das klingt so dumm ... Veranlassung mein ich ...« Warschauer hatte sein undeutbares Grinsen. »Oh! is that so?« travestierte er die amerikanische Floskel. »I wonder. Clever boy. Never in my life I saw such a clever boy.«

Er nahm sein hahnenhaftes Marschieren wieder auf.

11.

Langes Schweigen. Warschauer schien mit sich zu Rate zu gehn. Vermutlich machte ihn die Kühnheit des Knaben betroffen. Was sollte er dahinter suchen? Seinem erfahrenen Blick konnte die eigentümliche Unschuld nicht verborgen bleiben, mit der der Junge nun schon zum zweitenmal jenen Namen ausgesprochen hatte. Ahnungslos im Grunde, bei aller vorgeblichen Sachkenntnis und kuriosen Trockenheit. Wie man sich auf eine interessante Figur in einem Theaterstück bezieht, deren Berühmtheit vorausgesetzt werden darf. Oder wie ein Detektiv zuerst durch allerlei Ablenkungen die Aufmerksamkeit seines Opfers irreführt, um ihm dann mit einstudierter Kälte das schlagendste Indiz ins Gesicht zu schleudern. Putzig und ridikül. Als ob er, Warschauer, etwas zu fürchten hätte. Er hatte nicht das geringste zu fürchten. Daß er sich in Berlin niedergelassen, um eine Existenz von beinahe schattenhafter Verborgenheit zu führen, beruhte auf seinem freien Entschluß, er stand nicht unter Verfolgung, er hatte keinen Grund, Nachforschungen zu scheuen, es lag nichts gegen ihn vor. Das Recht, seinen ursprünglichen Namen wieder anzunehmen, hatte er »drüben« erworben, was ihn dazu bestimmt hatte, hing aufs engste mit der Katastrophe zusammen, die er als seinen »europäischen Bankrott« bezeichnete (der aber nur das Vorspiel zu einem viel größeren Bankrott gewesen sei). Er könne, setzte er lebhaft auseinander, sein bisheriges Leben in dieser Hinsicht geradezu in vier deutlich voneinander geschiedene Perioden einteilen: die jüdische, die christlich-deutsche, die überseeisch-internationale und die gegenwärtige, für die er einen passenden Titel noch nicht habe. Vielleicht falle seinem liebenswürdigen Freund Mohl einer ein. Die Umkehr etwa. Die regenerative Umkehr. Es sei außerordentlich merkwürdig. Er empfehle sich diversen modernen Schriftstellern als Modell für einen Proteus. Er sei sogar in der Lage, ihnen Aufschlüsse über die heutige Weltverfassung zu geben, mit denen sie ihr Glück machen könnten. Er selbst habe in dem Punkt resigniert. Es lohne nicht. Nicht einmal zu einer der üblichen Autobiographien könne er sich entschließen. Fünfundzwanzigtausend Druckschriften erschienen jährlich in Deutschland, es sei verdammt lächerlich, Nummer fünfundzwanzigtausendeins hinzuzufügen. Außerdem würde man ihn als ein Monstrum in Acht und Bann tun, als einen Phantasten, der die Apokalypse um ihre Schrecken bringen wolle.

In der Art faselte er noch eine Weile, während Etzel ungeduldig von einem Bein aufs andere trat, nahm die Kleiderbürste vom Nagel und fing an, mit beflissener Umständlichkeit seinen Rock abzubürsten. Dabei schielte er über die Ränder der schwarzen Brillengläser boshaft zu dem Knaben hinüber, wechselte plötzlich das Thema und erging sich in Sticheleien über die Anspielung auf Anna Jahn. »Das war schlechterdings ein Schuß in den Rücken, zum Glück aus einem ungeladenen Revolver, mein Junge«, spottete er, »taktlos, indiskret. Ist es anständig, so mit der Tür ins Haus zu fallen?« – »Na ja, ich dachte eben, weil in dem Fall nicht Sie der Benachteiligte waren«, warf Etzel unerschrocken ein, »in dem Fall haben doch Sie auf der ganzen Linie gesiegt.« Warschauer, etwas geduckt stehend, machte ein Gesicht wie ein wiederkäuender

Stier, bedächtig und störrisch. »Woraus schließen Sie das?« fragte er. – »Aus Verschiedenem.« – »Zum Beispiel?« – »Zum Beispiel daraus, daß die Fräulein Jahn noch zwei Jahre nachher oder ich weiß nicht wie lang bei Ihnen ... oder mit Ihnen gewesen ist ...« – Warschauer zog die Brauen zusammen, als rechne er nach. »Zwei Jahre? Nein. Sie irren. Es war nicht einmal ein einziges. Warten Sie ... von Anfang neunzehnhundertsieben bis zum November.« Die Berichtigung geschah in einem Ton von Freundlichkeit, der Etzel auf der Hut zu sein mahnte. Doch er achtete keiner Gefahr mehr, wie in einem Rausch ließ er sich von einer Verwegenheit zur andern fortreißen. Jetzt ist schon alles egal, dachte er und antwortete frech: »Ja, aber von dort, wo sie mit Ihnen war, ist sie meines Wissens erst viel später zurückgekommen, und von dem ganzen Geld, das sie von ihrer Schwester geerbt hatte, war nichts mehr übrig. Bettelarm war sie. Das weiß ich zufällig genau«, log er unverschämt, »denn die Dame, die sie in ihrem entsetzlichen Zustand aufgenommen hat, die kenn ich. Also hab ich doch recht, wenn ich behaupte, daß Sie in dem Fall den Leonhart Maurizius gründlich untergekriegt haben. Er hat gar nichts erreicht, und Sie haben sich mit der Beute aus dem Staub gemacht.«

Die Wirkung dieser frechen Attacke auf Warschauer war sehr sonderbar. Erst schien es, als wolle er auffahren, die Lehmfarbe seines Gesichts zeigte blaugraue Tinten, in der Mitte der Stirn trat ein rötlicher Fleck hervor, und das Eigentümlichste war, daß die Spitzen der Ohren zitterten (die Ohren waren nämlich oben nicht rund, sondern ein wenig zugespitzt wie bei antiken Faunsköpfen). Zum zweiten Mal, seit ihn Etzel kannte, nahm er die Brille ab, zum zweiten Mal sah dieser die wasserblassen lichtlosen Augen. Ein tiefer Atemzug hob seine Brust (Etzel dachte gespannt: Was wird er jetzt tun, der Alte, für ihn war Warschauer mit seinen sieben- oder achtundvierzig Jahren ein Greis, doch nie zuvor hatte er den Eindruck von »Altsein« so stark gehabt wie in diesen furchtbaren zehn bis zwölf Sekunden), der Mund öffnete sich, klappte wieder zu, er ließ die wasserblassen Augen rundherum schweifen, fast so, als suche er einen Gegenstand, mit dem er zuschlagen konnte, dann wurden, ganz unerwarteterweise, die Züge schlaff. Er ging ein paar Schritte auf Etzel zu, blieb stehen, schüttelte gleichsam fassungslos den Kopf, ließ sich auf seinen Schreibstuhl fallen und versank in tiefes Sinnen. So verflossen ungefähr fünf Minuten. »Kommen Sie mal her, Mohl«, sagte er plötzlich leise. Etzel gehorchte stumm. Warschauer setzte die Brille wieder auf, griff nach den beiden Händen des Knaben und hielt sie fest. »Als ich noch Student war«, begann er mit lugubrem Lächeln, »hatte ich einen jungen Grafen Rochow zum Abiturium vorzubereiten. Eines Tages forderte ich ihn auf, mir zu erzählen, was ihm von der griechischen Helena bekannt sei. Er sagte, ich entsinne mich fast noch jedes Wortes, weil es so ein beispielloser Mischmasch von allen möglichen, zusammengelesenen Varianten war: Helena, die Tochter der Nemesis und des Zeus, hatte zuerst ein Liebesabenteuer mit einem Schwan, heiratete den Menelaos, wurde von Paris geraubt, ging nach der Eroberung von Troja mit ihm nach Ägypten, wo sich herausstellte, daß sie die falsche Helena war, die echte war bei Achilles geblieben, sie wurde von Orest und Pylades überfallen, aber von Apollon gerettet. Was sagen Sie zu diesem gräflich Rochowschen Salat? Ich habe selten so gelacht. So geht's mit allem ad-hoc-Wissen, junger Freund, es kommt eine Helena zum Vorschein, daß Gott erbarm, Tochter der Nemesis und Leda zugleich. Menschengeschichte, mein Kind, wenn man sich da verlassen will, das ist, wie wenn man in einem glühenden Krater nach Fischen angelt. Wer sich ernsthaft damit beschäftigt, wird höchstens etwas von der Natur des Feuers und der Lava erfahren, Fische wird er nicht fangen. Zuvörderst lernen Sie eins: Es ist immer alles anders. Es ist dem noch mysteriös, der's lebt, wie dürfte der sich anmaßen und sagen: Es war so oder so, der nur davon weiß. Aber ich will nicht zu scharf mit dir ins Gericht gehen, Jungchen, du tust mir leid.« Er ließ Etzels Hände fahren und stand auf, ohne die etwas bestürzte Miene des Knaben zu beachten.

Er ging zum Fenster, öffnete es, murmelte: »Der Himmel ist noch immer rot da drüben«, schloß das Fenster wieder und fuhr fort: »Was denken Sie denn eigentlich dabei, wenn Sie von Anna Jahn reden, kleiner Mohl? Ist Ihnen nicht ein bißchen bange in der Fülle Ihrer Ignoranz? Es kommt mir vor, wie wenn ein Säugling über den Andromeda-Nebel schwadroniert. Sie entschuldigen, aber da sind Dimensionen und Verhältnisse, die sich Ihrer Beurteilung entziehen. Ich glaube auch nicht, daß ich Ihnen in dieser Hinsicht behilflich sein kann. Ich möchte es gern, weshalb sollte man einem so begabten Jüngling nicht einige Winke über psychologische Labyrinthe geben, Winke, die ihm einmal nützlich werden können? Aber bei all Ihrer Reife, Mohl, es ist ja erstaunlich, mit was für Problemen Sie sich ungeniert befassen ... Ärgern Sie sich nicht, ich sehe, Sie ärgern sich schon wieder über mich, ich meine es vollkommen ernst, und nicht nur das, Ihre Arglosigkeit rührt mich, ich wünschte, ich wäre imstand, Ihre etwas gar zu ... na, sagen wir rührenden Vorstellungen mit der Wirklichkeit zu befreunden, nämlich um meinetwillen. Wie steh ich denn da, Bösewicht und Lotterbube, Wurm aus Kabale und Liebe, aber ich weiß nicht, ich weiß nicht, man müßte ein Tolstoi sein, um mit Worten ... Vielleicht interessiert es Sie, zu erfahren, daß ich der Anna Jahn schon begegnet bin, als sie ihren künftigen Schwager noch gar nicht kannte ... das wissen Sie sowieso? Ah, bravo. Sie war das erste weibliche Wesen, das ... nun, wie soll man es ausdrücken, eine Erscheinung, vor der man haltmachen mußte. Ich erinnere mich noch gut des Abends, an dem ich sie zum erstenmal sah, es war eine kleine Gesellschaft bei einer Frau von Hardenberg, sie stand neben einer anderthalb Meter hohen chinesischer Vase und hatte den Kopf leicht auf den Arm gestützt, siebzehn Jahre alt, aber die Natur hatte nichts mehr an ihr zu vollenden. Es war alles schon wunderbar fertig, unheimlich fertig, mein Eindruck war: Die Person ist so stolz, daß sie unter Umständen an ihrem Stolz verbluten wird. Nun, was für eine Eigenschaft war das bei ihr: Stolz? Man spricht so ein Wort aus und vergißt, daß es tausend Bedeutungen hat, von der plattesten bis zur tiefsten. Ich habe nur einen einzigen Menschen getroffen, dem Stolz zum Schicksal wurde, das war sie. Ich war jedenfalls in höchstem Maß ... gefesselt, und es hatte seine Folgen. In den Lehren der indischen Sikhs heißt es: Wenn ein Mann getrennt ist von seiner Seele und dem Verlangen seiner Seele, bleibt er nicht auf der Straße stehn, um zu spielen, sondern beschleunigt seine Wanderung. Ich denke, Sie verstehen. Es war ein Fatum. Bei den Menschen scheint es umgekehrt zu sein wie in der Chemie, wo die zusammengesetzten Elemente reaktionsfähiger sind als die einfachen. In ihr war die Welt inkarniert, in die ich mich bis in die Nervenfasern erst hatte hineinverwandeln müssen. Erst durch ihre Existenz begriff ich den Sinn der meinen. So war das. Wir verstanden uns sehr gut. Das heißt, sie hörte mir sehr gut zu. Ich habe niemals, in meinem ganzen Leben nicht, selbst bei Ihnen nicht, kleiner Mohl, ein so aufmerksames, so atemlos aufmerksames Antlitz mir zugewandt gesehen. In meinen jungen Jahren konnte ich die Menschen im Gespräch mit fortreißen, ich konnte sie maßlos entflammen, ich konnte, ah, was konnt ich nicht? ihnen das eigene Ich neu schenken. Da war kein Unterschied zwischen Männern und Frauen. Kein Widerstand mehr, sie sahen mit meinen Augen, sie fühlten, was ich sie fühlen machte. Sie bekamen ein mutiges Herz, sie fingen an, die Gleichnisrede zu verstehen, denn die höhere Welt wird nur durch das Gleichnis erschlossen. Mir war Mitteilung die andere Natur, die eigentliche Natur, wie der Pulsschlag, wo ich mich mitteilen konnte, identifizierte ich mich schon, es war die sublimste Form der Liebe, Männern wie Frauen gegenüber, unermüdliches Werben, den andern aus sich herauszutreiben, aus allen Grenzen und Reserven, ich selber hatte ja keine, weder Grenzen noch Reserven, das war es eben, das müssen Sie nach allem jetzt begreifen. Was die Frauen betrifft, ich konnte sie nicht entbehren. Sie hatten es leicht mit mir. Ich war Zunder. Ich wog nie ab, was für mich auf dem Spiel stand. Ich war nicht sparsam mit meiner Person, ich kann sogar ruhig sagen, daß ich eine Verschwendung damit betrieben habe wie einer, der fünfzig Leben hat. Einige Freunde machten sich über mich lustig, sie behaupteten, ich sähe Helena in jedem Weibe. Unsinn. Man muß vor vielen Altären gekniet haben, um zu wissen, wie unerreichbar Gott oder Göttin sind, gerade wenn man vergeblich geopfert hat. Als die richtige Helena kam, zeigte sich's freilich, oh, mein prophetischer Rochow, daß sie diesmal wirklich die Tochter der Nemesis war.«

Er wanderte eine Weile schweigend auf und ab, Etzels Blicke waren auf drei Schaben geheftet, die hintereinander schwarz und ekel über die Dielen spazierten. Doch er gewahrte sie nicht, er lauschte nur. »Was sich zwischen uns ereignete«, fuhr Warschauer fort, »ist nicht weiter von Belang. In diesem Zusammenhang nicht. Das Pragmatische spielt keine Rolle. Man verliert dabei nur den großen Gesichtspunkt und erniedrigt das Erlebnis zum Roman (faule Ausrede, dachte Etzel, jetzt verschweigt er das Wichtige, und in der Tat geriet Warschauer einige Minuten lang in unsicheres Stottern). Entscheidend war das: Ich kämpfte um sie, jedoch sie ... sie kämpfte um ... ja, um was ... um ein erdenfernes Bild von sich. Wenn sie noch um sich selber gekämpft hätte, ja dann ... aber der Ruf, und was man seiner Ehre schuldig war, und daß man sich aufbewahren müsse ... gottlos, gottlos, Moral der feinen Kreise, Konserven-Moral, gottlos. Ich warf ihr meine Zeit zu Füßen, verschwenderisch wie ein Narr, ein Weib versteht nicht, was das ist, die Zeit eines Mannes. Sie schluckt sie wie Limonade, soviel man ihr davon gibt, verschlingt sie, und wenn sie einen Hut probieren geht, hat sie ihrerseits keine übrig. Sie hatte Talente, es hätte was aus ihr werden können, aber sie hatte keine Ehrfurcht und keinen Glauben, außer daß sie jeden Sonntag zur Beichte ging, aber Menschensendung war ihr nichts. Man hätte sie auseinanderreißen müssen ... sie war zugeschlossen wie eine junge Nuß. Ich ... nun ja ... ich war kein Toggenburg, kein Adorant ... was sollt ich tun? (er schlug sich herumgehend mit der flachen Hand dröhnend auf die Brust), was sollt ich tun? Ich wußte wohl, daß die zerschlagene Schale mir die Seele noch nicht öffnete, aber es ist da eine Rachsucht ... Ich rang sie nieder und war der Geschlagene. Ich war vielleicht verrückt. Ich beging die größten Dummheiten. Ich log ihr vor, ich sei der Sohn eines regierenden Fürsten. Dabei verzehnfachte ich meine Kraft und arbeitete wie ein Kuli. Aber diese Art Leidenschaft war ihr unheimlich. Schließlich war sie ein deutsches Mädchen, verstehen Sie. Es war zuviel für sie, sie steckte in Konventionen wie in einem eisernen Korsett. Ich war ihr nicht geheuer. Sie spürte das fremde Blut ... ihr graute, sie war behext, und es graute ihr ein wenig. Je mehr Licht ich über sie ausgoß, je dunkler wurde ihr Gemüt. Enträtseln Sie das. Nicht hingerissen werden wollen, um Gottes willen nicht, sich beugen schließlich, dulden ja ... sie wußte nicht, daß sie mich binden konnte, wenn sie sich losließ, daß ich Wurzel schlagen würde, wenn sie mir den Boden bereitete, aber das faßte sie nicht, die deutsche Helena, das ging über ihren Horizont. Es kam zum Bruch. Sie irrte von Stadt zu Stadt bis sie von der Schwester gerufen wurde. Und was geschah? Dort harrte ihrer eine Mission nach ihrem Sinn. Ein mutterloses Kind war zu versorgen, ein lyrischer Schwächling war zu bölzen, der keine geöffnete Seele verlangte, denn seine war ja von jeher offen wie eine Wirtshaustür, er brauchte ein bißchen Märtyrer-Nimbus, ein bißchen tantenhaften Zuspruch, ein bißchen Bewunderung, man konnte die Gouvernante spielen, die Unnahbare, die Mittlerin, die Rolle war einem auf den Leib geschrieben, man wurde angebetet, man riskierte nichts dabei. Ohne Frage hätten sie ein sanftes und anständiges Glück beieinander gefunden, hätten in einer jener Ehen gelebt, wo der Mann ein beamteter Lakai und die Frau, Gott mag wissen, wie es zugeht, mit vierzig Jahren noch Jungfrau ist, auch wenn sie ein halbes Dutzend Kinder geboren hat, ohne Frage wär es so gekommen, wenn Maurizius noch frei gewesen wäre. So ging's unaufhaltsam in die bürgerliche Stickluft-Tragik hinunter, wo die Hemmungen, Verdrängungen und Komplexe wie ansteckende Hautausschläge gedeihen, Kampf zwischen Liebe und Pflicht, Rücksicht auf geheiligte Bande, Furcht vor Klatsch und Verleumdung, feiges Spiel mit dem Feuer, Rivalität zwischen Schwestern und heimlicher Briefwechsel, verbotene Wege und schlechtes Gewissen. Das ganze Phrasengewitter ausgelaugter Konflikte tobte sich aus, und das jämmerliche Ende kam wie ein geschwungener Hammer, ob ich nun eingriff oder nicht. Und hätte ich etwa nicht eingreifen sollen? Sie waren so armselig alle drei. In ihrer augenlosen Verwirrung flatterten sie herum wie Vögel ums zerstörte Nest, die triste Komödie schrie geradezu nach dem Gott aus der Maschine, sie konnten gar nicht mehr zurechtfinden ohne mich, sie hatten keinen Willen mehr, nur noch Trieb, nur noch Angst. Meine Galathee, meine Helena, von einem Narren geraubt! Wenn's wenigstens ein Paris gewesen wäre, aber nein, nicht der blasse Schimmer. Besudelt fand ich sie wieder, in den Morast geschleift, ihr ganzes Wesen flehte um Rettung, was war sie denn ohne mich, aber sie wollt es nicht wahrhaben, und als ich sie aus dem Pfuhl herausfischte, war sie eine Leiche. Will sagen, sie hatte keine Seele mehr. Sie ging allerdings auf der Erde herum, aß und trank zur Not, kaufte sich Toiletten und las Bücher und besuchte Museen und ... war eine Leiche. Ich bin kein Christus, konnte nicht Jairi Töchterlein neuen Odem einblasen. Im Gegenteil, ein kaputter Mann war ich um diese Zeit, kaltgestellt wie auf Kommando. Kein Hund wollte mehr einen Bissen Brot von mir nehmen, meine eifrigsten Förderer kannten mich nicht mehr, man war nicht mehr für mich zu Hause, man erinnerte sich nicht, mit mir Ideen ausgetauscht und Pläne geheckt zu haben, Briefe kamen uneröffnet zurück, die Geldquellen versiegten, es blieb mir nichts übrig, als meine Zelte abzubrechen und mit meiner entseelten Halbleiche wie die wahnsinnige Johanna mit dem Kadaver ihres Gemahls außer Landes zu gehn. Nach Westen. Weiter nach Westen.«

Er trat ans Fenster und trommelte derart heftig und andauernd an die Scheibe, daß Etzel in seiner quälenden Nervenanspannung unwillkürlich die Hände an die Ohren preßte. Nach einer Weile traute er sich hin und zupfte ihn am Rock. »Herrje, hören Sie doch auf«, bat er leise. Warschauer ließ den Arm sinken, drehte sich aber nicht um. »Und wie war das mit dem Gott aus der Maschine?« fragte Etzel flüsternd, »das ist doch das Allerinteressanteste ...« Warschauer machte eine wegwerfende Geste. »Mag sein, mich interessiert es momentan nicht«, gab er schroff zur Antwort. »Sehen Sie die Gestalt da drüben am Fenster? Richtig, so weit können Sie nicht sehn, Sie armer Salamander. Eine nackte Frau. Sie badet ihre Füße. Eigentlich schön. Friedlich und schön. Vielleicht ist sie jung und hübsch, ich kann's nicht ausnehmen, sie sitzt im Schatten, aber wenn sie jung und hübsch ist, wollen wir ihr für ihre Sorglosigkeit einen dankbaren Gedanken widmen. Das Leben geht doch nicht ganz über einen hinweg. Aber ich fürchte, es ist eine Illusion, sie wird eine alte Vettel sein.« – »Du liebe Zeit, was für ekelhafte Sachen Sie manchmal reden«, sagte Etzel, »was kümmert uns das fremde Weibsbild.« – »Jaja, was kümmert uns das fremde Weibsbild«, wiederholte Warschauer in seltsam schwermütigem Ton. Etzel blickte überrascht auf und schlug dann beschämt die Augen nieder. Da lachte Warschauer klapprig, es klang, als wäre die Stimme zerbrochen. »So stand ich auch einmal am Fenster«, begann er ohne Übergang zu erzählen, die Stirn an die Glasscheibe gelehnt, »in der Nacht, in einer kleinen französischen Stadt, in einem kleinen, leeren Gasthof, spät im Herbst, stand am Fenster und schaute hinaus, und in einem Fenster gegenüber sah ich ein geigenspielendes Mädchen. Man hörte nichts, man sah bloß, wie sie mit innigem Gefühl den Bogen führte, auf und ab, ihre zarte Figur schimmerte nur durch die weißen Gardinen. Und hinter mir, so wie jetzt Sie hinter mir stehen, kleiner Mohl, hinter mir stand ... Anna. Die Koffer waren gepackt, am andern Morgen sollten wir reisen, sie nach Paris, ich nach Cherbourg. Wir waren am Ende.«

Er sprach, nach einer Pause, von den letzten zehntausend Francs, die er im Bakkarat verspielt. Viertausend blieben dann noch übrig, der Rest von Annas Vermögen, die teilten sie, und der weibliche Schatten, der ihn bis zu diesem Absturz begleitet hatte, vielleicht nur deswegen, weil er nirgends auf der Welt seines Bleibens hatte, löste sich von ihm los, mit derselben Lethargie, mit der er neben ihm hergegangen. Paris? Gut, Paris. Und dann? Sie wußte es nicht. Welkes Blatt im Wind. Ein Jahr lang hatte er, damals noch Gregor Waremme und von verloschenem Ruhm umwittert, aufgehört, eine geistige Existenz zu führen. Er hatte sich seine verzweifelte Enttäuschung nicht zugestehen wollen, er spielte einfach seine Rolle weiter, Schauspieler ohne Publikum, vor leeren Bänken. Aber der Schauspieler wurde zum Glücksspieler, es war nur ein Wechsel der Masken. Er sagte, der Spieler sei ein Bastard der Phantasie, nur wer den Besitz verachte, könne um großen Einsatz spielen. Er hatte das fürchterliche Debakel seines Lebens im Innern noch nicht verwirklicht, er träumte von Reichtümern, hielt das Exil für vorübergehend, die Aufhebung der Ächtung für eine Frage der Zeit, sein Ziel war, aus den hunderttausend Francs von Annas Erbschaft sechs- bis siebenmalhunderttausend zu machen, das schien ihm ein leichtes, mit dieser Summe ließ sich dann eine goldne Brücke zur Rückkehr bauen. Und nun war sein Geschäft, das Glück zu zwingen, Tag für Tag, Nacht für Nacht, verbohrt und verbissen. Als alles vertan war, kam die Ernüchterung. »Ich begriff, wie einer, der aus einer Opiumhöhle in den eiskalten Morgen tritt, daß ich in Europa keinen Boden mehr hatte. Aber auch der Gedanke, über den Ozean zu gehen, war zuerst nur Träumerei. Auch da träumte ich zuerst nur von einem Zufallsglück und davon, daß die Heimat mir das zugefügte Unrecht abbitten und mich wieder mit offenen Armen empfangen würde. So tief war die Verblendung. Aber in jener erwähnten Nacht hatte ich ein Wahrbild meines vergangenen Lebens, es stierte mich an wie eine Larve aus der Unterwelt. Endlich wußte ich, es gab keine Umkehr. Es gab entweder die Kugel in den Kopf oder ... die Schiffe hinter mir verbrennen, nicht mehr zurückschauen, sich im Unbekannten unbekannt verlieren. So geschah es. Aber, mein guter Mohl, es kamen Jahre ... ich fürchte, es geht über meine Kraft, Ihnen davon eine Vorstellung zu geben ...« Er schritt ins Zimmer zurück, bis zur gegenüberliegenden Wand, und kauerte sich auf einen niedrigen Bücherstoß, die Stirn weit nach vorn gesenkt. Die weißen Borsten auf seinem Schädel glitzerten wie Eis. Etzel machte sich ganz klein und war ganz, ganz still. Am liebsten hätte er sich in den Ofen verkrochen, um nur zu lauschen und von Warschauer nicht mehr gesehen zu werden.

Es handelte sich nicht um einen bestimmten Vorgang. Es gab da keine Geschichte mit spannenden Wendungen. Nicht einmal einen rechten Anfang hatte der Bericht, keinen Einschnitt, keine Steigerungen. Nur Bilder flammten von Zeit zu Zeit auf, die an Blinkfeuer über trübem und eintönigem Wassergewoge erinnerten. (Etzel kannte die Blinkfeuer von der Nordsee her, wo er vor drei Jahren mit dem Vater ein paar Ferienwochen bei Sydows verbracht hatte.) Ja, wie trübes und eintöniges Wassergewoge berührte ihn nun die Sprechweise Warschauers, das Aufbrausende, leidenschaftlich Überbreitende seiner Rede hatte sich verloren, alles wirkte wahrer. Es war ein Unterschied wie zwischen einem Erzähler, der fortwährend schreit und Grimassen schneidet, so daß man nicht ordentlich aufpassen kann auf das, was er sagt, und einem, der dasitzt, ohne sich zu rühren, kaum zu sehen ist und nur spricht, nur spricht ... Was Etzel vernahm, zog ihn wie eine Schraube hinunter (er hatte sogar ein körperliches Gefühl von Hinabgezogenwerden), in allem war eine ungeheure, eine herzlähmende Logik zu spüren. Scheinbar bestand kein unmittelbarer Zusammenhang mit seiner Sache, aber das beunruhigte ihn nicht weiter, er würde den Zusammenhang schon wieder herstellen, dünkte ihn doch, als ob alles nur wie Abwandlung des Einen sei, der einen »Sache«, die irgendwann, zu irgendeiner Stunde zum Austrag kommen mußte.

Waremme verließ also damals Europa mit dem vollen Bewußtsein der Endgültigkeit. Auswanderer im kahlsten Sinne des Wortes, für den es eine Heimat nicht mehr gibt. Er hatte sich damals abgefunden. Er mußte vergessen, er mußte von vorn anfangen. Jedoch über die wesentliche Schwierigkeit seiner Lage war er sich am Beginn dieses Schrittes noch immer nicht klar. Europa den Rücken kehren heißt noch nicht, ohne Europa existieren können. Er fing an zu verstehen, was Europa für einen Menschen wie ihn eigentlich war. Nicht bloß seine persönliche Vergangenheit, sondern die Vergangenheit von dreihundert Millionen Menschen. Zugleich das, was er davon wußte, was er davon im Blute hatte. Nicht bloß die Landschaft, die ihn hervorgebracht, sondern Bild und Form aller Landschaft zwischen Nordsee und Mittelmeer, ihre Atmosphäre, ihre Geschichte, ihre Verwandlung. Nicht nur die und die Stadt, in der er selbst gelebt, sondern Hunderte von Städten, und in den Städten die Dome, die Paläste, die Burgen, die Kunstwerke, die Bibliotheken, die Spuren großer Männer. Gab es denn eine Begebenheit seines eigenen Lebens, der sich nicht geschlechteralte Erinnerungen gesellten, die mit ihm geboren waren? Europa war nicht bloß die Summe der Bindungen in seiner individuellen Existenz, Freundschaft und Liebe, Haß und Unglück, Gelingen und Enttäuschung, es war, ehrwürdig und unfaßbar, die Existenz eines Ganzen seit zweitausend Jahren, Perikles und Nostradamus, Theoderich und Voltaire, Ovid und Erasmus, Archimedes und Gauß, Calderon und Dürer, Phidias und Mozart, Petrarka und Napoleon, Galilei und Nietzsche, ein unabsehbares Heer lichter Genien, ein ebenso unabsehbares von Dämonen, alles Helle ins Dunkle getrieben und aus ihm wieder hervorleuchtend, aus trüber Schlacke goldenes Gefäß zeugend, die Katastrophen, die Erleuchtungen, Revolutionen und Verfinsterungen, Sitte und Mode, all das Gemeinsame, Strömende, Gekettete und Gestufte: der Geist. Das war Europa, sein Europa. Wie konnte er dies Europa von sich abtun? Es war in ihm. Er trug es mit hinüber. Es wirkte in ihm schon dadurch, daß er atmete. Er hatte demnach, so schien es ihm, eine Aufgabe. Wie ein Missionar zu den Heiden geht, um ihnen den wahren Gott zu bringen, so ging er »hinüber«, schien es ihm, um den Geist Europas zu verkündigen.

»Es läßt sich denken, Mohl, wie großartig ich mir in dieser Einbildung vorkam. Kolumbus der Zweite. Ein heiliger Paulus der Bildung und Kultur, nicht wahr? Mit solchen Rosinen im Kopfe konnt ich mich doch einigermaßen installieren. Was man aus Büchern über Land und Volk erfahren kann, das wußte ich, ich hielt die theoretischen Kenntnisse für einen nützlichen Fundus, zudem beherrschte ich die Sprache wie meine eigene, Engländer von Rang hatten mir oft ihr Erstaunen darüber ausgedrückt. Nun, ich war ja immer eine Art Mezzofanti. Ich hatte aber keine Verbindungen. Ich kannte keinen Menschen. Ich besaß keinerlei Empfehlung. Ich brachte nicht einmal einen Titel mit. Ich wollte mich bei den Universitäten einführen, es war jedoch aus gewissen Gründen unmöglich, auf meine frühere Wirksamkeit zu verweisen, ich mußte Erkundigungen fürchten, ich hatte keinen akademischen Grad, die Verachtung, die ich für die Herdenauszeichnungen gehabt, rächte sich jetzt, die Versuche scheiterten. Zu meinem Glück, denn bei der Lage der Dinge hätte ich auf jedem ihrer Katheder eine bedauernswerte Figur abgegeben, etwas wie den Lehrer in einer indianischen Dorfschule. Nach einigen Wochen war ich von allen Mitteln entblößt. Das schierte mich nicht groß. Verhungern kann dort niemand. Das ganze Land ist sozusagen eine Versicherungsanstalt gegen den Hungertod. Die öffentliche Wohltätigkeit ist so gigantisch, daß Bettler fast so selten sind wie Könige. Und sie haben ja die Demokratie. Was allerdings zwischen Leben und Nichtverhungern liegt, ist ein anderes Kapitel. Stellen Sie sich ein riesiges Hospital vor, ausgestattet mit allem Komfort der Neuzeit, vollgestopft mit lauter unheilbar Kranken, von denen niemals einer stirbt, so haben Sie, was »dazwischen« ist. Das Sterben könnte dem Renommee des Instituts schaden. Nun, Sie haben sich hoffentlich in der Zeit unserer Bekanntschaft davon überzeugt, daß ich ein Mensch ohne materielle Bedürfnisse bin. Während ich noch im höchsten gesellschaftlichen Glanz lebte, brauchte ich für meine Person, außer wenn ich bestimmte Zwecke erreichen wollte, nicht viel mehr als ein armer Student. Das ist eine der Eigenschaften, durch die man unter Umständen stärker wirkt als durch Genialität. Der Völler und Genüßling glaubt nur an den Enthaltsamen. Es gelang mir leicht, durch Sprachunterricht mein Brot zu verdienen. Ich blieb damit aber auf die untersten Klassen beschränkt. Es hatte äußere Gründe. Ich hatte das Geld nicht, mich anständig oder gar elegant zu kleiden, ich hatte auch nicht die Neigung dazu. Nach und nach kam ein Trotz über mich, als wäre mein ärmliches Aussehen ein Selbstschutz, Sie werden bald verstehen, warum mich nach diesem Selbstschutz verlangte. Die inneren Gründe waren bedeutsamer. Kleine Leute vertrugen mich grade noch. Kleine Leute fordern nicht die Umgangsschablone, sie sehen noch im andern Menschen etwas Schwebendes, da sie ja auch noch schweben, über der Tiefe nämlich. Den kleinen Leuten dort haftet noch ein Fetzen Europa an, ein verlorenes Flitterchen Europa, ein Reminiszenzchen. Die Gesicherten, so wie sie nur anfangen, der Sicherung teilhaftig zu werden, beargwöhnten mich. Ich sagte Worte, die bei ihnen nicht vorkamen. Ich machte Anspielungen auf Dinge, von denen sie nie gehört hatten. Die Sätze, in denen ich zu ihnen redete, hatten eine Konstruktion, mit Hauptsatz und Nebensatz. Nie kam das Wort Dollar über meine Lippen. Dagegen liebte ich, mich in Gleichnissen verständlich zu machen. Und das war Geist, etwas rasend Verdächtiges, etwas Ekrasantes, und je höher man sozial stieg, je verdächtiger und ekrasanter. Natürlich wurde ich immer vorsichtiger, immer bescheidener. Aber die wohlbedachte, sorgfältig geplante Vermeidung und Ausschaltung von Geist, deren ich mich befliß, war immer noch Geist. Was sollte ich dagegen tun? Ich hatte eben noch nichts von dem Land begriffen. Ich sah bloß das eine, wenn ein Mensch, sei es, wer es sei, einen Funken Geist zeigte, ging man ihm in weitem Bogen aus dem Weg, und er konnte seinen Fauxpas nur vergessen machen, wenn er gelegentlich etwa ein Kind aus den Fluten des Mississippi zog. Nein, sie lieben nicht den Geist, sie lieben das Ding, die Sache, die Verrichtung, die Anpreisung, die Tat, der Geist ist ihnen über alle Maßen unheimlich. Sie haben was anderes an seiner Statt, das Lächeln. Ich mußte lernen zu lächeln. In San Franzisko gab es einen Friseurladen, der Besitzer hatte nach dem großen Erdbeben, das die Stadt in Trümmer stürzte, den sublimen Einfall, ein Plakat an seine Ladentür zu nageln: Wer hier lächelnd eintritt, wird umsonst rasiert. Als man mir das erzählte, fing ich langsam an zu begreifen. Kinderland. Ich lernte also lächeln. Daraus erkennen Sie, guter Mohl, daß mir ein vollständig neues Problem der Anpassung gestellt war, mir, dem Meister der Mimikry, ein viel schwierigeres als je vorher. Vorher hatte ich alles im

Geist und durch den Geist bewirken müssen, jetzt konnte ich mich nur halten, wenn ich den Geist bis auf den letzten Stumpf aus mir heraustrieb, wenn ich sozusagen täglich gegen den Geist purgierte. Aber das sind Aperçus, Nachgeburten der Erfahrung, mit denen kann ich so wenig das Wesen begreiflich machen, als wenn ich versichere, die Suppe von gestern war zu stark gesalzen. Ich blieb nicht lange in New York. Da hängt man noch quasi am Rand von Europa, die Versuchung ist zu stark. Die Irrfahrten dann, darüber ist nicht viel zu sagen. Ich ging mit der Familie eines Predigers nach Kansas-City, von dort in den Süden, von dort nach Mittelwest. Man muß sich aufs Wandern einrichten, wenn man sich nicht aufs Klimmen versteht, auf dem Fleck bleiben, heißt untersinken, Jack wirft dich dem John zu und John dem Bill, und wenn Bill findet, daß du nicht mehr taugst, läßt er dich auf dem Kehricht verrecken, in aller Freundlichkeit natürlich. Keep smiling. Als ich nach Chikago kam, wo ich dann zehneinhalb Jahre blieb, wurde ich krank, acht Monate lag ich im Spital. Während meiner Genesung freundete ich mich mit einem jungen Neger an. Joshua Cooper, einem Athleten, einer Unschuldsseele. Wenn er einen anlachte, hatte man immer das Gefühl, es ist Weihnachten. Er war Beamter an einer Negerbank, durch ihn lernte ich andere Neger kennen, ich unterrichtete sie oder ihre Söhne. Damit war ich bei der weißen Gesellschaft erledigt. Die Wege wurden dunkler, ich ließ mich treiben, ich verlor die Oberfläche und geriet auf den Grund. Ich hatte viele Begegnungen mit Chinesen, Begegnungen, mehr nicht, man kommt nicht an sie heran. Dort nicht, wo sie entwurzelt sind. Sie leben wie Würmer im Holz, dort. Die Mehrzahl unter ihnen führt das geheimnisvollste Dasein, das unter menschlichen Geschöpfen möglich ist. Selten ist einer wirklich, was er scheint, der Koch kein Koch, der Lastträger kein Lastträger. Viele stehen im Dienst einer Organisation von einer Macht und Strenge, mit der verglichen der Jesuitenorden die Harmlosigkeit einer höheren Töchterschule hat. Ich war oft mit einem Teehändler namens Sun Chwong Chu zusammen. Als ich ihn eines Tages besuchte, ich hatte einen Auftrag an ihn, führte mich der gelbe Boy in den Keller, wo vier von seinen Freunden schweigend um seine Leiche standen. Eine Stunde vorher war er lautlos umgesunken, sein Gesicht war aufgedunsen wie ein Schwamm. Mord ohne Mörder, auf achttausend Meilen Entfernung diktiert. Sie denken sich wahrscheinlich: blöder Kitsch, was, guter Mohl? Aber man muß das erlebt haben, das Schauerliche ist da noch nicht von den Gänsefüßchen der Kultur geschwächt. Diese Stadt ... wenn ich bisweilen den Atlas aufschlage und ich sehe sie unter einem gewissen Längen- und Breitengrad geographisch fixiert, am Südufer eines gewissen, ungeheuern Sees, ungeheuer wie alles in dem Land, das Wasser weißlich wie verdünnte Milch, wenn ich sie da sehe, als Zeichen bloß, ergreift mich ein grauendes Staunen. Sie existiert also wirklich, sag ich mir, als ich dort lebte, war mir die Wirklichkeit nicht so unumstößlich. Könnte die menschliche Seele, was in sie eindringt, so schnell aufnehmen, wie das Auge blickt und der Verstand faßt, niemand könnte das Jahr, in dem es geschieht, zu Ende leben, auch der Härteste nicht, und ich bin bei Gott hart genug. Es geht mir mancherlei durch den Sinn; wenn ich's festhalten will, hat es nicht mehr Stoff als Fieberträume, da sind ein paar Vorkommnisse, von denen muß ich reden, weil ... nun, wie heißt's im Shakespeare: Des Himmels Antlitz glüht, ja, dieser Weltbau zeigt mit Trauermienen wie vor dem Jüngsten Tag Trübsinn bei solchem Werk ... Trübsinn? Na, ich weiß nicht. Man wird um- und umgestülpt. Es ist furchtbar interessant. Ein Bilderbuch, so rar wie nervenzerrüttend. Doch da ist vorerst was Hübsches. Präludium. Ich geh eines Morgens durch die Gassen der Lagerhäuser, die Ohren zerhämmert vom Lärm, Maschinen und Menschen toben, kreischen, rasen, da vernehm ich sonderbare Laute. Vogelgesang? denk ich erstaunt, in der Schmutz- und Eisenhölle Vogelgesang? woher die Vögel? wieso kann ich sie hören? Ich trete in eine Art Verschlag, frag einen Schwarzen, er weist mich grinsend weiter, vor mir eine Mauer von Käfigen, dreißigtausend Kanarienvögel, eben ausgeladen, singen aus dreißigtausend winzigen Kehlen, ein Orchester, ein Monsterkonzert, das Krane, Autos, Lokomotiven, Menschengeschrei unsinnig-lieblich übertönt. Ich stehe da und weiß nicht, ob ich lachen oder heulen soll, es ist so verrückt, so heilig, so märchenhaft. Well, blättern wir um. Ein Sommernachmittag; lungenausdörrende Hitze; die Wandelgänge der Stockyards. Der Himmel eigentümlich gelbrot, die Luft klebrig, zum Schneiden dick. Die kilometerlangen Gänge, hölzerne Tunnels, Labyrinthe von Tunnels laufen über die Straße hin, die Todesbrücken für das Schlachtvieh. Dumpfes Gedröhn, Ochsen und Kälber in unendlichen Zügen, ruhiges, schicksalsvolles Stampfen. An einer bestimmten Stelle wuchtet der Hammer auf sie herunter, in einer Minute sterben hundert und stürzen in den Schacht. Bedrängte Gegenwart, so dicht beim Sterben zahlloser Kreatur, ich seh sie schreiten, schiebend geschoben, die Hälse der hinteren auf die Flanken der vorderen gelegt, vom Morgen bis zum Abend, Tag für Tag, Jahr für Jahr, mit großen, braunen, ahnungsvoll-verwunderten Augen, das klagende Gemuh erschüttert die Atmosphäre, vielleicht erbeben die unsichtbaren Sterne davon, die Pfeiler zittern von den starken Körpern, aus den riesigen Hallen und Speichern schwelt der süßliche Blutdunst auf, ständiges Blutgewölk brütet über der ganzen Stadt, die Kleider der Menschen riechen nach Blut, ihre Betten, ihre Kirchen, ihre Stuben, nach Blut schmecken ihre Speisen, ihre Weine, ihre Küsse. Es ist alles so massenhaft, so unerträglich hunderttausendfach, der einzelne hat fast keinen Namen mehr, das einzelne nichts Unterscheidendes. Numerierte Straßen, warum nicht numerierte Menschen, etwa nach der Zahl der Dollar, die sie verdienen, mit Blut von Vieh, mit der Seele der Welt. Ein anderes Blatt. Herbstnacht, toller Sturm und Regen. Da ist eine

Straße, die Halstedstraße, in deren Nähe wohnte ich, dreißig Meilen lang, trostlos lang, so lang wie das Elend und der Jammer, die sie beherbergt, sie nennen sie die längste Straße der Welt, und das ist sie, der neue Weg nach Golgatha. Da gibt es Häuser, die nur aus Unrat zu bestehen scheinen – man muß den Unrat vor den Türen verbrennen, damit man nicht drin erstickt – da gibt es düster-schmierige Winkel mit ruinenhaften Baracken, in denen acht Dutzend Familien in einem Dutzend Löcher hausen, so daß das gepferchte Leben zu den Fenstern herausquillt und Weiber und Männer und Säuglinge in heißen Nächten auf den eisernen Balkonen wie die Heringe übereinanderliegen; da sind Basare, worin aller Schund verkauft wird, den dieser verknotete Menschenheerwurm für seinen Schrecktraum von Dasein zu brauchen sich einbildet; da ist ein Gewimmel zementfahler Kinder mit gierigen Verbrecheraugen; und Ruß und Staub und Rauch und Berge von Papierfetzen und krüppelhafte Autos und Firmentafeln in allen Idiomen der Welt und Benzingestank und Schweißgestank und Blutdunst. Nun zur Sache. In besagter Nacht ging ich aus, neben mir waren neue Mieter eingezogen, fünfköpfige irische Familie, denen war am Bahnhof all ihr erspartes Geld gestohlen worden. Ihre Verzweiflung machte das ganze Haus mobil, das Jammern und Schluchzen enervierte mich, ich hatte für Mitternacht eine Verabredung mit Joshua Cooper, der für einige Monate nach Louisiana wollte, er hatte mich in eine Bar an der Zweiundzwanzigsten Straße bestellt, auch eine süße Gegend. Von weitem schon hört ich wüstes Geschrei, zuerst dachte ich, es sei der Regen, der auf die Wellblechdächer peitscht, dann seh ich eine Horde von Kerlen daherstürmen und vor ihnen, in einem Abstand von zwanzig Schritten, einen kolossalen Neger. Kein Zweifel, es ist mein Joshua. Er ist beinahe nackt, sie haben ihm die Kleider vom Leib gerissen, er fliegt förmlich, sein gutes, schwarzes Gesicht ist von einer Todesangst verzerrt, wie ich sie nie, weder vorher noch nachher, an einem menschlichen Wesen gesehen habe. Er rast daher, die Beine weitausschwingend, die Arme vorwärtsgestreckt, auf seiner Stirn, genau in der Mitte, klafft eine kleine Wunde, von der rinnt ein dünner Blutfaden über Nase, Mund und Kinn. Die Sekunde seines Vorüberrasens belehrt mich darüber, was seiner harrt, es ist aus mit ihm. Schon kommen die Verfolger. Zwölf bis fünfzehn Burschen. Johlend, mit tierischem Gebrüll, irrsinnig vor Wut. Es nagelt mich an den Boden fest. Der Sturm reißt mir den Schirm weg, ich merk es nicht, den Hut weg, ich stand gerade an einer Hausecke, ich merk es nicht. Ich sagte schon, ich bin ein harter Teufel, aber damals ... lauf, guter Freund, lauf, mein Joshua, stammel ich vor mich hin, diese zwölf oder fünfzehn Kerle ... von der Menschheit hatten sie nichts mehr an sich. Bestien? Jede Bestie hat ein Quäkergemüt dagegen. Es waren Leute, denen Raub und Mord Geschäft ist, die einen Menschen durch einen Schlag ins Gesicht stumm machen und sich weniger dabei aufhalten als andere, wenn sie eine Fensterscheibe zerschlagen, acherontische Gestalten, das zweibeinige Aas der Vorstädte, dergleichen gibt es hierzulande nicht, der Verkommenste hier erinnert einen noch, daß ihn eine Mutter geboren hat. Ihre infamste Tücke besteht darin, Verbrechen anzuzetteln, die sie den Negern in die Schuhe schieben, das geht natürlich von einer Zentrale aus, wie seinerzeit in Rußland, als sie die Juden massakrierten, das heißt dann Lynchjustiz. Nein, und wenn ich Methusalems Alter erreiche, nie werd ich meinen Joshua vergessen, wie er vor der johlenden Brut mit Geistergeschwindigkeit enteilte, den Blutfaden über dem guten, schwarzen Gesicht, die Arme vor sich hingestreckt. Ich habe ihn nicht mehr gesehen, ich habe nie mehr von ihm gehört, Gott weiß, wo seine Leiche fault ...«

Warschauer erhob sich schwer, schritt auf Etzel zu, der mit gesenktem Kopf auf dem Sofarand saß, tippte ihm mit dem Finger auf die Stirn, einmal, zweimal, bis dieser die Augen zu ihm aufschlug. Das Bild des durch die Sturmnacht jagenden Negers mit dem Blutfaden im Gesicht, es war kaum zu ertragen, er verspürte Kälte in den Eingeweiden, unwillkürlich machte er eine abwehrende Geste. »Na, Jungchen?« sagte Warschauer, setzte sich neben ihn und legte ihm die Hand auf die Schulter, »haben Sie genug davon?« Etzel schüttelte den Kopf. »Genug werd ich erst haben, wenn ...« Er stockte, die Brauen waren zusammengezogen. – »Wenn –?« – »Wenn ich alles von Ihnen weiß, alles, alles.« – Warschauer wiegte ironisch-besorgt den Kopf. »Alles ist viel, alles, alles ist Ihre gewöhnliche Unverschämtheit, Mohl. Aber Sie haben Glück, ich bin in Schwung. Wenn Sie mir ein bißchen Ihre Hand überlassen, das feine Aristokratenhändchen, daß ich es zwischen meine Pranken nehme, will ich ein netter Onkel sein und mein Garn weiterspinnen.« Beinahe gierig haschte er nach Etzels Hand, der die ihn grausig anmutende Zärtlichkeit widerwillig duldete, und nur, weil sie als Bezahlung gefordert wurde. Die Gasflamme sang, eine fette Schmeißfliege raschelte unter den Papieren auf dem Schreibtisch.

Das eintönige, an Kantorgeleier erinnernde Reden begann wieder. Es gelang Etzel, seine Hand aus der breiig-weichen Umschließung zu befreien, doch hütete er sich, sonst eine Bewegung zu machen. »Es wäre eine verkehrte Vorstellung, kleiner Mohl, wenn Sie mich dort als eine Art Jesaias erblicken würden, der den Untergang der Welt mit zornentbrannten Prophezeiungen introduziert. Nicht die Spur. Erstens ist da an Untergang gar nicht zu denken, ein Begriff, den ein paar belletristische Philosophen erfunden haben, um den seelischen Starrkrampf Europas zur Sensation aufzubauschen, zweitens: Das Auge, das sieht, ist ein Regulativ für das Herz, das leidet. Da die meisten Menschen mit Blindheit geschlagen sind, leiden sie desto mehr. Der Sehende wird kalt. Eine grausame Wahrheit, aber wär's keine, wie könnten wir, Sie und ich, jeden Morgen aus dem Bett steigen und wieder das Hemd und die Strümpfe anziehn und wieder die Zeitung lesen und wieder zu Frau Bobike wandeln? Wie wäre das möglich? Und was mich betrifft, ich leide ausschließlich an mir selber. An andern leiden, das ist Schwindel. Leide nur einer genügend an sich, er braucht nicht zu fürchten, daß er versteinert. Wir wissen viel mehr voneinander als ... wir wissen. Ich hatte ja zu schleppen. Ich hatte was hinter mir. Es ist Ihnen, zum Teil wenigstens, jetzt bekannt. Ich mußte trachten, den Waremme unschädlich zu machen, verstehen Sie, das wurde nach und nach die Kardinalfrage. Abrechnen, abrechnen. Der Jude ist da, um abzurechnen. Dazu hat ihn Gott bestimmt. Warschauer kontra Waremme, verstehen Sie. Das Hüben und Drüben: zwei Parteien. Europa und die Vergangenheit, Amerika und die Zukunft; es wurde immer mehr zum Leitmotiv. Und bilden Sie sich nicht ein, daß ich fernerhin noch eine Silbe über diese verdammte Affäre Maurizius verlieren werde, das ist abgetan, sag ich Ihnen, da will ich keinen Gedanken mehr dran verschwenden, Sie mögen tun, was Sie wollen.« Er verharrte einige Minuten in seltsam drohendem Schweigen; als Etzel still blieb, fuhr er fort: »Das war also die Geschichte mit meinem Freund Joshua. Meiner Meinung nach war er ein Märtyrer. Heutzutage erregen die Märtyrer keine Aufmerksamkeit mehr, es gibt zu viele. Ich mache mir freilich nichts aus den Märtyrern. Sie hemmen, sie halten auf. Man muß das Schicksal gestalten. Unterliegen und sich opfern, das kann jeder Idiot. Das hat der Osten über uns geschickt, den Märtyrerglauben, die Märtyreranbetung. Da liegt zum Beispiel die russische Seele da, bedeckt Millionen Quadratmeilen Erde und feiert Orgien des Martyriums. Übel, lieber Mohl. Es fehlt die kleine Bemühung, ganz einfach, die kleine bescheidene Bemühung, die sich summiert. Ich bin lange unwissend herumgegangen drüben, jahrelang, nicht scharf genug sehend eben, bis mir ein Mann die Augen öffnete. Von diesem Manne sollen Sie jetzt hören, denn er war die Ursache, daß ich dahin kam, wo ich stehe. Er war gewissermaßen das erste Glied einer langen Kette. Er hieß La Due, Hamilton La Due. Ein mäßig begüterter Kaufmann. Vierzig, zweiundvierzig Jahre alt. Im Westen geboren, an der Küste des Pazifik, wo frische, heitere, unbefangene, kindergleiche Männer leben. Seine Bildung war ungefähr auf dem Niveau eines deutschen Rekrutenunteroffiziers, sein persönlicher Zauber etwas, das man in unsern Gegenden nicht findet. Dabei keineswegs schön oder elegant, bewahre, ein dicklicher, kurzhalsiger, plumper, stotternder Geselle, aber Sympathie strömte von ihm aus und Güte und Arglosigkeit wie die Hitze von einem Dampfkessel. Er hatte eine Menge Bekannte in der Stadt, aber was er eigentlich trieb, neben seinem Gewerbe trieb, davon hatte, glaub ich, niemand eine rechte Ahnung. Ich vermute, daß er dabei sich selber entwischte und sich mit einer lustigen Heimlichkeit in das andere stürzte, wie ein Kind in das verbotene Spiel. Ich lernte ihn kennen, als ich mich eines Tages im Jugendkorrektionshaus nach einem Mädchen erkundigte, das schon längere Zeit dort wegen Trunksucht in Verwahrung war. Ich stand unten an der Treppe, da kam das grüne Polizeiauto angefahren, mächtig groß wie ein Möbelwagen, und aus diesem riesigen Vehikel stieg ganz allein ein etwa zwölfjähriges Bürschchen, finster und verbissen, sprang die Treppen empor, immer zwei Stufen auf einmal nehmend, so recht wie ein Habitué des Ortes, und wollte eben im Tor verschwinden, die Polizisten konnten ihm kaum folgen, als mein La Due herauskam, den Kleinen hurtig beim Schlafittich packte und sich erkundigte, was mit ihm los sei. Na, und was war los? Er hatte in der Schule einen Federhalter und einen Radiergummi gestohlen. Verbrecher. Rückfällig noch dazu. Man denke, Federhalter und Radiergummi. La Due ging gleich mit ihm ins Office und kam dann, den Jungen an der Hand, wieder zurück. Er hatte für ihn gebürgt. Er erzählte es mir lachend. Ich bin noch keinem Menschen begegnet, mit dem man so leicht ins Gespräch kommen konnte. Gehn Sie mal mit mir, schlug er mir vor, ich habe im Distriktsgefängnis zu tun. Den Jungen verfrachtete er in irgendeinem Shop, dann zog er mich in die Maxwell Street. Unterwegs drängte er mir ein Päckchen Schokolade auf, offenbar weil es ihm höchst unangenehm war, wenn er einem, der sich in seiner Gesellschaft befand, nichts schenken konnte. Er hatte beständig die Taschen voll, beständig teilte er aus, Zigaretten, Schachteln mit Feigen, kleine Gedichtbände, eine Stange Siegellack, kleine Papierfächer, was er grad bei sich trug. Dabei lachte er, stotterte, guckte mit seinem Opossumgesicht neugierig herum, rief ›Hallo, Frank‹ über die Straße hinüber oder klopfte im Vorbeigehen einem Henry aufmunternd den Rücken. In der Maxwell Street war ein vor kurzem eingewanderter Kiewer Jude in Haft, er sollte eine Urkundenfälschung begangen haben, beteuerte aber seine Unschuld, La Due hatte einen Advokaten für ihn gewonnen, den sollte er dort treffen. Als wir hinkamen, war er noch nicht da, wir warteten eine Weile im sogenannten Sitzungssaal, einem finstern Gewölbe, wo ein pestilenzialischer Gestank herrschte. La Due trippelte fröhlich singend auf und ab, er sah aus, als habe er Geburtstag. Scheußlicher Lärm bewog uns, ins Erdgeschoß zu steigen, man hatte ein halbes Dutzend Neger und Negerinnen eingeliefert, ich weiß nicht mehr warum, Gestalten aus dem Inferno. Zwei Dirnen waren darunter und ein lepröser Alter, der vor Wut auf einem Bein tanzte, La Due mischte sich in die Unterhandlungen, nach fünf Minuten hatte er die heulende und keifende Bande zur Ruhe gebracht, eine der Megären, die hexenhafteste, dick geschminkt, kropfig, scherzte sogar mit ihm, indem sie mit gräßlicher Koketterie ihr japanisches Schirmchen, das sie immer noch geöffnet über dem Kopf hielt, hin und her schwenkte, es war eine Szene, bei der mich die Gänsehaut überlief, ich trat einen Augenblick auf die Straße, das Gewühl von Menschen, Karren, Autos, der windgewirbelte Kehricht, die düsterroten Ziegelbauten, die schreienden Farben der Plakate, der bleierne

Himmel, es war ein Moment, wo man das eigene Dasein nicht mehr kapiert, ich dachte: Du bist vielleicht auf dem Mond, es ist eine Mondstadt, es sind Mondwesen, zwischen Krater- und Lavawüsten spielt sich ein Gespenster- und Lemurenleben ab. Plötzlich stand La Due mit seinem strahlenden Geburtstagsgesicht vor mir, er hatte eine kokosnußgroße, kalifornische Orange entzweigeschnitten und reichte mir die eine Hälfte. Er hatte gleich einen Korb voll gekauft, das verhaftete Negergesindel hatte sich darüber hergemacht, die Beamten ließen es achselzuckend geschehen. Endlich kam der Anwalt, wir wurden zu dem gefangenen Juden geführt, er hockte in einem Käfig, das ganze Gefängnis bestand wie eine Menagerie aus eisernen Käfigen, da hockte er drin; als er uns erblickte, schluchzte er laut auf. La Due setzte sich zu ihm auf die Pritsche, strich ihm zärtlich über den Kopf, forderte ihn auf, zu erzählen, wie alles zugegangen. Der Mensch war wie ausgewechselt, in kaum verständlichem Jargon schilderte er sein Unglück, es schien wirklich, daß er das Opfer einer Perfidie war, jedenfalls wußte ihn La Due über seine Aussichten zu beruhigen. Das Sonderbare war nur, wie er überhaupt von ihm erfahren hatte. Und von den hundert und hundert andern, für die er ununterbrochen auf den Beinen war. Das blieb mir ein Rätsel. Nach und nach wurde mir ja sein Leben ziemlich vertraut, da er deutschen Sprachunterricht bei mir nahm, ich weiß heute noch nicht, ob er mir damit unter die Arme greifen wollte oder ob er wirklich so lernbegierig war. Er hatte keine Helfer. Er ging immer allein auf seine Jagdzüge in die Slums, von niemand beraten oder gewiesen. Es beruhte offenbar auf einer Art Schneeballsystem. Zum Beispiel, nachdem er dem Juden in der Maxwell Street geholfen hatte, wandten sich gleich sechs jüdische Immigranten an ihn. Juden lagen ihm besonders am Herzen, Juden und Neger. Was er vollbrachte, geschah auf eigene Faust, nach eigenem Augenschein, von Person zu Person. Er hatte keine Wohlfahrtsleute um sich, keine hinter sich. Er schwamm nicht im großen Strom der Philanthropie. Es war ihm vollständig gleichgültig, woher die Dollarmillionen für karitative Anstalten kamen und wofür sie verwendet wurden. Wahrscheinlich war er sich kaum bewußt, daß seine Tätigkeit in eine ganz andere Kategorie von Menschendienst gehörte. Zu urteilen erlaubte er sich nie, dazu war er zu respektvoll und dachte zu gering von sich. Ich sagte ihm einmal, das ganze soziale Fürsorgewerk sei ein Fingerhut voll Milch in einem Hektoliter Tinte. Er sah mich betrübt an. So? meinen Sie? ist das so? fragte er und schüttelte untröstlich den Kopf. Ich bin sicher, daß er die Großunternehmer der Wohltätigkeit nicht schätzte. Es gab aber eine Frau, die Samariterin von Hullhouse, Gründerin der Jugendhilfe, die verehrte er auf Knien, man brauchte bloß ihren Namen zu nennen, so wurden seine Augen feucht. Eines Tages kam er in ungewöhnlich erregtem Zustand zu mir und erzählte, was sich den Abend vorher ereignet hatte. Ein vierzehnjähriger Junge sei mit allen Zeichen der Angst und des Schreckens ins Hullhouse gekommen, habe die Miß zu sprechen begehrt, habe sich, als man ihm bedeutet, die Miß habe sich schon zur Ruhe begeben, auf die Erde hingeworfen und verzweifelt um sich geschlagen. Die Miß soll kommen, die Miß soll kommen. Man holt also die Miß, sie kennt den Jungen, es ist einer ihrer Schutzbefohlenen. Allein mit ihr, stürzt er auf die Knie, beschwört sie, ihn zu retten, zu verbergen, die Polizei sei hinter ihm her, er habe seinen Vater umgebracht. Grund? Seit Monaten hat er Nacht für Nacht mit dem fürchterlichen Stumpfsinn einer Maschine die Mutter aufs grausamste mißhandelt, der Junge hat es nicht länger mitansehen können und ihn mit dem Küchenmesser von hinten erstochen. Was dann sich abspielte, da hätte ich dabei sein mögen, es muß was Unerhörtes gewesen sein. La Due war um Mitternacht ins Hullhouse gekommen, wo er häufig Station machte und gewisse Tips bekam, er hatte den Bericht noch frisch aus dem Mund der

Miß gehört, er brachte auch den Jungen, der vollständig gefügig geworden war, nachher zur Polizei. Er schilderte mir den Vorgang mit seiner südlichen Lebhaftigkeit. Die Miß hatte den Jungen angehört und dann begonnen, ihm sanft und entschieden zuzureden, er müsse sich stellen und sich zu seiner Tat bekennen. Er weigerte sich leidenschaftlich. Er habe kein Unrecht getan, er habe ein gemeines Tier aus der Welt geschafft, weiter nichts, es sei besser zu leben in der Welt, wenn das Tier nicht mehr da sei, die Tat verdiene Lohn, nicht Strafe, nicht den Kerker, nein, nein, nein. Seine Augen glühten, der ganze Kerl glühte. Zu leben war sein Recht, das Scheusal beseitigt zu haben, war sein Recht, Vater oder nicht Vater, danach fragt er nicht, wer danach fragt, hat kein Herz im Leib und keinen Verstand im Kopf, der weiß nicht, wie der Hund sein armes Weib gequält und so weiter. Die Miß kannte den Starrsinn des Buben, er war einer ihrer begabtesten Schützlinge, doch maßlos wild und unbändig. Mit Aufgebot all ihrer Seelengewalt überzeugt sie ihn langsam, daß er das Recht nicht habe, fremdes Leben zu vernichten, ich berichte nur, es ist meine Ansicht keineswegs, warum soll man nicht eine solche Pestbeule am Leib der Menschheit ausmerzen, doch was ich denke, ist ja nebensächlich. Sie bringt ihm bei, um seiner selbst willen, seiner Ehre, seines Stolzes willen habe er die Buße auf sich zu nehmen, verborgen könne die Untat nicht bleiben, wie beschämend, wenn er erst aufgespürt, erst überführt werden müsse, statt ein Mann und Held zu sein, stehe er als Feigling und Lügner da, wie solle sie dann je wieder an ihn glauben. Darauf spitzt sie ihre Beredsamkeit zu: Daß sie dann nicht mehr an ihn glauben könne, das macht den tiefsten Eindruck auf ihn. Endlich hat sie ihn erweicht, er fällt ihr um den Hals, der Trotz ist gebrochen. Es hat Stunden und Stunden gedauert, mit Argumenten und Gegenargumenten, mit Beispielen und Geständnissen, mit Zögern und Sichwiederverschließen, mit Bitten und Vorstellungen und Anruf von beiden Seiten. Sie sollen daraus nur entnehmen, was das für ein Menschenschlag ist, wie stark, wie unbeugsam, wie nah zueinander gestellt, wie eng ineinander verwoben. Was später La Due für den Jungen tat, war weniger entscheidend, doch nicht weniger wichtig, die verhältnismäßig milde Strafe, zu der er verurteilt wurde, war seiner unermüdlichen Bemühung zu danken, er hatte bei den Zeitungen Stimmung gemacht und den tüchtigsten Anwalt aus seiner Tasche besoldet. Je genauer ich ihn kennenlernte, je mehr schälte er sich aus der bescheidenen Hülle los. Ich sah einen Menschen, der in all seiner Unscheinbarkeit für ein Ganzes einstand, den Kristall sozusagen, der sich aus dem rohen Material gebildet hatte. Es mochte Ungezählte seinesgleichen geben, und je tiefer ich in die mächtigen Zusammenhänge blickte, je überzeugter war ich, daß er tatsächlich nur einer von Ungezählten war, der eine, den ich zufällig gefunden hatte. Das gerade erschütterte mich in meinem europäischen Hochmut, so wie ein alexandrinischer Grieche vielleicht erschüttert worden wäre, hätte er zufällig einen sanften Nazarener in Gallien getroffen. Doch was, Nazarener ... bei La Due war keine Botschaft, kein Evangelium, eine einfache kindliche Freundlichkeit, weiter nichts. Keine moralischen Grundsätze, kein Puritanismus, kein ›wer nicht für mich ist, der ist wider mich‹. Er machte sich wahrscheinlich überhaupt keine Gedanken, er nahm alles hin, wie es war, das Furchtbare und das Erfreuliche. Er murrte nie, er schimpfte nie, er zeigte keinen Ärger, er war nie mißgelaunt. Wenn er hundemüde war und es fragte ihn jemand um einen Weg, so ging er womöglich solang mit dem Betreffenden, bis er ihn ans Ziel gebracht hatte, und ergötzte ihn außerdem noch durch sein munteres Geschwätz. Als Ethel Green, der große Filmstar, von einem eifersüchtigen Liebhaber erschossen wurde, konnte er sich nicht fassen vor Kummer, nicht um ein Haar anders als irgendein Warenhausgirl. Ja, er wallfahrtete sogar zu ihrem Sarg, genau wie hunderttausend andere. Er war eben genau wie alle andern und doch in der Masse drin der magische Mensch, magisch wie der Brennpunkt in der Linse. In dem ungeheuern Staat mit seinen ungeheuern Städten, Gebirgen, Strömen und Wüsten, seinem ungeheuern Reichtum, seinem ungeheuern Elend, seinem ungeheuern Betrieb, seinen ungeheuern Verbrechen, seiner ungeheuern Angst vor Anarchie und Revolution, da mittendrin der kleine harmlose La Due ... wie soll ich sagen ... als Menschheitsnovum. Erstaunlich. Man konnte nicht aufhören zu staunen. Durch ihn lernte ich verstehen, daß das Ganze noch ein ungegorener Teig ist, oh, wir sind ja so jung, sagte er immer wieder mit seinem naiven Enthusiasmus, wir sind ja so schrecklich, so wunderbar jung. Und das ist es, das ist die Sache. Zeitalter der Vorbereitung. Völkerbackofen. Alles noch in der Mischung und im Werden. Noch nicht erkaltet. Süden und Norden, Osten und Westen zur Mitte drängend. Weiße Welt und schwarze Welt hart gegeneinander, der Neger zum Gläubiger verjährter Schuld geworden, unaufhaltsam zieht er heran, erobert Stadtteile, überschwemmt Provinzen, Asien dahinter als finstere Drohung und dann der eigentliche, schicksalhafte Widersacher, Rußland, zum Weltduell sich anschickend, Rußland auf der andern Seite des Planeten ... was hatte ich da zu suchen mit der eingebildeten geistigen Mission?

Er stand auf, breitete beide Arme waagrecht aus, marschierte mit dem Trommlerschritt auf und ab und sang mit erschreckend mächtiger Stimme: »Ei uchnemj ... ei uchnemj ... eschtsche razikj ... eschtsche dararj ... ei uchnemj ...«

Etzel hatte sich gleichfalls erhoben und stand da wie ausgelöscht. Die eine Wange, auf die die Hand gestützt gewesen, war flammend rot, die andere blaß. Er hatte den Fingerknöchel in den Mund geschoben und biß ihn wund. In seinen heißen Augen malten sich Furcht und äußerste Ratlosigkeit. Herrgott, Herrgott, dachte er mit stockendem Herzen, das ist ja, als wäre man bis jetzt im Wickelkissen gelegen. Man muß sich die Ohren zuhalten, man kann nicht mehr zuhören, man muß die Augen abwenden, man kann nicht mehr hinsehen, der feiste Mensch mit dem gewaltigen Körper trampelt einen tot, alles ist überlebensgroß an ihm, Polyphem, der mit Felsblöcken um sich schmeißt. Wie soll man ihn fassen, wie zurückbringen zu dem Einen, um dessentwillen man gekommen, um dessentwillen man das alles auf sich genommen, alles dies, wovon man in seiner Erbärmlichkeit doch keine Ahnung gehabt hat ... Es ist Etzel zumut, als renne er mit einem Schubkarren hinter einem Expreßzug her. Seine Hoffnungen sind auf Null zusammengeschrumpft. Wie soll seine arme Rede sich durchsetzen gegen diesen Wortkatarakt, was soll er mit seiner Unwissenheit und seinen sechzehn Jahren gegen dies weltumspannende Hirn? Was bedeutet dem der Gefangene im Zuchthaus, was sind ihm die sechstausendundsoundsoviel Tage und sechstausendundsoundsoviel Nächte unschuldig erlittener Kerkerhaft? Und noch ein Tag und noch eine Nacht, heut wieder eine Nacht, aber was schiert es ihn, er hat anderes erlebt, er weiß von andern Greueln, alles ist von ihm abgeronnen wie Wasser von einer Ölhaut, was schiert ihn des einen Unglück, des andern Schuld, er hat sich ein System der Gerechtigkeit gezimmert, bei dem der einzelne Mensch nicht mehr mitspielt, ad usum delphini vermutlich. Man war schon so nah, eine Frage vielleicht noch, und man hatte das Geheimnis ergründet, bitte, einen Augenblick, hätte man einwerfen müssen, wie war das mit dem Gott aus der Maschine? Statt dessen hatte er einen weitergeschleift mit seinem verfluchten Waremme-Warschauer-Problem, und man war der Belämmerte und biß sich den Knöchel blutig. Er nahm allen Mut zusammen, und als Warschauer mit seinem Gesang aufhörte, stellte er sich vor ihn hin und sagte: »Von Maurizius sind wir auf die Manier ganz weggekommen ...« – »Ja, das sind wir, du widerwärtige Kröte«, entgegnete Warschauer zornig, »verschone mich mit deinen schleimigen Exkrementen.« – »Das glaub ich gern, daß Sie nichts mehr davon hören wollen«, fuhr Etzel erbittert fort, »aber die Kröte muß quaken, auch auf die Gefahr hin, daß sie vom Adler gefressen wird.« Warschauer verbeugte sich höhnisch. »Sehr schlagfertig«, mokierte er sich, »schlagfertige Kröte.« – Etzels Gesicht brannte, ein herausforderndes Lächeln trat auf seine Lippen. »Es läßt Ihnen ja selber keine Ruh«, sagte er. »Der Eid ... denken Sie an den Eid, Professor ... kann sein, Sie haben dran vergessen, ich glaub's nur nicht, *es* hat nicht vergessen, *es*, wissen Sie, es da drinnen ...« Er streckte den Zeigefinger gegen Warschauers Brust. Dieser wich einen Schritt zurück, stumm. »Ja«, beharrte Etzel in einem Anfall tumultuarischer Verwegenheit, »*das* betrügt man nicht, *das* hat Sie auch so herumgezaust in der Welt, für *das* müssen Sie büßen und der im Zuchthaus und der Alte und ich, ja! ja! ein Korn Schuld, ein Scheffel Leid, ja, ja ...« Er war auf einmal wie außer sich.

Warschauer preßte die Lippen zusammen, ging schweigend zur Tür und öffnete sie weit. »Sie können sich, junger Mohl«, sagte er kalt, »Sie können sich von mir als hinausgeworfen betrachten. Marsch!« Etzel zögerte erbleichend. Warschauer blickte in den finstern Flur. »El uchnemj«, begann er wieder zu singen, als wäre er bereits allein, unterbrach sich aber gleich und herrschte den Knaben an: »Na, wird's?« – »Hab keinen Hausschlüssel, kann nicht hinaus«, murmelte Etzel störrisch. Warschauer holte den Schlüssel aus der Tasche und hielt ihn hin. Etzel nahm ihn und schritt langsam über die Schwelle. Warschauer warf die Tür hinter ihm zu. Während Etzel sich die Treppe hinuntertastete, hörte er durch die geschlossene Tür wieder das »El uchnemj« wie einen höhnischen Refrain. Tränen des Zorns und der Hilflosigkeit verschleierten seinen Blick.

Die Haustür stand offen. Im Torweg lehnte Paalzows Junge im geflüsterten Gespräch mit einem übel aussehenden Subjekt. Als er Etzel gewahrte, drehte er spiralig den Körper herüber und starrte ihm, die Hände in den Hosentaschen, giftig ins Gesicht.

Etzel beachtete ihn nicht und ging weiter. »Dir möcht ich mal im Mondschein bejeegnen«, rief ihm Paalzows Junge drohend nach. – »So? Was brauchst du da den Mondschein dazu?« gab Etzel über die Schulter zurück. Dann kam es eben, daß ihm zum Nachhausegehen plötzlich die Kräfte fehlten und er sich vor den Schnapsladen hinlegte. Vielleicht trug auch eine Art Gespensterfurcht dazu bei, das erste Mal erinnerlichermaßen, daß ein solches Gefühl über ihn kam, aber an jeder Straßenecke glaubte er, der riesige Neger mit den vorgestreckten Armen und dem Blutfaden von der Stirn bis zum Kinn stürze ihm entgegen. Es wurde jedoch nicht besser, als er sich auf die Staffeln gelegt hatte, die Nerven waren zum Zerreißen gespannt, er sah Holzbrücken, über die sich unendliche Züge von Ochsen wälzten, und es war ihm, als hörte er sie tausendkehlig das El uchnemj schmerzlich brüllen. Er sah den Juden im eisernen Käfig schluchzen und den elfjährigen Totschläger, wie er seinem Vater das Küchenmesser in den Rücken stieß. Er sah Hamilton La Due, wie er einem Leprakranken die eitrige Wunde küßte, und den Chinesen inmitten seiner Freunde als Leiche im Keller liegen. Und immer wieder, zwischen den andern Bildern, immer wieder den Neger mit dem Blutfaden im Gesicht, in wahnsinniger Angst vor den Verfolgern fliehend. »Ach Gott, Mutter«, seufzte er wie ein kleiner Bub, als er sich schließlich erhob und gegen die Anklamer Straße torkelte. Nebst allem war er natürlich äußerst ermüdet. Als er die Taschenuhr auf den Tisch neben seinem Bett legte, war es zehn Minuten nach halb vier, vor den Fenstern bleichte der Tag. Er konnte es sich sparen, Licht zu machen. Gewohnt, bevor er sich niederlegte, Insektenpulver über die roten Barchentkissen und das von seinem Blut befleckte grobe Linnen zu streuen, tat er es auch jetzt. Er schlief gleich ein, schlief wie betrunken. Ein sägig gezacktes, glühendes Rad senkte sich in rasender Rotation gegen seine Brust herab, es war ein manchmal wiederkehrender Alpdruck aus der frühesten Kindheit, er wußte im Schlaf, daß er fieberte, Wanzen so groß wie die Küchenschaben in Warschauers Stube krochen ihm über Hals und Gesicht. Frau Schneevogt kam und stellte das Frühstücksbrett auf den Tisch, er gewahrte es im Schlaf, in tiefer Seele schlaflos schlief er weiter. Kurz darauf, so schien es ihm, kam die Frau mit dem Mittagessen, murrend trug sie das unberührte Frühstück wieder hinaus, er sah und hörte es schlaflos-schlafend, die Feuersäge surrte wieder, er dachte: Wenn sie mich zerschneidet, begeht Gott eine Ungerechtigkeit, ich muß vorher noch mit meiner Mutter reden ... und das andere ... wieder ein Tag vorbei ... Endlich schlug er die Augen auf und war bei Besinnung, das Hemd klebte feuchtheiß am Leib, die Beine waren so schwer, daß er sie nicht von der Stelle rücken konnte, krank, denkt er, das fehlte noch, jetzt plag ich mich sechs Wochen mit dem bösen Teufel und bin so klug wie zuvor, nichts, nichts, was soll da werden, wenn ich krank bin, das gibt's einfach nicht, ich verlier zuviel Zeit, warum ist denn die Anna Jahn mit ihm nach Frankreich gereist, das ist doch nicht mit rechten Dingen zugegangen, da ist er drüber wegvoltigiert, es ist das Allergeheimnisvollste an der Geschichte, was tu ich nur, am besten, ich warte jetzt, bis er herkommt, nicht rühren, es wird ihm leid tun, er wird kommen, dann bin ich im Vorteil. Er hatte eine Vision, sein kochendes Hirn gebar ein sonderbares Wahrgesicht, denn alles traf später ein, er sah Warschauer hier in der Kammer mit seinem Tambourschritt auf und ab marschieren und dann ... redete er dann von der »Sache«? So weit ging aber das Hellsehen und Hellhören nicht, da wagte der Wunsch nicht mehr, Wirklichkeit zu spielen, warum, friert ihn denn so ... ein Glück, daß es schon Juni ist, da braucht man nicht zu heizen ...

Aus dem Nebenraum drang die glasharte Stimme Melittas herein. Er lauschte. Sie dürfen nicht merken, daß ich krank bin, dachte er, sonst schaffen sie mich am Ende ins Spital, dort verlangt man Papiere, dann geht's mir dreckig. Was wird's schon sein?

Halsentzündung, ich kann nicht ordentlich schlucken, morgen ist's vorüber. Um für den Fall, daß eine der Schneevogtschen Damen hereinkam, einen möglichst unverdächtigen Eindruck zu machen, nahm er einen Band Ghisels von dem Wandbrett, das er neben seinem Bett angebracht hatte, und schlug ihn auf. Da hörte er die glasharte Stimme von nebenan verzweifelt sagen: »Solch 'ne Ungerechtigkeit, das ist ja himmelschreiend. Da möchte man ja auf die ganze menschliche Genossenschaft spucken. Da ist's ja besser, man nimmt 'nen Strick und hängt sich am nächsten Fensterkreuz auf.« Die Wand war so dünn, und die Tür schloß so schlecht, daß er jedes Wort vernahm, auch die ängstlichen Beschwichtigungsversuche der Mutter Schneevogt. Die Flurglocke läutete dazwischen, beide Frauen verließen den Raum, und es war ganz still. Da hat sie das Richtige gesagt, dachte Etzel, indem er mit weiten Augen und einem Gefühl drückender, uneingelöster Schuld in die Höhe schaute. Wie ist es denn wirklich möglich, daß man's aushält? Und jeder lebt weiter, auch die, die behaupten, sie können nicht weiterleben, und ich auch. Was ist es denn mit der Gerechtigkeit? Gibt's denn eigentlich Gerechtigkeit? Bildet man sich's nicht bloß ein? So wie sich die Frommen das Paradies einbilden? Vielleicht ist unsere Vernunft nicht imstande, sie zu erkennen, vielleicht liegt sie außerhalb unseres Begriffsvermögens. Aber dann wäre ja alles, was man tut, so vorläufig, und alles, was man erreicht, so unsinnig, es muß es, muß es, muß doch einen Ausgleich geben, achtzehn Jahre und neun Monate jetzt, du großer Gott, es muß es, muß es, muß doch ... was? was, Etzel? du stellst ein ehernes Muß auf in deiner sechzehnjährigen Rebellenseele, aber von welcher Macht auf Erden oder im Himmel wird es approbiert? Er schloß die Augen, da erschien Joshua Cooper mit dem Blutfaden von der Stirn bis zum Kinn wie ein Sinnbild der Hoffnungslosigkeit. Ein kühler Schauder überrann ihn, er griff nach dem Buch, das er noch geöffnet in der Hand hielt, und las auf der aufgeschlagenen Seite folgende Zeilen: Auch auf dem vollsten Glas schwimmt noch das Blütenblatt einer Rose, und auf dem Blütenblatt haben zehntausend Engel Platz.

Welch ein Wort! Wie ein Stern. Er kannte es, aber er hatte es früher nicht erfassen können, jetzt, nach allem, was er erlebt, leuchtet es sternenhaft auf. Zu dem Manne, der das niedergeschrieben hat, muß er gehen, auf der Stelle, noch in derselben Stunde. Da gibt es kein Zaudern und Bedenken mehr, wenn einer auf der Welt existiert, der Antwort auf die eine Frage weiß, dann ist es der Mann, der das geschrieben hat. Fieber, was Fieber, darum kann man sich nicht kümmern. Es ist vier Uhr nachmittags, eine Stunde muß er für den Weg zum Westend rechnen, die Tageszeit ist nicht ungünstig, um jemand zu Hause zu treffen. Vielleicht fügt es das Glück, daß Ghisels nicht verreist ist und ihn empfängt. Trotz der Mattigkeit in den Gliedern und der Schmerzen im Schlund kroch Etzel aus seinem Bett, wusch Gesicht und Brust, schlüpfte in die Kleider und verließ Stube und Haus.

Er fuhr mit dem Lift in den vierten Stock eines isoliert stehenden Gebäudes und läutete an einer von zwei Wohnungstüren. Nach ziemlich langem Warten erschien ein junger Mann mit schwarzer Hornbrille und einem klugen, netten Gesicht. Er hatte die Türen der Zimmer, aus denen er gekommen, hinter sich offen gelassen, und man hörte lebhaft sprechende Stimmen. In dem kleinen Vorraum hingen fünf oder sechs Hüte und Stöcke, auch ein Damenmantel. Au, dachte Etzel, und das Herz fiel ihm in die Hosen, da hast du Pech gehabt, Bruder Etzel. Der junge Mann erkundigte sich nach seinem Begehr. Mit schier unüberwindlicher Schüchternheit erwiderte Etzel, er möchte Herrn Ghisels sprechen (»Herr« Ghisels, die Zunge widerstrebte, so dumm und steif klang der »Herr«). Der junge Mann lächelte (das Lächeln bedeutete: das möchten viele) und fragte nach seinem Namen. Etzel sagte, er heiße Andergast, Etzel Andergast, er habe vor einem halben Jahr an Herrn Melchior Ghisels geschrieben, auch eine Antwort von ihm erhalten, möglicherweise erinnere sich Herr Ghisels noch daran. Zum erstenmal seit langer Zeit nannte er sich mit seinem richtigen Namen, er hatte natürlich nie beabsichtigt, an diesem geheiligten Ort mit einer Maske vor dem Gesicht aufzutreten. Aber es war doch ein eigentümliches Gefühl, plötzlich wieder er selbst zu sein, nicht als kehre er zu Vertrautem zurück, sondern eher als habe er einen nagelneuen Anzug am Leib und befinde sich nicht ganz wohl darin, etwas beengt eher. Der sympathische junge Mann wollte wissen, ob es ein bestimmtes Anliegen sei, das ihn herführe. Etzel schüttelte den Kopf. Das gerade nicht, entgegnete er, er sei schon zufrieden, wenn er Herrn Ghisels sehen, eine halbe Stunde in seiner Nähe, im selben Raum mit ihm sein könne, das würde genügen. (Du lügst, es würde nicht genügen, widersprach eine innere Stimme.) Wieder lächelte der junge Mann und betrachtete den wunderlichen Besucher nicht ohne Interesse. »Kommen Sie doch einstweilen hier herein«, sagte er, »ich will mal Herrn Ghisels fragen.« Etzel trat in das schmale Vorzimmer, während der junge Mann verschwand. Da seine Knie zitterten und ihm ein wenig schwindlig war, setzte er sich auf einen Stuhl, alles war lautlos an ihm, alles ehrfürchtige Erwartung, Angst, abgewiesen zu werden, Angst vor dem großen Augenblick. Wenn ein Schriftsteller (ich spreche von denen, die wie Ghisels neue Ideen in die Welt setzen und den Menschen neue Wege zeigen) ermessen könnte, was die Seele eines ergriffenen Jünglings bewegt, der sich, nicht ohne ernste, innere Kämpfe wegen dieses Schrittes bestanden zu haben, vor sein Angesicht wagt, er würde sein ganzes Ingenium zu Hilfe rufen, um für eine solche Begegnung gerüstet zu sein, und sein ganzes Herz außerdem. Aber nur wenige, die Allerseltensten nur, bleiben sich in dieser Weise treu, vielleicht geht es auch über das Vermögen der menschlichen Natur, immer zu sein, was man in der schaffenden Stunde ist. Daher rührte vielleicht auch ein Teil der Angst, die Etzel verspürte, die geistigste Angst, die es gibt: wie wird mein Bild sich mit seiner wirklichen Person vertragen? wie wird mir zumute sein, wenn ich das Haus wieder verlasse und ihn gesehen, seine Stimme gehört, seine Worte vernommen habe? Was wird er sagen oder tun, wie wird er sprechen und blicken, und was muß geschehen, damit er mir bleibt, was er mir ist? Mit jeder Sekunde wurde die Versuchung stärker, die Wiederkehr des jungen Mannes nicht abzuwarten und einfach auf und davon zu laufen, da konnte nichts passieren, da behielt man seinen Gott. Es dauerte so schrecklich lange. Er lauschte. Er vernahm eine eintönig hersagende Stimme. Sein Ohr war durch Fieber und Erregung so geschärft, daß er durch zwei Türen einzelne Worte verstand. Jemand las etwas vor. Es war klar, der junge Mann konnte den ungelegenen Besuch erst melden, wenn der Vorleser fertig war. Die elektrische Glocke an der Eingangstür schrillte. In den Zimmern schien man es nicht gehört zu haben. Die Glocke schrillte noch einmal. Etzel überlegte, ob er öffnen solle, er fand, daß er kein Recht dazu habe. Da kam durch eine andere Tür der Wohnung, als durch die der junge Mann verschwunden, eine Frau von achtunddreißig oder vierzig Jahren. Ihre Haltung und Miene verriet Etzel, daß es die Frau des Hauses war. Das Gesicht zeigte Spuren großer Schönheit, sah jedoch welk und müde aus. Etzel hatte niemals daran gedacht, daß hier auch eine »Frau« sein konnte, es überraschte ihn und vermehrte seine Unruhe. Die Frau stutzte, als sie den jungen Menschen gewahrte, und fragte: »Hat es nicht eben geläutet?« – »Ja, zweimal, gnädige Frau«, erwiderte Etzel und hatte das Gefühl, sich wegen seines albernen Dasitzens entschuldigen zu müssen. Die Frau öffnete. Draußen stand eine andere Frau, sehr jung noch, blühend jung, sehr hübsch, mit blitzenden Augen, mit einem frischen, übermütigen Mund. Was sich nun zutrug, war merkwürdig. Die beiden Frauen maßen einander stumm und feindselig. Die junge Frau draußen schien unangenehm berührt, die andere vor sich zu sehen. Es machte den Eindruck, als habe sie bestimmt damit gerechnet, sie nicht anzutreffen. Die Frau des Hauses reckte sich ein wenig empor, zuckte die Achseln, ließ ein kurzes, gurrendes, verächtliches Lachen hören und schlug die Tür wieder zu. Die Brutalität der Geste hatte bei ihrem scheuen, melancholischen Wesen etwas Erschreckendes. Dann stand sie da, mit gesenktem Kopf. Der blaue Seidenschal, den sie um die Schultern trug, war auf der einen Seite herabgeglitten, ohne daß sie es merkte. Es war, als habe sie für einige Minuten alles um sich vergessen. Ein unbeschreiblich tiefer Kummer malte sich in ihren Zügen. Sie glich einer steinernen Figur, in der die völlige Schmerzversunkenheit ausgedrückt ist. Plötzlich zuckte sie zusammen und ging mit schweren Schritten wieder in die Wohnung hinein. Nach Etzel schaute sie gar nicht mehr hin. Der saß geduckt auf seinem Stuhl mit einer Empfindung, als habe er sich an fremdem Eigentum vergriffen. Und einer noch peinvolleren: auch vor dieser Pforte machte das Schicksal nicht halt, auch über sie wälzte das Leben seine trüben Wogen, auch der hohe Mensch, der geschrieben hatte: Auf dem vollsten Glas schwimmt noch das Blütenblatt einer Rose, und auf dem Blütenblatt haben zehntausend Engel Platz, auch er war nicht verschont von den Verwirrungen des Tages, auch um ihn tobten Leidenschaften und wölkten Traurigkeiten, es lag nun alles ein wenig entblößt vor Etzels Augen, das priesterliche Heiligtum war eine Menschenbehausung geworden, und wie man mit geminderter Sicherheit über eine Brücke schreitet, von der man einen Pfeiler vermorscht weiß, auch wenn zugleich Lastfuhrwerke sie befahren, war ihm nunmehr der Sinn beengt, der Grund schwankend geworden. Indessen erschien der junge Mann wieder und forderte ihn freundlich auf, einzutreten.

Melchior Ghisels Haus war ein Zufluchtsort der geistig Bedrängten, der Ringenden, Aufstrebenden, Ratlosen, Gescheiterten und Verirrten. Man ging zu ihm wie zu einem großen Arzt, oft wurde seine Stube von Mittag bis Mitternacht von Besuchern nicht leer, Leuten jeden Alters, Männern und Frauen, Literaten, Künstlern, Schauspielern, Studenten, Emigranten, Politikern, so daß die nächsten Freunde und seine Frau sich bisweilen entschließen mußten, den Zudrang abzuwehren. Er war seit einigen Jahren ernstlich leidend und den Anstrengungen nicht mehr gewachsen. Alle hingen an seinen Lippen, breiteten die delikatesten Angelegenheiten ihres Lebens vor ihm aus, legten ihm ihre Gewissens-, ihre Berufskonflikte vor, wollten ihre Arbeiten von ihm beurteilt wissen, verstrickten ihn in weitgreifende Erörterungen über Probleme der Kunst, der Religion, der Philosophie, und es gab kaum einen, der sich nicht zum Schluß vor einem autoritativen Wort aus seinem Munde beugte. Es waren Personen darunter, die ihm in keiner Weise vertraut, ja nicht einmal lieb waren und deren seelische Nöte und wirtschaftliche Schwierigkeiten ihn durch Wochen, durch Monate intensiv beschäftigten. Dann verschwanden diese Personen spurlos, und er hörte gewöhnlich nie wieder etwas von ihnen. Er fühlte sich dadurch nicht enttäuscht, auch kam er sich nicht verraten oder hintergangen vor, wenn ein Mensch, dem er beigestanden, sich seinem Einfluß entzog oder ihm gar mit Undank lohnte. Auch dies bereicherte ihn. Nicht im Sinne der Erfahrung, sondern der Vermehrung einer außerordentlich tiefen Intuition des Lebens, die ihn mild machte, gleichsam gnädig, und vor allem in einem Maße verstehend, daß er manchmal durch Selbstwiderspruch unverständlich wurde. Er nahm an andern nichts leicht, nicht einmal die anspruchsvolle Hohlheit des Dilettanten, sogar sein Spott war noch gewissenhaft, wenn man so sagen kann. Was er selbst äußerte, hatte hingegen die Leichtigkeit, die nur der vollkommenen Beherrschung aller Mittel eigen ist, mit ihm zu sprechen war beglückend, eben weil es so leicht war. Was er mitteilte, schien er nur von sich los haben zu wollen, dadurch enthob er den Empfänger jeder Verpflichtung, wenn man einfach aufnahm, war man, so schien es, genau so tätig, beziehungsvoll schöpferisch, geistreich und wissend wie er selbst. Es war alles organisiert bei ihm, zusammengefaßt, vom Zentrum aus bedient, und zwischen geistigem und seelischem Bezirk klaffte nicht jene verzweifelte Leere, die es bewirkt, daß aus Legionen von erstaunlichen Begabungen nicht ein einziger, großer Mensch sich erhebt. So war er befähigt, allen Ereignissen, allem Persönlichen, jedem Werk und jedem Schicksal einen selbstgeschaffenen Sinn zu unterlegen, den er in seiner Existenz auflöste, um ihn über die Erkenntnis hinaus fruchttragend zu machen.

Daß Etzel, halber Knabe noch, unreif, weltunerfahren, schon mit dem Erwachen seines Weltbewußtseins sich von einem solchen Manne magnetisch angezogen fühlte, dessen Art und Prägung ihm zudem nur durch Bücher vermittelt worden, spricht nicht zuletzt für einen auch in ihm vorhandenen Magnetismus, mag man ihn Instinkt oder Herzenskraft nennen. Freilich, der nämliche tiefe Instinkt hatte ihn mit jedem Schritt, der ihn dem verehrten Menschen näherbrachte, zaghafter und banger werden lassen. Der Zwischenfall mit den beiden Frauen war dann nur zur äußeren Figur des nagenden Zweifels geworden: ob es überhaupt einen Menschen auf der Welt gab, den höchsten, den weitesten nicht ausgenommen, von dem er erfahren konnte, was, wenn es nicht zu erfahren und sicherzustellen war, ihm das Leben gänzlich unwert machte.

Er trat in ein geräumiges, mit schönen, alten Möbeln ausgestattetes Zimmer, und alsbald stand er vor Melchior Ghisels, einem etwa fünfzigjährigen Mann über Mittelgröße, wohlproportionierten Körpers, mit Bewegungen und Gesten von natürlicher Eleganz und Freiheit, mit glattrasiertem Gesicht, starker, energischer, gebogener Nase, tiefliegenden Augen, die einen ruhigen, durchdringenden, grübelnden, gütigen Blick hatten, einem schmalen, unvergleichlich ausdrucksvollen Mund, dessen Lippen im Schweigen fest, beinahe schmerzlich fest aufeinanderlagen, während sie beim Sprechen aussahen, als seien sie von der Natur, die die vorzüglich notwendigen Organe an ihren Geschöpfen oft hypertrophiert, dazu gebildet, Worte zu formen, und zwar bedeutende, seltene, nur diesem Mund eigentümliche Worte. Bizarr und fast unheimlich an dem edlen Kopf wirkten die großen, fleischigen, abstehenden Ohren. Aber wie der Mund zum Sprechen gemacht war, so schienen die Ohren, rote, weitschalige Muscheln, dazu dazusein, um zu hören, gut und genau und viel zu hören.

Aufgefordert, Platz zu nehmen, setzte sich Etzel bescheiden und geräuschlos etwas außerhalb der Reihe der übrigen Besucher. Die Gesichter, in die er unbefangen blickte, gefielen ihm fast alle. Kein stumpfes darunter, kein vulgäres. Es waren vier junge Männer, ein weißhaariger Herr und ein junges Mädchen, das ebenfalls, seltsamerweise, ganz weiße Haare hatte. Ghisels hatte sich damit begnügt, den Ankömmling beim Namen zu nennen, andere Zeremonie unterließ er. Bisweilen streifte er ihn mit prüfendem, leicht verwundertem Blick, wobei er die dicken Brauen, die wie schwarze Wülste die Stirn begrenzten, ein wenig aufhob. Begonnenes Gespräch lief weiter. Etzel hörte nur die Stimme Melchior Ghisels. Er vernahm nicht, was die andern sagten, er faßte auch den Sinn von Ghisels Worten nicht auf, hatte nur einen vagen Eindruck von Geschliffenheit, mühelosem Fluß und anmutiger Form, er hörte nur die Stimme, und zwar mit solcher Inbrunst und Durstigkeit, daß er jedesmal, wenn die Stimme schwieg, unmerklich zusammenzuckte, um dann, mit einem hindrängenden Lauern, zu warten, bis sie wieder, sonor und alle übrigen Stimmen wie mit dunklem Flügel bedeckend, von neuem anhub. Es war eine sonderbare Freude, sonderbare Erlösung: in den wochenlangen, zerrüttenden Unterhaltungen mit Warschauer-Waremme hatte er sich unbewußt an dessen Stimme gewöhnt, wie man sich an eine tägliche Folter gewöhnen kann, schließlich war nur noch sie für ihn hörbar gewesen, mit andern Menschen hatte er kaum noch geredet, er hatte vergessen, wie eine Seelenstimme klingt, welche Echtheit und ruhvolle Schwingung sie hat. Es war ein Unterschied wie zwischen einem Goldstück und einem Stück Blei, wenn man sie auf einen Stein fallen läßt, damit sie ihre Beschaffenheit kundgeben sollen. »Sind Sie nicht wohl?« wandte sich plötzlich Ghisels an ihn. »Sie sehen sehr blaß aus, vielleicht darf ich Ihnen eine Stärkung anbieten, irgend etwas, sagen Sie es nur ...« Etzel schüttelte den Kopf, dankte, die Worte taumelten durcheinander, er lächelte, das Lächeln schien Ghisels zu gefallen, er legte ihm einen Augenblick lang die Hand auf die Schulter. Etzel verstand, was damit bedeutet wurde: er möge ein wenig Geduld haben, man werde ihn nicht ungehört wieder gehen lassen. In der Tat brach die Gesellschaft bald hernach auf, das weißhaarige Mädchen und der junge Mann mit der Hornbrille blieben einige Minuten länger, Ghisels führte noch eine kurze, scherzende Konversation mit ihnen. Als sie sich endlich verabschiedet hatten, kam die Frau des Hauses herein und redete Ghisels sanft zu, sich aufs Sofa zu legen, er sah auch wirklich äußerst ermüdet aus, die Frau wartete, bis er lag, hüllte seine Beine in eine Kamelhaardecke und fragte, ob sie nicht das Fenster öffnen solle. Sie hatte eine wunderliche Art zu reden, sie entfernte kaum die Lippen voneinander, auch die Zähne kaum, es war alles so angestrengt, so leidensgeübt gleichsam, selbst der Gang und der Blick. Wieder hatte Etzel das Gefühl von wolkigen Traurigkeiten und einem Boden, der nicht verläßlich trug. »Ich falle Ihnen doch nicht zur Last ...« stammelte er. »Seien Sie ohne Sorge«, sagte Ghisels und zu seiner Frau: »Ja, Liebste, mach das Fenster auf, es ist ein so schöner Abend.« Die Frau öffnete das Fenster und ging still hinaus. »Sehn Sie mal«, sagte Ghisels und wies gegen den westlichen Himmel. Etzel sah hin. Als ob dies Haus das allerletzte (oder das allererste) der ganzen Stadt sei, dehnte sich unter den Fenstern bis zum Horizont der gleichmäßige grüne Teppich der Kiefernkronen. Darüber hing ein bordeauxweinfarbener Himmel, über den in seiner ganzen Breite in gleichmäßigen Abständen purpurne und goldrote Strichwolken wie glühende Balken liefen. Während Etzel in einem eisernen Gefühl der Konzentration vorbereitete Gedanken sammelte und sie stockend zum Ausdruck zu bringen begann, verwandte Ghisels keinen Blick von dem tragisch-grandiosen Farbenspiel.

Mit wenigen Worten berührt Etzel sein Verhältnis zu Melchior Ghisels Werk. Um nicht anmaßend zu erscheinen, läßt er nur durchblicken, daß seine Stellung zu prinzipiellen Lebensfragen von den Schriften Ghisels' entscheidend beeinflußt worden ist. Er hat sich jedoch nicht mit der Reflexion begnügt, er ist einen Schritt weiter gegangen. Diesen Sinn hat er eben darin entdeckt: daß man einen Schritt weiter gehen muß. (Melchior Ghisels wird sichtlich aufmerksamer.) Die Sache ist die: Sein Vater ist ein hoher Gerichtsfunktionär. Zwischen ihm und dem Vater hat sich, seit etwa einem Jahr ist es akut geworden, ein unterirdischer Antagonismus entwickelt. Immer weniger und weniger hat er sich mit den allgemeinen Standpunkten, der Lebensauffassung, dem erstarrten Weltbild des Vaters, der im übrigen ein groß angelegter Mensch ist, in Einklang setzen können. Ja, er ist ein bedeutender Charakter, unbestechlich, lauter, und ein Mann von Bildung. Natürlich ist ihm, Etzel, von früher Jugend an vieles von der öffentlichen Wirksamkeit des Vaters zu Ohren gekommen. Schlimme Dinge, sehr schlimme bisweilen. Diese Dinge sind nach und nach zur unerträglichen Beunruhigung geworden. Alles ist wie auf den Kopf gestellt gewesen, das ganze Dasein im Hause, alles. Es herrscht in der Anschauung des Vaters von Recht und Gerechtigkeit etwas, das er nicht anders bezeichnen könne als mit dem Wort Verdorrung. Tote Tradition. Entseeltes Gesetz. (Er sprach plötzlich fließend und ergriffen.) Es hat Erörterungen gegeben, die Erörterungen haben zum Bruch geführt, er ist zu Verwandten geflüchtet, er hat sich von dem Druck einer Beziehung befreien müssen, in der keine Wahrhaftigkeit mehr war, solange er Vaters Brot ißt, steht er sozusagen in Vaters Dienst, vorläufig braucht er nichts weiter als Besinnung und Sammlung, auch Gelegenheit, sich umzutun. Man lese, höre, sehe so viel Verwirrendes, Quälendes, er hat in bezug auf Recht und Gerechtigkeit den Eindruck einer geistigen Seuche, einer allgemeinen Verfinsterung, wenn man jedoch über diese Materie nicht ins reine mit sich und der Welt kommt, ist es für einen jungen Menschen schlechterdings unmöglich, der Existenz eine Basis zu geben, und so hat er sich entschlossen, Herrn Ghisels um seinen Rat und seine Meinung zu bitten.

Der seltsame Junge! Auch hier, gewissermaßen vor seinem Meister, hielt er mit dem Tatsächlichen, dem Schicksalhaften zurück. So wie er gegen Camill Raff und gegen Robert Thielemann damit zurückgehalten hatte. Und wie er im Gespräch mit Thielemann das Verhältnis der Mutter als Paravent benutzt hatte, so schob er jetzt die Beziehung zum Vater vor. War es die zarte Scham vor der »Tat«, die in hochveranlagten Naturen oft abwehrend wirkt? Furcht, daß man ihm in die Hände fallen würde? Selbstbezweiflung, wegen der phantastischen Färbung, die sein Unterfangen in den Augen eines »Erfahrenen« haben konnte? (obwohl er längst so weit war, daß er sich aus sämtlicher Erfahrung der Erfahrenen nichts, aber auch nichts machte und die Überzeugung hatte, daß ein Melchior Ghisels sich nimmermehr zu ihrem Anwalt aufwerfen könne, er, der die Erfahrung das Monument auf einem Grab genannt hatte); war es eine Art Aberglauben, als hinge das Gelingen von seiner Verschwiegenheit ab? oder der geisterhafte Bann schließlich, in dem er durch die immer wiederkehrende Vision des Sträflings im Zuchthaus stand? Was es auch sein mochte, eines allein oder alles zusammen, es war stärker als Wille und Vorsatz und stärker als das grenzenlose Zutrauen, das er Melchior Ghisels entgegenbrachte. Dieser hatte ihm mit wachsendem Interesse gelauscht. »Sie sind sehr jung«, forschte er, halb fragend, da ihm Etzel noch jünger vorkam, als er war. »Bald siebzehn«, antwortete Etzel. Ghisels nickte. »Eine große Zahl Ihrer Altersgenossen lebt heute von der Anleihe bei der eigenen Zukunft«, sagte er und legte den Nacken in beide gefaltete Hände; »ich bin der letzte, es zu tadeln. Mit dem gegenwärtigen Tag sind wir alle schändlich dran. Aber das Vorwegnehmen hat unabsehbare Gefahren. Es erinnert mich immer ein wenig an die indischen Kinderheiraten. Diese Kinder sind mit zwanzig Jahren Ruinen.« Er machte eine Pause und fuhr tastend fort: »Sie scheinen mir durch ein sehr einschneidendes Erlebnis in Atem gehalten zu sein ...« Etzel wurde feuerrot. Donnerwetter, dachte er erstaunt und erschrocken, der schaut aber wirklich in einen hinein. Jedoch Ghisels bewegte in einer Art die Hand, als bitte er den Knaben, seine Bemerkung nicht als Vorwitz oder Pression aufzufassen. »Lassen Sie nur, es soll nicht gelten, es soll nicht gesagt sein, ich sehe, ich habe da etwas zu respektieren. Was Sie zu mir führt, ist nichts Neues für mich. Leider. Es ist eine Krisis, die nicht mehr bloß harmlose Ringe im Teich wirft. Noch vor ein paar Jahren konnte man sich trösten und meinen, da ist dieses einzelne und dort ist jenes einzelne, man finde sich ab, mit dem einzelnen kann man sich abfinden, heute bedroht die Erschütterung das ganze Gebäude, das wir seit zweitausend Jahren aufgerichtet haben. Es regt sich eine tiefe, kranke Zerstörungslust in den empfindlichsten Teilen der Menschheit. Wenn dem nicht gesteuert werden kann, und ich fürchte, es ist bereits zu spät, muß es in den nächsten fünfzig Jahren zu einem ganz furchtbaren Zusammenbruch kommen, weit über die bisherigen Kriege und Revolutionen hinaus. Sonderbar, daß die Zerstörung so oft von denen ausgeht, die in dem Wahn leben, sie seien die Bewahrer der sogenannten heiligsten Güter. So ist es offenbar auch in Ihrem Fall, in dem Zerwürfnis mit Ihrem Vater. Ich habe häufig mit meinen Freunden darüber gesprochen. Die meisten geben der Politik die Schuld, dem, was heute Politik heißt, eine fressende Säure für alle menschlichen Bindungen. Ich habe es ja vielfach beobachtet. Ich habe auch ein andres Gleichnis dafür. Ein Ofen, in dem die Herzen unserer Jugend zu Schlacke verbrennen.« – Etzel, die Hände flach zwischen den Knien, beugte sich vor und entgegnete eifrig: »Ich verstehe, Sie sprechen von Politik als von der sozialen Disziplin überhaupt ...« Ghisels lächelte. »Ja, oder der falschen, oder der fehlenden. Alles, was auf Gewaltordnung zielt ...« – »Gewiß. Ich habe das immer gefühlt, ich konnte mich deshalb nie anpassen. Es wird immer nach der Gesinnung gefragt. Wer die gewünschte Gesinnung hat, darf dann auch niederträchtig handeln. Ich weiß nicht, ob ich per Wir reden darf. Ich möcht es nicht gern. Ich hab mal ein modernes Drama gesehn, wo ein Gymnasiast den ganzen Abend auf der Bühne Wir sagte, wir fordern das, wir denken so, wir gehn den oder den Weg ... Es war recht lächerlich ...« – »Ja«, warf Ghisels mit liebenswürdigem Sarkasmus ein, »es hat sich so herumgesprochen, als ob das hauptsächlichste Verdienst darin bestehe, zwanzig Jahre alt zu sein. Eine Hybris, an der wir Vierzig- und Fünfzigjährigen nicht unschuldig sind. Und doch, es ist ein einheitlicher Geist da, weil eine einheitliche Verzweiflung da ist. Sie wollten aber etwas anderes sagen ...« – »Nein, nur das, was Sie eben gesagt haben«, erwiderte Etzel, über den ein förmlicher Rausch kam; seine Züge belebten sich dermaßen, daß er geradezu rosig anzusehen war, auch spürte er weder Fieber noch Schmerzen mehr; »nur das wollte ich sagen. Wir müssen ja verzweifeln, wenn mit der Gerechtigkeit Schindluder getrieben wird. Darauf beruht doch alles, nicht wahr? In alten Büchern liest man, daß Soldaten geweint haben, wenn die Fahne des Regiments beschimpft wurde. Was sollen wir erst tun, wenn die einzige Fahne, zu der wir noch aufblicken, Tag für Tag besudelt wird, noch dazu von den Fahnenträgern selbst. Gerechtigkeit, scheint mir, ist das schlagende Herz der Welt. Ist's so oder nicht?« – »Es ist so, lieber Freund«, bestätigte Ghisels. »Gerechtigkeit und Liebe waren uranfänglich Schwestern. In unserer Zivilisation sind es nicht einmal weitschichtige Verwandte mehr. Man kann viele Erklärungen geben, ohne irgend etwas zu erklären. Wir haben kein Volk mehr, Volk als Leib der Nation, infolgedessen ist das, was wir Demokratie nennen, auf eine amorphe Masse gestellt, kann sich nicht sinnvoll gliedern und erheben und erstickt alle Idealität. Man brauchte vielleicht einen Cäsar. Aber woher soll er kommen? Man muß vor dem Chaos Angst haben, das ihn erst gebären kann. Was die Besten tun, ist im besten Fall, daß sie Kommentare zu einem Erdbeben liefern. Das andere ist ... so!« Er blies über seinen Handrücken, als bliese er eine Flaumfeder weg. »Ich möchte Ihnen nur eines sagen«, fuhr er fort, »denken Sie ein wenig darüber nach, vielleicht bringt es Sie wieder um einen Schritt weiter, wir können uns ja nicht anders als ganz, ganz langsam, Schritt für Schritt fortbewegen, zwischen jedem Schritt und dem nächsten liegt alle Schwäche, alle Versäumnis, alle Täuschung, auch noble Täuschung, deren wir uns schuldig machen. Es ist keine Heilslehre, keine gewaltige Wahrheit, die ich im Sinn habe, aber vielleicht, wie gesagt, ist es ein Wink, eine kleine Handreichung ... Ich meine nämlich, Gut und Böse entscheiden sich nicht im Verkehr der Menschen untereinander, sondern ausschließlich im Umgang des Menschen mit sich selbst. Verstehen Sie?« – »Ja, ich verstehe«, sagte Etzel und schlug die Augen nieder, »doch ... halten Sie mich nicht für borniert ... ich muß das sagen, es ist ein Beispiel, ... wenn mein Freund oder der Vater von meinem Freund ... oder irgend jemand, der mir nahsteht oder meinetwegen auch nicht nahsteht, wenn der unschuldig im Gefängnis sitzt und ich ... was soll ich da tun ... wieso hilft mir da der Umgang mit mir selbst? Da gibt es doch nur eins, was ich fordern muß: Recht! Gerechtigkeit! Soll ich ihn schmachten lassen? Soll ich ihn vergessen? Soll ich sagen: Was geht's mich an? Was soll ich machen? Was ist denn die Gerechtigkeit, wenn ich sie nicht durchsetze, ich, ich selber, Etzel Andergast –?«

Er hatte sich unwillkürlich erhoben und sah Ghisels mit einem Blick ins Gesicht, als fordere er von ihm, und zwar auf der Stelle, Recht und Gerechtigkeit. Auch Ghisels erhob sich aus seiner ruhenden Lage zum Sitzen. Eine Weile hielt er dem Blick des Knaben stand, dann schaute er in den erloschenen Himmel hinaus; dann sagte er leise, indem er beide Arme ausbreitete: »Ich habe darauf nichts zu erwidern als: Verzeihen Sie mir, ich bin ein ohnmächtiger Mensch.« Er sah einen Augenblick so unendlich gequält aus wie der Gekreuzigte von Matthias Grünewald. Da senkte Etzel den Kopf wie unter einem Hieb. Er begriff sofort die Großartigkeit der Antwort wie auch den ungeheuren Verzicht darin. Und noch etwas begriff er in seinem schwergewordenen Herzen: die zehntausend Engel auf dem Rosenblatt, sie waren eine Metapher, ein Gedicht, ein geheimnisvoll-schönes Symbol, nichts weiter, ach, nichts weiter ...

Die Tür zum Nebenzimmer öffnete sich, in dem beleuchteten Viereck erschien schwarz die Frau des Hauses und sagte mit ihrer brüchig-klanglosen Stimme: »Du mußt jetzt zu Tisch kommen, Ghisels.« Melchior Ghisels stand auf, mühsam, wie nur Leidende sich erheben, reichte Etzel die Hand und drückte sie mit fast kummervoller Innigkeit. Nicht viel fehlte, und Etzel hätte ihm die Hand geküßt. Auf der Straße unten fuhr eine Droschke vorbei, er gab ein Zeichen und fiel halb bewußtlos hinein, als sie an der Hausecke hielt.

12.

Als Herr von Andergast nach einer schlaflosen Nacht (an der vielleicht nur das miserable Wirtshausbett schuld war, obschon der spartanische Sinn des Oberstaatsanwalts solche Unannehmlichkeiten nicht zu beachten pflegte) um sieben Uhr morgens die Zelle betrat, saß Maurizius lesend am Tisch. Der Sträfling legte das Buch beiseite, erhob sich und sah eigentümlich erstarrt zu, wie der Wärter, nicht ohne neugierige Verwunderung in dem gedunsenen Alkoholikergesicht, die Tür wieder schloß. »Guten Morgen«, sagte Herr von Andergast mit behaglichem Ton, der jedoch das Ohr des Sträflings nicht über seine Künstlichkeit täuschen konnte. – »Guten Morgen«, klang es militärisch straff zurück. – »Haben Sie sich einigermaßen ausgeruht?« – Verbeugung. – »Darf man fragen, was Sie lesen?« Herr von Andergast nahm das Buch in die Hand, es war die Chronik der Stadt Rothenburg von Sebastian Dehner. »Ah, interessiert Sie das? Überflüssige Frage, natürlich interessiert es Sie, da Sie sich ja damit beschäftigen.« – »Man bekommt ein gutes Bild, wie das Volk einmal gelebt hat. Vielmehr, wie es daran verhindert worden ist, zu leben.« – »Hm. Ich weiß nicht. Das Volk hat in jenen Zeiten kraftvoller gelebt als heute.« – »Jedenfalls geduldiger. Wenn man ihre Häuser plünderte und ihr Vieh erschlug, beschwerten sie sich beim Kaiser, und wenn ihnen der Kaiser nicht half, veranstalteten sie Bittprozessionen. Die Menschen waren immer sehr geduldig; sie sind's noch jetzt. Darauf pochen alle Regierungen, auf die Geduld der Menschen, damit bestreiten sie ihre Existenz.« – Herr von Andergast runzelte die Stirn. »Sie sind gallig«, sagte er mit dem merkbaren Entschluß, nachsichtig zu sein, »aber wir wollen ja die kostbare Zeit nicht mit Polemik vertun. Sie hatten die Absicht ... ich hoffe, Sie haben sich's nicht anders überlegt. Sie sehen, ich bin auf Ihren ... Ihren Vorschlag eingegangen und habe mich Ihnen für diesen Tag gänzlich zur Verfügung gestellt.« – Über Maurizius kam wieder das Starre. Mit starrem Blick erwiderte er: »Was ich versprochen habe, das halte ich.« Er lehnte an der Mauer. Herr von Andergast zog den Stuhl ans Fenster und ließ sich darauf nieder. Er machte gegen Maurizius, genau wie am Beginn des gestrigen Gesprächs, eine kordiale Handbewegung, die ihn aufforderte, ebenfalls Platz zu nehmen. Aber Maurizius schien es nicht zu bemerken. Er blieb an der Mauer stehen. Seine Lider schlossen sich halb, die kleinen Zähne nagten an der schön geschwungenen Oberlippe, er fuhr ein paarmal nervös mit der schlanken Hand über die Stirn und fing mit leiser Stimme, die bisweilen versickerte, so daß sie nur noch mit Anstrengung gehört werden konnte, zu sprechen an.

Er kann den Tag, an dem er Anna zum erstenmal sah, genau bezeichnen. Es war der 19. September 1904, ein Montag. »Ich kam von der Universität nach Hause, im Vorzimmer hing ein pelzgefütterter Damenmantel, von dem Mantel strömte ein Parfüm aus, zarter Verbenenduft ... noch jetzt kommt mir der Geruch manchmal im Traum.« (Er stockte, wie um zu schnuppern, wollte es Herrn Andergast scheinen. Überhaupt war der Anfang der Erzählung durch häufiges Stocken und Innehalten unterbrochen, ein sichtbares Zurückdenken, ein Zurücklangen beinahe, wie wenn jemand ins Wasser greift, um mit Anstrengung, mit einer Art von Angst untergesunkene Gegenstände herauszuholen. Dies auch nur einigermaßen wiederzugeben, ist natürlich unmöglich.) Als er ins Zimmer tritt, sieht er die Schwestern einander gegenübersitzen. Seine Frau sagt lächelnd: das ist Anna. Er kann seine Betroffenheit nicht verbergen. Er hat viel von Annas Schönheit reden hören, seine Erwartungen sind in dieser Hinsicht hochgespannt (da er ja auf ihre Ankunft vorbereitet war), aber der lebendige Anblick überrascht ihn dennoch. Sie ist schöner, als er erwartet hat. Sie ist jedenfalls anders, als er erwartet hat. Ihre Gegenwart hat etwas Beengendes. Vor allem ist ihm der Gedanke, sie zum Hausgenossen zu haben, nicht behaglich. Abgesehen von der Störung der Ruhe und Bequemlichkeit, die ein Logiergast mit sich bringt, hat dieses achtzehn- oder neunzehnjährige Mädchen etwas an sich, das zu einer ständigen Aufmerksamkeit zwingt. Was es ist, läßt sich vorerst nicht präzisieren, man spürt es bloß. Im Verlauf der nächsten Tage findet er, kann sich auch nicht enthalten, es seiner Frau gegenüber tadelnd zu äußern, daß Anna unliebenswürdige Manieren habe. Er bezeichnet mehrere Anlässe, bei denen sie ihn durch ihr hochmütiges Wesen geärgert hat. Es scheint sogar, daß sie solche Anlässe sucht. Sie behandelt mich, als hätte ich silberne Löffel gestohlen, sagt er zu Elli. Diese bemüht sich, die Schwester zu entschuldigen. Sie fühlt sich durchaus als deren Patronin. Es entgeht ihm aber nicht, daß die beiden einander nicht verstehen. Elli bewundert Annas von allen bewunderte Schönheit, sie bemüht sich, ihr mit Rat und Tat zu helfen, denn Anna hat Existenzsorgen, ihre schwierige Lebenssituation verpflichtet Elli, sich ihrer anzunehmen, aber zwanzig Jahre Altersunterschied sind nicht zu überbrücken, eine Schwester kann nicht Botmäßigkeit fordern, Anna ist auch nicht im mindesten zur Botmäßigkeit gewillt. Er beobachtet. Er hält sich im Hintergrund. Mit einer gewissen Lust heftet er seine Kritik an Dinge, die ihm an der Schwägerin mißfallen. Ihre Gewohnheit, jeden Sonntag zur Beichte zu gehen, ist ihm besonders fatal. Als er sich einmal zu einer spöttischen Bemerkung hinreißen läßt, entgegnet sie: Ein Gottloser soll nicht an ein Sakrament rühren. Denselben Abend liest er ihr und Elli eine kleine Abhandlung über die Dürerschen Landschaften vor, die er eben vollendet hat. Die Arbeit scheint auf Anna Eindruck zu machen. Sie sprechen darüber. Er fragt: Nennst du den gottlos, der das geschrieben hat, und was ist dann ein Gottloser? Sie schweigt, sie scheint nachzudenken. Sie hat beständig ein undeutbares Lächeln auf den Lippen. Wenn man öfter in ihrer Gesellschaft war, wird es ein unangenehm stereotypes Lächeln. Es ist eine fertige Quittung für alles mögliche: Komplimente, Ratschläge, Dienstleistungen, Widerspruch und Forderung. Es hält eine flackrige Mitte zwischen Scham und Spott. Maurizius verweilt ungewöhnlich lange bei der Analyse dieses Lächelns. Er nennt es ein spezifisch jungfräuliches

Lächeln, spröd und respektlos. Es gibt, führt er aus, eine Dreistigkeit, die man nur bei achtzehnjährigen Mädchen findet und toleriert. Hätte man das Lächeln von ihren Lippen ablösen können, etwa wie das Etikett von einer Schachtel, so hätte man vielleicht etwas Beschädigtes erblickt, so nennt er es grübelnd, den Sprung in der Glasur. Aber halten wir uns dabei nicht weiter auf. (Er gibt sich offenbar Mühe, die Gestalt Annas, an der Herr von Andergast vorläufig noch nichts Fesselndes entdecken kann, ganz genau zu verdeutlichen, und erwähnt sogleich einen charakteristischen Zwischenfall.) Eines Morgens sagt Elli zu ihm: Denk dir, Anna will nicht bei uns wohnen bleiben. Ah, wir sind ihr wohl nicht vornehm genug, antwortet er, nun, der alte Jahn in Köln hat auch nicht in einem Palais residiert. Das ist es nicht, gibt Elli ziemlich verlegen zurück, es paßt ihr nicht, daß ihr Zimmer neben unserm Schlafzimmer liegt, ich habe ohnehin schon, weil sie's ausdrücklich verlangt, den Kleiderschrank vor ihre Tür stellen und den Zwischenraum mit Matratzen stopfen lassen; es genügt ihr nicht, es ist ihr peinlich. Eine solche Prüderie erklärt Maurizius für widerwärtig. Elli muß seine Entrüstung beschwichtigen, Anna sei im Kloster erzogen worden, das müsse man in Betracht ziehen und ihr die Übertriebenheit nachsehen. Ja, es ist das Katholische an ihr, gibt er mißbilligend zu, und auf Grund seiner Lebemannserfahrungen verkündet er den Gemeinplatz von der lasterhaften Phantasie, die hinter züchtig gesenkten Augen ihr Unwesen treibe. Jedoch Annas Augen sind keineswegs züchtig gesenkt. Im Gegenteil, ihr Blick umfaßt Dinge und Menschen mit einer unnachsichtigen Offenheit (»oberhalb des erwähnten Lächelns, wissen Sie«), als sei ihr das Heimlichste nicht fremd. Man kennt sich überhaupt nicht mit ihr aus. Die ganze Person will nirgends hin passen, in die Bürgerwelt nicht, in die große Welt nicht, in die Boheme nicht, in die Halbwelt schon gar nicht. Sie ist nicht amüsant, sie versteht kein Gespräch zu führen, sie hat wenig gelesen, in der Gesellschaft macht sie keine Figur. Nur schön also? Dessen wird man müd. Es langweilt. Und doch, und doch ... ein tiefer Brunnen, ein abgründig tiefes Wasser. Eine ihrer ungeselligsten Eigenschaften ist es, daß sie absolut keine Zweideutigkeiten und anzüglichen Gespräche verträgt. Dieser Abscheu, zu dem sie sich unumwunden bekennt, führt eines Tages zu offenem Zwist mit Elli und weiterhin zur Auseinandersetzung mit ihm, Leonhart. Elli hatte ein paar Leute zu Tisch, darunter einen Herrn von Buchenau, der später zu den Intimen Waremmes gehörte, reicher Sportsmann und Sammler, nicht mehr jung, sehr geistreich, sehr zynisch, beliebt als Erzähler gewagter Anekdoten. Damit hält er auch an jenem Abend nicht zurück, die Geschichten werden immer schlüpfriger, und während er eine kaum noch verschleierte Cochonnerie erzählt, er ist gewohnt, seine Zuhörer so abgebrüht zu finden, daß er vor dem Äußersten nicht zurückschreckt, erhebt sich Anna in einer Art, als begriffe sie erst in dem Augenblick die Unanständigkeit der ganzen Unterhaltung, schaut den verdutzten Buchenau mit einem Ausdruck an, daß ihm das Wort im Mund steckenbleibt, und verläßt das Zimmer, um nicht mehr wiederzukommen. Am anderen Tag stellt Elli sie zur Rede, sagt ihr, erwachsene Leute pflegten sich nicht mit frommem Gesäusel die Zeit zu vertreiben, sie lasse ihre Gäste nicht brüskieren, und dergleichen mehr, zum Schluß beruft sie sich auf Leonharts Meinung. Anna blickt nur so vor sich hin mit ihren geheimnisvoll klaren Augen, man könnte denken, sie sucht das Gesicht von Maurizius, aber dort, wo sie hinschaut, ist nur sein Knie, dabei lächelt sie eigentümlich verschlafen. Er hütet sich, etwas zu sagen, der Auftritt ist ihm unangenehm, zum erstenmal kann er der Schwägerin nicht unrecht geben. Elli ruft ihr über die Schulter zu: Ich glaube, du bist so von dir eingenommen, daß du gar nicht mehr spürst, wenn du einen andern Menschen beleidigst. Da erwidert Anna: Ach nein, du. »Ich erinnere mich«, sagte Maurizius, »daß mir die drei Worte durch und durch gingen. Sie klangen, ich hab den Ton noch genau im Ohr, wie wenn ein Blinder sich nicht genug darüber wundern kann, daß man ihn schieläugig schimpft. Es erstaunt Sie vielleicht, daß ich das alles noch so genau wiedergeben kann, und dafür steh ich ein, daß kein Wort verfälscht oder erfunden ist, jede Silbe ist in meinem Hirn eingeätzt, jede Miene könnt ich zeichnen, bloß in der Zeitfolge verschiebt sich manchmal dies und jenes, sonst ist alles wie gestern gewesen.«

Er entfernte sich einige Schritte von der Mauer, kehrte jedoch gleich wieder zurück, als sei dort ein unsichtbares Schilderhaus, das ihn gegen irgendwelche, nur ihm allein bekannte Gefahren schützte. Herr von Andergast, die Hände über den gekreuzten Beinen gefaltet, den leicht geneigten Kopf zum Fenster gewandt, war gestört durch ein dumpfes Gehämmer, das vom Gefängnishof heraufschallte und das ihn zwang, seine Aufmerksamkeit zu verdoppeln, um nichts von dem zu verlieren, was die welke Stimme an der Mauer sagte. In einer Hinsicht waren ihm die Vorgänge bekannt, erweckten wenigstens Assoziationen an Bekanntes, in anderer waren sie ihm vollständig neu. Es war ungefähr, wie wenn man ein Buch liest, dessen Inhalt man bisher nur durch ausführliche Berichte, etwa aus der Zeitung oder sogar aus einem Buch über dieses Buch, kennt. Man überzeugt sich dabei mit einem gewissen Schrecken, daß das noch so getreulich Berichtete beinahe keine Ähnlichkeit mit dem Leben in dem Buch selbst hat, dem Erlebnisleben mit seinem unmittelbaren Niederschlag. Wunderlicherweise beobachtete er an sich, daß ihn diese Erfahrung bedrückte und die qualvolle Urteils- und Geistesunsicherheit steigerte, unter der er seit einer Reihe von Tagen litt.

Maurizius, mit dem nämlichen lichtlos-starren Blick wie bisher, kommt nun auf die erste vertrauliche Unterredung mit der jungen Schwägerin zu sprechen. Er scheint zu fühlen, daß das, was zwischen ihm und Anna dabei erörtert wurde, nicht von erheblichem

Belang ist. Nur wozu es treibt, ist von Belang. Jedes kleinste Geschehen wird hier natürlich zum Ring in der Kette. Daß sie von seiner Vergangenheit als Verführer und Abenteurer gehört hat, liegt auf der Hand. Sich deswegen zu grämen, fällt ihm nicht ein. Nach seiner damaligen Lebensauffassung muß ja ein Ruf wie der seine eher dazu dienen, einen Mann interessant als verächtlich zu machen. An seine Besserung in der Ehe mit Elli glaubt sie nicht recht, sie hält ihn noch immer für einen unsichern Kantonisten. Gut, niemand hat sie zur Richterin bestellt, ihre Moral ist nicht die seine, man wird versuchen, ohne ihre Billigung und ohne ihre Sympathie auszukommen, schließlich, wer ist sie denn? Eine anspruchsvolle junge Dame, die von dem Kredit lebt, den ihr ein erlesen schönes Gesicht verschafft. Desungeachtet wurmt ihn ihre spürbare Geringschätzung. Er kann sich nicht darein finden, es raubt ihm den Schlaf, es verbittert ihm seine Muße, er sieht immer die leicht zusammengezogenen Brauen über den klaren, kühlen, braunen Augen. Er geht, wie gesagt, ziemlich flüchtig über das alles hinweg. Es hat sich nicht um ein Haar anders abgespielt, als man es von tausend ähnlichen Fällen weiß. Wie er ja überhaupt, so konstatiert er, bis zu einem ganz bestimmten Punkt als Dutzendmensch ein Dutzendleben gelebt hat. Auf einmal, an dem bestimmten Punkt, bemächtigt sich seiner »das Schicksal«. Es rollt auf ihn zu wie eine ungeheure, steinerne Kugel. Drei Gedanken vorher hat man noch nicht einmal eine Ahnung von ihm gehabt, dem Koloß »Schicksal«. (»Finden Sie nicht«, fragt er in die Luft hinein, »daß das sogenannte Schicksal meist auf eine grausam schlaue Manier außer uns entsteht und sich in gewisser Beziehung auch außer uns begibt? Man tänzelt ganz idiotisch weiter, erst wenn man nicht mehr ein noch aus weiß, erkennt man mit Schrecken: Aha, das ist ›das Schicksal‹. Mir ist es so ergangen.«) Es trifft ihn wie ein Faustschlag, als ihm Anna während des Gesprächs das Wort zuwirft: Du hast dich ja verkauft. Zuerst steht er wie verdonnert vor ihr da, er fühlt sich beschimpft und mißkannt, sie scheint das häßliche Wort zu bereuen, als er sich mit dem ganzen Aufgebot seiner Beredsamkeit gegen den schmählichen Vorwurf zur Wehr setzt, hört sie ihm nicht ohne Bewegung zu. Beim Abschied reicht sie ihm die Hand. Ihre Stummheit enthält eine halbe Bitte, eine halbe Versicherung. Hat er sie überzeugt? Es ist nicht ausgemacht. Ihm ist bei der ganzen Sache keineswegs wohl. Er erkennt plötzlich mit blitzähnlicher Verzweiflung: Sie hat recht. Ein folgenschweres Erwachen. Von dem Moment an ist er gezwungen, eine Lüge mit der andern zu verkleistern, Lüge auf Lüge zu häufen, bis er darunter erstickt. Die Geschichte mit dem selbstgeschriebenen, anonymen Brief ist der Anfang von dem Weg ins Bodenlose. Hier irrte er wieder in eine seiner düsteren Betrachtungen ab und verbreitete sich über den Unterschied zwischen Wortlüge und Tatlüge, es sei ein Unterschied wie zwischen einem unter Umständen harmlosen Tuberkel und einem verseuchten Organismus. Wenn ein Mann mit einer ungeliebten Frau die Ehe schließt, darauf ruht ein Fluch, das kann er nie wiedergutmachen, es führt unabänderlich zur Selbstzerstörung, nämlich wenn es, wie in seinem Fall, die Zerstörung des andern Teils bedingt. Je sublimere Vorwände er dazu gebraucht hat, je heilloser wird das Ergebnis sein. Er dachte besonders klug zu handeln, als er Elli zum Weibe nahm, und er besaß nicht einmal die oberflächlichste Kenntnis ihres Wesens. War es kluge Berechnung, dann war es eine aufgelegte Schurkerei, gleichviel was er dabei für edle oder vermeintlich edle Ziele im Auge gehabt; war es Leichtfertigkeit und frivoler Fatalismus, so durfte er sich noch weniger über die Leiden verwundern, die über ihn verhängt wurden. Nein, zu wundern war da nichts. Vergibt sich ein Mensch und nimmt in heimlichem Vorbehalt seine Seele von der Hingabe aus, läßt sich aber, als wär es ein richtiger Austausch, die Seele des andern schenken, so begeht er ein Verbrechen, vielleicht das schwerste, das begangen werden kann. Die Schuld wird nicht um ein Jota geringer dadurch, daß man sich ausredet: Ich hab's nicht gewußt. Da heißt es: Du hast zu wissen. Da gilt im höchsten Maße der Satz: Unkenntnis des Gesetzes schützt nicht vor Strafe. Des Gesetzes? welches Gesetzes? das in einem drinnen. Das muß man kennen ...

Er sank gänzlich in sich zusammen, aber nur für eine halbe Minute. Während Herr von Andergast, mit einem Rest dunklen Mißtrauens noch, der moralischen Selbstzerfleischung des Sträflings nachsann (welchen abgrundtiefen Sinn bekam der Begriff Sträfling auf einmal), fuhr dieser bereits fort. Wenige Tage nach der Auseinandersetzung mit Anna erhält er das Schreiben des Schweizer Anwalts, das ihn von der Geburt seiner Tochter Hildegard benachrichtigt, auch von den Ansprüchen, die die frühere Geliebte an ihn stellt. Er weiß sie todkrank, er weiß, daß sie am Notwendigsten Mangel leidet. Er sieht sich in einem Wust von Schwierigkeiten und weiß keinen Ausweg. Sein erster Gedanke ist: Anna. Er gesteht, daß es ihn, abgesehen von seiner Ratlosigkeit, unwiderstehlich, ja krankhaft gereizt habe, Anna in diese Sache zu verstricken. Er ist mit ihr zu einem leidlich guten Einvernehmen gelangt, sie hat ihm allerlei von ihrem Leben erzählt, nichts Erhebliches freilich, nichts, was ihn in ihr Inneres blicken läßt, in der Beziehung ist sie siebenfach versiegelt; sie hat Zukunftspläne mit ihm besprochen, sie beginnt sogar Interesse an seinen Arbeiten zu zeigen, wobei ihm bisweilen die stählerne Treffsicherheit einer Bemerkung in Erstaunen setzt, das alles ermutigt ihn zu einem Schritt, den er durchaus nicht überdenkt, den er einfach riskiert wie den Einsatz beim Roulette. Sie hört ihn an, sie spricht nichts, sie geht weg, er gerät in noch größere Unruhe, hat er ihre Achtung, ihre Sympathie von neuem verscherzt? Zwei Stunden später telephoniert sie, bestellt ihn auf die Promenade, erklärt sich bereit, in die Schweiz zu fahren, das Kind zu holen und es in das Heim ihrer Freundin, der

Mrs. Caspot, nach London zu bringen. Sie läßt ihm keine Zeit zu fragen, sich nach Einzelheiten zu erkundigen, sie hat es beschlossen, es wird geschehen, er hat bloß das Geld zur Reise und zur Aufnahme einer Pflegerin zu beschaffen, die sie begleiten soll. Er ist starr. Eine so expeditive Art hat er ihr nicht zugetraut. Um so mehr muß er sie bewundern. Unter der Decke von Kälte, unter dem hochmütig-argwöhnischen Noli me tangere schlummern Mutterinstinkte, Mitleidskräfte, vielleicht ist ihr auch der Anlaß willkommen, ihn die Unbill völlig vergessen zu machen, die sie ihm angetan. Phantasien. Sie wollte fort, nichts anderes. Die Reisen in die Schweiz und nach England, daß er's gleich vorausschickt, sind Fluchtversuche. Nur Versuche freilich, aber doch Mittel, um Zeit zu gewinnen und auf ein hilfreiches Ungefähr zu hoffen. Gewiß, sie hat sich auch später des Kindes Hildegard mit einer befremdlichen Leidenschaft angenommen, während der ärgsten Verfinsterungen der folgenden Zeit hat sie es nicht aus dem Kreis ihrer Sorge gelassen, als ob da was Haltbares für sie wäre, ein letzter, neutraler Ort ohne Fieber und Qual, aber damals, als sie den Entschluß faßt, ist sie nur von der Angst getrieben. Die Veränderung entgeht ihm nicht. Sie ist verworren; sie lacht, wo nichts zu lachen ist, mitten in den Reisevorbereitungen, der Zug geht in einer halben Stunde, erinnert sie sich, daß sie ihre Armbanduhr in der Universitätsbibliothek liegengelassen hat, und bekommt beinahe einen Weinkrampf deswegen; mit aller Mühe beschwichtigt er sie, dringt in sie, ihm die Ursachen ihrer Verstörung mitzuteilen, sie weicht erschrocken aus, endlich, im Ton eines schweren Geständnisses, sagt sie, die Anfälle seien schuld. Seit einem Jahr sei sie verschont geblieben, jetzt fühle sie, daß sie wieder kämen, der beständige Druck im Gehirn verrate es ihr. Wahr und nicht wahr. Die Anfälle, die lernt er noch kennen, aber davon ist sie nicht so geschreckt, es ist was anderes, was ihr die Seele beengt, aber davon spricht sie nicht, das kann nicht über ihre Lippen. Er erfährt es auch lange nicht, sehr lange nicht, und als er es dann erfährt, kommt er nicht mehr dagegen auf, da ist er schon im feurigen Ofen drinnen. »Damals hätte ich vielleicht noch kämpfen können. Hätte mir einer gesagt: Wenn dir dein Leben lieb ist, fahr mit ihr fort, verbirg dich mit ihr, laß dich in deinem Land, in deiner Stadt, in deinem Haus nie wieder blicken, sei verschollen, sei tot für deine bisherige Welt, vielleicht hätt ich's getan, denn sie war mir ja schon zu der Zeit ... Herrgott im Himmel, sie war mir ja schon ... nein, das hat keine Worte, vielleicht hätte ich sie dazu bringen können, vielleicht, wer weiß, aber das alles geschah eben nicht, weil's nie geschieht, solcher Souffleur würde einem das Leben mitsamt dem Tod ersparen. Es muß aber gelebt werden, das ist es ...« Er brach ab, trat zum Tisch, griff nach dem Steinkrug, goß das Wasserglas voll und trank gierig. Beide Arme auf die Tischplatte gestützt, den Kopf weit vorgeneigt, blieb er eine Weile stumm stehen.

»Also … Waremme«, sagte Herr von Andergast ruhig. – »Ja. Waremme.«

Nach einer Pause fragte Herr von Andergast (er mußte befürchten, daß Maurizius aus irgendeinem Grund, vielleicht weil seine innere Bewegung zu stark war, vielleicht weil sich ihm die Erinnerungsbilder verwischten, die Lust zu weiteren Enthüllungen verlor, und wollte ihn durch möglichst lebhafte und teilnahmsvolle Fragen über die unerwünschte Stockung hinwegbringen): »Er war also unerwarteterweise auf dem Schauplatz erschienen, wenn ich recht verstehe?« – »Sie verstehen recht.« – »Und die Jahn wußte es bereits, als Sie ihr die Sache mit dem Kind beichteten?« – »Ja. Da wußte sie schon, daß er sie aufgespürt hatte.« – »Wie ... aufgespürt? Er hat sie also quasi verfolgt?« – »Wenn auch nicht verfolgt, so doch nach ihr gesucht. Daß sie sich bei uns aufhielt, konnte er leicht in Erfahrung bringen.« – »Gewiß. Aber welchen Grund hatte sie denn, sich vor ihm zu verbergen, sogar ihn zu fürchten?«

– Maurizius schwieg. Herr von Andergast fuhr fort: »Schön, ich nehme an, sie hatte Grund, den allertriftigsten Grund, will ich annehmen, obwohl ich mir nichts dabei vorstellen kann; weshalb packte sie dann nicht die Gelegenheit beim Schopf, die Sie ihr boten? Weshalb kam sie zurück? Ein plausibler Vorwand, im Ausland zu bleiben, hätte sich doch unschwer finden lassen, sie hätte Ihnen zum Beispiel nur schreiben müssen, das Kind sei krank, oder Mrs. Caspot sei abwesend oder nicht verläßlich. Sie hätten sicher nichts dagegen eingewendet, wenn sie ihre Rückkehr ins Unbestimmte verschoben hätte. Damit hätte sie ja wieder Zeit gewinnen können, viel Zeit, und auf die unauffälligste Art.« – »Sehr scharfsinnig. Aber das konnte sie nicht.« – »Warum nicht?« – »Weil ... weil sie verfallen war.« – Herr von Andergast sah ungläubig aus. »Verfallen? Ihm verfallen? Ach, gehn Sie doch zu. Das kommt doch nur in Boulevarddramen vor. Eines von der Sorte machte damals Furore, Sie erinnern sich vielleicht auch daran, Trilby hieß es, ein trauriger Schund, da kam ein gewisser Svengali vor, auch so ein Hexenmeister. Das sind Räubergeschichten, wissen Sie, ich wenigstens habe mich nie überzeugen können, daß im wirklichen Leben dergleichen passiert. Verfallen ... erklären Sie das doch deutlicher.« – Maurizius schüttelte ohne aufzublicken den Kopf. »Erklären läßt sich da nichts. Räubergeschichte? Mag sein. Ja, das Schauspiel Trilby hab ich mal gesehn. In solchem Kehricht liegen manchmal Zeitwahrheiten.« – »Auf welche Weise haben Sie denn Waremme kennengelernt? Durch die Jahn nicht, soviel ich aus den Akten weiß ...« – »Nein, nicht durch Anna. Ein paar Tage vor ihrer Rückkehr begegnet mir Herr von Buchenau auf der Straße, hält mich an und sagt: Dr. Maurizius, heute müssen Sie zum Tee zu uns kommen, es wird ein Mensch da sein, so was haben Sie noch nicht erlebt, ein Polyglott, ein neuer Winckelmann, ein Poet, ein Kerl von Gottes Gnaden. Genau das waren seine Worte. Da ich Buchenau als fischkalten Skeptiker kannte, den noch niemand begeistert gesehen hatte, wurde ich neugierig und ging hin. Und wirklich, so was hatte ich noch nicht erlebt.« – »Von seiner Beziehung zur Jahn wußten Sie zu der Zeit noch nichts?« – »Nein. Am Sonntag darauf, es war der siebenundzwanzigste November, sah ich ihn mit Anna auf der Parade. Er begrüßte mich sehr empressiert, beide blieben stehen, und ich ging mit.« – »War es gleich von da an, daß sich der freundschaftliche Verkehr zu dreien entwickelte?« – »Ja.« – »So muß sich also die anfängliche Apprehension der Jahn, um das unverfänglichste Wort zu gebrauchen, nach und nach gelegt haben? Es war wohl mehr eine Laune, eine Hysterie?« – »Ach, du großer Gott«, murmelte Maurizius. Herr von Andergast blickte ihn gespannt an, Maurizius schob den Zeigefinger in den Halskragen, als fehle ihm die Luft zum Atmen. – »Oder hatten Sie den Eindruck, daß sich etwas ... etwas Entscheidendes zwischen ihnen ereignet hatte?« – »Allerdings«, erwiderte Maurizius mit einer ausgebluteten Stimme, »allerdings. Etwas fürchterlich Entscheidendes.« Er hielt sich an der Tischplatte fest, Herr von Andergast wartete. Wunderlicherweise fühlte er sein Herz heftig schlagen. »Etwas ...« fuhr Maurizius fort, »allerdings ... es«, plötzlich wurde die Stimme kalt und fest: »Sie war nämlich von ihm vergewaltigt worden.« – Herr von Andergast sprang auf. »Na, hören Sie, Mann«, rief er und verlor zum erstenmal die Selbstbeherrschung, »das ... das ist hirnrissig ... das haben Sie halluziniert ...« – »Sie war von ihm als Siebzehnjährige vergewaltigt worden«, sagte Maurizius steinern, mit den Fingern die Tischplatte so krampfhaft umklammernd, daß die Knöchel weiß wurden.

Aus dem Hof drang ein schnarrendes Kommando herauf. Das Hämmern, das in der letzten halben Stunde ausgesetzt hatte, begann von neuem. Unter dem lichtblauen Morgenhimmel zog ein Flug Schwalben vorüber. Herr von Andergast setzte sich wieder. Er suchte nach Worten. »Hier dürfte es sich wohl«, ließ er sich zögernd vernehmen, »um eine der üblichen Falschmeldungen handeln. Erfahrungsgemäß ist Vergewaltigung oder Notzucht äußerst selten. Der nachherige Seelenzustand des Opfers läßt in der Regel eine zur Anschuldigung berechtigende Täuschung über den vorhergehenden zu.« – Der juristische Exkurs lockte Maurizius nur ein schales Lächeln ab. »Sie irren«, antwortete er, »es war das vollendete Delikt.« Dann, nach einem Aufatmen: »Übrigens, es ist zu sonderbar, das alles ...« – »Warum sonderbar? Was meinen Sie damit?« – »Ich meine folgendes: die Prozeßakten dürften ungefähr den Umfang eines mehrbändigen Historienwerkes haben, und der Mann, der sozusagen der verantwortliche Redakteur des ganzen Opus war, muß bei jedem nicht gerade obenauf liegenden Faktum seine Unkenntnis zugeben. In dieser Lage sind Sie doch, das können Sie doch nicht leugnen. Verzeihen Sie, ich will Ihnen nicht zu nahetreten, aber vielleicht ziehen Sie von selbst den Schluß daraus, wie es um das Gerichtsverfahren in Wahrheit steht. Die Waage der Justitia, mein Gott ... es ist kein empfindliches Zünglein, es ist ein grober Hebebaum, der nur ausschlägt, wenn Zentnergewichte die Schale hinunterziehen. Verzeihen Sie, es geht mir nur so durch den Kopf.« – Herr von Andergast entschloß sich, den Ausfall zu ignorieren. »Ich begreife nur nicht, wie Sie davon erfahren haben konnten«, sagte er; »daß die Jahn selbst ... nein, das läßt sich schwerlich annehmen, dazu braucht man keine besondere Kenntnis dieses komplizierten Charakters ... Vielleicht gab es Mitwisser? Vielleicht hat man später, nach Abschluß des Prozesses, vielleicht hat man Ihnen da diese Monstrosität einzureden versucht, um ... nun, um Sie von gewissen Rücksichten abzubringen ... wie? Denken Sie doch mal nach.« Maurizius schüttelte den Kopf, das schale Lächeln zeigte sich wieder. »Ich habe es von Waremme selbst erfahren«, sagte er. – Herr von Andergast zuckte auf. »Wa–as? Von Waremme selbst? Demnach sprechen Sie von der allerletzten Zeit, und das Geständnis hatte den Zweck, Ihnen zu bedeuten: Gar zuviel verlierst du nicht an ihr, die Statue ist längst in den Kot geschleift ...« – »Falsch geraten. Es war kein Geständnis.« – »Was denn?« – »Ich erfuhr es auch nicht in der allerletzten Zeit, sondern im zweiten Monat unserer Bekanntschaft, Anfang Januar.« – »Nun versteh ich überhaupt nichts mehr«, entschlüpfte es Herrn von Andergast. Maurizius betrachtete ihn mit seltsam boshaftem Blick. »Das glaub ich gern«, sagte er, griff wieder nach dem Wasserkrug, schenkte ein und leerte das Glas in einem Zug.

»Man kann wenig von alldem verstehen, wenn man den Einfluß nicht in Rechnung zieht, den damals Waremme auf mich hatte«, sprach er weiter, begab sich zu dem eisernen Bett und ließ sich mit Anzeichen von Erschöpfung an dessen unterem Ende nieder. »Es war eine komplette Hörigkeit. Ich sah mit seinen Augen, ich redete mit seinen Worten, ich urteilte wie er, ich trug mich und gab mich wie er. Meine Bildung war ja, an seiner gemessen, ein Haufen Häcksel. Ich hatte alles bloß erschmeckt und zusammengerafft oder für den Brotberuf gelernt. Damit war man ein armseliger Schlucker neben ihm. Andern ging's nicht anders. Alles lag auf Knien vor ihm. Solang man sich in demselben Raum mit ihm befand, war man vollkommen geblendet, vollkommen wehrlos. Einem so superioren Kopf schreibt man unwillkürlich auch eine sittliche Obergerichtsbarkeit zu. Ich weiß nicht, wie es kommt, aber es ist so. Menschen, die ihre Existenz auf Bildung und Wissen gestellt haben, für die ist das Sittliche nur die Protuberanz des geistigen Sonnenkörpers, wenn ich mich so ausdrücken darf. In jenen Jahren war das besonders stark ausgeprägt. Dadurch entstand um uns junge Leute dieser ... dieser luftlose Raum, dieses Zerrbild des Unendlichen. Erst viel später, erst in diesem Haus hab ich mir das klargemacht. An Waremme sah ich, oder glaubt ich zu sehen, wohin man gelangen konnte, wenn man ... na ja, ich hätte mir sagen müssen: Wenn man wer war, aber er ließ es einen nicht fühlen, daß man so wenig war, so ein verspieltes, ehrgeiziges, verschwindeltes Wenig, er demütigte einen nicht, dazu war er ein zu guter Kamerad, bei all seiner Glut und seinem Schwung, es war dieselbe hinreißende Leidenschaft, wenn er Sekt und Kaviar auftischen ließ, als wenn er einen mit Gedichten und Ideen bewirtete, unerschöpflich. Man konnte Nächte und Nächte in seiner Gesellschaft verbringen und wurde nicht müd, von Schlaf war keine Rede. Unfaßlich war der Mensch, ich bin überzeugt, daß solch ein Mensch nur alle hundert Jahre einmal erscheint, genau wie ein Kepler oder ein Schiller, und ich bin gleichzeitig überzeugt, daß er der Teufel war. Ja, schlechthin der Teufel. Stichhaltigere Gründe als ich kann keiner für diese Überzeugung haben. Das Böse, müssen Sie wissen, das wirklich Böse, ist ungeheuer selten auf der Welt, noch seltener als Kepler und Schiller, viel seltener. Nun, ich will Sie nicht langweilen. Sie werden sagen, das sind mystische Faseleien, und der Teufel ist lang genug die letzte Ausrede aller Verdammten gewesen. In dem Jahr, von dem ich spreche, lebte der Geheimrat Bringsmann noch, der Literarhistoriker, ein Mann, den wir alle verehrten, dort traf man jeden Freitag die beste Gesellschaft, und man konnte höchst angenehme und lehrreiche Stunden verbringen. Der Geheimrat war einer der größten Bewunderer Waremmes, in seinem Haus wurde er geradezu gefeiert und auf Händen getragen. Am ersten Freitag des neuen Jahres, es war der Dreikönigstag, hatten sich besonders viele Leute eingefunden, Waremme hatte dem Geheimrat versprochen, den Gorgias vorzulesen, dessen Übersetzung er eben beendigt hatte. Fast alle Professoren und ihre Damen waren gekommen, es war eine illustre Zuhörerschaft. Als ich mit Elli und Anna in den nicht sehr geräumigen Salon trat, hatte die Vorlesung bereits angefangen, und wir fanden sämtliche Stühle besetzt. Von der Vorlesung selbst ist eigentlich nichts zu berichten, nur fiel mir auf, daß sich Waremme, als wir kamen, ein paar Sekunden lang unterbrach und einen zornigen Blick zu uns herübersandte, offenbar, weil wir uns verspätet hatten. Er war in solchen Dingen ungemein pedantisch, das heißt, damals schrieb ich es seiner Pedanterie und seiner Herrschsucht zu, es war aber auch rasende Eitelkeit im Spiel, und man bekam es nachher immer zu fühlen, wenn man diese Eitelkeit gekränkt hatte. Ich weiß nicht mehr, ob meine Frau oder Anna an der Verspätung schuld war, Anna jedenfalls war so nervös darüber, daß sie auf der Stiege auf ihren Kleidsaum trat und dann noch extra eine Verzögerung herbeiführte, weil sie das losgerissene Stück mit Stecknadeln befestigen mußte. Dabei war sie totenbleich vor Aufregung, und ihre Hände zitterten. Waremme wurde mit Beifall und Anerkennung überschüttet, alle drängten sich um ihn, er schien sehr gehoben und noch gesprächiger und anregender als sonst. Ich merkte aber, daß er sowohl mich wie auch Anna geflissentlich schnitt, mit Elli stand er ja ohnehin nicht gut, ich dachte mir noch: das heißt die Rache für einen geringen Verstoß ein wenig zu weit treiben. Unter den Gästen befand sich auch ein junger Heidelberger Professor, der vor kurzem eine Schrift über die Shakespeareschen Sagenstoffe veröffentlicht hatte. Waremme kannte die Arbeit und hatte sich bei der Lektüre über einige unverständige Urteile geärgert; wir hatten erst ein paar Tage vorher darüber gesprochen, namentlich die abfälligen Äußerungen über ›Maß für Maß‹ hatten ihn verdrossen, denn dieses Stück hielt er ganz besonders hoch. Er ließ die Gelegenheit nicht vorübergehn, sich mit dem Verfasser auseinanderzusetzen, und trieb ihn schließlich dermaßen in die Enge, daß der arme Mann nichts mehr zu sagen wußte und vielleicht am liebsten um Absolution gebeten hätte. Die Debatte hatte allgemeine Aufmerksamkeit erregt, alle übrigen Unterhaltungen waren verstummt; berauscht von seinem Erfolg, von den bewundernden Blicken und von einer heimlichen Absicht noch, die ich aber erst später halb und halb durchschaute, riß er die Versammlung durch eine seiner berühmten Bravourleistungen hin. Nach einer scharmanten, kurzen Anrede nämlich trug er aus dem Gedächtnis die ganze Schlußszene des zweiten Aktes vor, das herrliche Gespräch zwischen Angelo und Isabella, wo er ihr das Leben ihres Bruders verspricht, wenn sie sich ihm hingibt. Es ist mir unvergeßlich, mit welchem Ausdruck, mit welcher Gewalt er das brachte und steigerte, wie ein großer Schauspieler, und doch nicht wie ein Schauspieler, wie einer, der es lebt, im Augenblick erlebt. Herr, glaubt mir das, eh gäb ich meinen Leib als meine Seele ... und wie Angelo antwortet: Von Seele red ich nicht, erzwungene Sünden sind nur gezählt und nicht gerechnet. Und wie sie sagt, daß Frauen wie die Spiegel sind, drin sie sich beschauen und so leicht zerbrechen, wie sie Bilder geben. Und dann ihre leidenschaftliche Empörung: Kleine Ehre, um ihr viel zu traun, und niederträchtige Absicht ... Täuschung, Täuschung, ich mach dich ruchbar, Angelo! Und wie er antwortet: Wer wird Euch glauben, Isabella? Mein lautrer Ruf, die Strenge meines Lebens, mein Zeugnis wider Euch, mein Rang im Staat wird die Bezichtigung so überwiegen, daß Ihr erstickt in Eurem eignen Wort und der Verleumdung Dunst. Und als er zu der Stelle kam ... wie heißt es nur ... seit zwanzig Jahren, seit jenem Tag hab ich die Worte nicht mehr gehört und nicht gelesen, aber keine Zeit kann das wieder auslöschen ..., als er mit einer Wildheit und einem Flammentrotz, daß es uns alle überlief, zu der Stelle kam: Ich fing es an, und jetzt entzügl ich meiner Sinne Feuer, zeigt Euch gehorsam meiner heißen Lust ... laßt alle Sprödigkeit und ... falsche Scham oder so ... die, was sie heischt, verbannt, und bietet Euern Körper meinem Wunsch ..., da schrien plötzlich einige Damen im Hintergrund des Zimmers auf, man hörte das Geklirr von Tellern und Metall, Panik entstand, ich schob mich durch das Gedränge, ich gewahrte Anna, die auf den Teppich hingesunken war, im Fallen einen der Serviertische umgeworfen hatte und zwischen Porzellanscherben, verschüttetem Tee und verstreutem Backwerk dalag, mit den Gliedern zuckte und die Augen verdrehte. Das war der erste von den Anfällen, deren Zeuge ich wurde, der zweite ereignete sich sechs oder sieben Monate später in ihrer Wohnung nach dem Auftritt mit Elli. Wir schafften sie ins Schlafzimmer der Hausfrau, auch Waremme bemühte sich um sie, erst nach Stunden war sie so weit, daß man sie heimbringen konnte. Am Abend überredete mich Waremme, mit ihm in eine Weinstube zu gehen, ich ließ mich nicht lange bitten, mir war's, als ob da etwas aufzuklären wäre, was nur er aufklären konnte, denn ich fühlte einen rätselhaften Zusammenhang zwischen der Rezitation und dem, was mit Anna geschehen war. Er bestellte eine Flasche Champagner und trank sie allein aus, dann eine zweite, rauchte dabei eine Zigarette nach der andern; um mein verstörtes Gesicht und die gestammelten Vermutungen, die ich von Zeit zu Zeit von mir gab, kümmerte er sich nicht. Es war schon Mitternacht vorüber, wir waren die letzten Gäste in dem Lokal, da sagt er plötzlich, indem er sich mit der Faust an die Stirn hämmert: Barbar, der ich bin, jammervoller Dummkopf, daran nicht zu denken, es mußte ja wie ein heimtückischer Schlag aus dem Hinterhalt auf sie wirken, wo hatt ich um Himmels willen den Verstand, daß mir das passieren konnte! Ich mache große Augen. Etwas dämmert mir. Ich wußte, daß Anna eine krankhafte Antipathie gegen alles Theater, sogar gegen alle schauspielerischen Darbietungen hatte, aber es konnte doch unmöglich zu einer solchen Nervenkatastrophe führen, wenn im geselligen Kreis ein Waremme eine wunderbare dramatische Szene vortrug. Ich bemerke etwas dem Ähnliches zu Waremme, er packt mich über den Tisch hinüber beim Handgelenk, sein Gesicht wird käseweiß, er flüstert: bei Gott, nein, aber es gibt da eine schreckliche Ähnlichkeit, das Leben hat sich den infernalischen Spaß erlaubt, ihr einen Angelo in den Weg zu stellen, der sich nicht mit der frechen Forderung begnügte, sondern seinen Wunsch gleich in die Tat umsetzte, Sie begreifen ... Ob ich begriff! Ich begriff so gut, daß ich von dem Augenblick nur noch das begriff, nur noch das im

Hirn hielt, so unausdenklich es war; ich hatte das Gefühl ... aber wozu sprech ich da von Gefühlen, die Welt war auf einmal eine Jauchegrube. Waremme sah aus wie ein Gespenst, er sagte, ich solle mit ihm nach Hause kommen, er könne hier nicht reden, er könne nicht allein sein, die Geschichte habe ihn zu stark hergenommen, alles sei wieder in Fluß geraten, er müsse sich einem Freunde mitteilen, zu lange habe er's für sich behalten, es zersprenge ihm die Seele. Und dergleichen mehr. Ich begleitete ihn also in seine Wohnung, er tischte Schnäpse auf, trank eine Viertelflasche Kognak und schilderte unter unablässigem Auf- und Abmarschieren die näheren Umstände, wobei er immer nur von Angelo und Isabella sprach. Ich hatte von der Liebhaberaufführung in Köln gehört, bei der sich Anna hervorgetan, ich wußte aber nicht, daß Waremme dabei als künstlerischer Berater mitgewirkt hatte; er erwähnte dies nur flüchtig, als sei es von keinem Belang. Man hatte ein altfranzösisches Schäferstück mit alter Musik einstudiert. Anna gab die Rolle eines als Pierrot verkleideten Edelfräuleins. Nach der Vorstellung ließ sich nun dieser Mensch ... dieser mysteriöse Angelo bei ihr in der Garderobe melden, in einer Sache von unaufschiebbarer Wichtigkeit, ließ er sagen. Sie empfing ihn. Es war schon ziemlich spät. Anna hatte nach ihrer Gewohnheit sehr lang zum Umkleiden gebraucht, die Theaterarbeiter hatten sich entfernt, die Damen und Herren, die im Stück mitgespielt, waren gleichfalls weggegangen, das Dienstmädchen, das Anna nach Hause begleiten sollte, wartete vor der Bühnentüre, sie war also mit diesem Angelo, der ihr freilich nicht ganz fremd war, wie ich nach allem schließen konnte, in dem verödeten Haus allein, zwischen einem öden Hof und einem verödeten Korridor ... Es fiel mir auf, wie meisterhaft er trotz seiner leidenschaftlichen Gemütswallung die Örtlichkeit, die Situation zeichnete, beinahe mit literarischer Finesse ... warum der Besucher gerade diese Zeit für eine so niederschmetternde Kunde gewählt hatte, weiß ich nicht, es war ja alles so sonderbar zweideutig, genug, er brachte die Nachricht, daß ihr Bruder Erich in einem Gefecht in Südwestafrika gefallen war, das Telegramm war am nämlichen Tag eingetroffen. Diesen Bruder hatte sie vor allen Menschen am meisten geliebt. Vielleicht war er der einzige Mensch, den sie überhaupt geliebt hatte. Es war eine sehr tiefe und ein klein wenig dunkle Beziehung. Es läßt sich denken, wie eine so unerwartete Mitteilung auf sie wirkte. Ob er, dieser Angelo, speziell mit der Botschaft beauftragt war und was ihn dazu legitimierte, darüber äußerte sich Waremme nicht, nur daß er sie zu trösten, zu beschwichtigen getrachtet. Es bleibt nicht bei den Tröstungen, er wirft sozusagen die Maske ab, er wird stürmisch, eine so verführerische Gelegenheit findet sich nicht so bald wieder, ihre Weigerung achtet er für nichts, ihr Widerstand reizt ihn zum äußersten, und so fällt sie ihm zum Opfer. Während Waremme erzählt, ist mir zumut, als müßt ich mich auf der Stelle aufmachen und die ganze Erde nach der Bestie absuchen, um sie totzuschlagen, er aber hat sich in solchen Schmerz hineingesteigert, daß er, kaum zu Ende, sich auf den Lehnstuhl wirft und in ein schauerlich heulendes Weinen ausbricht. Nachdem er sich beruhigt hat, verläßt er das Zimmer, ich höre ihn in seinem Badezimmer hantieren; er hat sich unter die Dusche gestellt und kommt nach einer Viertelstunde in einem eleganten Schlafanzug zurück. Merkwürdig. Auch daß er sich plötzlich gefaßt und überlegen zeigt und mich aufmerksam macht, die geringste Achtlosigkeit, die ich Anna gegenüber beginge, könne eine schwere Schädigung ihrer Gesundheit im Gefolge haben. Außer ihm sei ich jetzt der einzige Mitwisser des traurigen Geheimnisses. Das binde und verpflichte uns gegenseitig. Ihm habe sich Anna in einem Moment letzter Verzweiflung anvertraut, wo sie bereits mit dem Leben abgeschlossen hatte, es sei ihm gelungen, sie aufzurichten, gewisse moralische Vorurteile und Velleitäten in ihr zu zerstreuen, der Missetäter hatte sich inzwischen aus dem Staub gemacht, hundert Gründe, die ihn verhinderten, wieder auf der Bildfläche zu erscheinen. Objektiv betrachtet sei es ja nicht viel anders gewesen, als wenn ein Mensch von einem toll gewordenen Gaul niedergestoßen und blutend von der Unfallstätte getragen wird, subjektiv freilich, hier schien ihn die Erinnerung von neuem zu überwältigen, und seine Stimme vibrierte, subjektiv, das heiße, wenn man die verletzliche Zartheit eines hohen Phantasie- und Herzensbildes dagegenhalte, könne man sich so leicht nicht abfinden, ihm jedenfalls liege es wie tragische Last auf der Seele, und nur, weil er sich so sehr als Freund fühle und weil er wisse, daß einzig Freundschaft der Boden sei, in dem die beschädigte Wurzel frische Säfte gewinnen könne, nur darum lasse er nicht von ihr. Das klang eigentümlich tendenziös oder warnend. Zum Schluß umfing er mich liebreich und sagte, so töricht sei er nicht, mich zu einem Schweigegelöbnis zu zwingen, dazu halte er zuviel von meiner Vernunft und Delikatesse, Ehrenwort und dergleichen, das gelte ihm nichts, der Zwang ergebe sich aus der Situation, die mache jedes plumpe Zupacken zum Frevel, die Fragilität dieser äußerst wunderbaren Frauensperson verlange Zurückhaltung, schon um ihretwillen müßten wir uns als Verbündete betrachten, zu ihrem Schutz Verbündete. Ich reichte ihm die Hand, ich war nicht fähig zu sprechen, ich entsinne mich nicht mehr, wie ich auf die Straße und nach Hause kam, mein Hirn war wie ausgebrannt ...«

Maurizius ging zweimal mit seinen schleichenden Schritten längsseits durch die Zelle, bevor er sich wieder hinsetzte und fortfuhr: »Wenn ich mich heute frage, nach mehr als zwanzig Jahren, wo ich doch Zeit hatte, hinlänglich Zeit, alles nach allen Seiten zu überlegen, alle Schächte und Verästelungen zu durchforschen, wenn ich mich nach dem eigentlichen, dem tiefsten Beweggrund frage, der Waremme bei seinen Eröffnungen geleitet, so weiß ich keine befriedigende Antwort darauf. Möglich, daß er mich vorbereiten, einer Andeutung oder einem Gerücht von irgendwoher zuvorkommen wollte. Aber hatte er denn das zu fürchten? Von Anna hatte er nichts zu fürchten, und von dem mysteriösen Angelo, nun, ich glaube, es ist überflüssig zu sagen, daß der ein Popanz war. Sonstige Eingeweihte gab es nicht. Kein Mensch auf der Welt hatte eine Ahnung, hatte auch nur einen Verdacht in der Richtung. Und wozu mich vorbereiten? Was hatte er von mir zu fürchten? Ich war schon durch die Rücksicht auf Ruf und Person meiner Schwägerin wehrlos gemacht. Ich hätte ihn vielleicht im Zorn töten können, aber davor schützte ihn wieder die schlaue Berechnung nicht. Er mußte sich ja ziemlich sicher fühlen, sonst hätte er kein so verwegenes Spiel mit mir gewagt. Das alles war es nicht, eher wollte er mich vielleicht abschrecken. Er hatte längst bemerkt, daß mein Verhältnis zu Anna immer herzlicher und vertraulicher wurde, da wollte er einen Riegel vorschieben und mir zu verstehen geben: an die rühr nicht hin, die kannst du nicht erbeuten, da sind Hindernisse, deren nicht einmal ich Herr werde, um wieviel weniger du, und du siehst selbst, daß ich mich auf hilfreiche Freundschaft beschränke, für anderes ist da kein Raum, anderes zu hoffen verbietet sich für jeden, der nicht ein gewissenloser Schuft ist. Es hätte zu seinem Charakter gestimmt, in einem Nebenbuhler, den er im Grund nicht einmal ernst nahm, auf Umwegen den Elan zu brechen. Ich sage das aus meiner nachherigen Erkenntnis, damals war ich ja verblendet, obwohl mir Argwohn über Argwohn aufstieg. Ich mußte beständig an seine unheimliche Suada denken, mir war, als habe er sich mir nur in einer großartigen Pose zeigen wollen, und sooft ich mir seine Erschütterung, seinen Schmerzensausbruch ins Gedächtnis rief, spürte ich darin dieselbe Meisterschaft wie beim Vortrag der Shakespeare-Szene. Beides stammte wohl aus der gleichen Quelle, es war müßig, eine Absicht, einen Plan, einen Zweck dahinter zu suchen. Es war vielleicht der unbändige Trieb nach Selbststeigerung und Selbstgenuß, ein gewisses Lebenspathos war ihm zweite Natur, unter Umständen stürzte er sich auch in Gefahr dafür. Vielleicht war sogar das Ganze ein Phantasieerzeugnis, eine Mystifikation, eine Waremmesche Dichtung, auch das war möglich. Mit dieser Vermutung hatte ich freilich unrecht. Bis dahin hatte ich geglaubt, daß er mich liebte, jedenfalls mich vielen andern vorzog, ich hatte genügend Ursache, es zu glauben, jetzt auf einmal schien es mir, daß er mich haßte, und zwar mit einem unergründlichen, heimlichen Haß, der ihn zu allem fähig machte, weil er zu allem fähig war, im Bösen wie im Guten, die Gerechtigkeit muß ich ihm widerfahren lassen: auch im Guten, ja, auch im Guten, aber warum, der Haß? warum? Ich weiß es bis heute nicht, denn aus der Eifersucht allein kann ich ihn mir nicht erklären, dazu war er ein zu despotischer Mensch, viel zu sehr von seiner Größe und Überlegenheit durchdrungen. Ich fand also nirgends Anhalt, nirgends Boden, ich trieb mich tagelang sinnlos herum, am liebsten hätte ich mich versteckt, ich hatte Angst vor dem Wiedersehen mit Anna, als müßt ich verhindern, daß sie ein gewisses Bild in meinen Augen erblickte, das mich verrückt machte. Ich benahm mich wie einer, dem ein Lionardo oder ein Rubens, das Kostbarste, was er besitzt, von Bubenhänden besudelt worden ist, als wär ich Eigentümer von ihr gewesen, als hätt ich das verbriefte Recht auf ihre Unberührtheit gehabt, als hätt ihr das nicht zustoßen dürfen, weil ich auf der Welt war. Ich war zerrissen, einfach entzweigerissen; vor der Arbeit graute mir, ich fand an keinem Ort Ruhe, ich konnte mit keinem Menschen fünf zusammenhängende Sätze reden, und das Leben an Ellis Seite wurde zur Qual, so verständig und gütig sie sich auch anfangs benahm. Ein paar Wochen später wurde das anders. Nun, so konnt es mit mir nicht weitergehn, ich mußte mir Luft verschaffen, ich mußte mit Anna sprechen und wenn das größte Unheil daraus entsprang. Ich war nie imstande gewesen, etwas zu verbergen. Jeder konnte von meinem Gesicht ablesen, was in mir vorging. Es fiel mir schwer, ein Geheimnis bei mir zu behalten, oft setzte ich mich dadurch ernsten Verlegenheiten aus, es war mir aber nicht bequem, es störte und bedrückte mich, aus purem Egoismus wurde ich indiskret und täuschte ein Vertrauen, das man mir geschenkt hatte, deswegen galt ich auch für unzuverlässig, und mit Grund. Hier hatte ich schon über meine Kraft geschwiegen, ich sagte mir: Es ist Blendwerk, das dich zum Schweigen verhält, die lähmende Fessel abzustreifen ist Pflicht gegen Anna wie gegen dich selbst. So bat ich sie eines Tages um eine Unterredung, und sie ließ mich zu sich kommen. Sie ahnte schon lang, was mit mir los war. Ich hatte oft zu spüren gemeint, daß es in ihr kämpfte und gärte, als wolle sie was bekennen. Doch Menschen von ihrer Art bekennen nicht, schon gar nicht aus freien Stücken, eher lassen sie sich foltern. Wenn mir ihre Gestalt und ihr Wesen so recht inbrünstig zur Vision wurde, zweifelte ich nie daran, daß etwas Schauriges ihren Weg gekreuzt und sie für immer gezeichnet hatte. Und wenn ich so nah war, daß ich dachte, ich müsse bloß hingreifen, um sie zu nehmen und aufzuschließen, verlosch sie wie ein Licht und wurde ganz kalt, ganz konventionell. Viele Wochen später gestand sie mir, daß sie das Verbrechen, das an ihr verübt worden, ich nenne es Verbrechen, sie umschrieb es scheu oder benannte es überhaupt nicht, daß sie es nicht einmal in der Beichte bekannt habe. An dem Tag nun, als wir allein in ihrem Zimmer waren und ich mich versichert hatte, daß wir nicht gestört und belauscht werden konnten, nahm ich allen Mut zusammen und begann ohne Umschweife, Feiglinge gehen immer direkt aufs Ziel los, begann direkt zu fragen, ob das und das wirklich passiert sei. Ich bediente mich natürlich auch des unbestimmten Hinweises, dem es ja an der nötigen Bestimmtheit nicht fehlte. Sie zuckte ein wenig zusammen und schaute ins Leere. Das Gesicht bekam einen Ausdruck finsterer Verstocktkeit. Einmal sah sie nach der Tür, als erwäge sie, ob es nicht vorzuziehen sei, das Zimmer zu verlassen. Ich haschte nach ihrer Hand, sie verschränkte die Arme über der Brust und preßte die Lippen aufeinander. Ich sagte: Hör mich an, zwischen uns, Anna, kann das nichts ändern. Sie schwieg. Ich sagte: Du mußt verstehen, daß ich nichts dazu getan habe, es zu erfahren, aber da ich's nun einmal weiß, kann ich dir vielleicht helfen, es zu verwinden. Sie schwieg. Ich erinnere mich nicht mehr, was ich alles noch vorbrachte, ich glaube, ich sprach sogar davon, den Schuldigen zur Rechenschaft zu ziehen. Sie schwieg und schwieg. Ich hatte das Gefühl, einer Tauben gegenüber zu sitzen. Ich sagte: Anna, wenn dir so viel an mir liegt wie an dem Nadelkissen da auf dem Tisch, so sag mir, was ich für dich tun soll, oder wenigstens, wie ich mich dazu stellen soll, oder ob du mir erlaubst, mit dir davon zu reden, irgend etwas, irgend etwas, nur sitz nicht da wie der Sphinx und laß mich Ödipus spielen. Sie schwieg. Da griff ich nach meinem Hut und wollte fortstürzen. Da machte sie eine kleine Bewegung mit dem Arm, aber so unscheinbar sie war, so viel Bitte und Beschwörung war darin enthalten. Da sagt ich mit gefalteten Händen: Anna, ist es wahr, sag nichts als ja oder nein. Da sagte sie tonlos: Ja. Da sagt ich: Gut, nun ist alles gut, nun hast du mir doch gezeigt, daß ich dir einer Antwort wert bin, jetzt sag nur noch: Ist es dir eine Last, eine Kränkung, meine ich, eine Lebensverdunkelung? Sie nickte. Das ergriff mich namenlos, das Nicken. Ich fragte weiter: Du hast also das Gefühl, daß du nicht darüber wegkommen kannst? Wieder das Nicken. Ich kniete vor ihr nieder und nahm ihre Hand, die sie mir diesmal ohne Sträuben überließ. Und ist er es, fuhr ich zu fragen fort, ist seine Person die Ursache dieser Verdunkelung? Sie bejahte. Und kann ich etwas tun, um dich davon zu befreien, von ihm oder von der Drohung oder nur von dem Druck, der von ihm ausgeht? Sie flüsterte nachdenklich, mit zuckendem Mund: Vielleicht. So sage mir, wer es ist! frag ich, nenn mir seinen Namen. Da stand sie auf und trat einen Schritt zurück. Ach, murmelte sie gedehnt und lachte seltsam hochmütig oder verächtlich, das weißt du nicht? Du weißt nicht ...ja, was willst du denn von mir? Auch ihr Blick war hart und böse geworden. Jetzt war die Reihe an mir, zu verstummen. Was hatte das zu bedeuten? Stellen Sie sich vor, wie vernagelt ich war, wie behext, daß ich trotz meines Argwohns, der freilich nur dann erwachte, wenn ich Waremme ein paar Tage nicht gesehen hatte, daß ich in meinem Innern noch immer nicht den Mut fand, ihn zu bezichtigen. So aufregend und verstörend es einerseits für Anna war, daß Waremme mich zum Vertrauten gemacht und sie damit skrupellos verraten hatte, so sehr fühlte sie sich andererseits mir gegenüber erleichtert, das erkannte ich nunmehr deutlich. Aber davon hatte sie sich natürlich nichts träumen lassen, daß er über seine anscheinend so ekstatischen Enthüllungen ein süßliches Lügengebräu gegossen hatte, denn die Umwegigkeit und Winkelzügigkeit eines andern Menschen, wenn wir ihn auch noch so genau kennen, tritt nie völlig ins Bewußtsein, sie bleibt eben nur Kenntnis. In dem Augenblick, wo sie sich so verletzend schroff von mir abkehrte und nur immer halblaut hervorstieß: Geh schon, so geh schon, es ist ja schrecklich, daß du noch da bist, in dem Augenblick kam mir die Erleuchtung, und ich schrie es fast hinaus: Also doch er! Sie sagte nichts. Sie trat ans Fenster und ließ abermals das ganz leise Lachen hören, das zugleich hochmütig und verzweifelt klang. Nun gut, sagte ich und hatte das Gefühl, bleich zu werden bis in den Schlund hinunter, da ist nichts zu überlegen, ich sehe klar, jetzt kann ich handeln, du wirst nichts mehr von ihm zu fürchten haben. Damit ging ich. Von einem Kaffeehaus in der Nähe rief ich Waremmes Wohnung an, erkundigte mich, ob er zu Hause sei. Es hieß, er sei nach Bingen gefahren, käme erst anderntags zurück. Oh, meine Wut und Ungeduld. Am gleichen Abend schickte mir Anna einen Zettel, darauf stand: Unternimm nichts, es ist alles vergebens, du hackst dir nur ins eigene

Fleisch. Nein, meine Liebe, dacht ich, jetzt gibt's kein Ducken mehr, diesmal soll er mich nicht um den Verstand schwatzen, diesmal kommt's zum Austrag, so oder so. Wie ich mir das So-oder-So vorstellte, weiß ich nicht mehr, jedenfalls machte ich wieder die Rechnung ohne den Wirt. Hören Sie denn, wie es ging, wie schändlich, wie erbärmlich die Rechnung mit dem Wirt ausfiel. Vor allem verzögerte sich Waremmes Rückkehr um zwei Tage. Ich war damals kein Mensch, der durch Warten stärker wird. Inzwischen schrieb Pauline Caspot, Hildegard liege krank am Scharlach. Ich, in erstickender Angst, bestürmte Anna, nach Hertford zu fahren. Sie sagt, sie kann nicht, sie hat die Kraft nicht. Es schweben zudem Verhandlungen mit einem Frankfurter Pianisten, bei dem sie eine Art Prüfung ablegen soll. Elli besteht mit feindseliger Hartnäckigkeit darauf, daß sie in einen regelmäßigen Beruf kommt, bald soll sie malen, bald Klavierlehrerin werden, bald Sprachen studieren, bald sich als Modistin etablieren, es ist höllisch, eine ewige Schikane. Dienstag war das Gespräch mit Anna, am Freitag kam Waremme zurück. Als ich gegen elf Uhr am Kasino vorüberging, stand er am Tor und unterhielt sich mit mehreren Herren. Er eilt mit ausgebreiteten Armen auf mich zu, als hätt er mich jahrelang nicht gesehen und sich nach mir gesehnt wie nach einem Bruder. Ich, schwindlig vor Aufregung, sage: Ich habe mit Ihnen zu sprechen, Waremme. Er blickt mich scharf an, die Brust wird straff, das Kreuz hohl, und er sagt: Ich begreife, Sie haben mein Vertrauen mißbraucht, Ihre Zunge nicht im Zaum halten können, gut, gehen wir zu mir. Er ruft eine Droschke, wir fahren in seine Wohnung. Was steht dem Herrn zu Diensten? fragt er kalt und spöttisch, als wir das Zimmer betreten haben. Ich sollte Sie einfach niederknallen, Waremme, sag ich, aber vielleicht ist's schade um die Kugel, ich möchte den Skandal vermeiden und überlasse es Ihrer Findigkeit, mir eine andere Lösung vorzuschlagen, eine Genugtuung für Annas Ehre. Sie sehen schon aus diesen Floskeln, daß meine Entschlossenheit bereits gebrochen war. Er antwortet mit einem Achselzucken und sagt würdevoll: Ich verstehe keine Silbe, reden Sie wie ein vernünftiger Mensch. Außer mir ruf ich ihm zu: Wie weit wollen Sie die Komödie noch treiben, oder soll ich noch immer glauben, daß Angelo und Waremme zwei verschiedene Persönlichkeiten sind wie Ahriman und Ormuzd? Bekennen Sie wenigstens Farbe und lassen Sie uns die Sache erledigen, wie es sich unter Männern ziemt, oder ziehen Sie die Hundspeitsche vor? Er erblaßt, fährt sich mit der Hand an den Hinterkopf, sieht mich mit einem mitleidigen Erstaunen an, das mich gänzlich irritiert. Unter Männern? Nein, sagt er, benehmen Sie sich erst wie ein Mann und nicht wie ein dummer Junge, bitte, bitte, wehrt er mit beiden Händen ab, als ich auf ihn losstürzen will, das sind Wirtshausallüren, wenn Sie aber nach dem Komment verfahren wollen, ist ja dieser Dialog überflüssig. Hören Sie mich in Ruhe an, nachher können Sie mir meinetwegen Ihre Zeugen schicken, ich stehe zur Verfügung. Und nun kam das Unfaßliche, Unbeschreibliche, eine oratorische Leistung, wie ich sie nie wieder erlebt habe, dagegen war sogar Ihr Plädoyer vor den Geschworenen ein hilfloses Stammeln. Daß ich mich erkühne, ihn zu beschuldigen; worauf ich die Beschuldigung stütze? Auf Annas Anklage? Nein; auf ihre Andeutung bloß? Andeutung in Worten? Nein? auf stummes Zugeständnis? Darauf allein? Das hielte ich für ausreichend, ihn, ihn, Gregor Waremme wie ein Hausknecht anzupöbeln? Es sei ihm fern, Anna herabzusetzen, ihr Wille zur Wahrheit sei so wenig zu bezweifeln wie ihre Lauterkeit, aber hätte ich denn keine Augen im Kopf, daß ich nicht sehen könne, wie es um sie stünde? Dann möge ich mich gefälligst informieren, jeder psychiatrische Dilettant könne mir Aufschluß über die einschlägigen Erscheinungen geben. Oder haben Sie, Herr Privatdozent, fragt er mit zurückgeworfenem Kopf, niemals von psychomotorischen Hemmungen gehört, Zuständen, die sich bis zu katatonischem Stupor steigern können und von denen wir wissen, daß eine heftige Gemütserschütterung einen monatelangen Widerstand jäh zu durchbrechen vermag, verhängnisvoll oft für die Umgebung –? Niemals von Erinnerungsfälschungen und Störungen der Phantasie, wo die völlige Gleichheit der Situation in aller Unschuld mit einer Person aus einem fremden Handlungskreis verquickt wird? Erkundigen Sie sich, nehmen Sie einen Kursus an unserer Klinik. Leider seien ihm, fährt er mit der schmerzlichsten Bewegung fort, diese Phänomene an Anna nichts Neues. Seit Jahren habe er seine Kräfte ihrer Bekämpfung gewidmet, mittels einer sorgsam erprobten seelischen Therapie sei es ihm gelungen, sie zu mildern, ja zuzeiten ganz auszuschalten, auf rohe Überrumpelung eines Dritten sei er nicht vorbereitet gewesen. Er habe mir doch so ernst, so heilig die zarteste Schonung nahegelegt, hätte er doch geschwiegen, hätte er sich doch lieber bis zur Sinnlosigkeit betrunken an jenem verfluchten Abend, wie hätte er sich auch denken können, daß ich, der Freund, der differenzierte Geist, der ahnende Mensch, mit Bauernfingern die zitternde Blüte zerdrücken würde. Das sublime Geschöpf, rief er unter Tränen, so adlig, so verletzlich, außen und innen von gleicher Schönheit, nur an der einen Stelle wund und leidend, kann man das nicht spüren, ist ein Maurizius nicht Künstler, nicht Dichter genug, um zu hören, was hinter den Worten, und zu sehen, was hinter dem Augenschein liegt? Um Gottes willen, Waremme, sag ich, verzeihen Sie, vergessen Sie, raten Sie mir. Ich erinnere mich nicht mehr genau, was darauf erfolgte, ob er sich an diesem Tag schon mit mir aussöhnte oder erst am nächsten. Das jedenfalls war das Ergebnis. An dem Tag hatte er doch wenigstens noch alles aufgeboten, mich von seiner Schuldlosigkeit zu überzeugen, oder soll ich sagen, mich durch einen beispiellosen Temperaments- und Wortsturm zu der Überzeugung zu vergewaltigen, denn das war er seinem ganzen Wesen nach, Vergewaltiger. Sechs Wochen später, bei der zweiten großen Auseinandersetzung, wo er es gar nicht mehr für nötig erachtete, mir das schaurig erlogene oder, was schlimmer ist, halberlogene Bild einer Gemütskrankheit vorzuhalten, war ich vollends zu Wachs in seiner Hand geworden, wie ein Vampir hatte er Willen und Entschluß aus mir herausgesaugt, und ich nahm als Schicksal hin, was er mir zubereitet hatte. Aber so weit bin ich noch nicht. Das war also am Freitag, am zehnten Februar, glaub ich. Alle diese Daten sind in mein Hirn gerammt wie Meilensteine. Am Sonntag war Anna bei uns zu Tisch. Nach dem Essen hatte Elli einen Streit mit ihr, die Ursache weiß ich nicht mehr, nur daß Elli im Unrecht war, weiß ich, und daß Anna sich mit ungewöhnlich ruhigen und treffenden Argumenten verteidigte. Sie war so still wie ein See im Gebirg vor dem Gefrieren. Ihre Stimme quälte mich, ihr ganzes Wesen quälte mich, dieses, wie soll ich's nennen, man muß da immer dieselben Ausdrücke gebrauchen, dieses geheimnisvoll Durchsichtige, das dennoch nichts sehen ließ. Ich ging erst in den Garten hinunter und lief wegauf, wegab, als ich sie dann am Balkonfenster gewahrte, winkte ich ihr, sie besann sich eine Weile, lächelte mir zu und kam dann. An der Eingangstreppe glitt sie aus, ich sprang hinzu und fing sie noch rechtzeitig in meinen Armen auf. Ich erwähne das nur, weil es das eine von den drei Malen ist, wo ich sie in meinen Armen hielt. Sonst werde ich über den Punkt nicht sprechen. Wir promenierten eine Weile, ich abgehackt von allem möglichen plaudernd, sie nach ihrer Art schweigsam, doch hatte ich gleich das Gefühl, daß sie etwas Bestimmtes von mir zu hören erwartete. Es war schließlich ebenso, als hätte sie mich laut gefragt. Da sagte ich zu ihr in meinem geradezu verbohrten Hang, ehrlich und offen gegen sie zu sein, ich konnte gar nicht anders, so wenig Beschwer mir sonst das Lügen machte, sie zu belügen bracht ich nicht fertig, da sagt ich also: Ich habe mit Waremme gesprochen, der Verdacht, den du in mir erregt hast, ist unbegründet, ich bin auf die falsche Fährte geraten, ich gab den Rest meines Lebens drum, wenn du mir sagtest, wer es gewesen ist, denn er kann es doch nicht gewesen sein, nicht wahr, das ist doch unmöglich, Anna. Da wurde ihr Gesicht so weiß wie Porzellan, die anmutige Ruhe, die eben noch darauf geweilt, wich einer haßerfüllten Verzerrung, sie blieb stehen und flüsterte vor sich hin: Wie widerwärtig ihr mir seid, o Gott, wie unsäglich widerwärtig, du und er und deine Frau und alle. Ich erschrak bis ins Herz, in meiner Dummheit begriff ich nicht, in welchem Licht ich mich ihr gezeigt hatte, und sehen Sie, von dem Tag an begann das Gräßliche, wogegen alles Vorhergehende Kinderspiel war und was man nie mehr verwinden und vergessen kann, wenn man es einmal durchgemacht hat.«

Er erhob sich, ging zu dem eisernen Ofen und legte die flachen Hände auf den Rost, als sei ihm kalt und der Ofen sei geheizt. Herr von Andergast nahm sein Zigarettenetui aus der Tasche, öffnete es und sah, daß es leer war. Er ließ den Wärter kommen und befahl ihm, Zigaretten zu besorgen. Es dauerte eine Viertelstunde, ehe der Mann zurückkehrte. Während dieser Zeit stand Herr von Andergast am Fenster und schaute in den Hof, wo gerade die sechste Spaziergängergruppe ihren tristen Rundgang beendete. Ich werde das Auto für zwei Uhr bestellen, überlegte er, ich muß Herrn Pauli unten ersuchen, daß er ans Büro telephoniert, damit man weiß, wo ich bin, sollte sich Sophia inzwischen gemeldet haben, so werde ich die Unterredung für eine frühe Abendstunde anberaumen, vielleicht hat sie in den letzten Tagen Nachricht von dem Jungen, es ist, obwohl unwahrscheinlich, nicht ganz ausgeschlossen, in dem Fall würde die Zusammenkunft ihre giftigste Spitze verlieren, brauchte möglicherweise überhaupt nicht stattzufinden. Aber diese häuslichen und amtlichen Gedanken waren nichts als eine halbfreiwillige Verhängung eines andern Denkkreises und glichen dem schweißigen Hauch, den sein Atem auf der

Fensterscheibe erzeugte. Als der Wärter die Zigaretten gebracht und sich nach strammem Hackenschlagen entfernt hatte, bot Herr von Andergast dem Sträfling eine an, doch Maurizius, der jetzt erst die Hände von dem kalten Rost nahm, verbeugte sich steif und sagte: »Später, wenn Sie die Freundlichkeit haben wollen.« Herr von Andergast selbst hatte keine Lust zu rauchen. »Die Zeit, die Sie mit Ihren letzten Worten im Auge hatten, erstreckt sich also von Mitte Februar bis zum ... zum Oktober«, suchte er mit einer resümierenden Trockenheit, die ihn eine Sekunde lang selbst peinlich berührte, die Mitteilungen des Sträflings wieder in Gang zu bringen. In dem Streben nach unbefangener Haltung, obgleich Unbefangenheit etwas war, womit zu operieren sich jetzt nicht mehr verlohnte, durchpflügte er vom Adamsapfel aufwärts den grauen Kinnbart, indes der veilchenblaue Blick unstet durch die Zelle wanderte und an allem flüchtig haftenblieb, nur nicht an der Gestalt ihres Bewohners.

Maurizius hob die innere Rostplatte empor, starrte in das schwarze Loch hinein und deckte es wieder zu. »Ja, es war eine perfekte Zermalmungsprozedur«, begann er, »wo jeder zugleich Rad und Geräderter war. Zwei oder drei wirkten immer zusammen, um den dritten oder vierten zu zermalmen. Eine nette Maschinerie. Anna zwischen mir und Waremme, Elli zwischen mir und Anna, Anna zwischen Elli und mir, ich zwischen Anna und Waremme, und Elli zwischen allen dreien. Das ging Tag für Tag, Woche um Woche bis ans entsetzliche Ende. Wenn Sie mir jetzt doch eine Zigarette geben wollten, wäre ich Ihnen dankbar.« Er rauchte eine Zeitlang schweigend. Bisweilen flackerte sein Blick unsicher empor. Er schien nachzudenken, ob es überhaupt eine Möglichkeit gab, das, was er zu berichten sich anschickte, verständlich zu machen. Es stellte sich ihm wahrscheinlich noch jetzt als etwas hoffnungslos Verworrenes dar. »Ich kannte mich zunächst nicht mehr aus mit Anna«, fuhr er fort, »bis in den März hinein ließ sie sich nur zwei-

oder dreimal bei uns sehen und wählte immer die Stunden, wo ich nicht daheim war. Von Elli hörte ich, daß sie sich in der allerbesten Stimmung befand, sich verschiedene neue Toiletten hatte machen lassen und Tees und Bälle besuchte, angeblich mit Freundinnen, in Wirklichkeit traf sie an all den Orten mit Waremme zusammen. Und je mehr sie mich und unser Haus mied, je eifriger warb Waremme um mich, als lege er auf meine Gesellschaft den allergrößten Wert. Ende März publizierte ich meine Arbeit über den Einfluß der Religion auf die bildende Kunst von den Nazarenern bis Uhde, er schrieb darüber eine Besprechung in der Frankfurter Zeitung und verglich mich mit Justi, sogar, ziemlich übertrieben, mit Rohde und Burckhardt. Das ehrte mich natürlich und schmeichelte mir, obschon ich mir bewußt war und es auch zugestand, daß sein Anteil an den Ideen, die ich entwickelt hatte, nicht gering war. Aber auf einmal wurde von einem Plagiat gemunkelt, das ich begangen haben sollte. Als ich dem Gerücht nachging, hieß es: Waremme selber erzählt es überall. Ich stellte ihn zur Rede, er lachte mich aus und sagte: Kindskopf, kümmern Sie sich doch nicht um solchen Unsinn, Plagiat, das gibt es doch unter Geistern von Rang nicht. Am selben Abend, als wir im Kasino vom Spieltisch aufstanden, zog er mich beiseite und sagte mit amüsiertem Gesicht: Wissen Sie auch, wer die närrische Plagiatgeschichte aufs Tapet gebracht hat? Sie werden's nicht erraten, Ihre Schwägerin Anna; sie hat in einer meiner frühesten Schriften ein paar Sätze gefunden, die genau mit Ihrem übrigens sublimen Urteil über Feuerbach übereinstimmen, ich habe schon damals die eklektische Zweitklassigkeit dieses Malers konstatiert. Mir war das recht sonderbar, am Tag darauf fragt ich Anna, ob es wahr sei. Sie wußte kein Sterbenswort davon. Sie interessierte sich gar nicht für die Geschichte, sondern teilte mir nur in ihrer gefrornen Manier mit, Waremme habe sich vor einer Woche mit der Lilli Quästor verlobt, und in der vergangenen Nacht habe sich das

Mädchen vergiftet. Ich hatte drei Tage vorher von der Verlobung gehört, obwohl sie noch nicht öffentlich war, da mir aber Waremme nichts davon gesagt, hatte ich es nicht zu glauben gewagt. Du siehst ja aus, Anna, als hättest du die Schuld an ihrem Tod, sagte ich entsetzt. Sie schaut mich mit einem bohrenden Blick an und erwidert: So ist es auch, du hast das Richtige getroffen. Und ich darauf: Anna, bedenk, was du redest. Nun kam heraus, daß sie einen Brief an das Mädchen geschrieben hatte, worin sie ihre älteren unumstößlichen Anrechte kundgab. Ich sagte: Das hast du geträumt, Anna, und leugnete leidenschaftlich, daß sie zu etwas Derartigem fähig sei, da kam ferner heraus, daß Waremme sie zu dem Brief gezwungen hatte. Er hatte sich mit der Verlobung übereilt, das Mädchen hatte ihn gelangweilt, die Vorteile, die er sich erhofft, hatten sich bei näherem Zusehen als illusorisch herausgestellt, ob er sie verführt hatte oder nicht, blieb ewig dunkel, kurz, er wollte sich aus der Affäre ziehen, dazu war ihm Anna gerade gut genug. Vielleicht war es auch ein Mittel, um auf sie zu wirken. Er kannte die Figuren, die er in seinem Schachspiel benutzte, aber diese Lilli Quästor war eine, die nicht mit sich spaßen ließ. Berechnung, Zwang, das sind bei einem solchen Menschen Begriffe wie leere Schalen. Dann war auch Berechnung, was später geschah, bis zum Mord, und war's doch wieder nicht, weil ein brennender Sturmwind drin war, ein vernichtendes Element, das kann der Mensch nicht berechnen, sogar der Teufel irrt sich da mit seiner Arithmetik, weil er ja auch seinen Anteil in die große Kassa wirft. Den brennenden Sturmwind, den begann ich nunmehr zu spüren, zuerst wehte er die Anna zu mir her, dichter als je zuvor, jeder Blick, jede Silbe war ein »Erlöse-mich-von-dem-Übel«, sie hatte Momente der Bangigkeit, daß ihr zumut war, als müsse sie in meine Brusttasche schlüpfen, um sich in Schutz zu bringen, wie sie einmal sagte, aber sie ertrug mich bloß, wenn ich sanft und gelassen war, jede zudringende Gebärde erschreckte sie maßlos. Wenn ich von Flucht redete, hielt sie mir in einer sonderbaren Weise die geöffnete rechte Hand mit der Spitze nach oben senkrecht entgegen, als sei Ellis Bild daraufgemalt, Ehebruch, das war ihr die Sünde der Sünden, ja, ich blickte ziemlich tief in ihr Inneres in dieser Zeit von Ende März bis zum achtzehnten Mai, denn mit dem Tag wurde wieder alles anders. Ich vergaß zu erwähnen, wahrscheinlich weil es einen triftigen Grund gibt, es nicht aus der Vergessenheit hervorzuzerren, denn es war der Tiefpunkt meiner Schwäche, meiner ehrlosen Unterwerfung, vergaß zu sagen, daß mir Waremme inzwischen klipp und klar zu verstehen gegeben hatte, daß die ganze Geschichte mit dem obskuren Angelo in Köln eine Erfindung gewesen, zu der er in der Not gegriffen habe, um unsere Freundschaft nicht zu gefährden. Das Geständnis machte er mir auf einem Ausflug nach Bieberich, als wir uns in der Nacht im Wald verirrten und um den Mondaufgang zu erwarten uns auf einen gefällten Baumstamm setzten. Ich habe von meiner Schwäche und Feigheit ihm gegenüber gesprochen, aber in jener Nacht war er so aufrichtig und wahr, wie es seine dämonisch-hintergründige Natur überhaupt nur zuließ, er war ja ungemein eindrucksfähig, die Umgebung vermochte viel über ihn, eine Landschaft, die Finsternis in einem Wald, ich habe ihn einmal bei einem schweren Gewitter in einem Zustand gesehen, daß ich wirklich Erbarmen mit ihm hatte. Diese Gewitterfurcht, oder was es war, er erklärte sie mir dann sehr tief, hatte er übrigens auf Anna übertragen. Sie war wie ein flatternder Vogel, wenn ein Gewitter tobte. Während wir also auf dem Baumstamm kauerten und keiner des andern Gesicht sehen konnte, rückte er unvermittelt damit heraus, daß er keine andere Wahl gehabt, als mich mit der blümeranten Geschichte von dem sogenannten Angelo einzulullen, denn mich zum Feind und Hasser zu haben, hätte er nicht überwinden können. Jetzt, da ich durch so mannigfache Erfahrungen tiefer in sein Wesen gedrungen sei, habe er solchen Abfall nicht mehr zu gewärtigen, es sei mir so gut wie ihm bewußt, daß wir nicht bloß durch die wundersame Kreatur, die uns beiden das Höchste auf Erden sei, aneinandergekettet wären, sondern auch durch das machtvollste geistige Interesse, das zwei Männer in einem ernsten Augenblick der Geschichte zur Gemeinsamkeit aufriefe. Sachte, sachte, nicht so bombastisch, war mein Gedanke, dennoch lauschte ich atemlos, denn wer konnte dem Orpheuszauber seiner Rede widerstehen. Ehrlich gesagt, ich war auch schon grenzenlos müde von all dem Hin und Her und Auf und Ab, nichts überraschte mich mehr. So kam er auf seine Liebe zu Anna zu sprechen. Das riß mich doch aus der Apathie, er sagte Dinge, die mich schaudern machten. Ich kann die Worte nicht wiederholen, ich weiß sie nicht mehr, weiß nur, daß sie in mich hineinfielen wie ein Regen von glühenden Nägeln, weiß nicht mehr, was für Bilder und Gleichnisse er gebrauchte, weiß nur, daß ich mich währenddessen ein paarmal beklommen fragte: Kommst du denn daneben noch in Betracht? Er gab zu, daß er sie dort in der Theatergarderobe mit Gewalt genommen, aber hätt ich's nicht getan, sagte er, so hätte ich mich eine Stunde später erhängt. Ich glaubte es ihm. Obschon sie sich wie ein erzürnter Engel gegen mich wehrte, fügte er hinzu, die innerste Seele war schon mein, wie sie noch am heutigen Tag mein ist, und das wußte sie, das weiß sie. Er sei kein Räuber und karamasowscher Wollüstling, Blasphemie, von Verbrechen zu faseln, wo zwei Existenzen negiert würden, wenn ihre Zusammengehörigkeit negiert würde. Wir gingen dann, als der Mond endlich über den Wipfeln auftauchte, den ganzen Weg zur Bahnstation schweigend, nur einmal, nah am Ziel, blieb er stehen, legte mir die Hand auf die Schulter und sagte: Sie tun mir leid, Maurizius, Sie sind gezeichnet, wenn Sie nicht von ihr lassen, ist es Ihr Untergang. Ich spüre noch, wie mir das Herz in die Kehle stieg, als ich ihm erwiderte: Das ist eitel Windmacherei, Waremme, ich weiß, daß ich auf einem abschüssigen Weg bin, aber wenn mir Gott den Gefallen täte, Ihnen das Handwerk zu legen, wär mir leichter. Er zuckte die Achseln und erwiderte: Gott tut keinem den Gefallen, das Fatum zu korrigieren, das er für ihn bestimmt hat, ich bin auch nur ein Instrument. Sie werden zugeben, das war eine nicht alltägliche Unterhaltung, so wenig, daß sie sogar etwas von einem Kataklysma an sich hatte, es war aber auch die letzte, die ich mit ihm führte, von der mir Wort und Antwort genau im Gedächtnis verblieben ist, die andern sind im Nebel verschwommen, was wohl damit zusammenhängt, daß sich ringsherum das ganze Gefüge lockerte und es auf die Reden der einzelnen nicht mehr viel ankam.«

Er unterbrach sich, ging wieder, mit eigentümlich schiefer Hüfte, längsseits der Zelle zum Mauerwinkel, und als er weiterredete, geschah es wie inwendig, als habe er die Anwesenheit des Oberstaatsanwalts vollständig vergessen. Manchmal stieß er Sätze nur dumpf aus sich heraus, andere blieben Fragmente. Bisweilen unterbrach er sich, um stumm zu gestikulieren, blieb zum Beispiel mit der Hand an der Stirn stehen und schüttelte eine Viertelminute lang den Kopf. Alles dies hatte etwas Unheimliches und in seiner Art Ergreifendes. Er schien Mühe zu haben, die Ereignisse auseinanderzuhalten. Besonders über den Zeitpunkt, in welchem Elli den Verlauf verhängnisvoll entscheidend beeinflußte, herrschte in seiner Erinnerung keine solche Klarheit wie über die andern Vorgänge. Des bereits von ihm erwähnten achtzehnten Mai gedenkt er abermals, es scheint ein wichtiges Datum in seiner Beziehung zu Anna zu sein. (Herr von Andergast entsinnt sich, daß die vielbedeutende Inschrift auf der Photographie, die Elli im Schreibtisch der Schwester fand, von diesem Tag datiert war.) Es liegt eine fast angstvolle Scheu darin, wie er alles vermeidet, was auf Anna ein ungünstiges Licht werfen könnte, wenn er von den Begegnungen und Unterredungen spricht, die zwischen ihnen stattgefunden haben. Herr von Andergast kann nicht umhin, sich über eine Diskussion zu wundern, die ihn wie ein abergläubisch bewahrter Petrefakt anmutet. Er hat den Eindruck, daß ihm Anna an diesem achtzehnten Mai zum ersten und einzigen Male den unmißverständlichen Beweis einer Neigung gegeben hat, für die er ihr sonst nur spärliche und höchst fragwürdige Bestätigungen entreißen konnte. Vielleicht war es eine flüchtige Liebkosung, vielleicht ein in einer verlorenen Sekunde abgebettelter Kuß, in der krankhaften Überspannung seiner Gefühle überschätzt er das Almosen und zieht Folgerungen daraus, an denen sein Wahn vollends zerschellt. Aus seinen verworrenen Andeutungen ist aber zu schließen, daß Anna bei dieser Gelegenheit etwas mehr aus sich herausgegangen ist als vordem, zumal was ihre Beziehung zu Waremme betrifft. Vieles an dessen Haltung wird ihm erst durch Annas Versicherung erklärlich, daß es seit dem schändlichen Überfall in Köln zu keinerlei körperlicher Annäherung mehr zwischen ihnen gekommen ist, nicht zur geringsten Zärtlichkeit, auch zur leisesten Verständigung nicht, die ihm Hoffnung auf ihre Hingabe erwecken konnte. Das allerdings muß den Eitelsten, Eifersüchtigsten, Sinnlichsten, Besessensten und Entêtiertesten der Menschen außer Rand und Band gebracht haben. Daß sie sich nicht lösen kann, leugnet sie trotzdem nicht, daß sie mit gefesselten Gliedern und willenlosem Geist gegen ihn, immer gegen ihn gewendet ist, gibt sie verzweifelt zu. Sie zeigt ihm die Briefe, die er ihr im Lauf von anderthalb Jahren geschrieben hat, mehr als vierhundert Briefe, jeder zwölf, zwanzig, fünfundzwanzig Seiten lang, Ergüsse, Beschwörungen, Träume, Poesien, die sie erstarren und erbleichen machen, wenn sie bloß von ihnen spricht. Das war also der berühmte achtzehnte Mai. Ein paar Tage darauf berichtet ihm Anna in vollkommener Ratlosigkeit, daß Waremme ihr den Vorschlag einer Heirat gemacht hat. So unglaublich es klingt, der geschiedene Mann, Vater zweier Kinder, die irgendwo in der Fremde herumgestoßen werden, ohne nachweisbare Existenzmittel, der Verhöhner bürgerlicher Legitimität, der Spieler, der politische Abenteurer und Phantast, denn als solcher erweist er sich immer mehr, er will dies schon halb von ihm zerstörte Geschöpf an sein ruhlos-unsicheres, aufgewühltes, bodenloses Dasein schmieden, um sie völlig zu vernichten. Alles bäumt sich in Maurizius, aber er darf sich nicht rühren. Eine frommkatholische, alte Dame, vernimmt er, eine Freiin von Löwen, will ihr ein Heiratsgut von beträchtlicher Höhe aussetzen, doch soll sie sich vorher sechs Monate in ein Ursulinerinnenkloster zurückziehen. Immer unverständlicher, immer toller. Nein, er, Maurizius, darf nicht aufmucken, klebrige Nachrede spritzt ohnehin ihr Gift durch alle Gassen, er darf den Arm nicht zu ihrer Rettung ausstrecken, weiß er doch nicht einmal, ob sie von ihm gerettet werden will, nicht einmal, ob sie ihn liebt oder nur erträgt oder gar haßt, sowenig er weiß, ob sie Waremme liebt, fürchtet, verabscheut oder haßt. Man weiß nichts von ihr, man kennt sie nicht, man müßte ihr die Brust aufschlitzen und ihr Herz untersuchen. Diese Art Frauen, so bedünkt ihn heut, wo in der Kälte jahrzehntelanger, unerbittlicher Kritik das fließende Leben zu durchsichtigem Eis geworden ist, diese Frauen haben keinen Wesenskern, sie sind in einer unheilvollen Weise, unheilvoll einsiedlerisch und selbstisch, auf sich und ihr Schicksal beschränkt (er geht umher, gestikulierend): »Gefäß, dem wir erst den Inhalt geben, vielleicht auch die Seele, jedenfalls die Bestimmung und die Bewegung. Möglich, daß sie nur deswegen als unsere Opfer hinsinken, weil sie so narzißhaft in sich beruhen, und was ist denn das Narzißhafte? Etwas Körperloses im Grunde, und dafür, daß wir das Bild umarmen wollen, weil kein Menschenkörper da ist, dafür lassen sie uns büßen und machen uns verantwortlich bis zum Jüngsten Tag. So bringt man sich selber zum Opfer und wird der Narr der Frau Holle im Schnee.«

Es klang wie ein furchtbares letztes Gericht. »Und ähnlich war es ja mit Elli«, fuhr Maurizius fort, indem er die Augen geschlossen hielt, als rede er aus dem Schlaf, »ich entdeckte plötzlich, was Schwesternschaft ist, daß die Natur damit tiefe Geheimnisse aus ihrem Schoß kundgibt. Gerade weil solche Verschiedenheit zwischen beiden herrschte, als ob sie weltweit voneinander gezeugt wären, trat so viel Ähnliches, so viel Gleiches zutage. Gleiches ... für mich war es nur in dem Sinn ein Gleiches, wie Kohle und Diamant ein Gleiches sind. Man muß bedenken, daß Elli ... auch auf sie stimmte das mit der ichlosen Selbstischkeit, oder wie man es nennen soll. Ich will mich nicht reinwaschen, an mir ist nichts mehr zu retten, meine Person, die schalte ich aus, aber ich hatte da auf einmal keinen Menschen mehr vor mir. Eine Wölfin, eine blutgierige reißende Wölfin brach aus ihr heraus, als sie sich gegen die Schwester kehrte. Und eine unbarmherzige Wucherin, die auf Rückerstattung ihrer Darlehen mit Zins und Zinseszins besteht, als sie sich gegen mich kehrte. Das Gerüst barst auseinander. Wunderbar, was man Haltung heißt an einem Menschen ... das Gerüst ... da war keine Haltung mehr, kein Halten. Aufgelegte Raserei. Eine Frau mit den verfeinertsten Nerven, dem entwickeltsten Geist, gut, vornehm, hochsinnig. Und das ... Man hat mir zum Vorwurf gemacht ... eine bestimmte Sache wurde gegen mich ausgenützt ... nämlich, daß wir noch bis weit in die schauerlichen Konflikte hinein ehelich lebten ... nun ja ... ein Mann erniedrigt sich immer so tief, wie eine Frau ihn fallen läßt. Ich wiederhole, das soll keine Rechtfertigung sein ... mein ganzes Unglück ist auf den einen Punkt konzentriert, man kann mit der Wollust sozusagen ein unsauberes Seelengeschäft machen, vollführt einen schlampigen Austausch gegen den Traum und das Ideal mit ihr. Sooft ich darüber nachdachte, hab ich gefunden, daß bis auf einen unter tausend die Männer nichts anderes tun, so verludert eine ganze Welt. Ich war jedenfalls der eine nicht, ich nicht; und Elli spielte va banque, als sie mir meinen Traum von den Augen wegstahl. Sie wußte nicht, daß die gestohlenen Träume zu einer Pest für den Dieb werden. Aber was sag ich da, das ging schließlich nur an Fleisch und Blut, daß wir uns im Elend unserer Herzen vermischten, aber das Aufwachen dann, die Rache, die Wut: du bist immer noch du, und bei ihr: daß sie betrogen war ... die Jahre, um die sie mir voraus war, wurden ihre Erinnyen, sie und ich, wir stürzten miteinander umklammert in unsern untersten Keller von Schlechtigkeit und Bosheit. Wenn sie sich zur Spionin machte und die Leute aushorchte und mit mir um das schäbige bißchen Geld feilschte und ihren Jammer zum Fenster hinausschrie, daß es jeden Tag war, als hätte alles in der Zeitung gestanden, und Nächte und Nächte wie ein Irrwisch durch das Haus fegte und nicht begriff, oh, nicht begreifen wollte, daß ich auch nur eine arme Haut war wie sie, auch nur einer, dem Gott sein Schicksal zu saufen gab ... Es kam der Tag, wo ich mir sagte: besser, Weib, du wärst nicht, besser, du verschwändest von diesem greulichen Schauplatz. Herr, ich sage Ihnen, da erschien es mir als eine Wohltat, sie auszutilgen, denn, so sagt ich mir, ein solches Leben ist Last und Qual für die, die es lebt, und Last und Qual für die, die es mitleben müssen. Da soll es keinen Ausweg geben, keine Erlaubnis, Frieden zu schaffen? Mit dem Verbrecherwunsch auf dem Gewissen bin ich natürlich nicht schuldlos. Nein. Überhaupt, denken Sie das nicht, ... ich bin nicht schuldlos, noch weniger bin ich unschuldig, was noch was ganz anderes wäre. Es gibt eine Stelle, wo das Leben des Menschen in der Idee zu Ende ist, was dann folgt, ist wie die Nachgeburt bei der Entbindung ... Aber man darf sich da nicht vermessen, ich weiß, ich weiß ... In meiner ärgsten Bedrängnis sagt ich zu Anna: Kommt das Schlimmste zum Schlimmen, so erschieß ich dich, dann mich, dann ist Ruh. Das war an dem Tag, Ende September schon, wo die ekelhafte Affäre aufkam, die Waremme mit den Studenten hatte, das schlug dem

Faß den Boden aus. Anna erstickte daran fast, um die Zeit war ich ihm auch schon das viele Geld schuldig, mein eigenes Weib half mir nicht, sie kniete vor ihrem zinsenschwitzenden Kapital, um es anzubeten, es war eine Verhexung, aber war sie da noch ein lebendiger Mensch mit der lebendigen Idee vom Menschen in der Brust oder der traurige Kadaver, der einem nur noch Leben vorzappelt, wie die galvanisierte Froschleiche? Das steht abseits von meiner Schuldrechnung, ich sage Ihnen ja, ich für meine Person, ich hatte einen Strich unter die gesamte Rechnung gemacht, nur um Anna war mir leid, aber die wollte nicht sterben. Ich hab mir oft den Kopf darüber zerbrochen, warum sie sich mit so verrücktem Entsetzen gegen den Tod wehrte, es war vielleicht das fromme Kind in ihr, der Sündenglaube; ich habe auch einmal gehört, daß ausgezeichnet schöne Menschen sich von der Todesfurcht weniger frei machen können als andere, wie wenn ihnen die Schönheit eine Pflicht auferlegte, von der unsereins nichts weiß, das wird ja auch ihre Angst vor meiner Rückkehr gewesen sein. Seit ich das mit dem Erschießen gesagt, zitterte sie vor mir, damit hat sie wahrscheinlich auch Elli aufgescheucht und aus dem Haus getrieben, in der Fieberangst hat sie ihr zugeschrien: Dein Mann kommt, er will mich umbringen; etwas Derartiges muß es gewesen sein; wie ein Reh vor den Treibern muß sie durchs Haus gerannt sein, Todesfurcht in allen Knochen ... so muß es gewesen sein ...«

Er preßte Daumen und Mittelfinger der Rechten an beide Schläfen. Herr von Andergast erhob sich mit seltsam bleierner Trägheit. »So ...« murmelte, er, »also ...« Dann, nach einer Pause, in der der Atem versickerte, aus seiner mechanisierten Kenntnis der prozessualen Vorgänge heraus, mit scheinbar sachlicher Dürre: »Und daß sie ... daß sie vorher Klavier spielte, geschah nur, weil sie in der sinnlosen Angst nicht mehr wußte, was sie tat, meinen Sie das?« – »Schon möglich«, sagte Maurizius verschlossen. »Und dann?« forschte Herr von Andergast mit schier übermenschlicher Anstrengung, gleichmütig oder höchstens äußerlich interessiert zu erscheinen. Er zog sogar die Uhr aus der Weste, ließ aber den Deckel nicht springen, sondern schob sie langsam in die Tasche zurück. »Dann?« echote Maurizius, sandte von unten her einen hämisch-verstockten Blick zu dem Frager und zuckte die Achseln, »dann ... da müssen Sie sich schon an Ihre Akten halten. Die können besser darüber Auskunft geben.« Aber nach einem finstern Schweigen, während die mädchenhaft kleinen Zähne nervös an der Unterlippe nagten, entpreßte sich's ihm: »Alles war ja gegen sie verschworen ... da war kein Fluchtloch mehr ... alle ihre Quäler dicht an ihr dran ... das Maß war voll ... bei keinem Einsicht und Mitleid ... wozu hat sie auch noch den Waremme rufen müssen ... na, der brauchte ja nur noch von fern den Hebelknopf zu drücken ... ich, mein Gott, zu spät ... zu spät ...«

Er hielt inne, mit totenbleichem Schrecken, wankte, hielt sich an der Mauer fest. Herr von Andergast schritt, mit derselben bleiernen Trägheit, auf ihn zu und fing seinen Blick. Sie sahen einander volle zwanzig Sekunden starr in die Augen.

Maurizius hob die Hand. Scheu abwehrend. Herr von Andergast gewahrte, daß die Fingernägel zerbissen waren. Es war offenbar eine Wirkung der Einsamkeit und der einsamen Grübeleien. »Von wem hatte sie den Revolver?« flüsterte er heiser. Maurizius zuckte zusammen. »Ja, denken Sie denn, ich hätte was gesehen?« fuhr er wild auf: »ich hab nichts gesehen, nichts, absolut nichts ... das ist es ja ... nichts ...« Herr von Andergast senkte resigniert den Kopf. – »Das ist es ja ... nichts, nichts«, wiederholte Maurizius mit einer hoffnungslosen Gebärde. – »Und Sie? Sie selbst? hatten Sie einen Revolver oder hatten Sie keinen?« fuhr Herr von Andergast mit vertrockneter Stimme unerschütterlich fort. – Maurizius stieß ein kurzes Gelächter aus. »Es ist eine andere Zeit«, antwortete er änigmatisch, »ich bin nicht mehr sechsundzwanzig, ich bin fünfundvierzig.« Dabei zwinkerte er plötzlich mit den Lidern, genau wie damals im Gerichtssaal, vor neunzehn Jahren. – Abermaliges Blick-in-Blick-Bohren. »Gut, ich nehme es zur Kenntnis«, sagte Herr von Andergast mit dem sonderbaren Gefühl, daß etwas in seinem Rückgrat knirschte. Maurizius sieht teilnahmslos zu, wie er den Hut nimmt, an der Tür dem Wärter das Zeichen gibt und die Zelle verläßt. Ein zweiter Wärter erscheint mit einem Blechtopf. Es ist das Mittagessen für den Sträfling 357. Dicke Kohlsuppe, in welcher einige Fleischfetzen schwimmen, wie schwärzliche Holzwurzeln auf einem gelben Tümpel.

13.

Gespräche zwischen zwei Menschen, die etwas Entscheidendes miteinander auszumachen haben, nehmen selten den Verlauf, den sich die Beteiligten vorher einbilden oder zurechtlegen, am wenigsten dort, wo sie sich zu einer sogenannten Abrechnung zuspitzen. Sophia von Andergast hegte jedenfalls ganz bestimmte Erwartungen von der Begegnung mit ihrem geschiedenen Mann, daß die Unterredung dann etwas anders ausfiel, als sie sich's in ihrer leidenschaftlichen Erregung vorgestellt hatte, lag einfach daran, daß der Mann, mit dem sie sich Aug in Auge befand, nicht mehr derselbe war wie der, den sie gekannt. Die Ungeduld, mit der sie ins Haus der Generalin kam, war so selbsttätig treibend, daß sie die alte Dame fassungslos anschaute, als diese ihr mitteilte, der Oberstaatsanwalt sei verreist, und sie habe nicht erfahren können, wann er zurückkehre. Erst am folgenden Mittag erfuhr man durch eine telephonische Erkundigung im Amt, daß er gegen Abend wieder in der Stadt sein werde. Sophia hatte die Nacht schlaflos verbracht, um vier Uhr morgens hatte sie das Bett verlassen und war in den Garten gegangen. Als sie die Generalin um acht Uhr zum Frühstück rufen ließ, suchte man überall im Hause nach ihr und fand sie schließlich eingenickt auf einer Bank im Pavillon, die Arme über der Seitenlehne, das Gesicht zwischen den Ellbogen. Mit Mühe war sie zu bewegen, eine Tasse Tee zu sich zu nehmen, für die Vorwürfe der Generalin, die bei dieser Gelegenheit in eine etwas krampfhafte Redseligkeit verfiel, hatte sie nur ihr verbindliches Allerweltslächeln. Überhaupt vermißte die Generalin an ihr die Offenheit und Herzlichkeit, auf die sie Anspruch zu haben glaubte, sie mußte sich anfangs viel Zwang antun und sich beständig vorsagen: Sie ist nicht bloß eine unglückliche Frau, sie ist auch die Mutter von meinem Etzel, ich habe sie nicht zu mir eingeladen, weil ich vergnügte Tage mit ihr verbringen wollte, sondern weil endlich was geschehen soll, von Vergnügen kann weit und breit keine Rede sein. Sie hatte aber neben ihrer sonstigen Urbanität auch ihren eigensinnigen, kleinen Egoismus und wünschte, obschon ganz bescheiden und trotz aller Sorgengemeinschaft, daß man ihr ein wenig den Hof mache. Allein Sophia ging über ihre gleichmäßige Artigkeit nicht hinaus, das ärgerte die Generalin, und mit Fleiß trug sie alles zusammen, was ihr an der Ankömmlingin mißfiel, eine gewisse Wortkargheit und Zurückhaltung, Festigkeit und Bestimmtheit des Auftretens und nicht zuletzt die Akkuratesse ihrer äußeren Erscheinung, schon in ihrem Morgenanzug sah sie wie aus dem Ei geschält aus. Die Generalin räsonierte innerlich: Sie pflegt sich ja gar nicht übel, das paßt entschieden nicht zu solchem Leid und Kummer; als ob Leid und Kummer nur durch Schlamperei beglaubigt werden könnten. Doch mehr aus Naivität denn aus Kleinlichkeit bemäkelte die Generalin diese Dinge, sie hatte sich wahrscheinlich die rührende Figur einer Mère prodigue ausgedacht, einer gebeugten Niobe, statt dessen hatte sie mit einer Dame von nicht leicht zu durchdringendem Wesen zu tun, einer Frau von eigentümlich geschlossenem Geist, schweigsam, schmiegsam, kühl, deren Züge eine überraschende Jugendlichkeit bewahrt hatten, man konnte sie höchstens für zweiunddreißig halten, während die Generalin ausrechnete, daß sie das achtunddreißigste Jahr bereits hinter sich haben mußte. Aber die abschätzigen Urteile waren nur Blasen im Kopf der Generalin, zugrunde lag Tieferes, lag Eifersucht. Daß Sophia so unerwartet jung aussah, so bestechende Manieren, so tadellose Zähne noch, eine so schlanke Gestalt besaß, daß ihr also aller Voraussicht nach Etzels Herz jubelnd zufliegen würde, wie sie ihren Etzel kannte, das zwickte sie und bereitete ihr ungute Stunden.

Sie hatte sich eigentlich vorgenommen, so wenig wie möglich von Etzel zu erzählen, einstweilen wenigstens. Auch dieser Vorsatz beruhte auf der erwähnten Eifersuchtsregung, obschon sie sich selber glauben machen wollte, es geschehe, um Sophia zu schonen und nicht unnütz zu quälen. Als sie sich aber nach dem Mittagessen mit ihrem Gast in den Salon begeben hatte, ging doch die Zunge mit ihr durch. Einerseits erschien es ihr nicht anständig, das, was sie wußte, Sophia zu verhehlen, andererseits war sie ein bißchen geschwellt von ihrem Wissen und ungeduldig, es auszukramen, gleichsam zum Beweis ihrer Umsicht und Tüchtigkeit. Sie hatte nämlich auf eigene Faust den Doktor Camill Raff aufgesucht; kurz vor dessen Übersiedlung in den Ort seiner Versetzung hatte sie ein ausführliches Gespräch über Etzel mit ihm gehabt; die Unterhaltung hatte ihr wichtige Aufschlüsse verschafft, und wenn sie sie mit dem kombinierte, was sie selbst mit dem Jungen erlebt hatte, vor allem mit seinem letzten Besuch und der stürmischen Geldforderung, fiel schon einiges Licht auf den Weg, den er eingeschlagen haben mochte, obschon dieser Weg darum nicht minder beängstigend und ungewöhnlich erschien. Hätte er doch wenigstens ein Lebenszeichen gegeben, man hätte ihn nicht verraten, man hätte sein Geheimnis geachtet und gehütet, bestimmt hätte man es getan, wenn sein Herz dran hing, aber so ... einfach verduften, die Leute zu Hause sich in Gram und Sorge verzehren lassen ... Die Generalin sagte rücksichtsvoll »die Leute«, sie meinte aber sich allein. Sophia hatte schweigend und höchst aufmerksam zugehört. Sie schwieg auch jetzt, als die Generalin mit ihrem Bericht zu Ende war. Nur ein Funkeln in den großen braunen Augen verriet ihren inneren Anteil. Die Generalin stutzte eine Sekunde lang: Es war dasselbe Funkeln, das bronzene Leuchten wie bei »ihm«, kein Zweifel, das hatte er von ihr, auf einmal verflüchtigte sich die alberne Eifersucht, und sie fühlte heftige Sympathie für die Frau. Sophias aufatmender Gedanke war: So also ist er. Sie war niemals das gewesen, was man eine leidenschaftliche Mutter nennt, d. h. sie hatte ihre Liebe nie zur Schau getragen, und zu der Zeit, als sie noch bei ihm war, hatte sie den größten Wert auf einen leichten Umgangston gelegt. Stets bereit, mit ihm zu lachen und zu scherzen, hatte sie es sorgsam vermieden, ihn mit jener selbstsüchtigen Zärtlichkeit zu belasten, die ihn zu früh in die wirrselige Welt der Gefühle verstrickt hätte. Vielleicht hatte Herr von Andergast nur auf seine Weise (aber was war das für eine Weise, eine blutlose, instinktlose, verstandeskalte) zu vollenden versucht, was sie aus der Fülle einer reichen Natur heraus begonnen; es ließ sich denken, daß er sich gerade hierin in einer geheimnisvollen Abhängigkeit befand, die er freilich weder vor sich noch vor irgendeinem Menschen je zugegeben hätte; er hatte ja auch nichts vollendet, wo die Erleuchtung des Herzens fehlt, bleiben pädagogische Experimente übrig, und die waren jämmerlich fehlgeschlagen. Als Sophia sich von ihrem Knaben trennen gemußt, hatte niemand eine Klage von ihr gehört, um wieviel weniger einen Verzweiflungsausbruch, man hatte sogar öffentlich darüber gesprochen und von ihr gesagt, daß sie keiner tieferen Empfindung fähig sei. Nun, mit ihr war es eigen, sie konnte mit einem gehegten Bild in der Seele existieren und so, als ob es ein Wesen aus Fleisch und Blut wäre. Jedenfalls hatte sie bis zum heutigen Tag das Gefühl tätiger Verbundenheit, in all den Jahren war ihr zumute gewesen, als erziehe sie den Knaben aus der Ferne zu ihrem Bundesgenossen, wundersame Kräfte spielten da mit, die mit vorgesetzter Absicht nichts gemein hatten. Deshalb das erlöste: So also ist er. Deshalb das Etzelsche Funkeln in den Augen.

Gegen Abend ging sie aus und fuhr in die Stadt. Langsam durch die Gassen wandernd, litt sie unter dem beständigen Zwiespalt zwischen Heimatlichem und Feindlichem, die eine Erinnerung hell und melodisch, daneben die andere trüb und quälend. Die neubemalten, alten Häuser im Weichbild berührten sie wie etwas Lügnerisches, doch vor dem Römer blieb sie stehen und sah an der Fassade empor, wie man den Blick in ein ehrwürdiges Antlitz vertieft. Immer zu Boden schauend, als verfolge sie eine Spur, gelangte sie zum Kettenhofweg und vor das Andergastsche Haus. Ihre Augen irrten über die Fenster des zweiten Stocks, alle waren dunkel. Diese Dunkelheit gab Abwesenheit kund, Abwesenheit der zwei Menschen, die ihr Sinn so weit auseinanderhielt wie das Grauen und die Seligkeit und die sie so nah zusammenzudenken hatte, wie man Vater und Sohn zusammendenken muß. Könnte sie jetzt hinaufgehen und dem Mann gegenübertreten, den zur Rechenschaft zu ziehen sie gekommen ist, was für Worte würde sie sagen, was für ein Gericht würde sie halten, wenn es doch möglich wäre, jetzt, jetzt, in diesem erfüllten Augenblick, wo sie ihr geplündertes Leben wie in einem einzigen Atemzug begreift, wie würde er da vor ihr stehen, wenn sie ihm ins Gesicht schrie: Wo ist mein Kind? Gib mir meinen Sohn wieder –? Aber dieser pathetische Augenblick ist immer nur ein Phantasieprodukt. Er zerstäubt an der Wirklichkeit. Auf der andern Seite nämlich ist ebenfalls ein Mensch, das Selbstverständlichste von der Welt, solange man ihn *denkt*, das Unerwartetste, Verwirrendste und Lähmendste, wenn er *erscheint*.

Doch in dem »erfüllten Augenblick« ist alles Erlebnis von zehn Jahren verdichtet wie in einem Wassertropfen das Meer. Wie sie von Hotel zu Hotel geirrt ist, von Stadt zu Stadt. Sie hatte keine

Menschen, keine Zuflucht, keinen Zuspruch, kein Heim, keine Hilfe. Stumm und kalt hatte sie die Weisungen des Mannes da oben entgegengenommen, der Vertrag war unterschrieben, ihre Zukunft war sein Diktat, sie besaß keine Rechte mehr, Freiheit nur, soviel er ihr zugestand, Vermögen nur, was vom elterlichen Erbe übrig war. Sie war krank gewesen, immer wieder krank und hatte nie einen Arzt gerufen oder aufgesucht. Sie hatte, im Kriege noch, in der umflammten und aufgewühlten Schweiz, in billigen Pensionen unter banalen Menschen gelebt und es fertiggebracht, nicht aufzufallen und nicht ihr unliebsames Interesse zu erregen. Sie hatte botanische und mineralogische Studien getrieben, sich mit kunstreichen Stickereien die Augen verdorben, war viel gewandert, oft über ihre physischen Kräfte, hatte sich schwer in die Einsamkeit gefunden, obwohl sie mit Menschen nicht leben konnte. Bei den mannigfachsten geistigen Interessen und einem ungebrochenen Lebensverlangen war ihr Herz gleichsam entleert, das Dasein, das sie führte, war glatterdings freudelos, sie konnte lachen und sich amüsieren, aber nur in gleichgültiger Gesellschaft, sobald irgend jemand, Mann oder Weib, sich zu vertraulicher Annäherung anschickte, veränderte sich ihr Wesen und hob unmerklich die Bindung auf. Sie konnte an nichts mehr recht glauben, ihr Verhältnis zur Außenwelt war in jedem Bezug erschüttert, nur mit zwei Menschen hatte sie in den letzten Jahren freundschaftlichen Umgang gehabt, einem Schweizer Maler, der sich auf einer Alm im Wallis verkrochen hatte, und einem greisen Gelehrten, Monsieur André Levy, Professor an der Sorbonne, berühmten Bakteriologen, den sie in Genf kennengelernt und in dessen Haus sie in Paris häufig verkehrt hatte. Ich habe von ihrem ungebrochenen Lebensverlangen gesprochen; dabei fühlte sie sich jeden Abend erleichtert, wenn der Tag vorüber war, jeden Morgen, wenn die Nacht vorüber war; aber gerade bei den Unglücklichen gibt es eine

Verpflichtung von Tag zu Tag, die unlöslicher ist als die gegen die Existenz als solche.

Genau vierundzwanzig Stunden nach dem »erfüllten Augenblick« betrat sie das Andergastsche Haus. Die Generalin hatte die Zusammenkunft mit Wolf von Andergast telephonisch vermittelt. An die Stätte zurückzukehren, wo man das Unverwindbare erfahren hat, ist nicht sowohl eine Probe auf das Gedächtnis des Herzens als auf das des Auges. Es erweist sich, daß die meisten Menschen, auch wenn ihre Gefühle ermatten oder sogar absterben, dennoch einen bestimmten Aufbewahrungsort dafür haben, dem sie sie jederzeit entnehmen können, erforderlichenfalls als gespenstische Requisiten, während ihnen die Dinge und die Räume nach und nach gänzlich entschwinden und sie beim Wiedersehen dermaßen überraschen, daß sie dann erst des Zusammenhangs zwischen ihrem damaligen und dem gegenwärtigen Ich innewerden. Es ist, als habe man ein angsteinflößendes Bild nur für eine kurze Weile mit der Hand zugedeckt, um seine schreckliche Wirkung abzuschwächen. So war es freilich bei Sophia nicht, ihre Seele hatte, wie gesagt, die unerloschene Glut durch das Jahrzehnt getragen, trotzdem hatte das Gegenständliche und Augenscheinliche, von dem sie sich plötzlich umgeben sah, eine niederdrückende Erinnerungsgewalt, vor allem eine zeitauslöschende, unter der der Gedanke an Altern und Ältergewordensein zu einem unfaßlichen Betrug der Natur wird, denn alles ist ja genau, wie es eh und je gewesen, zehn Jahre oder eine Woche, der Unterschied ist imaginär. Da ist die Treppenstufe, die dritte auf dem zweiten Absatz, sie knarrte auch damals schon, wenn man den Fuß auf sie setzte; da ist die Stelle links über dem Fenster des Stiegenhauses, wo die braunrote Tünche ins Gelbliche abgeblaßt ist; an diesem Messingknauf hat sie sich an einem gewissen Tag wankend festgehalten, nachdem sie erfahren, daß der geliebte Mensch sich die Schläfe durchschossen hatte, und es ungewiß war, ob sie noch die Kraft besaß, in das Haus zu gehen, wo seine Leiche lag; wie oft hat sie die verschnörkelten Buchstaben auf dem Porzellanschild im ersten Stock gelesen: Dr. Malapert, Augenarzt, wie hoffnungslos oft den Signalknopf im zweiten Stock gedrückt, mit welchem Widerwillen gewartet, bis die Tür zur eigenen Behausung sich auftat. Nun steht sie wieder da, drückt wieder den Knopf, man läßt sie ein, da hängt noch der Spiegel und gibt ihr Bild zurück, als hätte er es keinen einzigen Tag vermißt, da hängt der steife Hut am Haken, Symbol von etwas abstoßend Uniformiertem und Zeremoniösem, darunter die Mäntel, an denen noch immer der ekle Zigarrengeruch haftet, an der Wand gegenüber das Bild des alten Kaisers mit der leutseligen Miene und dem geteilten Bart, hier die Türe, aus der sie am letzten Abend nach dem letzten Abschied von dem schlaftrunkenen Knaben tränenlos geschritten ist (weinen, das war ihre Sache nie), und endlich die andere Tür, portiereverdeckt, die sie zu keiner Zeit ohne die Empfindung geöffnet hatte: wär es nur schon überstanden und wär ich wieder draußen ...

Um sieben Uhr sagte Herr von Andergast zur Rie: »Es wird um halb acht eine Dame kommen, Meldung ist überflüssig.« Die Rie nickte wissend. Die Nanny der Generalin hatte nicht versäumt, ihr mitzuteilen, welchen Gast sie beherbergten. Sie fühlte sich als Opfer nebuloser Umtriebe. Sie gab der Köchin verkehrte Anweisungen und ließ in ihrer Nervosität einen Topf mit Mus auf die Küchenfliesen fallen, dann stand sie trübsinnig davor und dachte: alles geht in Scherben. »Erinnern Sie sich«, sagte sie, »vorvorigen Herbst passierte mir das auch, da kniete unser Junge hin und wollte das süße Zeug vom Boden aufschlecken.« Die Köchin gab vor, sich zu erinnern, sie habe sich sogar gewundert, da der Bub doch nie genäschig gewesen sei. »Wollte Gott, er wär's gewesen«, seufzte die Rie, »dann hätten wir ihn heute noch bei uns, wer naschhaft ist, hängt am Haus.« In dem Moment läutete es, das Stubenmädchen öffnete die Flurtür, die Rie trat leise auf den

Korridor, sie sah eine mittelgroße, nicht eben zarte Frauengestalt mit festen Schritten gegen das Arbeitszimmer zugehen, und ihr feindseliger Gedanke war: Sie scheint sich ja hier noch ganz gut auszukennen, wie wenn dieser Umstand ein Beweis von Schlechtigkeit wäre. Niemals war ihr Wunsch, an einer Tür zu lauschen, so brennend gewesen, nur der ihr innewohnende Anstand hielt sie zurück. Eine Weile verharrte sie horchend auf der Stelle, als alles still blieb, schlich sie betrübt in ihre Stube.

Um halb sechs war Herr von Andergast nach Hause gekommen, hatte Tee bestellt, aber die Tasse nicht berührt, sondern war die ganze Zeit über ruhelos auf und ab gegangen. Es war ihm unmöglich, die Stimme des Sträflings Maurizius aus dem Ohr zu bekommen. Was er auch tun und denken mochte, sie verfolgte ihn wie das beharrliche Gurren einer unsichtbaren Taube. Bisweilen schied sich von dem akzentlosen Gurren ein Satzfragment, dann stutzte er, hielt im Herumwandern inne, legte den Kopf schräg, verzog die Brauen, murmelte vor sich hin. Mehr als ein Dutzend Zigaretten hatte er der Reihe nach angezündet und sie alle nach zwei oder drei Zügen in die Schale geworfen. Manchmal drückte er die Hand an die Stirn (in derselben Weise, wie er es bei Maurizius beobachtet hatte), und sein Gesicht bekam den Ausdruck gefrorenen Grübelns. Schwärme von Fragen durchstürmten sein Hirn, es war wie ein Flockenwirbel, er konnte bei keiner verweilen. Von Zeit zu Zeit zog er die Uhr und vergewisserte sich mit Unruhe von dem Vorrücken der Zeiger, als hinge alles davon ab, daß er bis zu der Minute, die sein Alleinsein beendigen würde, zu einer Formulierung gelange. Doch der fieberhafte Wirbel ließ sich nicht beschwichtigen, indes die Uhrzeiger liefen. Nur das Gurren, nur das Gurren. Endlich tauchte folgende Frage aus dem Chaos greifbar empor: Warum hat er es damals nicht gesagt? Warum, da doch das Zugestandene eine so unverkennbare Wahrheitsprägung trägt, warum hat er in den ganzen neunzehn Jahren geschwiegen? So gut er jetzt sich entschließen konnte zu reden, hätte er sich vor drei, vor fünf, vor zwölf, vor sechzehn Jahren entschließen können. Was hat ihn verhindert? Scham, Rücksicht, Trotz sind nicht Empfindungen, die eine solche Prüfung überdauern, in der jedes einzelne Jahr zur Ewigkeit wird, in der auch die Opferidee, die offenbar als Frucht einer beispiellosen Leidenschaft eine Rolle spielt, der allgemeinen, inneren Verwesung mitverfallen muß. (Indem er dies dachte: allgemeine, innere Verwesung, wurde es Herrn von Andergast kalt und heiß um die Brust, er war also doch infiziert von der Atmosphäre des Schattenmenschen, er hatte den neunzehn Jahre dauernden Todesakt begriffen, war vielleicht sogar davon ergriffen worden, nachhaltiger, als er je gemutmaßt.) Was hat ihn verhindert, was? fuhr er zu bohren fort; eine ahnungsvolle Erkenntnis stieg auf: möglicherweise geht das sehr tief, überlegte er, möglicherweise war er sich bewußt, daß die Wahrheit nur für ihn selbst Wahrheit war, für mich, für uns aber nicht, für mich, für uns wurde sie erst in dem Augenblick reif, wo er, fast wider seinen Willen, bereit war, sie auszusprechen. Wie, durchfuhr es ihn plötzlich erschütternd, wenn die Wahrheit nur ein Ergebnis des Zeitverlaufs wäre? wenn ich vor drei, vor fünf, vor zwölf, vor sechzehn Jahren zeitgetrübt, zeitbefangen, gar noch nicht imstande gewesen wäre, die Wahrheit aufzunehmen, dieselbe Wahrheit, die mir jetzt so glaubhaft, so einfach erscheint –? *Vielleicht entsteht die Wahrheit erst durch die Zeit und in der Zeit –?* Der Gedanke hatte etwas so Bestürzendes, er warf ein so tödlich-fahles Licht auf alles, was er bisher Urteil und Richtspruch genannt hatte, daß er ein paar Sekunden hindurch das Gefühl hatte, der feste Kern seiner Persönlichkeit sei auseinandergeronnen. In seiner Not und wie um sich vor Selbstzersetzung zu retten, griff er sofort nach den aktenmäßigen Details des »Falles«, die ihn schon während der ganzen Fahrt von Kressa in die Stadt wie ein Puzzle beschäftigt hatten, z. B. inwieweit die Darstellung Maurizius' mit den in den Akten fixierten Zeitangaben übereinstimmte, diese Erwägungen hatte er schon vorher aufgegriffen und wieder fallengelassen. Kaum hatte er begonnen, sich von neuem darin zu vertiefen, als es leise an der Tür klopfte und Sophia eintrat.

Herr von Andergast blieb hinter seinem Schreibtisch stehn wie hinter einem Festungswall. Es war eine jener Situationen, in denen selbst der förmliche Gruß zur Unsinnigkeit wird. Er hatte die Frau seit beinahe zehn Jahren nicht gesehen. Es war ihm während dieser zehn Jahre nicht ein einziges Mal eingefallen, seine Gefühle gegen sie zu untersuchen. Abgetanes besaß kein Anrecht mehr auf den geordnet fortschreitenden Tag. Die Fähigkeit zur Erledigung war in seinem Privatleben genau so eminent wie in seinem Beruf. Rückstände aufzuarbeiten gab es hier wie dort eine festgesetzte Frist, war die verstrichen, so wurde die Angelegenheit ad acta gelegt. Die Frau hatte die Tür hinter sich geschlossen, stand fünf Schritte von ihm entfernt, aber er sah sie nicht, d. h. er wollte sie nicht sehen, er war in keiner Weise neugierig. Die etwas entzündeten Lider waren gesenkt, der mächtige Körper schwankte ein wenig. Er wartete. Ich bin hinlänglich vorbereitet, womit kann ich dienen? sagte seine eisig distanzierte Miene. Doch um die Nase herum dehnte sich eine schwimmende Blässe aus. Sophia schritt zu dem Ledersessel, der im Halbschatten vor dem Bücherregal stand und ließ sich lautlos nieder. Sie betrachtete den Mann mit ihren dunklen Augen. Um ihre Mundwinkel zuckte es bitter und drohend. Es schien, als wolle sie es erzwingen, daß er zuerst das Wort an sie richte. Sie kannte seine Hartnäckigkeit und empfand wie in früherer Zeit Verachtung gegen eine Haltung, von der sie wußte, daß sie nur die dürre Befolgung einer »Richtlinie« war. Sie sah aber bald ihren Irrtum ein, mit ihrem geschärften Instinkt blieb sie nicht im unklaren darüber, daß mit dem Mann eine Veränderung vor sich gegangen war, als sei von der steinernen Unrührbarkeit und angemaßten Machtvollkommenheit bloß noch

Miene und Blick und Geste übrig, die unversehrte Schale einer ausgehöhlten Frucht. Diese Wahrnehmung stimmte sie nicht milder, nichts an ihm konnte sie versöhnlich stimmen, es erregte aber auch keine Genugtuung in ihr. Es interessierte sie nicht. Er war in ihren Augen keine Person, über die man nachdenkt. Der Platz, den er einstmals (fast ausschließlich in zerstörendem Sinn) in ihrem Leben eingenommen, war nicht mehr da. In einem Sturm aufgesammelter Entschlossenheit hatte sie die Reise angetreten, ihr ehemaliger Anwalt, mit dem sie bisweilen geschäftliche Briefe wechselte, hatte sie von Etzels Flucht in Kenntnis gesetzt. (Auch die beiden Briefe, die sie im März und April an Herrn von Andergast gerichtet und in denen sie unter Hinweis auf die Unhaltbarkeit und Unwürdigkeit der Maßregel, da doch der angeblich freiwillige Verzicht ein erpreßter Verzicht gewesen, die Aufhebung des bestehenden Zustands gefordert, hatte sie mit seinem Wissen geschrieben. Beide Briefe waren keiner Antwort gewürdigt worden, als sie es dem Rechtsfreund gemeldet, hatte sie hinzugefügt: Es war ein unverzeihlicher Fehler, an eine Instanz zu appellieren, die die menschlichen Vokabeln nicht versteht.) Die Nachricht und daß der Knabe unauffindbar blieb, hatte sie über alle Hemmungen hinausgetrieben und sie gegen die Folgen eines Schrittes, der genau betrachtet wenig praktischen Nutzen versprach, gleichgültig gemacht. Sie wollte handeln, sich zumindest zeigen, da die einschüchternde Angst von ehemals nicht mehr vorhanden war. Nun saß sie hier, stumm, gleichsam erstickt, genau wie damals, als er ihr nach Abpressung des Schuldbekenntnisses und Georg Hofers Selbstmord das wahnwitzige Dokument zur Unterzeichnung vorgelegt hatte, skrupelloser Ausbeuter ihrer Schuld und unter der Maske des Richters seiner Rache frönend.

Es entwickelte sich ein Dialog, der, durch das eigene Gewicht niedergezogen, die konventionellen Unvermeidlichkeiten abstieß, um sich in Tiefen zu verlieren, wo die Seelen sich in ihrer gesetzhaften Gegnerschaft sozusagen weltlos gegenüberstanden und der mit allen seinen Bezüglichkeiten, Versteckheiten, Schweigepausen und stichwortartigen Verkürzungen kaum wiedergegeben werden kann. Oft antwortete nur das Verstummen des einen Partners der Rede des andern, deutlicher als mit Argumenten, zerrissene Gedankenreihen teilten sich mit, ein Achselzucken enthielt eine Geschichte, die Luft des Zimmers war mit Vibrationen geladen, die sich unmittelbar auf die Nerven der zwei Menschen übertrugen. Herr von Andergast begann damit, daß er leider nicht das Glück habe, über den Zweck des Besuches informiert zu sein, obschon er den Anlaß erraten könne, eine fade Redensart, die er noch dazu mit der nämlichen Stimme vorbrachte, mit der er sich in der Sprechstunde an eine Partei zu wenden pflegte. Nach reiflicher Erwägung der Zulässigkeit oder Unzulässigkeit einer solchen Entrevue habe er sich für das erstere entschieden, jedoch ... Emporheben der Schultern, wie wenn er damit am Ende seiner Weisheit wäre. Sophia schnellte auf. Die freche, papierne Majestät, dachte sie empört. Dann lächelte sie und setzte sich wieder. Besagter Anlaß, fuhr er um eine Schattierung höflicher fort, da er mit der Einleitung seinen Standpunkt ausreichend scharf betont zu haben glaubte, besagter Anlaß könne ihn aber weder zu einer Erklärung noch zu einer Diskussion zwingen, er anerkenne nach wie vor keine dahinzielenden Ansprüche. – »Ah, wirklich?« kam es wie ein Vogelruf von Sophias Sessel her. Unangenehm berührt schaute Herr von Andergast in die Richtung. »So ist es«, bestätigte er kalt. Sophia lehnte sich zurück und verschränkte die Arme über der Brust. »Vergebliche Hoffnung«, sagte sie gelassen, »es werden keine Ansprüche geltend gemacht, du kommst daher nicht in die Lage, sie zu bestreiten.« – Herr von Andergast hob fragend die Brauen. Um so weniger begreife ich den Wunsch nach dieser Zusammenkunft, drückte der verhaltene Überdruß seiner Miene aus. Jenes erste Du aus dem Mund der Frau war ihm wie ein

Schock gewesen, obwohl nicht einzusehen war, wie es auf die Dauer umgangen werden konnte. Er griff nach dem Petschaft, das neben dem Tintenfaß lag, wog es in der Handfläche und starrte es aufmerksam an. Seine Gedanken bewegten sich in zwei konzentrischen Kreisen. Der eine umschloß alles den Sträfling Maurizius Betreffende (in einer wundgeschürften Partie seines Gehirns), er hatte das Gefühl, als ob er die Zelle vorzeitig verlassen und dadurch die wichtigsten Enthüllungen versäumt habe, ich muß das nachholen, sagte er sich, da sind Momente, die noch der Aufklärung bedürfen. Er rekonstruierte innerlich den Mordschauplatz, er erwog, wieder und wieder, den Umstand mit dem verschwundenen Revolver, er rechnete die Zeit nach, die Waremme vom Kasino bis zum Gartentor gebraucht haben mußte, und fand eine verdächtige Differenz von anderthalb bis zwei Minuten heraus, er überlegte die voll eingebrochene Dunkelheit des nebligen Oktoberabends und machte dem Verfahren den Vorwurf, daß es den Zufallszeugen zu viel Glaubwürdigkeit beigemessen (der alte Fehler, wie er resigniert zugab), er maß im Geist die Distanz vom Zaun bis zum Hauseingang ab, wo die Anna Jahn gestanden war, fünfunddreißig Meter, und daß Waremme an Maurizius vorübergelaufen sein mußte, wenn dieser wirklich nicht geschossen, dann wahrscheinlich umgekehrt war, um Maurizius mit dem vom Boden aufgehobenen Revolver in der Hand gegenüberzutreten: alles dies, um schließlich festzustellen, daß man den Sträfling neuerdings aufsuchen müsse, und zwar ehebaldigst, um ihn zu letzten Aufklärungen zu veranlassen, wobei er sich jedoch verhehlte, daß es die Persönlichkeit des Maurizius selbst war, die ihn in einer Weise anzog und in Atem hielt wie nie ein Mensch bisher, und er außerdem der einzig möglichen Schlußfolgerung angstvoll auswich, nämlich, daß Waremme einen Meineid geschworen haben mußte; das sich klar zu sagen, ging über sein Vermögen, mit ungeheurer Willensanstrengung verhinderte er, daß es in sein Bewußtsein trat.

So blieb alles Quälende Vision in dem einen Kreis und schlug von Zeit zu Zeit auch in den andern über, in welchem Sophia sichtbar und, trotz des Entschlusses, den Knaben nicht mit ihr in Verbindung zu denken, Etzel unsichtbar stand. Obgleich er den Eindruck erweckte, als habe er Sophia überhaupt noch nicht wirklich angesehen, hatte sein verborgener Späherblick ihre Erscheinung längst aufgenommen. Die Wahrnehmung, daß die Zeit an ihrem Äußeren nur geringe Verheerungen angerichtet, erfüllte ihn mit einem haßvollen Staunen. Die rotbraunen Haare hatten immer noch denselben leisen Goldschimmer, das liebliche Oval der Wangen hatte keine wesentliche Einbuße erlitten, die Brauen waren noch immer so charakteristisch hochgebogen und verliehen dem Gesicht den Ausdruck einer beständigen, etwas kurzsichtigen Neugier, der ihn so oft ungeduldig gemacht hatte, der Hals war beinahe ohne Falten, von Schwere des Schicksals ließ die Haltung nichts erkennen, von Krankheit nichts, von einem zurückgelegten Weg der Buße nichts, von Reue und Demut nichts, keine bittstellerische Gebärde, nichts Gedrücktes, nicht Spuren der Not, der Verlassenheit, nichts von dem, was man erwartet und gern gesehen hätte, sondern Freiheit, Gemessenheit, Besonnenheit. Wie konnte das sein? Da stimmte etwas nicht. War das der Erfolg der auferlegten Strafe? Wo war dann der Sinn der Bestrafung? Diese ruhige Miene, dieses überlegene Schweigen, dieses süffisante Lächeln (so erschien es ihm, in Wirklichkeit war es ein schmerzliches Lächeln, wie ja das ganze innere Leben der Frau sich in gewissen seelenhaften Zügen um den Mund herum ausdrückte) ... Weit erschreckender noch die Ähnlichkeit mit Etzel, das bloße Dasitzen schon, der argwöhnisch gespannte Blick mit der geheimen, stets bereiten Abwehr, die Mischung von Kindlichkeit und ärgerlicher Reife in den Zügen, von Wißbegier und von ... ja, von Verschlagenheit, es war außerordentlich merkwürdig, geisterhaft beinahe, etwas, worauf er nicht gefaßt gewesen und was ihn vielleicht nötigen würde, seine Taktik einer Revision zu unterziehen, nämlich sie zu verschärfen und Maßregeln gegen eine zu befürchtende Annäherung dieser offenbar verhängnisvoll gleichartigen Charaktere zu treffen.

Und Sophia?

Die Dinge lagen für sie ganz einfach so: in der Entfernung alarmiert, hatte sie selbstverständlich an ein unheilvolles Zerwürfnis zwischen Vater und Sohn geglaubt, hervorgerufen einerseits durch die despotische Willkür des Herrn von Andergast, seine Gemütskälte, seine Gewohnheit, die von ihm abhängigen Menschen in unnachsichtiger Zucht zu halten und zu schweigendem Gehorsam zu verpflichten, andererseits durch die natürliche Auflehnung eines jungen Geistes, der nach Selbstleben und Selbstverfügung dürstete und den ersten besten Vorwand ergriff, das unerträgliche Joch abzuschütteln. Sie hatte sich stürmische Szenen ausgemalt, offene Entzweiung, die Flucht hatte sich ihr als plan- und kopflose Handlung dargestellt, Verzweiflungsakt, der nach abenteuerndem Herumirren in der Welt entweder zu Rückkehr und Strafe oder zum Untergang führen mußte. Die Mitteilungen der Generalin hatten ihr die Vorgänge in einem andern Licht gezeigt und eine Bestätigung jener auf geheimnisvollen, seelischen Kommunikationen beruhenden Zuversicht gegeben, die von den obenauf zitternden Angstbildern nur verdeckt worden war. Sie hatte aber noch Zweifel gehegt. Das Beisammensein mit dem Manne beseitigte sie. Für die inneren Bewegungen der Menschen empfindlich wie ein Seismograph, erkannte sie in seiner Unrast, dem jäh auflodernden und wieder verlöschenden Blick, der scheuen Wachsamkeit, verbunden mit einer an Geistesabwesenheit grenzenden Zerstreutheit Begleiterscheinungen einer Katastrophe. Da hatte sich Sinnvolleres ereignet als das gewöhnliche Davonlaufen eines Halbwüchslings, der gegen das väterliche Regiment rebelliert. Selbst wenn es ihretwegen geschehen wäre (es ließ sich ja denken, daß ihm das an der Mutter verübte Verbrechen nicht verborgen geblieben war und er deshalb den Vater verlassen hatte, mit der geheimen Hoffnung vielleicht, zu ihr zu flüchten), auch dann hätte sie die Befriedigung nicht verspürt, die sie jetzt empfand. Dieses »Sinnvolle« war von höherer Art, die Vergeltung schlagender. Wer hätte sich getrauen dürfen, das, gerade das zu hoffen und zu prophezeien? Sie lächelte, nicht triumphierend, eher überrascht, als könne sie an etwas Wunderbares noch nicht ganz glauben. Furchtlos sagte sie: »Die Ansprüche, die ich stellen könnte, haben keinen Inhalt mehr, nur weißt du es nicht.« – »Wie das?« fragte Herr von Andergast mit schwachem Versuch, Interesse zu zeigen, und stellte das Petschaft wieder auf seinen Platz. – »Das heißt, du weißt es wohl, du bewirkst nur das Nichtwissen künstlich«, fuhr Sophia fort, »wie sollte jemand wie du nicht wissen, wenn er in seinem Mark getroffen und in seinem Lebensgesetz aufgehoben ist.« – »Darf ich mir die Bemerkung erlauben, daß diese Ausführungen jeder Verständlichkeit entbehren?« – »Bitte. Meine Ambition in der Beziehung ist gering. Die Sache ist aber nicht besonders dunkel.« – »Ich bin ganz Ohr.« – »Du bildest dir doch nicht ein, daß es sich bloß um eine vorübergehende Störung des Verhältnisses zu deinem Sohn handelt? Der Bub wird zurückkommen, wenn er seinen Zweck erreicht hat oder wenn er sich überzeugt hat, daß er unerreichbar ist. Er wird zurückkommen, ohne Frage, aber nicht zu dir. Niemals mehr zu dir.« – Herr von Andergast lachte trocken und etwas mühselig auf. »Ich sollte meinen, dagegen gibt es Anstalten und Vorkehrungen«, versetzte er. – »Zwangsanstalten und Zwangsvorkehrungen. Ja. Damit gewinnt man nicht eine Seele zurück.« – »Ich lege keinen Wert auf die Seele.« – »Das weiß ich. Also wirst du versuchen, die Seele zu exorzisieren. Du hast ja so herrliche Resultate damit erzielt.« – »Ich werde tun, was mir die Pflicht gebietet.« – »Selbstverständlich. Die Pflicht ist ein großer Herr. Und was gebietet sie dir? Den Kerker.« – »Ich lehne die Debatte in diesen Formen ab.« – »Die Form, mein Gott«, sagte

Sophia mitleidig, »ich kann nicht wie deine Kanzleiautomaten mit dir reden, wenn es um das geht, worum es eben geht.« – »Nämlich?« – »Ich bin nicht gekommen, um etwas zu fordern, sondern um etwas zu verhindern.« – »Und das wäre?« – »Verstündest du nicht so gut, du fragtest nicht so schlecht.« – »Du scheinst also doch zu befürchten, daß ich der Entwicklung der Dinge nicht so ohnmächtig gegenüberstehe, wie du anfangs für gut fandest, mich glauben zu machen.« – »Wer sollte an deinem Scharfblick zweifeln? Scharfblick ist das Beste, was du hast. Ohnmächtig; Nein. Für ohnmächtig halt ich dich nicht. Nie wirst du es sein. Leider, du bist zu beklagen darum. In der Ohnmacht entdeckt man oft seine wahre Kraft. Deine hast du am toten Werk verbraucht. Treib's nicht in den Widersinn. Der Bub ist dir nun einmal verloren.«

Einen Augenblick lang war es, als wolle Herr von Andergast den Panzer abwerfen, der ihn unangreifbar machte, die veilchenblauen Augen glühten unheilvoll auf, die schwimmende Blässe um die Nase verbreitete sich über die Wangen. Aber er schwieg. Die Frau vergißt sich, die Frau tritt mir entschieden zu nah, schoß es ihm zornig durch den Kopf. Allein er schwieg. Er schritt zu dem braunen Kachelofen und lehnte sich an ihn an, in der Haltung eines Mannes, der es in stummer Geringschätzung von sich weist, daß man seine Person zum Gegenstand psychologischer Tüfteleien macht. Sophias Stimme erhob sich nicht über den bisherigen Konversationston, als sie fortfuhr: »Eines Tages mußten ihm die Augen aufgehn. Es mußte ihm klarwerden, wer sein Vater ist. Er ist ja mein Sohn. Daß er mein Sohn ist, wird ja nicht geleugnet. Oder? Ich hatte freilich nicht die rechte Vorstellung von ihm. Eigentümliches Geständnis einer Mutter, nicht wahr? Aber ich habe wenigstens nicht umsonst die ganzen Jahre her gewartet, nichts als gewartet. Deine Rechnung war falsch. Wenn dir auch die Seele nichts gilt, wie du sagst, sie hat dir doch bewiesen, daß man sie nicht vergewaltigen kann. Der Widersacher im Geiste. Bewundernswert, wie zielbewußt du ihn dazu erzogen hast. Deine Mutter hat mir erzählt ... Hält man alles zusammen, so entsteht ein klares Bild. Du erinnerst dich wohl kaum, daß ich an die Schuld des Maurizius nie glauben konnte. Du hast dich freilich nicht dazu herbeigelassen, Notiz davon zu nehmen, was ein achtzehnjähriges Geschöpf fühlt und denkt ... Mon Dieu, cela ne tire pas à conséquence. Wir lernten uns genau an dem Tag kennen, an dem das Urteil rechtskräftig wurde und du es mir strahlend mitteiltest. Ein Schauder ging mir durch und durch. Ich höre noch, mit welcher Betonung du das Wort aussprachst, rechtskräftig, als wär's eine Botschaft vom Himmel. Als ich meinem Vater unsre Verlobung anzeigte, er war zur Kur in Nauheim, drei Wochen vor seinem Tod, schrieb er mir einen Brief, der nur von der Unschuld des Maurizius und von dir handelte, der die Anklage vertreten hatte. Ihm, dem Rechtsgelehrten, ging die Sache nah, er war aus einer andern Zeit, ihm war das Recht keine eherne Mosestafel, unsere Verlobung bereitete ihm große Sorge. Sonderbar. Es kommt nichts abhanden in der Welt, das verwehte Samenkorn ist in das Herz meines Kindes gefallen und zum Baum geworden, von dem er die Frucht der Erkenntnis gepflückt hat. In deinen Augen sind Recht und Gesetz Institutionen, die gegen die menschliche Kritik gefeit sind. Mir träumte einmal, daß eine unabsehbare Volksmenge vor dir auf den Knien rutschte, um dich anzuflehen, du solltest einen Spruch zurücknehmen, du bist dagestanden wie eine steinerne Säule. Schrecklicher Wahn, sich einzubilden, man könne unfehlbar sein, unfehlbarer Richter. Nicht geirrt haben dürfen, was für ein Fluch! Du hast mir mein Kind genommen, ja, *mein* Kind, die Mutter besitzt, von allen Menschen auf der Welt *besitzt* vielleicht nur sie, aber ich klage nicht und klage nicht an, ich ... wie heißt es in eurer Amtssprache, ich resümiere, du hast es in einem Alter geraubt, laß mich zu Ende reden, das Wort entspricht genau der Tatsache, in einem Alter geraubt, wo du hoffen konntest, ihn ganz nach deiner Idee zu modeln, zu deinem Ebenbild, er war Lehm in deiner starken Faust, du hast dich dabei auf Recht und Gesetz gestützt wie auf verläßliche Trabanten, und wahrhaftig, sie haben dich ausgezeichnet bedient, dann wächst er dir auf, der gesetzlich beschlagnahmte Mensch, und was ereignet sich? Er zerstört dein Fundament und zerreißt dir deinen Wahn, Recht und Gesetz lassen dich im Stich. Keine Dialektik kann das in Abrede stellen, ich brauch dich ja bloß anzuschauen, um zu wissen, daß es so ist. Noch vor einer Stunde hatte ich keine Ahnung davon, keine Ahnung, daß ...« Sie sprang auf, machte zwei Schritte gegen Herrn von Andergast, und die geballte rechte Hand im offenen Teller der linken fragte sie mit ihrer eigentümlich heiteren Stimme, die keine Erregung durchklingen ließ: »Soll ich dir sagen, was außerdem noch geschehen ist?« – Herr von Andergast hob gebieterisch den Arm mit gestrecktem Zeigefinger. Eine in diesem Moment gespensterhaft wirkende Staatsanwaltsgebärde. »Ich verzichte«, sagte er hastig, »wir haben das nicht miteinander auszumachen, ich muß mir jede weitere Erörterung darüber verbitten.« – Sophia, sarkastisch: »Ich verstehe, du entziehst mir das Wort. Du entziehst es nur dir.« Sie machte noch einen Schritt und lächelte seltsam inbrünstig, beinahe verzückt, als sie, das Gesicht nach oben gewandt, flüsterte: »Aber wo ist er, wo ist er denn? Er muß ja bald kommen, ich möcht ihn doch endlich sehen ...« Herr von Andergast senkte den Kopf, eine Zeitlang war er förmlich erstarrt, bis auf einmal das Wort Meineid an sein Ohr drang und ihn zusammenzucken ließ.

Sophia hatte sich abgekehrt, ging in dem schmalen Raum zwischen Schreibtisch und Bücherregal hin und her und betrachtete, wie man in gespannter, innerer Verfassung manchmal tut, anscheinend neugierig verschiedene Gegenstände, das Barometer beim Fenster, eine Bronzefigur in der Ecke, den Rücken eines Buchs. Dabei begann sie zu sprechen, in dem früheren, leichten Plauderton, mit ihrer beweglichen Mimik und, sooft sie stehenblieb oder sich umdrehte, einem witternden Emporheben der Nase. Was sie sagte, machte den Eindruck, als wolle sie durch die rücksichtslose Aufdeckung der Vergangenheit die ebenso rücksichtslose Entschlossenheit zur Zukunftsgestaltung andeuten. Mehr als bisher trat die ungewöhnliche Kühnheit einer Frau zutage, die zu denken fähig ist, zu denken gelernt hat und vor keiner Folgerung ihrer Gedanken zurückschreckt. Es war Herrn von Andergast in so bestürzender Weise neu, als hätte sich der Ofen hinter ihm in ein lebendiges Wesen verwandelt und in die Unterhaltung eingegriffen. Vor ihm erhob sich wieder das fürchterliche Zuspät, das ihm schon seit Etzels Flucht die schlaflosen Nächte in erschöpfende Länge gezogen hatte. Es grinste ihn von allen Wänden an, zu Hause, im Amt, auf der Straße, überall, überall, zu spät, zu spät, zu spät ...

Sie scheute sich nicht, von ihrem Fehltritt zu sprechen, sachlich. »Als ich damals Ehebruch beging ...«, sagte sie. Sie bezeichnete den Ehebruch als mißlungenen Fluchtversuch aus einem Kerker. »Bis zu meinem zwanzigsten Jahr war ich ein freier Mensch«, sagte sie, »mit dem Hochzeitstag wurde ich zur Klausur verdammt.« Nicht ohne leises Grauen bemerkt sie: »Man wird Mutter, wie einen der Blitz trifft. Nach Recht und Gesetz.« Dann: »Woraus bestand mein Leben? Woraus bestand meine Ehe? Der Mann, zusammengesetzt aus Geschlecht und Beruf, Nachtgeschlecht und Tagberuf, beides in immer trüberer Mischung, je sicherer ihn die Gewohnheit machte, hatte nicht so viel Humanität im Leib, mal nachzuschauen, warum das verkümmerte Ding an seiner Seite schwieg und schwieg und schwieg, bestenfalls ja sagte und nein sagte und artig und folgsam war und sich gut anzog und im übrigen vor die Hunde ging. Er war der Herr, der Gatte, der Vater, der Erhalter. Alles sehr gründlich, sehr gewissenhaft, nach Recht und Gesetz. Herz, was verlangst du mehr? Ja, aber das Herz, auch wo es sich nicht schämen müßte, zu lieben, weigert sich zu lieben.

Gegen Recht und Gesetz. Und spürt dann in seinem Hunger, in seiner Ratlosigkeit, es muß lieben, irgendwen, um jeden Preis, nur um sich zu erproben, nur um zu wissen, daß es doch nicht für nichts, für Küche, Keller, Schlafzimmer und Kinderpflege auf der Welt ist, und wer zuerst nach ihm greift, wenn er nur halbwegs annehmbar ist, an den vergibt es sich. Auch gegen Recht und Gesetz. Liebe ... schön, heißen wir's Liebe. Manche Leidenschaft verdankt ihre Entstehung nur der Furcht vor der Leere. Das sind die rabiatesten. Georg Hofer war kein Heros. Begabter Durchschnittsmensch, anständig, nobel. Wär er mehr gewesen, so hätte er eure Vorurteile verachtet und nicht den Eid geschworen, der mich retten sollte und der ihm das Leben kostete. Meineid! Dieser Cauchemar trieb ihn in den Tod. Nein, kein starker Mensch, ganz vom Ehrbegriff seiner Kaste durchdrungen und ganz überzeugt von deinem Recht und Gesetz, die mir immer wie die gekreuzten Knochen erschienen sind, die man als Warnungszeichen auf Giftflaschen klebt. Als du ihn zum Schwur zwangst, hattest du ja schon mein Geständnis und wußtest, daß du ihn damit vernichten würdest, nach Recht und Gesetz, und mir zwangst du das Geständnis mit der Lüge ab, daß ich ihn damit vom Schwur entband. Meineid ... nützliches Instrument, so oder so, manchmal braucht und ignoriert man ihn, manchmal verdammt und verfolgt man ihn, der Zweck heiligt die Mittel. Es ist ja eine Welt des Meineids, in der ihr existiert. Der aber, mit dem du mich und ihn gefangen hast, ist ein schwarzer Fleck in deinem Leben, nicht auszutilgen, magst du sonst auch wie ein Büßermönch gelebt haben, der läßt sich nicht weglöschen und übertünchen. Ich hab mich oft gefragt, wie man damit fertig werden kann ... wahrscheinlich durch Nichthinsehen, ihr habt ja so viel Kraft und Ausdauer im Nichthinsehen ...«

»Ja. Meineid«, sagte Herr von Andergast tonlos, und sein gelbliches Gesicht über dem gebeugten Rumpf stieß aus der Dunkelheit vor, »ja, er muß wohl einen Meineid geschworen haben.« Sophia blickte erstaunt nach ihm hin. Sie wußte natürlich nicht, welche innere Verstörung diese Worte hervorgerufen hatten. Sie blieb stehen und sah ihn forschend an. Da sagte er, abgehackt: »Es ist nicht gut, die alten Geschichten aufzuwärmen. Nicht gut, Sophia. Besonders nicht, das hat seine Gründe, in diesem Moment. Du bist eine Frau, zwar verstehst du vielleicht mehr als andre, aber das ... nein. Ihr Frauen habt neuerdings einen Appell, auf den wir nicht eingerichtet sind. Es sind da Differenzierungen, zu denen ihr gelangt, weil ihr Zeit habt, sehr viel Zeit, und nichts wißt von dem kaiserlichen Muß und Soll. Wenn ich wäre, was ich sein könnte, war ich in einem höheren Recht gegen dich. Jedoch ... (er hielt aufatmend inne) bedenke, daß heute fast jeder Mann, der sich den Fünfzigern nähert, in seiner Lebensidee gebrochen ist. Ich bin, leider, keine Ausnahme von der Regel.« – Sophia stand mit gesenkten, langwimprigen Lidern. Sie antwortete: »Zieh deine Hand ab von dem Buben.« – Er darauf, mit seiner ganzen Starre wieder: »Ich kann nicht einsehen, mit welchem Recht –« – Sophia unterbrach ihn mit ungestümer Handbewegung: »Recht, Recht ... ich habe meinen Preis bezahlt.« – »Auch mir hat man nichts geschenkt.« – Da sie schwieg, schaute er sie an und wußte auf einmal, was für einen Preis sie bezahlt hatte. Es gibt Frauen, die nach einem Leben freiwilliger, weil von einem alles aufzehrenden Ziel befohlenen Entbehrung eine zweite Jungfräulichkeit erringen. Er schaute sie an, sie lächelte, das Lächeln war schmal und hatte eine stille Gewalt. Plötzlich nickte sie ihm zu, fremd, stolz, und wandte sich zur Tür, im Gehen den Handschuh über die linke Hand ziehend. Herr von Andergast ließ sich auf dem Schreibtischsessel nieder, stützte die Ellbogen auf den Tischrand und schlug die Hände vor das Gesicht. So saß er zwei Stunden lang und hörte nicht das mehrmalige, immer zaghaftere Pochen der Rie, die sich endlich gegen elf Uhr ängstlich entschloß, die Türe sacht zu öffnen und durch den Spalt zu wispern, daß das kalte Abendessen bereitstehe. Sie war übrigens mit dem Besuch der Frau gewissermaßen versöhnt, denn als Sophia beim Verlassen des Zimmers die Rie auf dem Flur stehen sah, war sie auf sie zugegangen und hatte ihr stumm die Hand gedrückt.

Um sieben Uhr morgens befand sich Herr von Andergast abermals auf dem Weg nach Kressa. Was wollte er dort? Was erwartete er? Was zog ihn so ungeduldig hin, daß das Auto im Tempo einer Postkutsche zu schleichen schien und er jedes Hindernis auf der Fahrstraße mit Erbitterung betrachtete? Wieder Verhör und Befragung, es hatte keinen Sinn mehr. Die kriminellen Einzelheiten, mit denen er sich noch gestern solchen Sinn vorgetäuscht, hatten aufgehört, etwas zu bedeuten. Sie konnten dem Bild nichts hinzutun, nichts von ihm nehmen. Worin lag also der Antrieb? Er vermied es, darüber mit sich ins reine zu kommen. Diese Art von Unruhe näher zu untersuchen, als ob man ... zum Lachen ... als ob man einen Freund, bevor unaufhaltsame Entscheidungen fielen, noch sehen müsse, hätte auf bedenkliche Abwege geführt. Freund ... der Zuchthaussträfling: Freund? Es war vielleicht der kranke Kopf, der solche Mißregungen gebar. Überarbeitung. Druck und Nachhall widriger Erlebnisse, das da mit der Frau und das andre mit dem Jungen. Indem er sich befliß, beiden das Gewicht abzusprechen, nicht daran zu denken, nicht daran zu leiden, jede Verschuldung zu leugnen, belud er möglicherweise, so sagte er sich, den Zwischenfall Maurizius aus innerer Gegendemonstration mit Scheingewichten. (Ein Raffinement der Selbstbeobachtung, das seinem Geist alle Ehre machte.) Gleichwohl, was ihn zu dem Sträfling trieb, war von ähnlicher Beschaffenheit wie das, was ihn nach dem Jungen verlangen machte, nicht so beleidigt und verfinstert, als wäre das Beste in einem verkannt worden, sondern hintergründiger, wie wenn man das Schicksal versöhnen müßte, die Schranken aber doch zu fest wären, als daß man sie durchbrechen könnte. (Diese absolut freudlosen, vom Wesen der Freundschaft nur aus verblaßten Jugendreminiszenzen wissenden Männer seines Schlags und seiner Generation gewahren ihre vollkommene Isolierung erst in einem sehr fortgeschrittenen Zeitpunkt ihres Lebens, und es kann wie bei manchen Frauen im Klimakterium passieren, daß sie mit verdunkeltem Willen das Entbehrte durch Handlungen zu erlangen suchen, die einer Umkehrung ihres bisherigen Charakters gleichkommen.) Es schwebte ihm vor: Aussprache, Verständigung, mehr noch ein (wie er nur zu gut wußte aussichtsloses) Sichverständlichmachen, dabei sträubte er sich gegen den Zwang, zuckte die Achseln über sich, ersann Vorwände, um sich die Notwendigkeit des neuerlichen Besuchs plausibel zu machen, konnte aber nicht verhindern, daß er beständig die gurrende Stimme im Ohr hatte, die zerhackten Gebärden, die flatternden Blicke des Gefangenen vor sich sah, den anmutig geschwungenen Mund, der an Napoleons Mund erinnerte, die kleinen Mädchenzähne, die schlohweißen Haare, und nebst alledem die Empfindung hatte, die sich schon beim ersten Gegenüberstehen geregt, wie wenn da ein Mensch mit dem Auftrag betraut wäre, der Welt Geheimnisse zu eröffnen, von denen sie bis jetzt keine Ahnung gehabt hatte.

Kurz vor Kressa wurde die Fahrt durch eintretenden Regen verzögert, der Chauffeur mußte das Dach über den Wagen spannen. In der Kanzlei hatte er eine Viertelstunde zu warten, da man erst den Vorsteher benachrichtigte, der beim Rapport war. Als Pauli kam, teilte er ihm mit, der Sträfling 357 sei in der Nacht erkrankt, man habe aber auf seinen eigenen Wunsch davon abgesehen, ihn ins Lazarett zu schaffen, er liege in seiner Zelle. Übrigens sei es nach Angabe des Arztes nur eine leichte Unpäßlichkeit, Magenverstimmung oder dergleichen, der Patient fühle sich nach Einnehmen von kohlensaurem Natron ganz wohl, der Herr Baron könne ihn ohne weiteres sprechen. Der Schreiber mit den aufgeregten Augen erhob sich und reichte diensteifrig den Krankenzettel herüber. Zehn Minuten später, von der Gefängnisuhr schlug es eben neun, sperrte der Wärter die Zelle auf.

Maurizius lag auf der eisernen Bettstelle, mit einer grauen haarigen Wolldecke bis zur Brust zugedeckt. Sein Gesicht war kalkig, die Augen schwammen wie zwei Kohlenstücke in den schwarzumränderten Höhlen. Beim Anblick des Oberstaatsanwalts richtete er sich jäh empor, mit einem Ausdruck, als wolle er sagen: Schon wieder? Noch nicht genug? Über dem rauhstoffigen Hemd trug er den Zwillichkittel, dessen Knöpfe am Hals offen standen. Herr von Andergast trat auf ihn zu, schaute von seiner imponierenden Höhe aus mit trübverzogener Stirn auf ihn herunter – und plötzlich streckte er ihm beide Hände hin. Indes er wartete, daß die Gebärde erwidert werde (sie wurde es nicht), schimmerten seine großen Zähne durch die Lippen, die wulstig aussahen, wie geschwollen. Man hätte denken sollen, das weiße Gesicht des Sträflings hätte nicht weißer werden können, und doch war es der Fall. Was soll das? fragte der stiere Blick erschrocken und böse, wozu das? was steckt dahinter? Das charakteristische Mißtrauen des langjährigen Zuchthäuslers. Herr von Andergast ließ die Arme sinken. Eine Weile stand er grübelnd. Dann schritt er zum Fenster, schaute in die wie mattes Seidengewebe niederschleifenden Regenschwaden, sodann nahm er den Holzstuhl, schob ihn neben die Bettstelle und ließ sich schwer darauf nieder. Die Fingerspitzen beider Hände aneinanderlegend, sagte er bedächtig: »Ich möchte diesmal auf alle Ihnen unbequemen Erkundigungen und Nachforschungen verzichten. Beunruhigen Sie sich also nicht. Es tut mir leid, daß Ihre Gesundheit unter der gestrigen Anstrengung gelitten zu haben scheint.« – Maurizius legte den Kopf, den er bisher in gefolterter Aufmerksamkeit aufgerichtet gehalten, auf das grobe Kissen zurück. »Bah, Gesundheit«, sagte er gleichgültig. Weiter nichts. – Herr von Andergast beugte sich vor. »Eine Frage«, fuhr er in dem völlig veränderten Ton fort, den er heute gegen den Sträfling angenommen hatte, einem Ton, aus dem unverkennbar herausklang: ich spreche von Mann zu Mann, von gleich zu gleich, und der Maurizius aufhorchen ließ, als lausche er der mühsam unterscheidbaren Stimme aus einem fernen Gemenge, »eine einzige Frage. Wenn Sie für gut finden, nicht zu antworten, werde ich Ihr Schweigen verstehen. Es könnte ja auch nur eine einzige Deutung haben.« – Maurizius sah in die Luft. »Bitte«, flüsterte er. – »Würden Sie Ihre auf dem Gnadenweg verfügte Entlassung annehmen, ohne weitere Schritte ins Auge zu fassen? Ihr Wort würde mir genügen.«

Über Maurizius' ausgestreckten Körper läuft ein elektrisches Beben. Die vertrockneten Lippen pressen sich zusammen. Er kann nicht reden. Ein rasender Tanz verworrener Bilder durchtobt sein Hirn. Er möchte etwas schreien. Er kann nicht schreien. Er möchte sein Gesicht mit den Händen bedecken. Er vermag es nicht. Er hat das Gefühl, daß sein Rumpf ein Bleiklumpen ist und sein Herz ein scheppernder Motor, der gleich stillstehn wird. Herr von Andergast begreift. Mit sonderbarer Schüchternheit legt er seine Hand auf Maurizius' Arm. Er sagt: »Ich biete Ihnen, was zu bieten möglich ist. Sie haben noch eine Zukunft vor sich. Sie dürfen sie nicht um eines Phantoms willen von sich werfen.« – Maurizius' Gesicht verzerrt sich. »Phantom? Phantom, sagen Sie? Zukunft ohne dieses ... dieses Phantom? Zukunft ... mit dem da drinnen (er deutet mit dem Zeigefinger auf seine Augen) und mit dem da drinnen (er schlägt mit der flachen Hand auf seine Brust) ... Zukunft!« – Herr von Andergast spricht ihm zu wie einem eigensinnigen Kind: »Sie müssen sich abfinden. Das Leben ist eine gewaltige Macht. Ein Strom, der Unrat und Gift filtriert. Denken Sie an die Freiheit ...« (Banal, hoffnungslos banal, geht es ihm durch den Kopf, voll Zorn gegen die Verbrauchtheit und Zerlaugtheit der Worte.) Wieder rinnt das Beben über den ausgemergelten Leib des Sträflings. Er murmelt: »Freiheit ...ja ... o Gott ... Freiheit ...« Seine Augen werden naß. – »Nun, sehen Sie ...«, sagt Herr von Andergast bewegt. (Er hat plötzlich das Gefühl des Wohltäters, des wirklichen Freundes, das bewegt ihn, er vergißt, daß das Almosen nicht einmal den Rang eines Geschenkes hat, er spürt nicht, daß es ein Spott und ein Hohn ist.) Maurizius liegt schweigend da. Es vergehen fünf Minuten, er regt sich nicht. Endlich beginnen seine Lippen zu zittern, und er fängt an, vor sich hinzusprechen.

»Ihr wißt es nicht. Es kann sich's niemand auf der Welt auch nur im entferntesten vorstellen. Die Einbildungskraft eines jeden Menschen verhält sich da wie eine störrische Kuh. Es reicht nichts hin, was man sagt und was draußen davon bekannt ist. Manche meinen, sie hätten's erfaßt, weil sie sich in gewisse Bilder eingelebt haben, die auf die Phantasie wirken. Sie haben nicht einmal den Zipfel erfaßt. Manche sagen wieder, es ist gar nicht so schlimm, jedes Individuum paßt sich an seine Bedingungen an, Gewöhnung ist alles, die Zustände werden von Jahr zu Jahr besser, die Gesetzgebung beugt sich dem Geist der Zeit, und dergleichen mehr. Ahnungslos. Alles Unrecht und Leiden der Erde hat seinen Grund darin, daß Erfahrungen nicht übermittelt werden können. Höchstens mitgeteilt. Zwischen dem Zugemessenen und dem Unerträglichen liegt der ganze Weg der Erfahrung, den immer nur einer allein für sich gehen kann. So wie immer nur einer allein seinen Tod stirbt und keiner vom Tod etwas weiß. Nicht so schlimm ... nein. Lange Zeit denkt man: nicht so schlimm. Wäre man nicht seelisch, geistig, bürgerlich, gesellschaftlich, als Mensch und Sohn und Vater und Mann erledigt, das übrige wäre wahrhaftig nicht so schlimm. Ruhe, ich sagte es Ihnen ja schon, Ruhe und Frieden. Keinen Ehrgeiz mehr, keine Geldquälereien, keine Aufregungen, keine Szenen, keine Zeitungen, Ordnung, Frieden, Ruhe. Durch die Mauern da kommt nichts mehr an einen ran. Freiheit, von der hat man genug. Sie hat einen ja dahin gebracht, wo man ist. Man sagt sich: Du brauchst sie nicht, die Freiheit, sie macht dich bloß zum Unband, wie man zum Säufer wird, wenn man den Keller voll Wein hat. Lange Zeit ist es so. Sie haben sicher von der spanischen Wasserfolter gehört. Der Betreffende wurde unter einen tropfenden Hahn gelegt, in bestimmten Pausen fielen die Tropfen auf eine bestimmte Stelle des Körpers. Zuerst war es nur lästig, dann wurde es zum Schmerz, dann zur fürchterlichen Qual, schließlich wars bei jedem Tropfen, als ob ein Hammer auf den Schädel sauste, und Haut und Fleisch und Knochen wurden zur breiigen Wunde. Als ich in das Haus kam, da dacht ich: nicht so schlimm. Tag auf Tag verging, Woche um Woche, Monat um Monat, immer noch dacht ich: nicht so schlimm. Es gab sogar Stunden und Augenblicke, wo mir der aufs Unabsehbare hinaus abgeschlossene Zustand eine innere Sicherheit gab, wie wenn mir nun überhaupt nichts mehr geschehen könnte. Sie müssen eben bedenken, was hinter mir lag. Die Gedankenstarre mußte mal erst weichen. Na ja, dann hob sich der Nebel. Eines Tages sagte mir der Direktor: Sie sind nun fünfzehn Monate im Hause ... ich erwähne nebenbei, daß man mich nie duzte wie die andern, zu jener Zeit wurden noch alle geduzt, ich nicht, da ich »Intelligenzler« war und gewesener Doktor. Nun, das durchfuhr mich wie ein Feuer, das mit den fünfzehn Monaten. Fünfzehn Monate, dachte ich, wo sind die hin? wo waren die überhaupt? was hatt ich von ihnen gesehen und gewußt? das ist doch sonst im Leben ein Abschnitt, den man bemerkt, im Guten wie im Bösen, draußen hatte man sozusagen die Zeit in den Knochen und Fingerspitzen ... ich sagte: Herr Direktor, sind es wirklich fünfzehn Monate? Da lachte er und antwortete: Glücklicher, dem keine Stunde schlägt. Das war also der Anfang. Nämlich die Furcht davor, daß einem die lebendige Zeit aus den Sinnen schlüpft. Die Furcht wurde so grauenvoll, daß ich mich am Abend gewaltsam am Einschlafen verhinderte, um die Zeit zu halten, die Zeit zu wissen, wie man bei einem Pferderennen auf die Jockeis und ihre Farben starrt, um die Sekunde nicht zu verpassen, wo der Sieger das Ziel gewinnt. Aber es ist ein schlechter Vergleich. Ich möchte nicht vergleichen, es ist alles schief, alles falsch, schon weil es aus eurer Welt draußen ist. Die Angst um die Zeit fraß sich mir in die Nerven, grad wie wenn ich was zu verlieren gehabt hätte. Allmächtiger Himmel, was hatt ich denn zu verlieren oder zu versäumen ... lebenslänglich! Sprechen Sie sich das vor: lebenslänglich! Was gibts da zu verlieren? Aber das Menschenhirn ist ein verrücktes Etablissement. Mit der einen Marter fand sich schon die zweite ein. Mit der Angst um die Zeit die Qual der Gleichzeitigkeit. Das war womöglich noch ärger. Ich stehe zum Beispiel im Arbeitssaal, die Hände verrichten das mechanische Ewig-Selbe, da überkommts mich: jetzt, in der Minute, geht der Postbote Lindenschmitt die Promenadenstraße herunter und läutet bei der Villa Kosegarten an oder: jetzt, in der Minute, begegnen sich Professor Stein und Professor Wendland an der Ecke der Universität und stecken die Köpfe zusammen, weil sie gegen Professor Straßmeyer wie gewöhnlich intrigieren. Ich seh sie. Ich seh den Postboten Lindenschmitt mit seiner Trinkernase, wie er in die Ledertasche greift und die Briefe hervorholt. Und wie die Magd in der Villa Kosegarten erst den Kopf zum Fenster herausstreckt und ihr Staubtuch schüttelt, bevor sie auf den Knopf drückt, der das eiserne Tor aufspringen macht. Ich seh's, weil ich's hundert- und tausendmal gesehen habe und weil sich daran schwerlich etwas verändert haben kann. Das wechselt mit jeder Stunde, in jeder Stadt, wo ich gewesen bin, auf den Bahnhöfen, in Hotels, in Kunstsammlungen seh ich die Verrichtungen, die eben zu der Stunde vor sich gehn, die Menschen, die ich gewohnt war, dort zu treffen, die Dinge, die von jeher dort zu finden waren und auch jetzt da sein müssen. Ich seh am Morgen die ersten Fuhrwerke durch die noch verschlafene Straße rollen und am Abend die ersten Bogenlampen aufflammen, ich seh eine kleine Bronzestatuette im Kasseler Museum, die ich immer gern gehabt, und denke mir: Sonderbar, daß sie dasteht und ich weiß, daß sie dasteht, es ist, als könnt ich sie greifen, doch ebenso könnt ich mir einbilden, den Sirius zu greifen, es ist und ist nicht, ist da und ist nicht da, und so mit allem, mit Bäumen, die ich kenne, mit kleinen Jungen, die ich kenne und die traumhafterweise größer werden, mit Gegenständen, die mir gehört haben und von denen ich mich frage, wo sie jetzt wohl sind, in dieser jetzigen Minute, irgendwo müssen sie doch sein ... Es ließ mich nicht los und nicht los, und wie die Angst um die Zeit verursachte, daß die Zeit langsamer und langsamer floß, jeden Tag fühlbarer wurde, immer die heutige, verstehen Sie, wenn die einzelnen Tage aufgesammelt und vorüber waren, da war's, als hätte sie ein riesiges Raubtier alle mit einem Schwapp hinuntergeschlungen, wie also das durch die Angst um die Zeit bewirkt wurde, so machte das entsetzliche Gleichzeitigkeitsgefühl, daß alles vor einem sich in maßlosen Raum hindehnte. Ich wollte gar nicht glauben: hier sind Wände, ich schritt auf eine Wand zu, als müsse sie sich teilen wie der Vorhang im Theater. Raum, Raum, Raum, immerzu, daß ich eingesperrt war, schien ein blöder Witz. Doch das sind bloß Läppereien gegen das, was dann kam ...«

Er drehte ein paarmal den Kopf hin und her, legt dann die Hände mit verschlungenen Fingern auf den Schädel und fährt fort: »Freilich, aus der Zeitqual ging alles andere hervor, namentlich das eine ... das ... wie soll ich's erklären, die Wenn-Qual, die Wenn- und Hätte-Qual. Wenn ich in der und der Situation das und das getan, bei dem und dem Wortwechsel das und das geantwortet hätte, wie dann alles anders gekommen wäre. Wenn ich dem Waremme an dem und dem Tag nicht die Hand gegeben, sondern gesagt hätte, so und so, ich hab es satt ... Wenn ich an jenem vierundzwanzigsten Oktober den Personenzug und nicht den D-Zug benutzt hätte, wie sich dann alles abgespielt hätte, ganz anders, ganz anders, und das Ausmalen, *wie* es sich abgespielt hätte. Alle

Vergangenheit wurde wie in einem Wundfieber neu gedichtet und arrangiert, ich sah den Unsinn und die Torheit, die Übereilungen, und daß man die Zeit nicht zurückschrauben konnte, um's zu ändern, es lag ja so nah, es zu ändern, es war so einfach, das zernagte das Herz, das verstörte den Kopf. Und Reue und Bedauern, verspätete Einsicht: dem hast du zuviel vertraut, dem zuviel geglaubt, dort war dein Argwohn fehl am Ort, da hättest du dich offen mitteilen müssen. Und was man alles vergessen zu haben meint ... vergessen, den wichtigen Brief an Elli zu schreiben, der das gräßliche Mißverständnis verhütet hätte, vergessen, der Anna zu sagen, was mich und sie und die Frau vielleicht gerettet hätte, daß es mein heiliger Vorsatz war, alleine auszuwandern, wenn alles fehlschlug und mir nur Hildegard zu sichern. Zwanzigmal am Tag ist einem, als könne man's nachholen und wiedergutmachen, und wenn man dann zum Bewußtsein kommt, wie unmöglich es ist, ein für allemal unmöglich, ist's ein rasendes Aufknirschen gegen das Unmögliche. Das gewöhnt sich am schwersten: der gefesselte Wille, nein, das ist dumm ausgedrückt: daß man nicht mehr wollen kann. Das Organ in einem, das will, verkümmert. Beispielsweise: Die Zähne sind da zum Beißen, schön; kaum beißt du auf ein Stück Brot, fällt dir ein Zahn aus dem Mund, und erst wenn alle Zähne weg sind, hast du dich gewöhnt. So ist das. Infolgedessen geschieht es, daß das bloße Sein und Vonsichwissen was eigentümlich Subtrahiertes bekommt, daß man anfängt, sich in jeder Lebensregung zu mißtrauen. Es schwindelt einem beim Gehen, es überläuft einen der Schauder, wenn man eine Treppe hinuntersteigen soll, jedes Fenster ist wie ein Abgrund, man wagt sich nicht heran, aus dem Bett aufstehen ist wie eine große Gefahr, Essen und Trinken hat was komisch Anachronistisches, mit andern reden ist wie mit sich selber reden, lachen und weinen kann man nicht, das ist draußen geblieben. Man will immer noch, man will und will, aber es ist nichts da zum Wollen. Das macht einen toll. Das

Aufregendste dabei ist, daß mit dem Wollen auch die Worte verfaulen, mit denen man will. Alles ist ja so eingeschränkt, das Auf und Ab, der Bereich leer, kein Wunsch, kein Hindrängen, bloß das gemeine Bedürfnis wagt sich vor, im Innern spinnt das Hirn, kocht und spinnt bis zur Verzweiflung. Es ist, wie wenn man in einem Wald geht und die Wege hinter einem verschwinden, so schält sich die Sprache von einem ab, ihr Kostbares ist nicht mehr da, ihr Zartes welkt ab, die höheren Begriffe zerschmelzen in was Ordinäres und Schmutziges. Manchmal steigen Erinnerungen auf wie feurige Drachen, der Atem steht einem still, und es ist doch nichts weiter als irgendein Beisammensein mit einem Freund oder daß einem die liebe Hand mal eine Blume geschenkt hat. Aber es ist unermeßlich weit, man wundert sich, man könnte schluchzen vor Sichwundern, daß man's erlebt hat. Zwei- oder dreimal im Jahr bin ich aus dem Schlaf aufgefahren und hab geschrien: Ich? Ich, mit einem Fragezeichen. Sonst nichts. Ich. Aber es ist so eine Sache mit dem Ich, hören Sie mal den Leuten, die jahrelang im Hause sind, beim Sprechen genau zu, und Sie merken, daß sie vor jedem Ich, das sie sagen, eine kleine Pause machen, wie wenn einer mit verbundenen Augen Angst hat zu stolpern, es hat mich immer sehr ergriffen. Überhaupt das mit den Leuten, das ist ein ganz besonderer Punkt, wie soll ich Ihnen das begreiflich machen oder nur auseinandersetzen, da find ich kein Ende, wenn ich nur anfange, schwankt mir schon alles vor den Augen, ich hab kein Talent zum Virgil, und ein Dante hat das noch nie geschaut, will mich dünken. Ich möchte Sie auch nicht langweilen, hoffentlich langweilt Sie's nicht, nein? Das ist gut. Vorher will ich noch was von den Hoffnungen und Erwartungen sagen, weil ich doch von den Erinnerungen sprach, die allmählich so was Flimmriges und Winziges wie Mikroben bekommen, ausgenommen die eine oder die andere, die wie eine Fackel dasteht, obwohl nichts an ihr dran ist, sie überwältigt einen doch, man weiß nicht warum ... aber was man erwartet, worauf sich die Neugier richtet, das ist so, daß man sich schämen muß, so niedrig, so armselig. Was der Wärter für ein Gesicht machen wird, wenn er aufsperrt, ob der Herr Pastor beim Gottesdienst wieder so wettern wird wie das letzte Mal, ob heute ein Neuer eingeliefert wird, ob es gelingen wird, Zigaretten zu kriegen, ob sich im Gang die Maus wieder zeigen wird, die gestern zum allgemeinen Gaudium an der Hose des Inspektors hochlief ... Ja, das mit den Leuten. In den ersten paar Jahren war's mir eine Erleichterung, mit den andern im Arbeitsraum beschäftigt zu werden. Siebzehn Monate schlief ich auch im gemeinsamen Schlafsaal mit meiner Gruppe. Aber in der Zeit war ich noch verkrampft, ich sah die Gesichter nicht, unterschied keinen vom andern, gelbliche Schatten operierten vor mir herum, solang das Schweigegebot in Kraft war, merkt ich auch nicht, daß sie mir aufsässig waren, und wenn sie reden durften, hört ich nicht hin und merkt es auch nicht. Sie hielten mich für hochmütig und unzugänglich, er bildet sich ein, was Besseres zu sein, höhnten sie, nannten mich den Schulmeister und den Kathederfritzen, na, das kennt man ja. Aber weil ich einmal bei einer Ausbruchsverschwörung und ein andermal, als es sich um geschmuggelten Schnaps und eine wüste Sauferei handelte, mich unwissend stellte und keinen verriet, obwohl der Direktor und der Assessor leichtes Spiel mit mir zu haben glaubten, stieg ich in ihrer Schätzung, und sie ließen mich nach ihrer Weise gelten. Das blieb dann Tradition. Die Tradition über einen Sträfling ist das Stärkste in so einem Haus. Jedoch ich wußte damals von keinem einzelnen was, keiner interessierte mich, ich fragte nichts und nach niemand, eigentlich kannt ich nur die Schuhe von einem jeden, und nachts, das war das Wunderlichste in jener Zeit, nachts, kaum aufs Bett gefallen, schlief ich wie ein Klotz. Das können Sie sich von vielen bestätigen lassen, die so wie ich aus der Geisteswelt ins Zuchthaus geraten, daß sie jahrelang nachts daliegen wie ein Klotz. Offenbar steht einem da die Natur zur Seite, sie will nicht alles zugleich in einem kaputtmachen lassen und schlägt vor der Menschenwut eine Tür zu, die letzte, die sie hat. Doch einmal in der Nacht wach ich auf, und es kribbelt und fingert was an meinem Körper herum. Mir wird gleich, ich weiß nicht wie, ich spür einen Bart und haarige Arme und schweißige Hände. Ich fahr auf und will den Kerl abdrängen, da speit er mir seinen stinkenden Atem ins Gesicht und röchelt: Hält's Maul, du Hund. Da fang ich an, mit ihm zu ringen, und neben und unter mir hör ich kichern und sappern, mein Bett war eins von den oberen. Der Kerl fährt mir mit der Hand an die Kehle, mit der andern ans Gemächte, ich stoß ihm die Knie in den Magen und die Finger in die Augen, er flucht schauerlich, ringsherum kichert und sappert es weiter, endlich werd ich Herr über ihn, und mit Krach und Getöse stürzt er aus dem Bett auf den Boden hinunter. Der Wärter erscheint, da ist schon alles totenstill. Am andern Tag hab ich dann um Einzelhaft nachgesucht, ohne von dem Zwischenfall was verlauten zu lassen, der Direktor, den wir damals hatten, derselbe, der mir das mit den fünfzehn Monaten gesagt hatte, war mir nicht feind, als ich ihm sagte, ich müsse in kürzester Frist zugrunde gehn, wenn ich nicht in die Zelle käme, sah er mich durchdringend an, als verschweige ich ihm was, dann erwiderte er: gut, es wird veranlaßt. Es dauerte noch drei Wochen, bis es soweit kam, wir waren damals überfüllt, ich hatte mich indessen einiger gefährlicher Anschläge von dem Kerl zu erwehren, der mich überfallen hatte, auch das ging vorüber, dann kriegt ich also meine Zelle. Und da begann was Neues, gewissermaßen eine neue Periode ...«

Maurizius verstummt. Die bläulich-weiße Stirn vibriert schwach wie Milchhaut vor dem Kochen, der Adamsapfel steigt schluckend auf und ab. Herr von Andergast sitzt in granitener Unbeweglichkeit auf dem Stuhl. Es sieht aus, als schlafe er. Er ist aber so weit davon entfernt, daß ihm die Pause, die der Sträfling hat eintreten lassen, zur Ewigkeit wird.

»Das Neue«, fängt Maurizius alsbald wieder an, »zeigte sich zunächst darin, daß es mit dem Schlafen aus war. Ich verfiel und kam von Kräften. Das Nichtschlafenkönnen hatte seinen Grund in unaufhörlichem Bohren in der Vergangenheit. Nicht mehr mit Wenn und Hätte diesmal. Es waren lauter Auseinandersetzungen mit Menschen, Rechtfertigungen, Zurredestellungen, Abrechnungen, beständiges, nächtelanges, tagelanges Grübeln über die Ursache von bestimmten Worten, Geschehnissen und Handlungen, über die wirkliche und wahre Beschaffenheit von dem Soundso und der Soundso, über die Illusionen, die ich mir über den und den gemacht, die Fehler, die ich bei der und der Gelegenheit begangen, das Unrecht, das mir der und der angetan, das ich dem und dem zugefügt, und die betreffende Person stand dann leibhaftig vor mir da, ich haderte mit ihr, erinnerte an vergessene Tatsachen, brachte die scharfsinnigsten Argumente vor, und das drehte sich um und um und weiter und weiter wie ein Rad, das den Abhang hinuntersaust. Bald stritt ich mich mit einem Drucker, der mich, vielleicht vier Jahre vorher, übers Ohr gehauen, bald nahm ich mir einen Kommilitonen vor, irgendeinen unbedeutenden Burschen, der mich verleumdet hatte. Einmal war's ein hitziger Diskurs mit einem Kollegen von der Fakultät, den ich wegen seines stumpfsinnigen Klassizismus angriff, ein andermal ein Renkontre mit einer Geheimrätin, die meinen Gruß nicht erwidert hatte und der ich Wahrheiten über ihren Kastendünkel und ihren Snobismus ins Gesicht sagte, wie ich sie in Wirklichkeit natürlich nie zu sagen mich getraut hätte. Oder das: Ich kränkte mir das Herz ab, sechs Jahre nachdem es geschehen, über den Verrat, den mein bester Jugendfreund an mir verübt hatte, und sprach mit ihm, hielt ihm alles vor, und er sah seine Niedertracht ein und bat mich um Verzeihung. Umgekehrt wieder entsann ich mich, wie ich selber

Verrat und Untreue begangen, besonders eine junge Frau kam mir nicht aus dem Sinn, der hatte ich übel mitgespielt, und ich bot alle Beredsamkeit und Seelenkraft auf, um sie zu versöhnen. Es war eine gewisse vorsätzliche Selbstschonung dabei, daß es anfangs immer um fremde oder fremdgewordene Menschen ging, ich beschäftigte mich je intensiver mit ihnen, je mehr ich spürte, daß ich dadurch die andern, die nahen, von mir abhalten konnte. Aber es ließ sich auf die Dauer nicht verhindern. Ich gewann noch Zeit durch die Verhöre, in die mich der Untersuchungsrichter gezogen, die könnt ich oft Frage für Frage reproduzieren, das nahm Stunden und Tage in Anspruch, schließlich vermocht ich alles zu meinen Gunsten zu wenden, indem ich den Mann durch meine Erklärungen und Einwände dermaßen stutzig machte, daß er zugab, die Verdachtsgründe seien hinfällig geworden. Das genoß ich dann wie einen Sieg und war ganz aufgeregt vor Freude. Aber in dieser Freude fiel mir etwa mein Benehmen gegen den Vater ein, wie roh und undankbar ich gewesen und wie er sich darüber gehärmt haben mußte, da macht ich ihm allerhand Geständnisse und beschloß, ihm zu schreiben, dachte mir auch einen viele Seiten langen Brief an ihn aus, der ihm begreiflich machen konnte, daß ich in einer Zwangslage war ... Immer noch Entschuldigungen, immer noch Selbstberäucherungen, immer noch der Alte ... Aber jetzt trat Elli dazwischen und hielt mir vor, was ich mir noch nicht vorzuhalten gewagt, meine von Grund auf verlogene Natur, da rang ich mit ihr um ein wenig Gnade, fand aber keine Gnade, bettelte um Liebe, fand aber keine Liebe, da nützte keine Reue und Zerknirschung, wenigstens anfangs nicht, später wurde sie milderen Sinns, ich konnte ihr alles vorstellen und mich von den ärgsten Vorwürfen reinigen, ja einmal weinte sie sogar, und einmal spielte sich ein aufregendes Drama zwischen uns ab, nach einer gräßlichen Szene hatte sie sich im Bad die Adern geöffnet, ich stürzte zu ihr, sie lag in der Wanne, schon still, das Wasser ganz rot, und zwischen ihren Schenkeln kniete mit einem runden Spiegel in der Hand mein Töchterchen Hildegard und sah mich mit aufgerissenen Augen an, als merke sie jetzt, was ich für ein Mensch sei. Keine Träume, Herr, ich erzähle Ihnen da keine Träume. Aber was denn? werden Sie fragen ... was denn, wenn ich zum Beispiel Gregor Waremme gegenüberstand und ihm so lang mit Beschwörungen und Beweisen zusetzte, bis er zusammenbrach und ich das Gefühl hatte: jetzt bist du erledigt, Satan ... was denn? was denn? Eine Orgie des Treppenwitzes, das vielleicht, ein Pandämonium des Nichtgesagten, Nichtgetanen, Zuspätgesagten, Zuspätgetanen, Gewünschten, Gefürchteten, alles dessen, woran man hintennach verblutet und erstickt, wahre Wirklichkeit und scheinende Wirklichkeit ineinander verworren, das Gesetz des Geschehens mit kasuistischer Leidenschaft aus dem Verlauf des Geschehens gehoben und umgekehrt zu lesen wie Spiegelschrift. Obwohl das alles ungefähr vom Mai bis in den September gedauert hatte, war die wichtigste Person noch nicht zur Erscheinung gekommen ... Ich sage Erscheinung, denn in Gedanken hatte ich sie natürlich oft gestreift, den Namen oft gedacht, er war ja wie der Tragbalken, der das Ganze hielt, erst das Lügenleben, jetzt das Sühneleben, aber es war mir gelungen, ihn zu verschleiern. Mit unsäglicher List hatte ich's fertiggebracht, dem Bild auszuweichen, ich hatte so große Angst davor, es zu sehen und festzuhalten, daß ich mich mit wahrer Wut in die gleichgültigsten Erinnerungsvorgänge stürzte und sie aufbauschte, bis mein Gehirn einem brennenden Karussell glich. Vergebliche Mühe. Als die Nächte länger wurden, als der Winter kam, da ... Plötzlich brach es über mich herein, von einer Stunde zur andern. Ich will mich nicht schämen. Ich habe mir vorgenommen, alles zu sagen. Es ist über das hinaus, was Scham zu sagen verbietet, es hat damit nichts mehr zu tun. Wer weiß, ob ein anderer je in die Lage kommt, so daß ihm nichts mehr an dem liegt, wie seine Worte auf ihn zurückwirken oder von andern beurteilt werden, nur an dem, daß es einmal heraus muß aus der unterirdischen Kammer, aus dem Grab heraus, wer weiß, ob auch bei mir die Stunde wiederkommt, das ist nicht so sicher, mir ist zumut, als wäre demnächst alles abgeblendet und ich wüßte dann selber nicht mehr so Bescheid. Sichbekennen ist ein Erleuchtungszustand, bei dem man sich nicht mehr lieben, nicht mehr hassen darf. Also das ging so mit Anna und ihrem Erscheinen ... Zuerst war sie die Anna, das Mädchen, das Weib, das ich gekannt, das mir ... na, wozu das, ich denke, Sie verstehen. Sie kam in einem Kleid mit Rüschen oder Spitzen, mit ihrer schönen Frisur, in dem blauen oder grauen Schal, ich kannte ja das auch so genau, es war alles so schön, so einzig. Die Augen, der Mund, die Haarfarbe, die Lippen, und wie sie bisweilen eckig die Hand bog und wie sie fünf flinke Schritte machte, dann auf einmal zwei langsame, wie sie das linke Lid ein wenig einkniff, wenn sie lächelte, und wie sie das Kinn in die Höhe schob, wenn sie eine Frage an einen richtete, und wie sie beim Nachdenken die Wange in die Hand schmiegte ... Alles das, das einzige, nur ihr eigene, das Annahafte ... Und da wußte ich: nie mehr. Du kannst das nie mehr sehen. Du wirst das nie mehr sehen. Nie mehr. Sie lebt, sie geht in einem Zimmer herum, sie spricht mit Menschen, sie schmiegt die Wange in die Hand, schiebt fragend das Kinn in die Höhe, sie trägt das Kleid mit den Rüschen: du wirst es nie mehr sehen. Sie kennen vielleicht das Gedicht von Poe: »Der Rabe«, jede Strophe schließt mit dem Refrain: Nimmermehr. Krächzt der Rabe: nimmermehr. Ich sagte es jeden Tag vor mich hin: Krächzt der Rabe: nimmermehr. Nun schleppt ich ja eine unverlöschliche Hoffnung in mir herum. Daß alles einmal an den Tag kommen, daß ich wieder rein in der Sonne dastehn würde. Aber sobald mir Annas Bild erschien, zerflossen die Hoffnungen sofort in Dunst, und ich wußte mit tödlicher Klarheit: nie mehr. Da meine ganze Existenz noch immer zu ihr hinüberfloß, konnte mir das Bild nicht lügen, also log die Hoffnung. Aber damit fand ich mich ab, solang noch das war, diese ... diese Sehnsucht ... ach, das besagt nichts: Sehnsucht. Dafür gibt es kein Wort. Es ist die Qual aller Qualen, das Absterben ohne Tod. Man glaubt, man könne es nicht einen Tag, nicht eine Viertelstunde mehr aushalten, die Türen müssen sich auftun, jetzt, in der Sekunde, die Zeit, die vergeht, ist nicht wahr, wenn du morgen nicht zu ihr hinkannst, wird dir das Hirn zerplatzen, die Mauern und Riegel und Tore sind nicht, und doch, großer Gott: sie sind! In irgendeiner Stadt, in irgendeinem Haus lebt sie, atmet, denkt, schläft, und hier: nie mehr. Es begreift sich nicht, Herr. Freilich, Sie werden einwenden: die Schuld. Schuld hatt ich wahrhaftig genug aufgehäuft. Mensch scheidet sich vom Menschen durch die Schuld. Weib vom Mann. Das Gericht ist ergangen, wenn auch für die falsche Schuld, aber verdammt bist du für deine, vielleicht war sie schwerer, als du weißt. Begreifst du's nicht, so trag's unbegriffen. Aber das gilt alles nur für eine gemessene Zeit. Opferglut und Ekstase können nur so lange dauern, wie man das Sehnsuchtsbild festhalten kann. Auf einmal bäumt sich das Tier im Fleische dawider auf. Warten, warten: Es geht nicht weiter. Da kriegt das Tier die Oberhand, und man ist nicht mehr verantwortlich für das, was geschieht. Das Sehnsuchtsbild erlischt. Anna ist nicht mehr Anna. Es ist kein liebendes Bewußtsein mehr da. Euer Richtspruch scheidet Mann vom Weib, die Einrichtung macht die Natur in einem zur Bestie. Die Verzweiflung gebiert das heimliche Laster. Die Einrichtung sagt: was soll ich tun? ich kann nicht helfen. Zu denken, wie es da unten zugeht, bei denen, die kein Sehnsuchtsbild zu verlieren haben. Sie besitzen nur, was das Gedächtnis der Sinne aufbewahrt hat, Dirnenbilder, die zerfleischen sie. Lustmörder alle miteinander. Ich habe Entmenschungen gesehen ... oh! Auch ich hatte schließlich keine Gewalt mehr darüber. Das Sehnsuchtsbild zersplitterte wie Holz unterm Beil. Aus Begriff und Erinnerung wuchsen Schatten, aus Schatten Leiber, Frauen, Frauen, Frauen, keine hatte ein Gesicht, nur Brust, Bauch, Schenkel, warme Haut, kitzelndes Haar, etwas Betäubendes von purem Geschlecht, das einen anfiel wie glühender Regen und das Blut in dicken Schleim verwandelte, den Gaumen in ein Stück Leder, das Haar in eine Schweißhaube. Keine Ruhe, es jagt einen durch die Zelle bei Tag und bei Nacht, legt man sich einen Augenblick hin, so sieht man ... daneben verblaßt alle gemalte und gezeichnete Unzucht, an denen sich die Wollüstlinge delektieren, daneben sind die berühmten Versuchungen des heiligen Antonius Illustrationen für eine Hauspostille. Der hatte doch aus seinem Schicksal rausgekonnt, da war Verzicht, welcher Mensch kann von sich behaupten, daß er endgültig Verzicht leistet, es ist immer noch ein Vorbehalt dabei, er kann ... mit einem Wort, er kann die Tür aufmachen. Aber hier? Bedenken Sie doch: ich war noch nicht dreißig. Hätten sie mich doch kastriert. Noch nicht dreißig und lebendig verscharrt. Alles wird zum Begattungsakt und erregt sexuelle Tobsucht, wenn sich zwei Wolken am Himmel einander nähern, wenn der Zimmermann in der Werkstatt die Balken ineinanderfügt, der Schlüssel, den der Wärter ins Loch steckt, der Grashalm, der aus einer Ritze sprießt, die eigene Zunge, wenn sie die Lippen feuchtet, das lateinische H auf einem Buchtitel, der Stöpsel in der Flasche. Dazu kommt, daß es so schauerlich vervielfacht ist in solchem Haus, man spürt, wie jeder auf demselben Rost geröstet wird, die Miasmen von den fünfhundert scheußlichen Bluträuschen wirken ärger auf den Geist als verworfenste Ausschweifung. Der Ekel, der finstere, wüste Ekel! Wie man sich nichts mehr wert ist. Wie alle Idee versandet und verkrustet. Wie das Herz ausdörrt zu einem schmierigen Schlauch. Ahnt einer das draußen? Unmöglich. Sonst könnte kein Kind, das ihr erzeugt, mehr fröhlich spielen, keine junge Braut könnte sich ins Hochzeitsbett legen, ohne vor Grauen und Abscheu zu erfrieren. Natürlich, auch diese Zustände haben ihre Klimax und ihren

Abfall. Bei mir dauerte es etwa, lassen Sie mich nachrechnen ... so an anderthalb Jahre. Ich weiß nicht, ob Sie annähernd erfassen, was das bedeutet, anderthalb Jahre, erstens überhaupt, und dann in solcher Zehn-Quadratmeter-Hölle. Jede Zeitangabe negiert eigentlich die Zeit. Nachher kommt so was wie ein eitriger Stumpfsinn. Hingeschlagensein, daß man einfach das Gefühl hat, man könnte sich auseinandernehmen wie eine Baukastenfigur, da der Kopf, eine Meile weit weg die Beine. Das dauert abermals ein paar Monate. Da fängt man dann wieder an zu schlafen, eine neue Art Schlaf, die man noch nicht gekannt. Man ... ich spreche selbstverständlich immer nur von mir. Das Unpersönliche ergibt sich daraus, daß man bloß ein Exemplar ist, Nummer. Oft frag ich mich, ob sich nicht zwischen mir und meiner Kontur noch was anderes befindet, ein Auflösungsprodukt, was gräßlich Totes, verrückt, nicht? Der Schlaf, den ich meine, hat eben das an sich, das Konturlose, als ob man sein Volumen eingebüßt hätte, als wäre man geronnen, zu was Knödligem zusammengeschrumpft, zu was Aasigem. Man riecht sich selber aasig, verstehen Sie? In den Schlaf hinein dringt das. Als ich es überstanden hatte, ist's nicht toll, daß alles wirklich vorübergeht, v-o-r-ü-b-e-r geht? nicht schauerlich? Als ich das überstanden hatte, begriff ich langsam, daß ich in meiner Zelle seit Jahr und Tag alleine war. Wie, frug ich mich, alleine? wo sind denn die andern? wo sind die Menschen? wo ist die ganze Welt? Es war geradezu, als erwacht ich aus einem Tod. Wo sind die Menschen? Ich fürchtete mich vor dem Leeren. Ich fürchtete mich vor der Einsamkeit und dem Alleinsein. Ich begann mit mir selber zu reden. Ich ertappte mich dabei, wie ich halbe Stunden lang immer denselben Satz vor mich hinsagte. Die mechanischen Beschäftigungen, die man mir gab, nützten nichts. Ich hätte ebensogut meine Finger der Reihe nach in den Mund stecken können. Um diese Zeit bewarb ich mich um Bücher. Ich bekam Bücher, durfte schreiben. Das half. Es half für acht Monate. In den acht Monaten verrichtete ich geistige Arbeit. Ich erlebte was Sonderbares. Anscheinend war's genau die gleiche Arbeit wie früher, genau wie im Leben draußen, ich gebrauchte die gleichen Worte, schrieb denselben Stil, folgte denselben Vorstellungen und zog die nämlichen Schlüsse. Es war aber alles nur in der Hand. In Wirklichkeit war alles mumifiziert. Als hätte man einen Automaten hingesetzt, der den wirklichen Leonhart Maurizius peinlich genau kopierte. Es war kein Atem drin, keine Seele drin. Wenn ich's las und wieder las, war nichts dagegen einzuwenden; die Anlage war gut, die Gedanken waren logisch, manchmal sogar ganz originell, das Gedächtnis funktionierte tadellos, und lange Zeit wußt ich nicht, was mich so unbehaglich berührte, bis ich endlich dahinterkam, daß es Kontrefasson war. Maurizius spielt Maurizius. Was Unheimlicheres kann man sich nicht denken. Spielt mit den Kenntnissen und Erträgnissen aus einer andern Existenz, tut, als glaube er noch an sie, nimmt ihre Ausdrücke und Wendungen, ihre Leitsätze und wissenschaftlichen Prinzipien für wahr und lebendig, obgleich es lauter Kadaver sind, die nur künstlich zucken, wenn er einen Ernst und einen Fleiß für sie aufwendet, von denen er innerlich weiß, daß sie zu nichts mehr dienen, als eben sich was vorzumachen. Nichts mehr wirklich da. Es war so unsinnig traurig, daß ich mich fest zusammennehmen mußte, um das tägliche Pensum abzuspulen, schließlich ist ja auch was zustande gekommen, wenn auch ein totes Präparat. Kennen Sie die zähe, schuldvolle Langeweile, die einen ergreift, wenn man etwas hervorbringt, das nur dem Betrieb in uns sein Dasein verdankt und nicht dem Trieb? Es ist, als hätten wir Gott belogen. Eines Tages gings nicht mehr. Ich erinnere mich, es war am Karfreitag 1913. Da stand ich auf und schmiß die Feder in den Unratkübel. Schluß, sagte ich, Schluß; und mir wurde so schlecht, daß ich mich erbrach. Dann ging ich ein paar Tage in der Zelle herum, als müßte ich was suchen. Dann begann wieder das Zu-mir-selber-

Sprechen. Dann fing ich an, mein Ohr an die Mauer zu drücken und zu horchen. Ich gab Zeichen, ich pochte an den Stein und lauschte. Die Zeichen wurden erwidert, aber ich wußte nicht, was sie bedeuteten. Ich sang Lieder, der Inspektor kam und verwies mir das Singen. In der Nacht hämmerte ich mit den Fäusten auf das eiserne Bettgestell, bisweilen marschierte ich im Finstern auf und ab und rief Namen, Christoph, Johann, Max, immer dieselben Namen, und stellte mir Menschen vor, irgendwelche Menschen, die Christoph, Johann oder Max hießen. Die Zelle wurde enorm wie ein Saal, gleich darauf eng wie eine Konservenbüchse, die Decke war unmittelbar über meinem Schädel, der Fußboden stockwerkstief drunten, so daß ich wie ein Stranguliert er in der Luft baumelte. Sehen Sie einmal: Wahnsinn hat alle Möglichkeiten vor sich, Sinn nur eine einzige. Ich beschäftigte mich damit, herauszubringen: wieviel Radiuslinien hat ein Kreis? wieviel Sterne sind am Firmament denkbar? könnte man den ganzen Homer auf die Innenfläche der Tür schreiben? Und ich rechnete, kalkulierte, endlos. Ich versuchte die Fasern in der Wolldecke zu zählen, die Fliegenschisse auf der Fensterscheibe, die Reiskörner in der Suppe. Ich sagte das Vaterunser von hinten nach vorn auf und probierte das gleiche mit der Glocke von Schiller, tagelang, bis ich vor Angst, toll zu werden, wie ein Hund heulte. Immer hört ich's klirren, von überallher hört ich Schritte. Als es Winter wurde, so gegen Ende November, Sie dürfen sich nicht wundern, daß ich immer die Daten anführe, ich muß chronologisch vorgehen, damit ich den Fortgang nicht aus dem Aug verliere, Ende des Jahres also wurd ich ziemlich schwer krank. Im Lazarett lag ich in einem Raum mit sechs andern. Drei waren aus meiner Gruppe, ich kannte sie vom täglichen Spaziergang her. Es waren lauter schwere Jungens. Einer von denen, die mir fremd waren, hatte eine klaffende Kopfwunde, wenn sie aufgebunden wurde, sah man ins Gehirn hinein. Es war verboten zu sprechen, aber manchmal konnten wir doch ein paar Worte miteinander wechseln. Gesichtsmasken trugen sie hier natürlich keine. Im Arbeitssaal, beim Gottesdienst und beim Spaziergang mußten wir ja damals noch die Masken tragen. Zwei waren Lebenslängliche, einer hatte aber schon zwanzig Jahre abgesessen und rechnete damit, daß er in fünf Jahren herauskam. Er sprach unaufhörlich davon, mit lodernden Augen, als ob fünf Jahre wie fünf Tage wären. Einer war bis vor kurzem in einem badischen Zuchthaus gewesen und hatte in den letzten Tagen dort eine Hinrichtung mit angesehen, die vor seinem Fenster stattfand. Es hatte ihm so furchtbaren Eindruck gemacht, daß er fortwährend Konvulsionen hatte. Ich schaute mir die Leute an. Ich schaute sie mir an wie ein Entdeckungsreisender, der auf eine unbekannte Insel gerät und eine neue Menschenspezies findet. Mein erschrockener Gedanke war: jetzt bist du sieben Jahre im Haus und hast noch keinen Schimmer von keinem einzigen unter ihnen. Da sind doch deine Menschen, dacht ich, da ist doch deine Welt. Aus den andern Zimmern hört ich bisweilen einen im Fieber phantasieren. Einer schluchzte unaufhörlich, Tag und Nacht. Der Doktor bezeichnete ihn als Simulanten. Er wurde aber bald nachher ins Irrenhaus geschafft. Mein Bettnachbar, ein kleiner Rothaariger, erzählte mir viel, immer mit flüsternder Stimme, von sich und von den Kameraden. Mir gingen die Augen auf. Zuerst mal sah ich, wenn es noch ein Jahr mit mir so fortgegangen wäre wie bisher, hätt ich auch ins Irrenhaus gemußt. Davor zitterte ich. Warum will man seine Zukunft behalten? Warum will man leben? Es ist ein Rätsel. Auf einmal, Sie mögen es glauben oder nicht, hatte mein Leben wieder einen Inhalt. Als ich abließ, mich selber zu vernichten, entstand, wie ein schüchternes Hähnchen, wieder so was wie ein Selbst in mir ...«

»Wie lang sind Sie im Lazarett gelegen?« fragt Herr von Andergast mit brüchiger Stimme. Die Beantwortung der Frage ist ihm weniger wichtig als die eigene Stimme zu hören, er hat Angst, er könne nicht sprechen. – »Neun Wochen«, erwidert Maurizius. »Als ich wieder gesund war und in die Zelle zurückkam, meldete ich mich beim Direktor und trug ihm den Wunsch vor, daß ich zwei oder drei Tage in der Woche zum Gangauskehren oder in der Küche beschäftigt würde. Er schlug mir's ab, man schlägt prinzipiell ab, was einer erbittet, einen Monat später, gleich nach der großen Revolte und als der Minister im Haus gewesen war, wurde es bewilligt.« – »Ich erinnere mich«, nickt Herr von Andergast und legt die Linke, an der der Diamantring funkelt, über die Augen, »ich erinnere mich an diesen Aufstand. Eine üble Affäre ...« – »Ja, wenn Sie wollen, eine üble Affäre ...« – »Sie waren selbstverständlich nicht beteiligt?« – »Nein.« – »Es wurden damals sechs Leute niedergeschossen, wenn mich das Gedächtnis nicht trügt.« – »Nein, es trügt Sie nicht. Sechs niedergeschossen, dreiundzwanzig verwundet.« – »Wie kam es denn dazu?« – Maurizius lächelt fahl. »Würmer im Brot vielleicht«, entgegnet er spöttisch. Es ist, als sage er sich: Da ist Hopfen und Malz verloren. In Wahrheit ist auch dies nur eine Schein- und Deckfrage, in Wahrheit steht es so, daß der Oberstaatsanwalt nur noch in einer Art Geistesverkrampfung den gewohnten Signalisierungen folgt (in bezug auf Haltung, Rang, Distanz, Information usw.), wie jemand, der sich mit aller Gewalt an letzte Bindungen klammert, bevor das Chaos über ihn hereinbricht. Sein Zustand läßt sich kaum definieren: er will, daß Maurizius weiterredet, er wünscht es um jeden Preis, zugleich fürchtet er sich vor dem, was noch kommen wird, dermaßen, daß er sich am liebsten die Ohren zuhalten möchte; er erwägt die Möglichkeit, das Gespräch auf ein neutrales Thema hinzulenken (im Vergleich zu dem gegenwärtigen erscheint ihm sogar die Erörterung des Prozeßfalls, der Mord und alles, was damit zusammenhängt, als neutral), zugleich empfindet er die Feigheit und Schwäche dieses Versuchs, sich zu entziehen; er möchte fortgehen, im Augenblick, wo er den Beschluß faßt, erkennt er dessen Absurdität, ja Unausführbarkeit. Es schmiedet ihn ein unerklärliches Verlangen fest an den Stuhl, eine unerklärliche Niedergeschlagenheit macht ihn unfähig, nach einem Plan zu handeln, er betrachtet das Gesicht auf dem groben Kissen und kann nicht los, er will auf die Uhr schauen und bringt es nicht einmal fertig, die Hand in die Westentasche zu stecken. – »Es wurden die grausamsten Strafen über die Schuldigen verhängt«, murmelt Maurizius. – »Ihr Interesse an den Mithäftlingen wurde wohl durch das Ereignis verstärkt«, wirft Herr von Andergast schlaff hin. – Maurizius streift ihn mit einem fast paralytisch gebrochenen Blick. »Ja, und durch die Würmer im Brot, durch das stinkende Fleisch«, ergänzt er höhnisch. Herr von Andergast braust auf: »Das kommt nicht vor, darauf wird streng geachtet ...« Maurizius zuckt die Achseln. »Gut, so nehmen Sie es in übertragenem Sinn«, antwortet er barsch, »Würmer *sind* im Brot.«

Er grübelt eine Zeitlang, dann verfällt er in das Stammeln, das sich bei den früheren Unterredungen öfters bemerkbar gemacht hat. Er kommt wieder auf die unmenschlichen Strafen zurück, die eiskalten Duschen, das Prügeln mit dem Lederriemen, die Zwangsjacke, Dunkelhaft hinter Gittern. Seine Pupillen erweitern sich, werden starr, tiefschwarz. Er rückt gequält den Kopf hin und her, erhebt ihn, läßt ihn auf das Strohpolster zurückfallen. Er nennt einen Namen: Klakusch, den Wärter Klakusch. Es scheint sich dabei um ein einschneidendes Erlebnis zu handeln. Doch vorher war noch anderes. (Es ist nicht leicht, sich in seinem verworrenen Vor- und Rückgreifen zurechtzufinden, er hat offenbar fortwährend Mühe, die Zeitabschnitte nicht durcheinanderzubringen, besonders nachdem die dauernde Einsamkeit in der Zelle aufgehört und sich der leere Raum in ihm wieder mit Gestalten gefüllt hat.) Durch die freiere Bewegung im Haus an zwei Tagen der Woche kommt es zu Begegnungen mit den Mithäftlingen. Er läßt sich auffallend tief mit ihnen ein, merkwürdigerweise mit dem Abschaum, den sogenannten Unverbesserlichen. Eine düstere Magie, die ihn gerade zu denen zieht, wie ein lechzender Durst ist es. Gibt es Blendung durch die Schwärze? Vielleicht bereitet es ihm eine geistige Wollust, daß in diesen qualmigen Abgründen alles verkohlt ist, was die Welt, der er einst angehört hat, bewegt und erhellt. Die hohen Errungenschaften, die sittlichen Ziele, Kunst und Philosophie: unkenntliche, verkohlte Strünke. Glatt abgeteilt ist die Menschheit in ein Oben und Unten. Unten herrscht die Diktatur der Gemeinheit, absolut. Er hat zwei- bis dreihundert Leute von einer unheimlichen Gleichförmigkeit der Entartung getroffen, Kerle, die am Rand der Gesellschaft auf der Lauer liegen wie Tigerkatzen im Dschungel. Das Schlechte wird nicht erdacht oder gewollt, es ist. Die Gesichter verheert von jedem erdenklichen Laster. Keine Stirnen. Die Kinne wie abgehackt. Lauter Typen für die Kriminalpathologie. Es ist die Frage, ob sie das besitzen, was man Seele nennt. Zur Übeltat von vornherein gestimmt, messen sie den Wert des Lebens an ihrer Gier, die Bestände der Welt an der Gefahr, die ihre Gewinnung oder Vernichtung bringt. Gesetz? ein Fetzen Papier. Pflicht gegen Staat und Gesellschaft? da lachen die Hühner. Religion? dito. Bürgerliche Existenz? eine Ausweichstelle vor der Polizei. Zuchthaus? die Selbstverständlichkeit. Liebe? Gibt's nicht genug Huren im Lande? Kummer? Sauf Schnaps, verdammter Idiot. Eltern, Weib und Kind? Grünhorngequassel, verdient einen Tritt in den Hintern. Auflösung. Die Finsternis. Das Ende der Dinge.

Sollte man meinen. Maurizius bringt all dies in einer Art vor, daß eine gegenbewegte Unterströmung spürbar wird, wie ein Verteidiger, der durch die Antithese die These präpariert. Er ist so voll Wissen und Erfahrung, die mitten durch das Herz gegangen sind, daß seine Erschütterung sich wie in epileptischen Krämpfen entlädt. Aber Erschütterung hat ihn vermutlich gerettet. Das wollte er wohl auch mit dem »schüchternen Hähnchen« andeuten, dem wiedererstehenden »Selbst«. In der zweiten Hälfte 1915, um diese Zeit begann schon der Krieg seinen Menschenkehricht in die Zuchthäuser zu schwemmen, trat der Wärter Klakusch in sein Leben. Er kam von Kassel, war versetzt worden. Ein Mann mit gelbem Patriarchenbart, der das ganze Gesicht bedeckt und bis zum Gürtel reicht, eingedrückter Nase, kleinen, schwimmenden, rötlichen Augen. Er hatte immer die Mütze tief in die Stirn gezogen, sah mürrisch aus, lachte bisweilen boshaft oder schadenfroh vor sich hin, man konnte nicht erraten weshalb. Er versah den Dienst auf dem Gang, an dem Maurizius' Zelle lag. »Er war mir anfänglich unsympathisch«, gesteht Maurizius, »oft verharrte er fünf Minuten lang an der Tür, glotzte mich schweigend an, schnalzte mit der Zunge und ging wieder. Das Zungenschnalzen machte mich besonders nervös. Eines Tages trat er nah zu mir her und redete mich an: Sie sind doch ein gebildeter Mann, hab ich mir sagen lassen. So was wie ein Gelehrter. Also hören Sie mal, können Sie mir Auskunft geben: was ist das eigentlich, ein Verbrecher? Ich schaute ihn verdutzt an. Wie denn, was meinen Sie? frag ich. Nu ja, sagt er, ich meine nur, da sind so viele, wissen Sie, man kömmt so auf allerlei Ideen, wissen Sie. Was für Ideen? frag ich. Nu ja, eben Ideen, sagt er und wischt seine Triefaugen, da ist zum Beispiel Nummer dreihundertsechzehn. Ein Junge, der keiner Fliege was zuleide tun kann. Wahrhaftig 'n rührender Junge. Hat seine Geliebte umgebracht, weil sie ihn scheußlich malträtiert hat. Wenn er raus kommt nach den acht Jahren, die sie ihm aufgebrummt haben, ist er hin. Anämie oder Schwindsucht, Sie wissen ja, unsere Krankheiten. Und auch sonst. Was soll er hier lernen bei uns? Haben Sie sich ihn mal angesehen? Komisch, daß so was 'n Verbrecher ist, sehr komisch. Schnalzte und ging. Auf meine Antwort war er gar nicht neugierig. Ich dachte mir: was ist nun das wieder für einer? Ich sollte nicht so bald damit fertig werden, mir den Kopf über ihn zu zerbrechen. Etwas an mir muß ihm von Anfang an gefallen haben. Zuerst hatt ich ihn im Verdacht, er wolle mich ausholen oder er leide an jeweiligen Anfällen von Schwatzsucht und spiele sich mir gegenüber auf. Aber Zweifel und Mißtrauen hatten keine lange Dauer. Es war merkwürdig mit dem Mann. Er gab sich so einfältig und schien so harmlos, und plötzlich, wenn er eine Weile bei einem war, hatte man das Gefühl, als wisse er über alle Dinge in der Welt Bescheid, man brauche ihn bloß zu fragen. Aber ihn interessierte nur das Zuchthaus, er redete über nichts anderes als über die Sträflinge. Er war vierundsechzig Jahre alt und stand fünfunddreißig Jahre im Gefängnisdienst. Er hatte Armeen von Verbrechern an sich vorüberziehen sehen und kannte sich im Justiz- und Strafvollzugsverfahren besser aus als viele hochgestellte Beamte. Jedoch darauf tat er sich nichts zugute, auf nichts tat er sich was zugute, auch auf die Pflichterfüllung und den schweren Dienst nicht, auf die Erfahrung nicht, und was an unergründlichen Erkenntnissen in ihm steckte, davon schien er nicht einmal etwas zu ahnen. Aber von ihm kann man keinen Begriff geben, und wenn man ein Buch über ihn schriebe. Möchte eigentlich wissen, warum Sie immer so schwermütig sind, redete er mich eines Tages an, ich sage immer zu den Jungens: Du hast deine Ordnung, dein gutes Bett, reichliche Nahrung, hast ein Dach überm Kopf, was willste denn mehr? Keine Sorgen, keine Geschäfte, brauchst dich nicht zu schinden, was willste eigentlich? Ich erwiderte ihm: Mann Gottes, der Trost kommt Ihnen nicht von Herzen. Er stellte sich stramm und sagte: Nein, wahrhaftig nicht, da haben Sie recht. Nun also, was soll's? frag ich. Und er: Ja, was soll's? Wenn man das wüßte. Aber sehen Sie mal, die Richter, die können eben auch nicht anders; der Fehler ist der: Wenn ein Richter urteilt, so urteilt er als Mensch über einen Menschen, und das darf nicht sein. So? frag ich erstaunt, finden Sie, daß das nicht sein darf? Es darf nicht sein, wiederholt er mit einem Ton, der mir unvergeßlich blieb, der Mensch darf nicht über den Menschen urteilen. Und wie ist's denn mit der Strafe? wandte ich ein. Strafe ist doch notwendig? war da, seit die Welt steht. Er beugt sich zu mir herunter und raunt: Dann muß man die Welt austilgen und Menschen machen, die anders denken. Das ist uns so eingebläut von Kindesbeinen, aber es hat mit dem wahrhaftigen Menschen nichts zu schaffen. Es ist Lüge, da haben Sie's. Lüge. Wer straft, der lügt sich seine eigene Sünde weg. Da haben Sie's. Aber sagen Sie's nicht weiter, sonst jagt mich der Herr Vorsteher zum Teufel. Nun, das war mir sehr sonderbar. Bald wartete ich jeden Tag mit Ungeduld auf die Stunde, wo er kam. Er trug mir alles zu, was sich im Haus ereignete. Einmal war er ungewöhnlich aufgeregt, was sich durch vermehrtes Schnalzen anzeigte. Da haben sie jetzt zwei Bürschlein eingebracht, erzählte er, die haben sie wegen Straßenraub zu vier und fünf Jahren verdonnert. Walzbrüder. Hatten zwei Tage lang nichts gefressen, zogen im Regen über die Chaussee, sehen bei einem Dorf einen Besoffenen im Graben liegen und nehmen ihm die Barschaft, drei Mark fünfundzwanzig Pfennige. Neun Jahre Zuchthaus für drei Mark fünfundzwanzig! Er packte mich an der Schulter und schüttelte mich, als hätte ich das Urteil gesprochen, als könnte ich's ändern. Ich sagte: Sie sehen, in was für einer Welt wir hausen, Klakusch. Er schaute mich mit verzogener Stirn an und sagte: Da will ich Sie was fragen, nämlich, was die Tat und den Menschen betrifft: ist denn eine Tat der Mensch? Nein, gab ich ihm zur Antwort, eine Tat ist nicht der Mensch, und darin liegt der ganze Irrtum. Er ließ von mir ab, und während er hinausging, murmelte er vor sich hin: also nicht, also nicht, die Tat ist nicht der Mensch. Auf einmal kehrte er wieder um und sagte: Da hab ich gestern einen Diskurs mit Nummer zweihunderteinundneunzig gehabt. Der sitzt und sitzt und sinniert und sinniert. Der richtige Zuchthausknall. Hat Blutschande begangen. Sein Weib hat sich immerzu mit andern Männern herumgetrieben, er hat sie gewähren lassen, hat nicht aufzumucken gewagt, hat sie zu gern gehabt, endlich hat ihm das Fleisch keine Ruhe mehr gelassen, war 'ne hübsche Tochter im Haus, leichtfertiges Ding, der Mutter nachgeraten, die scheint ihn verführt zu haben, die Frau kommt dahinter, um ihn los zu werden, zeigt sie ihn an. Wie's eben geht bei solchen Leuten. Ich frag ihn: Bist du's, der's getan hat? Er versteht nicht. Du, sag ich und stoß ihn vor die Brust. Ja, ich, sagt er bang. Na, dann bist du auch schuldig, sag ich. Und er: Es ist aber kein Richter dafür da. Wieso nicht? frag ich. Ich erkenn den Richter nicht an, sagt er. So ein dummes Luder. Vielleicht nicht so dumm, Klakusch, wendete ich ein. Möglich, gab er zu, möglich, und wissen Sie noch was? Der ist gut geworden dadurch, daß er schlecht geworden ist, das ist nur schon oft untergekommen, es ist eben kein Fertigwerden mit diesen Menschen, hundert Jahre kann einer studieren und wird nicht fertig. Manche kommen herein, und statt ihr Verbrechen zu bereuen, sagen sie: ich hab eben kein Glück dabei gehabt. Als wär's 'n Lotteriespiel, in das alle ihren Einsatz zahlen, als ob's nur Diebe, Mörder und Betrüger auf der Welt gäbe, und wer nicht erwischt wird, macht den Treffer. Da ist doch kein moralisches Gefühl, nicht wahr. Wo steckt überhaupt das moralische Gefühl, wollen Sie mir das verraten? Er sah mich listig an, ich könnt es ihm aber nicht verraten. Da sagte er auf einmal feierlich: dafür kann ich *Ihnen* was verraten: ich weiß jetzt, was 'n Verbrecher ist. Nämlich? frag ich gespannt. Nämlich einer, der sich selber zugrunde richtet; das ist ein Verbrecher; der Mensch, der sich selber zugrunde richtet, der ist ein Verbrecher. Das ist wahr, Klakusch, sagte ich, das ist furchtbar wahr. Er nickte mir freundlich zu und tätschelte mir den Kopf. Ein paar Tage darauf kam er mit einer Nachricht, die er mir schon verkündete, ehe er die Tür geschlossen hatte: Nummer vierhundertzwölf habe ein Geständnis abgelegt. In der ganzen Anstalt sei es bereits bekannt. Dreieinhalb Jahre habe er verstockt geschwiegen, keine Silbe sei aus ihm herauszubringen gewesen, nur herumgegangen, herumgegangen, bösartig mit den Zähnen gefletscht, die Finger an den Wänden wund gekrallt, gegen Gott und Menschen gerast, heut früh um fünf habe er plötzlich nach dem Pastor verlangt, und als der gekommen, habe er ihm alles ins Gesicht geschrien, seine ganze Schuld ins Gesicht geschrien, mit schaumigem Maul, dann sei er hingestürzt in einen Winkel der Zelle und habe nicht mehr gejappt, und so liege er jetzt noch. Mir war, als stünde alles leibhaftig vor mir da. Wenn er ein solches Ereignis schilderte, sah man alles bis auf die geringste Kleinigkeit vor sich. Und nicht nur das, es blieb einem eingegraben, es wurde zur Vision. Er erzählte mir zum Beispiel einmal, daß in einer Winternacht, vor vielen Jahren, ein Entlassener zu ihm kam und ihn mit aufgehobenen Händen anflehte, er möge ihn bei sich in der Kammer oder irgendwo im Zuchthaus verstecken, er wisse nicht wohin, habe keinen Pfennig Geld mehr, könne nicht für sich einstehen, es sei herzzerreißend gewesen, ein zerrütteter und verzweifelter Mensch. Er, Klakusch, habe die ganze Nacht mit ihm gesprochen, ihn auch einigermaßen auf gleich gebracht, habe ihm ein bißchen Geld gegeben und ihn schließlich mit dem Rat fortgeschickt: Tu nur wenigstens keinem Menschen was zuleide. Das erzählte er so, daß ich an dem Tag keinen Bissen Speise hinunterbrachte; es liegt mir noch immer im Ohr, wie er ihm zuredete, mit: Jungchen, Jungchen, und: friß dich nicht so tief hinein in den Jammer, und das: Tu nur keinem Menschen was zuleide. Einmal sprachen wir von dem Scheusal, das vier Jahre hier im Hause war, dem Frauenwürger Schneider; er erzählte mir, daß sie bei der Zuchthauskonferenz ganz ratlos gewesen seien, man wußte nicht, was mit ihm anfangen, so renitent sei er; ich sagte, so einer sei gar kein Mensch, es sei ein Fehler, ihn wie einen Menschen zu behandeln. Klakusch entwertete, das sehe allerdings so aus, wenn man dem eine doppelte Schmalzzulage zum Brot verspreche, falls er seinen Bruder umbringe, überlege er's wahrscheinlich keinen Augenblick. Na also, sag ich. Mag schon sein, erwidert er, aber so viel steht fest: im Mutterschoße war er noch nicht schlecht. Und da ich schwieg, fügte er hinzu: wenn er also im Mutterschoße noch nicht schlecht war, ist er genau ein solcher Mensch wie Sie und ich und der Herr Regierungspräsident; der Vorwurf, den ich gegen ihn erhebe, gibt mir doch noch nicht die Gerechtigkeit gegen ihn. Wie meinen Sie das, Klakusch, die Gerechtigkeit? fragt ich ihn. Er sagte: das Wort soll man eigentlich gar nicht in den Mund nehmen. Warum, Klakusch? Er sagte: es ist ein Wort wie ein Fisch, entschlüpft einem, wenn man's greift. Dann: Wenn man die Stimme hätte ... wenn man die richtige Stimme hätte, was könnte man da erreichen, es fehlt an der Stimme. Ein paar Tage später hatte ich auf dem Gang einen Wortwechsel mit einem Sträfling, der mir höchst zuwider war, einem finstern, tückischen Gesellen, vor dem mir auch wegen seines Verbrechens ekelte, er hatte als Lehramtsgehilfe kleine Knaben zur Unzucht verleitet. Ich erzählte Klakusch von dem Zusammenstoß mit dem Menschen, er hörte mir ruhig zu, dann sagte er: Ich möcht Ihnen einen guten Rat geben, es kostet Sie nicht viel, wenn Sie ihn befolgen; probieren Sie's mal mit der Nettigkeit. Probieren Sie's mal, nett mit solchen zu sein, Sie glauben gar nicht, was es damit auf sich hat. So'n bißchen Nettigkeit, wissen Sie, das ist wie die Alraunwurzel, von der es heißt, daß sie eherne Schlösser sprengt. Achten Sie mal drauf, probieren Sie's mal. Ich, wie ein folgsamer Schüler, probierte es wirklich. Und ich sah, daß er recht hatte. Oft genügte ein freundliches Lächeln, und das verbissenste Gesicht verwandelte sich auf der Stelle. Ich machte die merkwürdigsten Erfahrungen. Diese Leute halten es gar nicht mehr für möglich, daß man ihnen so entgegenkommt, wie man sich draußen gegen einen beliebigen Bekannten benimmt, ich will gar nicht sagen artig oder liebenswürdig, daran liegt es gar nicht, das würde sie sogar stutzig machen, in vielen Fällen wenigstens, woran es liegt, das ist, daß man ihnen Achtung bezeigt, eine ganz gewöhnliche Rücksicht, das haben sie vergessen, wenn sie's wieder spüren, schauen sie einen mit erstaunten Augen an und wissen sich im ersten Moment einfach nicht zu helfen; bei einem ist es mir mal passiert, daß er sich umdrehte und losheulte wie ein Bub. Sie werden das vielleicht für Sentimentalität erklären, dann wär's allerdings besser, ich spräche nicht davon, dann hätt ich klüger getan, von Anfang an stumm zu bleiben. Mir diente es dazu, daß ich mich täglich enger an Klakusch anschloß, wenn er einen Tag dienstfrei hatte, war mir weh und bang nach ihm, auch er gewann mich immer lieber, obschon er's nur selten merken ließ, aber einmal sagte er, er habe nie einen Sohn gehabt, und wenn er sich einen denke, wünsche er sich ihn so wie mich. Macht Ihnen denn das nichts aus, der Zuchthaussträfling, der Lebenslängliche? fragt ich ihn. Er erwiderte: Nein, das mache ihm in dem Fall gar nichts aus. Da faßt ich den Entschluß, eine andere Frage an ihn zu richten, ich wußte nur nicht, wie ich's anstellen sollte, das heißt, ich fürchtete mich sogar. Das war dann auch das Ende. Vor vier Jahren geschah es. Seit vier Jahren ist er tot.«

»Ich verstehe nicht«, sagt Herr von Andergast stockend, »sein Tod ... hängt er damit zusammen? mit der Frage?« – »Eben. Ich will es Ihnen noch erzählen. Dann ... genug. Worüber ich seitdem häufig nachdenke, das ist die Wunderbarkeit der Beziehungen, in. die ein Mensch geraten kann. Ein solches Verhältnis wie das zwischen mir und dem Wärter Klakusch würde jeder Außenstehende unbedingt als romantisch und unwahrscheinlich bezeichnen. Vielleicht würde er sogar sagen, es sei in meiner Einbildung entstanden und habe in Wirklichkeit nicht existiert. Und wenn mir ein beharrlicher Skeptiker scharf zusetzt, ist es möglich, daß ich selber das Ganze für einen Traum halte. Geht es doch mit allen unsern Erlebnissen so, nach einer gewissen Zeit werden sie zu Träumen, das Ich, das es gelebt hat, ist nicht mehr das Ich, das sich erinnert. Es mögen wohl hie und da Traumgesichte gewesen sein, wenn der Alte mit seinem flachsgelben Bart in der Dämmerstunde hier in meiner Zelle gestanden ist, damals hatt ich schon diese Zelle, und mir dabei zumute war, als hätt ich wieder eine Menschenseele in der Brust, weil er eine hatte. Denn darauf kommt's ja an. Allein hat der Mensch keine Seele, das dürfen Sie mir ruhig glauben. Allein hat er infolgedessen auch keinen Gott. Und wenn ich an die Nächte denke, da war seine Stimme noch im Raum, ich konnte mich mit ihm weiter unterhalten, wie's auch jetzt bisweilen noch geschieht, für mich stirbt ja keiner, und vieles, was ich von seinen Worten aufbewahrt habe, ist geradezu aus Nacht und Nichtsein heraus erklungen. Ein Gehirn wie das da (er tippte sich auf die Schläfe) ist wie ein chinesischer Tempelgong, wenn man den mit der Spitze des Zeigefingers anrührt, entsteht ein Schall, als läute eine Domglocke unterm Wasser. Doch um den Zweifel und das wegen der Romantik auf sein Richtiges zu bringen, so dürfen Sie nicht vergessen, daß das ein Boden ist, so ein Zuchthaus, in dem Pflanzen gedeihen, die ihr draußen noch nicht klassifiziert habt, und wo sich Dinge ereignen, von denen man annehmen muß, daß sie aus der Zwischenwelt sind. Alles so eng und so weit, so trächtig und so hohl, und das, was man Schicksal heißt, so dicht an einem dran. Das wollt ich nur vorausschicken. Ich weiß nicht, ob es Ihnen was besagt. Schon ein paar Tage hindurch, das heißt immer zu unsern Stunden natürlich, hatt ich mich mit Klakusch über die Anstalt im allgemeinen unterhalten. In dem Jahr, nach dem Umsturz, waren viele Verbesserungen und Erleichterungen eingeführt worden, in mir erweckte das gewisse Hoffnungen, aber Klakusch meinte, damit habe es nichts auf sich, wenn das Mehl nicht tauge, sei es Verschwendung, Rosinen in den Teig zu stecken. Das Übel sei woanders zu suchen, das sähen die Studierten nicht ein, es liege am Maß. Wenn einer einen Fingerbreit Schuld hat, sagte er, irgendein kleiner, gewöhnlicher Mensch, verdammen sie ihn zu einem Meter Strafe ohne Ansehung der Person. Wer dürfe strafen ohne Ansehung der Person? Das sei ein göttliches Recht, ohne Ansehung der Person zu strafen. Erst verstand ich ihn nicht, endlich begriff ich, daß er nicht die äußere Person meinte, da herrscht ja »Ansehung« genug, sondern die innere. Der springende Punkt sei, setzte er mir auseinander, was ein Mensch an Selbstverantwortung tragen könne, in dem Bezug sei kein Mensch dem andern gleich. Ich wandte ein, daß man vom eigentlichen Strafprinzip längst abgekommen sei, auch vom Vergeltungsprinzip, auch vom Abschreckungsprinzip, nur um den Schutz der Gesellschaft gehe es noch und um die Besserung des Verbrechers. Da sagte er, mit dem Schutz sehe es genau so windig aus wie mit der Besserung, über die doch bei den Eingeweihten nur ein Gelächter sei, wie solle man einen Wahnsinnigen davor schützen, daß er sich mit seinen eigenen Händen das Gesicht zerfleischt? Die Menschenwelt sei ein solcher Wahnsinniger, sie nimmt sich heraus zu schützen, was sie in ihrer Vernunftlosigkeit immerfort selber zerstört. Deshalb sage ich: Hör damit auf, Menschenwelt, und pack's von einer andern Seite an. Es war ein Dezembernachmittag, als wir dieses besprachen, seit dem Morgen verfinsterte der Schneefall die Zelle, und bevor er ging, sagte Klakusch: Es macht mir keinen Spaß mehr, ich hab meine Tage vollgezählt auf dem Buckel, ich weiß zuviel von allem, es geht nichts mehr hinein in den Kopf und in das Herz. Als er gegen Abend noch einmal kam, um für die Nacht den Kübel auszuleeren, das nahm er mir immer ab, nach der Hausordnung hätt ich's selber besorgen müssen, als er da vor mir stand, rafft ich meinen Mut zusammen und fragte ihn: Sagen Sie mal, Klakusch, glauben Sie, daß unschuldig Verurteilte in dem Haus sind? Er schien auf die Frage nicht vorbereitet und antwortete zögernd: Es könnte wohl sein. Ich fragte weiter: Mit wieviel unschuldig Verurteilten haben Sie während Ihrer Amtslaufbahn zu tun gehabt, ich spreche von notorisch Unschuldigen –? Er dachte eine Zeitlang nach, dann zählte er, indem er leise die Namen murmelte, an den Fingern ab: Elf. Und haben Sie gleich, wie Sie sie kennengelernt haben, an die Unschuld der Betreffenden geglaubt? Das nicht, versetzte er, das nicht, wenn man dran glaubte und dann zusehen muß, wie sie sich die Eingeweide abkränken, wenn man's für gewiß wüßte, sag ich, dann ... Ich bedrängte ihn: Dann? was – dann, Klakusch? Na ja, sagte er, dann könnt man, genau genommen, nicht weiterleben. Es war schon dunkel in meiner Zelle, seine Gestalt könnt ich grade noch unterscheiden, ich riskierte nun die Herzfrage, auf die ich im Grund hinauswollte. Nun, wie ist's mit mir, Klakusch, fragt ich ihn, halten Sie mich für schuldig oder für unschuldig? Und er: Muß ich darauf antworten? Ich möchte gern, daß Sie offen, und ehrlich darauf antworten, sag ich. Er besann sich wieder, dann sagte er: 's ist gut, morgen früh sollen Sie meine Antwort haben. Und früh am andern Tag bekam ich die Antwort. Er hatte sich am Fensterkreuz in seiner Stube erhängt.«

Maurizius dreht das Gesicht zur Wand und liegt still da. Es vergeht eine Viertelstunde, während welcher lautloses Schweigen in der Zelle herrscht. Nicht abzusehen, wie lang das unheimliche Schweigen noch gedauert hätte, wenn nicht an der Panzertür geklopft worden wäre. Es ist der Anstaltsarzt, der sich auf seinem Rundgang befindet. Von der Anwesenheit der hohen, behördlichen Person in Kenntnis gesetzt, bittet er um die Erlaubnis, den Patienten besichtigen zu dürfen, er werde nicht lange stören. Ein fetter Herr tritt ein, goldene Brille auf kleinem Knollen-Näschen, begrüßt den Oberstaatsanwalt reserveoffiziersmäßig, langt nach dem Handgelenk des Sträflings, um den Puls zu fühlen, schnarrt etwas Herablassendes und Zufriedenes, verbeugt sich wieder und geht.

Herr von Andergast hat sich erhoben. Es ist ihm zumute, als sei er neunzehn Jahre hier auf dem Stuhl gesessen. Er ist in dieser Zeit uralt, müde und unbrauchbar geworden. Sein scheuer Blick irrt zu dem Sträfling hinüber, der mit geschlossenen Augen steif daliegt, beide Hände zu Fäusten geballt auf der Brust. Man müßte etwas sagen, denkt Herr von Andergast. Nein, erwidert eine andere Stimme in ihm kategorisch, man enthalte sich jedes Wortes. Er greift nach dem Hut, den er vor neunzehn Jahren auf den Tisch gelegt hat, daneben die braunen Lederhandschuhe. Er bemüht sich, geräuschlos zu sein. Herr von Andergast, Baron, Oberstaatsanwalt, schleicht sich, Hut und braune Lederhandschuhe in der Rechten, wie ein Dieb aus der Zelle des Sträflings 357 ...

Das Auto wartet. »Fahren Sie rasch«, ruft er dem Chauffeur zu, fällt in die Ecke des Wagens und stiert mit aufgerissenen, veilchenblauen Augen in den Regen hinaus. Er sieht nicht, er schaut nicht, er denkt nicht, er spürt nicht.

Ins Amt zurückgekehrt, drei Uhr nachmittag, sendet er an den Justizminister eine ausführliche, zweihundert Worte enthaltende Depesche, worin er ihm die sofortige Begnadigung des Strafgefangenen Maurizius dringend nahelegt.

III. Die Unwiderruflichkeit des Todes

14.

Als Etzel aus dem Auto stieg, schwindelte ihm. Nimm dich zusammen, Mensch, sagte er zu sich selber. Das Licht der Bogenlampen troff wie flüssiges Wachs über sein Gesicht. Vier Treppen zu je dreiundzwanzig Stufen macht zweiundneunzig Stufen. Verdammte Höhe. Mülleimer, Bierflaschen, Töpfe mit Kalk zum Tünchen. Auf der obersten Stiege lila Dämmerung. Die Wohnungstür offen. Im Flur stand Melitta, um die Schultern ein absurdes grünes Tuch, das sie fest an sich zog, daß sie wie eine Stange aussah. »War jemand da?« fragte Etzel unruhig. Das Mädchen erwiderte grob: »Wer soll denn dagewesen sein? wer kommt denn schon zu Ihnen? war denn schon mal einer bei Ihnen?« Etzel versetzte: »Das stimmt. Es war noch keiner da, aber 's ist möglich, daß einer kommt.« – »Wird schon der Rechte sein«, gab das anmutvolle Wesen zurück, »Sie scheinen mir überhaupt noble Bekanntschaften zu haben.« In seinem Zimmer ließ sich Etzel auf den Stuhl fallen, schob die Hände in die Hosentaschen, drückte den Nacken gegen die Lehne. Er wünschte, daß die Gasflamme schon brennte, er war zu müde, sie anzuzünden. Der Wunsch wurde schneller erfüllt, als er zu hoffen gewagt. Es erschien Frau Schneevogt und äußerte Verwunderung, daß er im Dunkel saß. Er sagte kaltblütig, er liebe die Dunkelheit. Sie erklärte ihn für einen überspannten, jungen Herrn und machte Licht. Sie fragte, ob sie ihm was zu essen bringen solle. Da er das Mittagessen nicht angerührt, wolle sie es aufwärmen. (Dabei verwandelte sich ihr Gesicht in ein Plakat strengster Rechtlichkeit.) Etzel dankte. Er habe keinen Hunger. Frau Schneevogt konstatierte bedenklich, daß ihr sein Aussehen nicht gefalle. »Bißchen Grippe«, sagte er leger und kreuzte männlich die ausgestreckten Beine. Sie empfahl ihm, sich ins Bett zu legen, und versprach, heißes Zuckerwasser zu bringen, unfehlbares Mittel. Etzel dachte ingrimmig: wenn du nur draußen wärst, gräßliches Weib. Jene aber war gesprächsüchtig, zumindest anlehnungsbedürftig. Sie erkundigte sich, ob er den Streit mitangehört, den sie nachmittags mit der Tochter gehabt. Später habe es noch mal begonnen, und Schneevogt selbst habe sich entsetzlich aufgeregt. Etzel räumte ein, er habe einen gewissen Lärm gehört und auf familiäre Meinungsverschiedenheiten geschlossen. »Wenn's nur das wäre«, seufzte Frau Schneevogt. Da sie das dringende Verlangen äußerte, ihn in den Konflikt einzuweihen, verzichtete er auf Widerstand. Die hageren, irren Hände schienen dicht vor seinen Augen zu gestikulieren.

Die Sache war die. In dem Geschäft, in welchem Melitta bedienstet war (großes Damenmodenhaus), war ein kürzlich Angestellter durch einen Fehler in der Aufzugsmaschinerie zum Krüppel geworden. Er hatte nur Aushilfe geleistet, war eigentlich ein herabgekommener Operettensänger und bei der Arbeiterversicherung nicht eingeschrieben, was nicht beachtet worden war. Er beanspruchte Entschädigung, Ersatz der Heilungskosten, die Firma leugnet ihre Haftpflicht, behauptet, der Unfall sei selbstverschuldet, und führt eine Reihe anderer Angestellter als Zeugen auf. Die Leute sind bereit auszusagen, was man von ihnen begehrt, sie zittern ums Brot. Nur Melitta weigert sich. Und gerade sie sollte die Hauptzeugin sein, sie war zur Zeit des Unglücks im Verpackungsraum, dort ist es passiert. Sie weigert sich nicht bloß, für die Firma einzutreten, sie schlägt sich sogar mit Entschiedenheit auf die Gegenseite, will beschwören, daß der Aufzug schon zwei Tage vorher nicht glatt funktioniert hat, daß der Mann weder achtlos noch, wie einige bemerkt haben wollen, angeheitert war, daß er einfach hinaufgerissen worden ist und nach einer halben Sekunde mit zerfleischten Armen und Schultern im Schacht hing. Die Chefs sind außer sich über die Illoyalität des Mädchens, jammert Frau Schneevogt. Sie und Herr Schneevogt sind natürlich ebenfalls außer sich. Man hat Melitta angedeutet, daß die Abteilung, bei der sie arbeitet, demnächst aufgelöst werden soll, daß man aber erwogen habe, sie als Direktrice über eine neu zu errichtende zu setzen. Sie verstehen? sagt Frau Schneevogt. Gewiß, Etzel versteht, trotz seines betäubten Kopfes, er versteht: niederträchtige Verquickung von Drohung und Lockung. Die dumme Gans, jammert Frau Schneevogt händeringend, sieht ihren Vorteil nicht ein! Bei den Zeiten, wo einer monatelang auf der Gasse liegen kann, bis er eine halbwegs anständige Verdienstmöglichkeit findet. So weit war Mutter Schneevogt in ihrer bewegten Darstellung gelangt, als die Tür aufflog und Melitta hereinschoß. Wie eine bissige Katze fuhr sie auf die Mutter los: »Und wenn du dich auf den Kopf stellst und bis Mitternacht mit den Beinen strampelst, ich tu's nicht und tu's nicht.« Dann, zu Etzel gewendet, mit dem glasharten Diskant: Da halten sie einem ein Zuckerbrot vor die Nase, damit man was Hundsgemeines macht und einen armen Menschen, für den das Leben ohnehin nur noch ein wertloser Fetzen ist, um die paar Groschen bringt, mit denen solche reichen Schufte nicht mal für ihr Austernfrühstück auslangen. Soll sie sich auch breitschlagen lassen? Mohl soll reden, er soll sagen, ob man da kuschen soll oder ob es nicht honetter ist, man verzichtet auf den ganzen Zimt und verreckt im Drecke. Sie warf sich auf den Schemel, zog die spitzen Schultern hoch und brach in einen hysterischen Weinkrampf aus. Na, die ist gut, dachte Etzel, bestürzt, ein rabiates Frauenzimmer, und er machte den Versuch aufzustehen. »Geh hinaus«, herrschte Melitta ihre Mutter an, »ich hab mit dem da was zu reden.«

Sie wartete, bis die Tür geschlossen war, dann flüsterte sie mit finsterem Gesicht: »Der Mensch ist hin, wenn ihm nicht ein Anwalt zu seinem Recht verhilft. Ich weiß einen, der soll 'n gerissener

Kunde sein, J. Silberbaum, Lottumstraße. Aber so einer rührt den Finger nicht ohne Vorschuß. Vierzig Mark oder nicht in die la Mang. Leihen Sie mir die vierzig Mark, Mohl, ich zahl's Ihnen in Raten zurück. Bin momentan im Dalles. Hätt ich's, so müßt ich Sie nicht drum bitten.« Etzel verbarg seine Verlegenheit. Alles in allem besaß er noch sechsundachtzig Mark. Miete und Kost waren für den Monat vorausbezahlt, aber welche Sicherheit hatte er denn, daß er in acht Tagen nach Hause fahren konnte? Vielleicht schon früher, o ja, vielleicht schon übermorgen ... das hing eben davon ab. Es hing davon ab, erstens, daß er kam, Waremme-Warschauer, daß er gewissermaßen zu Kreuze kroch, zweitens, daß man ihn dahin brachte ... daß man ihm die Brust spalten und das Hirn aufdecken konnte. Davon hing es ab. Sicherheit gab es natürlich keine. Wenn er dann dastand und noch zuwarten sollte, in der ungeheuern Stadt ungeheuer fremd, was beginnen mit sechsundvierzig Mark? Und jetzt, das verteufelte Fieber im Leib, eine Million metallner Plättchen flimmerte vor seinen Augen. Blitzschnell jagten die Überlegungen durch sein Hirn, während Melitta ihn unruhig spähend musterte, auf dem Schemel hockend, die Arme um die Knie geschlungen, ohne sich darum zu kümmern, daß sich der kurze Rock bis auf die Oberschenkel hinaufgeschoben hatte. Nein sagen, wenn man in solcher Sache angefordert wurde: unmöglich. Die Tasche zuhalten, wenn man drin hatte, was einen andern retten konnte: unmöglich. Schwindeln und sich ausreden: ich hab's nicht, oder ich brauch's selber: nicht zu machen. Da hätte Etzel Andergast gleich bei seiner Rie bleiben können und sich gefüllte Pfannekuchen backen lassen, wozu die ganze Veranstaltung ... »Schön«, sagte er, »ich geb Ihnen das Geld«, fischte das bereits ziemlich abgegriffene Portefeuille aus dem Westenfutter heraus, in das er selbst eine Tasche geschnitten und notdürftig ausgenäht hatte, und reichte Melitta zwei Zwanzigmarkscheine. Sie hatte offenbar nicht geglaubt, daß er es tun würde, sie hatte sich gedacht, der Versuch schadet nichts, sie sah daher einigermaßen verdutzt aus, und seine Person und seine Umstände erschienen ihr noch geheimnisvoller, um nicht zu sagen verdächtiger, als sie es bisher gewesen. »Sie sind wahrhaftig 'n guter Junge«, bemerkte sie anerkennend, und mit dem Rest von Argwohn: »Ist's auch koscher mit dem Geld?« – »Koscher? nein, 's ist christliches Geld«, antwortete er, »aber aus einer verdammt anständigen Gegend.« – »Na, fein, danke sehr«, sagte Melitta, schob die Scheine in ihren Busen und stand auf. »Morgen früh geh ich zu J. Silberbaum und zeig Ihnen die Quittung.« – »Nicht nötig.« – »Doch. Könnte ja Hochstapelei von mir sein.« – »Dazu hätten Sie sich jemand anders geklaut. Hoff ich wenigstens.« – »Wollen Sie mir nicht sagen, Mohl, was Sie eigentlich für'n Geschäft betreiben?« – »Ich such meinen Onkel, der mit den Mündelgeldern durchgegangen ist.« – »Hm. Kein einträgliches Geschäft, kommt mir vor.« – »Mir auch. Pleite ist bereits in Sicht.« (Wie man sieht, hatte er sich, erleuchteter Zwerg, recht geschickt der Ausdrucksweise des Milieus angepaßt.) – »Haben Sie deshalb nach einem gefragt, der kommen soll?« erkundigte sich Melitta schlau. »Ist's vielleicht der Onkel selber? Meinen Sie, er wird von selber kommen und die p. t. Moneten auf den Tisch des Hauses legen?« Sie lachte blechern. – »Nein, der kommen soll, ist ein anderer. Mit dem hab ich auch ein Hühnchen zu pflücken. Der ist auch nicht von schlechten Eltern. Sie haben ihn übrigens neulich bei der Jazzmusik mit mir gesehen.« – »Och, der Olle, Speckige?« – »Ja, der. Wenn er nicht käme, das wär bös, müssen Sie wissen. Ich hab meine Gründe, zu glauben, daß er kommt, wenn nicht heut, dann morgen. Er weiß, wo ich wohne. Er hat sich's mal aufnotiert sogar. Bei Tag hat er keine Zeit, also wird er am Abend kommen. Lassen Sie ihn nur gleich herein, wenn er kommt. Sagen Sie's auch Ihrer Mutter, daß sie ihn gleich zu mir hereinläßt. Sagen Sie's im ganzen Haus, daß sie ihm alle sagen, ich bin da ... Verstehn Sie? Es ist furchtbar wichtig. So wichtig wie die Untergrundbahn, verstehen Sie ...?« – »Mensch!« rief Melitta erschrocken, »entweder haben Sie 'nen Spitz oder ...« – »Es ist mir nur so ...« stammelte Etzel, »ein bißchen dösig, wissen Sie, warum knallt denn heut das Gas immerfort?«

Melitta machte nicht mehr viel Worte, sie war ihm beim Auskleiden behilflich, und als er im Bett lag, deckte sie ihn sorgfältig zu. »Nicht den Doktor«, murmelte er flehend, bevor er in den Fieberschlaf dämmerte, »bitte, nicht den Doktor.« – »Keine Bange«, beschwichtigte ihn das Mädchen, »das treffen wir auch. Unsereiner hat's nicht so mit 'n Doktor.« Da steckt doch was dahinter, daß er solche Angst vor dem Doktor hat, sagte sie sich, aber weil er ihr einen so großen Dienst geleistet hatte, beschloß sie, ihn so gut es ging selber zu pflegen. Sie hatte eine kleine Hausapotheke, in der sich Antipyrin vorfand, löste zwei Tabletten in Wasser auf und flößte es ihm löffelweise ein. Hübscher Junge, dachte sie, während sie sein glühendes Gesicht betrachtete.

Er verbrachte die Nacht in einem Zustand zwischen Bewußtlosigkeit und rasender Gedankenjagd. Melitta hatte die Tür zu ihrer Stube offen gelassen, bisweilen kam sie mit einer Kerze herein und schaute nach ihm. Er konnte das Licht nicht ertragen und wimmerte ein wenig, mit den Fingern vor den Augen. Das mechanische Klavier in der Tanzschule überm Hof klang, als ob eine Schwadron Gäule über ein mit Eisenblech beschlagenes Feld donnerte. Es nahm kein Ende, kein Ende ... Die junge Frau vor Ghisels Tür schlug ihm mit einer Autohupe ins Gesicht. Als er näher hinsah, war es keine Autohupe, sondern ein Saxophon, und der junge Mann mit der Hornbrille sagte: eine unpassende Beschäftigung für einen Zentauren, mein Fräulein. Die Großmutter schwebte wie eine Trapezkünstlerin am Seil eines Luftballons, Frau Schneevogt drohte ihr mit der Faust und rief erbittert: wenn ich so ein Einkommen hätte, könnt ich das auch. Andergast, nennen Sie mir das Todesjahr des letzten Hohenstaufen, falsch, setzen Sie sich. Eine schwarzvermummte Frauengestalt schritt an Trismegistos Arm eine grauenhaft verödete Straße entlang, durch eine Explosion flogen die Pflastersteine in die Luft, der Vater fing sie mit der Hand auf, steckte sie als Corpora delicti in seine Tasche und sagte zu der vermummten Figur: Sie sind Anna Jahn, ich verhafte Sie im Namen des Gesetzes. Dann war er in einem offenen Güterwagen und fuhr oberhalb einer Stadt, die Schienen liefen wie Drahtseile in der Luft, der Güterwagen war leer bis auf eine schmale Holzkiste, die aber sonderbarerweise durchsichtig war, und in der Kiste lagen wie Äpfel lauter Menschenköpfe; er unterschied den Kopf von Paalzows Jungen und den des Negers Joshua Cooper. Da kam Camill Raff und schrie ihm zu: fliehen wir, packte ihn beim Handgelenk, und sie rannten keuchend auf ein Tor zu, das jede Sekunde zugeschlagen werden konnte, dann waren sie verloren ...

Melitta mußte am Morgen ins Geschäft und betraute ihre Mutter mit der Beaufsichtigung des kranken Mieters, doch diese hatte auch ihre Gänge zu besorgen, und so war Etzel den größten Teil des Vormittags allein in der Wohnung. Das Fieber hatte sich gelegt, er fühlte sich zerschlagen und lag mit halbgeschlossenen Augen reglos da. Wie alle Kinder und Halbkinder, wenn sie krank sind, kokettierte er mit dem Gedanken an den Tod und bedauerte sich von Herzen wegen seiner Hilflosigkeit und Verlassenheit. Nur die eine Überlegung raubte dem Sterben etwas von seinem melancholisch süßen Reiz, daß wahrscheinlich niemand es erfahren würde, wenn er hier in einer scheußlichen Zinskaserne in Berlin N einen beklagenswerten Tod fand, einen pseudonymen Tod. Die Großmutter nicht, Robert Thielemann nicht, die gute alte Rie nicht und er nicht, Trismegistos. Das war allerdings fatal, Trismegistos mußte es unbedingt zu wissen kriegen. Es war vielleicht die einzige Möglichkeit, ihm beizukommen. Mohl, Edgar, unbekannter Geburt, unbekannter Herkunft, die Leiche ist zu besichtigen im

Schauhaus Plötzensee. Nach einer Weile wird die Identität jedoch einwandfrei festgestellt, und beklommene Leidtragende, sämtlich von Gewissensbissen geplagt, wallfahrten zu seinem Grabe. Hic jacet Etzel Andergast alias Mohl, ein Opfer ehrenhafter Bestrebungen, betrauert von den Gleichgesinnten. Er wußte natürlich nicht, daß diese wehmütige Selbstinszenierung schon das wieder triumphierende Leben war. Die Geräusche des Hauses oben und unten, Stimmen und Schritte wie aus verschlungenen Schächten, das Klirren der Fensterscheiben, Gebell von Hunden, Geplärr von Ausrufern, Schmettern eines Äroplans, es war schon wieder die Mitte der Dinge, der nervige Leib der Welt.

Etzel hob den Kopf und horchte: die Eingangsglocke. Nach einer Pause zum zweitenmal. Nach einer Pause andauernder zum drittenmal. Sein Herz pochte. Ist es denkbar, ... um die Mittagsstunde? Es ist denkbar. Er gibt nur bis elf Uhr Unterricht, um halb eins geht er gewöhnlich erst zu Frau Bobike. Etzel spürt bis in die Bauchhöhle hinein: Er ist es. Er lächelt. Eingespanntes, bestürztes und diebisches Lächeln. Alle Vorsätze sind darin versammelt, alle Erwartungen, alle Ängste. Soll er aufstehn und die Tür öffnen? Er hat keinen Schlafanzug. Da hätte Mutter Schneevogt sonderbare Augen gemacht, wenn er einen Pyjama unter seiner Wäsche gehabt hätte. Bis er die Hose angezogen hat, ist der draußen vielleicht schon weg. Er vernimmt Stimmen. Gott sei Dank, Frau Schneevogt ist gekommen. Und seine Stimme. Kein Zweifel. Die Baßorgel. Der Brustton. Das Trompeten-O.

Warschauer-Waremme trat ein. Hinter ihm voll aufgeregter Neugier Frau Schneevogt. Mit beschwörend erhobenen Armen nähert sich Warschauer dem Bett. »Aber Mohl! armer kleiner Mohl, wirklich krank? ernstlich krank? Ich dachte mir schon, weshalb erscheint Mohl nicht? was ficht ihn an? er wird doch seinem alten Freund nicht tatsächlich böse sein, eine momentane Nervosität nicht krumm genommen haben ... wo fehlts? Kopf,

Magen? Hals? Lungen? Kann ich etwas für Sie tun? Fieber? Poor fellow. Meine gute Frau, das ist ein vorzüglicher junger Mann, ich hoffe, Sie haben ein Augenmerk auf ihn, ich hoffe, er wird hier nicht vernachlässigt ...« Hemmungsloser Wortschwall. Er stieg in der Stube auf und ab und mimte Bestürzung, Mitleid, Hilfsbeflissenheit. Frau Schneevogt, der er sofort maßlos imponierte, gab beleidigt zu verstehen, daß von ihrer und ihrer Tochter Seite alles für den Patienten Erforderliche geschehe. »Wackere Dame«, sagte Warschauer, fand jedoch die Luft im Raum übeldunstig und riß das Fenster auf. Sodann trat er wieder zu Etzel, legte ihm die Hand auf die Stirn, auf das Herz, brummelte besorgt, machte tz, tz, tz, und die schwarzen Brillengläser unter dem Rand seines Schlapphuts (den er nicht vom Kopf genommen) sahen aus wie die dunklen Öffnungen zweier Röhren. »Kochen Sie ihm eine Bouillon, meine gute Dame«, wandte er sich an die atemlos zuhörende und zuschauende Frau Schneevogt, »wenn möglich ein Hühnersüppchen, und lassen Sie aus der Apotheke ein einfaches Abführmittel besorgen, Kalomel oder Rizinus. Das soll er einnehmen.« – »Wird gemacht, Herr Doktor«, sagte Frau Schneevogt ehrfürchtig, denn sie war der Meinung, er sei Arzt. Etzel mußte lachen. Auch Warschauer grinste wohlwollend. »Na sieh da, sieh da«, freute er sich, »wir sind ja ganz munter. Die Schelmennatur bricht durch. Vivos voco. Mein lieber junger Mohl, ich verabschiede mich für jetzt, ennuyante Pflichten rufen mich, am Abend komm ich wieder herauf, Ihnen ein bißchen Gesellschaft leisten. Good bye, my dear. Pa!« Er winkte zärtlich mit der Rechten und wandte sich zum Gehen. Die grauen Rockschöße flatterten grotesk hinter ihm her. Frau Schneevogt begleitete ihn mit servilem Lächeln in den Flur.

Etzel blickte zornig gegen die Tür, durch die er verschwunden war. Das widerliche Getue, dachte er; was er bloß damit bezweckt, möcht ich wissen, ob er mich wie gewöhnlich ablenken und einlullen will oder ob er einen besonderen Coup im Sinne hat? Also heut abend ... Jetzt heißt's aut – aut, ich wollt, es wär schon Mitternacht, ich wollt, es wär schon morgen. Er legte sich einen Plan zurecht. Aber was sollte ein Plan, wenn man mit einem solchen Gegner zu tun hatte. Eh man ihm ein Bein stellte, zertrat er einem die Zehen. Der aussichtsreichste Weg war der: sich kränker zu geben, als man war. Hinfälligkeit zu simulieren. Es sogar soweit treiben, als habe sich die Krankheit zu einer Krisis verschlimmert und die Wendung zum Besseren könne sich erst nach der Befreiung von einer gewissen geistig-seelischen Last vollziehen. Durchtriebene Fädelung. Was an leidenschaftlicher List, an andergastscher Hartnäckigkeit, an sechzehnjährigem Feuer in diesem Kopf und Gemüt aufgespeichert war, wirkte sich nun dämonisch in der Vorbereitung auf die entscheidende Stunde aus. Ich scheue in diesem Fall nicht vor dem vielgebrauchten Wort zurück, das Dämonische ist eine Grundbewegung in jenen Naturen, welche fähig sind, in angeborener Wahrhaftigkeit nach ihren Erkenntnissen zu handeln, mögen sie auch mit einem oberflächlichen Firnis von Intellektualismus behaftet sein oder, wie Etzel es gerne tat, in Verkennung ihrer tieferen Kräfte sich auf Idee und Logik festlegen. Es ist nichts weiter als eine kluge Sicherheitsvorrichtung, um mit dem besagten Dämon, einer unbequemen Erscheinung immerhin, nicht auf gar zu vertrautem Fuß verkehren zu müssen.

Gegen halb acht kam Melitta nach Hause, eilte gleich zu Etzel und erkundigte sich nach seinem Befinden. Er sagte, es gehe ihm besser, darüber bezeigte sie sich zufrieden, sie könne leider nicht daheim bleiben, fügte sie hinzu, um halb neun Uhr finde eine Versammlung der Angestellten ihrer Firma statt, wo über die Geschichte mit dem Liftunfall beraten werden solle. Um zehn werde sie aber bestimmt wieder da sein und nach ihm schauen. Mit dem Advokaten Silberbaum habe sie gesprochen, die vierzig M bezahlt, die Sache sei in guten Händen. Sie hielt ihm die Bescheinigung des Anwalts hin, er sah den Fetzen Papier nicht einmal an.

»Mutter macht Ihnen eine Eieromelette, dazu kriegen Sie Tee«, sagte das Mädchen, »morgen früh sind Se dann die Schweinerei los.« Sie hatte plötzlich was Kameradschaftliches und Aufgeschlossenes, das in wunderlichem Gegensatz zu ihrem früheren bissig-herausfordernden Wesen stand, das ihn aber, da er nach der Ursache nicht lange zu forschen brauchte, als zu billig errungen nicht recht freute. Er stellte dabei Betrachtungen an über dieses »Billige« und fand, daß man die Menschen überschätze, wenn man ihre Naivität bei solchem Anlaß einer Kritik unterzog. Man ist nicht primitiv genug, überlegte er ernsthaft, man sollte primitiver sein, man ist wie ein zu scharf gespitzter Bleistift, der abbricht, kaum daß man zu schreiben anfängt.

Da ihm Frau Schneevogt emsig zusprach, verzehrte er die Hälfte des Eierkuchens, den Tee ließ er sich neben das Bett stellen. Zweifellos hatte auch die Freundlichkeit der Vermieterin ihre sehr materiellen Antriebe, aber das machte ihm wenig Beschwer, die war schon zu billig (obwohl sich am andern Tag erwies, als er seine Rechnung begleichen wollte, daß man sich mit den Käuflichsten am ehesten verrechnet). Es war dreiviertel neun, als er endlich das Läuten der Flurglocke vernahm. »Es regnet, guter Mohl«, sagte Warschauer beim Eintreten, »ich triefe.« Er nahm den Hut ab, schüttelte ihn, zog den Mantel aus und schüttelte auch den, suchte eine Weile nach einem Haken und legte beide Kleidungsstücke schließlich mit vielem Prusten und Räuspern auf denselben Schemel, auf dem gestern abend Melitta gesessen war. »Na, wie geht's, wie steht's, mein armer Lazarus?« fragte er, ergriff einen Stuhl bei der Lehne, hob ihn über den Tisch und stellte ihn neben das Bett, um sich darauf niederzulassen. »Hallo, was ist das?« stutzte er und lauschte. Es war das mechanische Klavier aus der Tanzschule, das schon wieder sein rasendes Geklapper begonnen hatte. »Doll. Und dabei können Sie schlafen, Mohl? Mein Beileid.« Er trat zum Fenster, schaute hinüber und sah vor den Fenstern drüben verkrümmte Schatten an grellbeleuchteten Vorhängen hin und her gleiten. Er lachte dumpf vor sich hin. »Hübsche Camera obscura«, sagte er, »illustrierter Charleston, man riecht geradezu den Schweiß des Vergnügens, und was man hört, geht ins Ohr wie die Posaunen von Jericho. So was hab ich gern. Da ist man gleich mitten im Sinn des Geschehens.« Etzel seufzte. Warschauer kehrte ans Bett zurück und sah ihn erschrocken an. Auch hiebei gab sich die fast possenhafte Übertriebenheit kund, deren er sich noch immer nicht entledigt hatte. »Möchten Sie nicht ein bißchen leiser reden, Professor«, bat Etzel. – »Gewiß. Selbstverständlich. Die Nerven, selbstverständlich«, nuschelte Warschauer und sah aus, als könne er sich seine Rücksichtslosigkeit nicht verzeihen; »überhaupt, es soll ja bloß ein fliegender Besuch sein«, fuhr er mit betulicher Handbewegung fort, »ich möchte um keinen Preis zur Last fallen. Um keinen Preis die Rekonvaleszenz verzögern. Denn in der Rekonvaleszenz befinden wir uns doch bereits, nach den beruhigenden Angaben der Dame draußen zu schließen.« – »Ich weiß nicht«, flüsterte Etzel, »mir ist wieder ziemlich schlecht ... Aber wissen Sie, Professor, es ist so eklig, das Alleinsein in der Stube mit der schauderhaften Musik da drüben, schlafen kann ich ohnehin nicht, bleiben Sie doch noch ...« – »Schön, schön, bedarf keiner Worte, ich bleibe solang Sie wollen, Mohl. Das wäre eine traurige Sorte Freundschaft, wenn ich da auskniffe. Soll ich stillesitzen? soll ich Ihnen was vorlesen? sollen wir plaudern? Sie müssen sich gar nicht anstrengen, ich werde schon für die Unterhaltung sorgen.«

Was hat er vor? warum ist er auf einmal wieder eitel Honig? grübelte Etzel. Eine Sekunde lang erhaschte er durch die schwarzen Gläser hindurch den metallisch aufleuchtenden Blick Warschauers, und es lief ihm kalt über den Rücken. Das kurze Schweigen zwischen ihnen war wie die Pause zwischen dem Öffnen und Schließen einer Tür. »Es geht mir nicht um die Unterhaltung«, sagte er dann mit der verdrossenen Wehleidigkeit eines Fiebernden, »hab mir auch nicht eingebildet, daß ich stumm dalieg und Ihnen zuhör, wenn Sie von was Xbeliebigem sprechen. Es handelt sich nicht um was Xbeliebiges ...« – »Sondern, sympathischer Mohl?« – »Um das, weswegen Sie mich vorgestern hinausgeschmissen haben.« – »Hinausgeschmissen ist ein hartes Wort. Wirklich, lieber Mohl, eine zu krasse Bezeichnung für eine cholerische Äußerung der Ungeduld. Wär es so schlimm gemeint gewesen, wär ich dann hier? Könnt ich dann mit gutem Gewissen an Ihrem Bett sitzen?« – »Ich weiß nicht, warum Sie da sind, Professor, wahrscheinlich haben Sie doch kein so gutes Gewissen. Ich weiß überhaupt nicht, warum Sie sich mit mir abgeben. Was finden Sie denn an mir? Was kann Sie an mir interessieren? Und wenn Sie was an mir finden, warum spielen Sie mit mir wie die Katze mit der Maus?« – Warschauer unterdrückte ein Lächeln. Er malmte mit dem Kiefer. »Was ich an Ihnen finde, kleiner Mohl? Ich habe nicht darüber nachgedacht, offen gestanden. Ich bin in dem Punkt zu animalisch veranlagt.« – Etzel runzelte die Stirn. »Das glaub ich Ihnen nicht, Professor. Sie wissen in jedem Moment, was Sie tun und warum Sie es tun.« – »Ah, Sie halten mich also für einen weitschauenden Intriganten?« – »Das vielleicht nicht. Sie sind mir nur über, Sie sind mir ungeheuer über, und Sie nützen den Vorteil unanständig aus.« – »Das ist frech, Mohl.« – »Das ist wahr.« – Warschauer machte Hm und wieder Hm und rückte an der Brille herum. »Sie regen sich unnütz auf, Mohl«, sagte er, »Sie sollen sich nicht aufregen. Haben Sie kein Fieberthermometer? Die Augen glänzen verdächtig. Nur Ruhe, nur Ruhe. Ich werde sehen, was ich für Sie tun kann. Wenn Sie das beruhigt ... Ich meine die Definition, was mich an Ihrer Person fesselt. Es ist in der Tat nicht einfach. Ihr temperamentvoller Ausfall neulich, der mich zu einer energischen, ich gebe zu, einer etwas allzu energischen Maßregel zwang, hat gewisse Vermutungen bestätigt. Ich hätte mit Ihnen gespielt, Mohl?

Eine kühne Verdrehung. Mir will vielmehr scheinen, Sie hätten mit mir gespielt oder wenigstens den Versuch dazu gemacht. Hand aufs Herz, wie ist es, wie war es?«

Na, da sind wir ja in mediis rebus, dachte Etzel mit einer Mischung von Bangigkeit und Erleichterung und drückte unter der Bettdecke die Hände zusammen. »Keine Spur«, antwortete er etwas befangen, »ich hab Ihnen ja gleich am Anfang gesagt, was ich will. Damit hat es doch begonnen, daß ich Sie fragte, ob Sie den Maurizius für schuldig halten. Sie sind mir aber ausgewichen. Jedesmal, wenn ich davon geredet habe, sind Sie mir ausgewichen oder haben sich über mich mokiert. Und zuletzt wieder.« – Warschauer verzog skurril das Gesicht. »Was hätte mich denn veranlassen sollen, einem hergelaufenen Dreikäsehoch meine wahre Meinung aufs Butterbrot zu schmieren? Da wir die Sache nun einmal seriös behandeln, Sie sehen, ich nehme Sie ganz ernst, als ob ich einen Delegierten des Vereins für Menschenrechte vor mir hätte, jedenfalls können Sie sich nicht mehr über mich beklagen, ich sage, da wir uns amicalement über gewisse Mißverständnisse aussprechen, womit war denn Ihr Ausspruch motiviert? Mit einer rührseligen Kleinbürger-Erzählung, deren ungeschickte Mache einem abgebrühten, alten Burschen wie mir doch nur Mitleid einflößen konnte, wenn er sich schon nicht ärgerte. Da erröten Sie, Mohl, ist ganz in Ordnung, erröten Sie mir, das steht Ihnen ausgezeichnet, ist Ihren Jahren angemessen, aber wenn man einen Georg Warschauer hinters Licht führen will, muß man sich bedeutend mehr Mühe geben, Mohl, da muß einem was einfallen, da darf man ihm nicht mit dem ersten besten Pofel kommen, den man sich zwischen Dunkel und Siehst-mich-Nicht ausdenkt. Verstanden?« – »Sie haben recht«, flüsterte Etzel mit gesenkten Augen, »aber was hatt ich tun sollen?« – »Was Sie hätten tun sollen? Dasselbe, was ich jetzt von Ihnen erwarte, daß Sie tun. Einer Sorte Menschen ist man unter allen Umständen die Wahrheit schuldig, nämlich der, von der man sie haben will. Sehen Sie das ein?« – »Das seh ich ein.« – »Na also. Gescheiter Junge.«

Etzel setzte mehrmals zum Sprechen an, während ihn Warschauer mit maskenhaft unbeweglichem Gesicht beobachtete. Das mechanische Klavier meckerte einen american Blue. »Ich konnt es nicht aushalten, Professor«, stieß er endlich leise hervor, gepreßt, nach Atem ringend. »Ich hab das Begnadigungsgesuch gelesen, das der alte Maurizius verfaßt hat. Ich hab mir dann alles von ihm selber erzählen lassen, bin einfach zu ihm gegangen. Er hat mir die Berichte gegeben, die Zeitungsausschnitte. Aber das war nicht mal nötig. Er hat mich über vieles einzelne aufgeklärt, aber in mir stand vom ersten Augenblick fest: Das Urteil ist falsch, das Urteil ist ein Justizmord. Das stand für mich so fest wie irgendwas, wie die Zehn Gebote oder daß der Martin Luther kein Schwindler war. Der Alte, an dem lag mir nichts, der ließ mich eigentlich kalt, eigentlich haßt ich ihn sogar mit seinem Begnadigungsgesuch. Was heißt denn das, Begnadigung? Um Begnadigung winseln, mit Begnadigung sich zufrieden geben, wo er doch selber von der Unschuld seines Sohnes überzeugt war? Ich wollt es ihm nicht sagen, was hätt es auch nützen sollen, aber in meinen Augen war er bloß ein dummer, alter Trottel, seine Beteuerungen hätten mir nicht den geringsten Eindruck gemacht, wenn ich nicht selber bis ins Herz davon durchdrungen gewesen wäre: der Mensch ist unschuldig. Und wenn Sie mich fragen, wie ich zu der Sicherheit gelangt bin, so kann ich Ihnen nur antworten: Ich weiß es nicht. Ich weiß nur, daß es so ist und daß mich sämtliche Gerichtshöfe der Welt nicht davon abbringen können. Vielleicht begreifen Sie's besser, wenn ich Ihnen sage, daß ich in einem Haus aufgewachsen bin, wo ein Urteil ist, was in der Kirche das Sakrament. In der Finsternis hat man manchmal Erscheinungen, nicht wahr? Ein Mensch kann unter bestimmten Verhältnissen dazu kommen, daß ihn ein Vorgang genau so inspiriert wie ein Gedanke ... drück ich mich klar genug aus? das ist dann stärker als alle Überlegung und alles Wissen. Als die Inspiration bei mir geschehen war, da war kein Bleiben mehr für mich, da hieß es: dem Menschen muß Gerechtigkeit widerfahren oder ich geh zugrund. Verstehen Sie jetzt, Professor? Da haben Sie die Wahrheit.«

Er hatte zuletzt sehr langsam gesprochen und die gefalteten Hände über die Decke gehoben. Die Stirn, auf die ein paar feuchte Haare schräg hereinfielen, glich einem geschliffenen Stein. Sonderbarerweise war sein Mund zu einem halb trotzigen, halb kränklichen Lächeln verzogen. Das Gesicht hatte plötzlich den Bubenausdruck nicht mehr, während einiger Minuten lag sogar etwas leidend Reifes in den Zügen, der Blick war in stählerner Spannung auf die zwei schwarzen Brillengläser gerichtet, hinter denen sich scheinbar nichts rührte und nichts vorging. »Dachte mir was Ähnliches«, murmelte Warschauer, »das war die Richtung, in der ich kombinierte. Saul zog aus, um die Eselinnen zu suchen, und fand ein Königreich. Mohl zog aus, um Gerechtigkeit zu suchen, er wird froh sein müssen, wenn er die Eselinnen findet. Funkeln Sie mich nicht so verächtlich an, teurer Mohl, das ist kein Zynismus, sondern eine Erfahrung. Ich darf Sie doch noch Mohl nennen, obschon ich nach Ihren Enthüllungen annehmen muß, daß das nur ein Nom de guerre ist. Schön, lassen wir's dabei. Ich habe mich an den Namen gewöhnt wie an ein Stimulans und bin nicht weiter neugierig. Jedenfalls haben Sie sich für Ihre Jahre nicht übel gehalten. Das ist es ja ... das ist es ja ... gutes Material, seltener Stoff ... Verdammt, kleiner Mohl, was mußten Sie mir in die Quere kommen, welcher Teufel hat Sie geritten, daß Sie meinen Weg kreuzen mußten?« – Etzel sah erstaunt aus. »Ach herrje, ich meine, ein sehr logischer Teufel«, sagte er achselzuckend. Warschauer schnitt mit der flachen Hand waagrecht durch die Luft. »Davon red ich nicht, daß es bei Ihnen zweckgewollt war, nur davon, daß es für mich ein Attentat war, jawohl, ein Attentat«, sagte er mit so bösem Gesicht, daß Etzel erschrak. »Kann ich nicht verstehn«, sagte er. – »Ich mute Ihnen das Verständnis nicht zu, zweckgetrübter Jüngling«, war die schroffe Antwort; »obwohl ich mir bis zur Stunde schmeichelte ... genug. Ich hatte abgeschlossen. Ich hatte Bilanz gemacht. Ich konnte keine Evenements mehr brauchen. Keine Aufrüttelungen mehr. Da brachen Sie in das friedhöfliche Idyll ein. Über denselben Saul, den ich vorhin zum Vergleich anzog, steht ein sublimes Wort im ersten Buch Samuel: Gott gab ihm ein anderes Herz.« Er blickte finster auf seine weißen, qualligen Hände, die auf den Knien lagen. – »Das gehört alles nicht zur Sache, Professor«, sagte Etzel hart. Warschauer sprang auf, schritt die schmale Stube entlang, kehrte zurück, setzte sich wieder. »Gut, sprechen wir also von der Gerechtigkeit«, entgegnete er mit sonderbar geschwellter Brust, was ihm ein zugleich prahlerisches und beleidigtes Aussehen gab.

Ja, es war etwas Beleidigtes und Prahlerisches an ihm, das an einen zurückgewiesenen Liebhaber erinnerte, der seine Vorzüge hinlänglich bewiesen zu haben glaubt. Doch als er nun zu reden begann, verzehrte die aufprasselnde Flamme des Geistes die unreinen, abstoßenden, gefährlichen, golemhaften Elemente wie nur je zuvor: »Gerechtigkeit, die große Mutter der Dinge, wie sie irgendein Schriftsteller nennt. Vielleicht war ich's selbst. In früheren Zeiten liebte ich die stolzen Euphemismen. Ein kluger Prälat sagte mir einmal: Rechte nicht, damit dir nicht dein Recht wird. Jedermann hat sich davor zu hüten. Man kann von der menschlichen Gesellschaft alles verlangen, sie wird sich immer zu Konzessionen herbeilassen, Gerechtigkeit zu verlangen, ist barer Nonsens, sie zu gewähren, stehn ihr nicht die Mittel zur Verfügung. Darauf ist sie auch nicht gestellt. Es ist, als ob man ein Baby in die Geheimnisse der Integralrechnung einführen wollte und dabei verabsäumt, ihm die nötige Milch zu geben. Wir haben nicht die nötige Milch. Ich bin auf dem Schiff mit einem Mann beisammen gewesen, der zum

Völkerbund reiste, einem gläubigen Puritaner aus Boston. Er sagte mir begeistert: Die Aufgabe ist, Gerechtigkeit zwischen den Nationen zu schaffen. Ich lachte ihm ins Gesicht. Sie haben ein paar Stationen verschlafen, sagt ich ihm, Sie hätten in Ellis Island aussteigen sollen, um in die Einwandererbaracken zu gehn, auch ein kleiner Ausflug nach Mexiko hätte nicht geschadet, Sie sind in die verkehrte Richtung gekommen. Er sah mich mit offenem Mund an, begriff keine Silbe. Alle Gerechtigkeitsucher kommen in die verkehrte Richtung, was für einen Weg sie auch einschlagen, es ist immer der verkehrte. Ich habe den Verdacht, daß es eine selbstsüchtige Erhitzung des Gehirns ist, zerebrale Kraftmeierei. Michael Kohlhaas ist die hassenswerteste Figur auf Erden, kein Mensch außerhalb Deutschlands kapiert solchen preußischen Gedankengang. Das Weib vor Salomo, das das strittige Kind entzweigeschnitten haben will, ist nur die letzte Konsequenz davon. Gerechtigkeit heißt, das Kind entzweischneiden. Entrüsten Sie sich nicht, Mohl, es ist, wie ich sage, Ihre humanen Deliberationen bedeuten nicht mal so viel wie ein Fläschchen Öl auf den Niagarafall geschüttet. Salomo war ein weiser Mann, er hat alle Gerechtigkeitsapostel ad absurdum geführt, alle Pazifisten lächerlich gemacht. Gab es jemals, seit die Welt steht, einen gerechten Anlaß zu einem Krieg? Hat je ein General seine Schlachten aus Gerechtigkeitsliebe geschlagen? Oder wurde irgendeiner von den berühmten Länderdieben und Massenschlächtern zur Rechenschaft gezogen, außer wenn ihm sein Vorhaben mißlungen war? Ich rate Ihnen, mal über die Verwandtschaft, beinah hätt ich gesagt Blutsverwandtschaft der Begriffe Recht und Rache nachzudenken. Wann und wo in der Geschichte wurden Reiche gegründet, Religionen gestiftet, Städte gebaut, Zivilisation verbreitet mit Hilfe der Gerechtigkeit? Wissen Sie einen Fall? Ich weiß keinen. Wo ist das Sühneforum für die verbrecherische Ausrottung von zehn Millionen Indianern? oder für die Opiumvergiftung von hundert Millionen

Chinesen? oder für die Versklavung von dreihundert Millionen Hindus? Wer hat die mit leibeigenen Negern vollgepfropften Schiffe aufgehalten, die zwischen dem sechzehnten und neunzehnten Jahrhundert in Karawanen von Afrika nach dem nordamerikanischen Kontinent segelten? Wo rührt sich eine Hand für die Hunderttausende, die in den Kupferminen Brasiliens zugrunde gehn? Wo ist der Richter, der die Pogrome in der Ukraine zu bestrafen unternimmt? Wollen Sie noch mehr? Ich bin versehen. Sie werden einwenden, das ist ja euer sittliches Arkanum: Man muß es bessern, man muß es ändern. Ta, ta, ta ... Man bessert nichts, man ändert nichts. ›Man‹ nämlich. ›Es‹, das ist eine andere Schose. Aber da handelt es sich um Entwicklungen, so lang wie die vom Affenmenschen bis zu Perikles. Das Unterfangen ist zu groß, das Eigenformat zu klein, mein guter Mohl. Anmaßung! Anmaßung! Ihr könnt eure Gaben wirksamer verwenden, ihr Repräsentanten, ihr. Denn Sie halten sich doch wohl selber für einen Repräsentanten. Des Zeitgeistes? der Generation? Leugnen Sie nicht (Etzel dachte gar nicht daran, zu leugnen oder überhaupt etwas zu bemerken, er hörte nur mit runden aufgerissenen Augen zu), leugnen Sie nicht, es ist die Mode, es ist der Typus. Alle diese Vatersöhne heutzutage, diese rebellischen Run-away-boys, die die Welt beglücken wollen, schließlich müssen sie klein beigeben und froh sein, wenn man ihnen gestattet, von irgendeinem Amtssessel aus zu dekretieren, daß der Mist in einem zufällig benachbarten Augiasstall wenigstens die Nase des Publikums nicht belästigt. Sie sind schnell von der Einbildung geheilt, daß sie damit mehr geleistet hätten als die geschmähten Erzeuger. Was hat es für einen Sinn, nach Gerechtigkeit zu schreien, wenn die grobe Realität, die uns umgibt, uns fortwährend mit unverschämtem Hohn daran erinnert, daß wir ja von den Früchten der Ungerechtigkeit existieren. Jeder Bissen Brot, den ich verzehre, jede Mark, die ich verdiene, jedes Paar Schuhe, das ich trage, ist das Resultat eines verwickelten Systems von Rechtlosigkeit und Ungerechtigkeit. Jedes menschliche Dasein, jede menschliche Tätigkeit heute setzt eine Hekatombe von Hingeopferten voraus. Sie und Ihresgleichen aber setzen voraus, daß ein Wille zur Gerechtigkeit vorhanden ist, sozusagen die immanente Idee davon. Das ist falsch. Ein Trugschluß. Dem Menschheitsganzen ist die Gerechtigkeit vollständig schnuppe. Sie hat gar kein Organ dafür, die Menschheit. Bisweilen berauscht sie sich an dem Gedanken, namentlich in Zeiten, wo sie viel Butter auf dem Kopf hat, aber wenn nur im geringsten die Dividenden dadurch bedroht sind oder die Börsenkurse fallen, ist's Essig mit der Begeisterung, und selbst die lärmendsten Frösche steigen von ihrer Prophetenleiter herunter und hören auf zu quaken. Ich kannte zwei Leipziger Bankdirektoren, beide an derselben Bank. Das Institut verkrachte, zahllose Familien verloren ihre Ersparnisse. Der eine, ein anständiger Kerl, übergab der Konkursverwaltung sein ganzes Vermögen und stellte sich dem Gericht. Er wurde denn auch eingesperrt, bekam seine drei Jahre Gefängnis. Der andere, ein Halunke, soweit er warm war, wußte durch alle Maschen des Gesetzes zu schlüpfen, brachte seine Beute in Sicherheit und ist heute ein angestaunter, mit Orden bedeckter Nabob, Stolz des Vaterlandes. Die arme Dienstmagd, die in der Verzweiflung ihr Neugeborenes erwürgt, findet bei der Justiz kein Erbarmen, aber neulich hat ein hochadliger Herr in Mecklenburg seine Frau vergiftet, weil er sie beerben wollte, und sechs Monate lang hat der Staatsanwalt gezögert, die Anklage zu erheben. Im vorigen Jahr war ich mal bei einer Verhandlung, da wurde eine Frau wegen Kuppelei verurteilt, weil sie der Tochter mit ihrem Verlobten nächtliche Unterkunft gewährt hatte; ich vergesse nie den entsetzlichen Aufschrei dieses Weibes bei der Urteilsverkündigung, so viel Jammer über ein vernichtetes Leben, so viel Fassungslosigkeit über den Weltzustand hab ich noch nie in einer Menschenstimme gehört. Hingegen spricht eine verblödete Geschworenenbank irgendwo eine geständige Gattenmörderin frei, weil sie elegante Fetzen trägt und mit hochtrabenden Literaturphrasen um sich wirft. Wenn Sie mir beweisen, daß in einem einzigen dieser Fälle ein Hahn danach gekräht hat, ein symbolischer Hahn natürlich, ob der Gerechtigkeit Genüge geschehen ist, wie der Fachausdruck lautet, so zahl ich ’nen Taler. Sie haben das Malheur einer Inspiration gehabt, lieber Mohl, so sagten Sie doch. Sie hätten sieben- bis siebzigtausend ähnliche Inspirationen haben können, warum gerade die? Sie belasten eine Zufallsentdeckung mit zu viel Selbstverantwortung. Sie übernehmen sich. Sie verschwenden Leben, Geist, Kraft und Zeit an eine verlorene Sache, eine tote Angelegenheit. Wer ist Maurizius? Wer schiert sich um Maurizius? Was für einen Unterschied macht es aus, ob er im Zuchthaus oder in einer Mietswohnung sitzt, ob er schuldig oder unschuldig ist? Wie heißt’s bei Goethe: Am Jüngsten Tag ist’s nur ein Furz. Dafür das großartige Wort Gerechtigkeit bemühen, bei einem solchen Weltzustand, das nenn ich meiner Treu mit einer Dampfmaschine eine Kaffeemühle betreiben.«

Aus Etzels Gesicht war alle Farbe gewichen. Seine Lippen bebten, das Kinn bebte, Schauer überliefen ihn von oben bis unten, mit glühenden Augen verschlang er den Mann da vor ihm. Er brauchte sich nicht krank zu stellen, er war es in diesem Moment, war es an Herz und Seele, krank vor zorniger Verachtung, vor rasender Enttäuschung und Erbitterung. Er machte eine sinnlose Gebärde, als wolle er dem Menschen was er fühlte ins Gesicht werfen, wie man in der Wut einen Stein aufhebt, um ihn nach dem Beleidiger zu werfen, dann stammelte er, indem er sich auf seinem Bett hin und her wand: »Aber das ist ja ... das ist ja ... unglaublich ist das ja ... das kann einem ja kein Mensch glauben ... so was Verruchtes ... nein, so was Scheußliches ... das soll man sich anhören ... das wollen Menschen sein ... redet, redet ... o Gott, o Gott ... das will ein Mensch sein ... er soll fortgehn, der Mensch ...

adieu ... er soll weg ...« – »Mohl!« rief Warschauer in ehrlichem Schrecken. Diese Wirkung hatte er offenbar nicht erwartet. – »Wasser«, ächzte Etzel. – »Ja, gewiß, sogleich, mein Lieber Teurer«, murmelte Warschauer bestürzt und fuhr tapsig in der Stube herum, nach einer Wasserflasche suchend. Endlich fand er sie, schenkte ein, brachte das Glas. Etzel stieß einen tiefen Seufzer aus und lag steif in den Kissen. »Na, na, na«, machte Warschauer, »was gibts denn, Lieber, Guter, faß dich, Mohlchen, sich mich an, schau deinen Freund an ...« – »Heiß«, flüsterte Etzel, »schlecht ...« – »Ja, gewiß, Söhnchen, gewiß«, er tastete den Körper des Knaben ab, »freilich ... heiß ... wir werden dir einen Umschlag machen ... das Fieber natürlich ...« In der Tat fühlte sich der ganze Körper an wie die Kacheln eines überheizten Ofens. Geheimnisvolles Phänomen, denn in Wirklichkeit hatte Etzel kein Fieber. Vermochte er so Ungeheures über seine Physis, daß er sie durch einen seelischen Affekt einfach mitreißen konnte? Nur weil er den Augenschein für den andern brauchte? Was war da noch Verstellung, was letzte heroische Anstrengung und Preisgabe? Wie ein wahnwitziger Wettläufer rannte er zum Ziel, besinnungslos mitten in eiskalter Besinnung. Warschauer tauchte ein Handtuch in den gefüllten Wasserkrug, wand es aus, so daß nur die satte Feuchtigkeit blieb, kehrte zum Bett zurück und streifte dem Knaben das Hemd ab. Etzel hielt still, lag steif da, rührte sich nicht. Als er den nackten Jünglingsleib vor sich sah, versank Warschauer in starre Betrachtung. Seine Hände zitterten. Hinter den Brillengläsern lohte es unheimlich auf wie von zwei winzigen, schwarzen Flämmchen. Er öffnete den Mund. Er sah aus wie ein Verhexter, der ein Gebet angefangen hat und nicht weiter weiß. »Menschlein«, flüsterte er, »Junge du ...« – Da schien Etzel zu erwachen. Hastig packte er mit beiden Händen beide Arme Warschauers. Schaute ihn an, mit einem unsäglichen Blick, kühn, wild, flehend, herrisch. Ließ die Arme los, richtete sich auf seinen Knien auf, krallte die Finger in die Schultern des Mannes. Ließ die Schultern los, griff nach der Brille, riß sie herunter. Hielt die Brille in der Linken wie eine Trophäe. Nackt mit der Brille in der Hand kniend sagte er: »Ich will alles wissen. Hören Sie? Ich will wissen, wie das war mit dem Gott aus der Maschine, Sie dürfen's mir sagen. Ich bin's wert. Also, Professor, wer hat geschossen? Hat sie geschossen, die Anna Jahn? Ja oder nein? Ja oder nein?«

Ein stumpfer Tierblick aus den wasserblassen Augen war die Antwort.

Über Warschauers käsiges Gesicht flackerte ein schwaches Lächeln. Er hatte nicht mehr die Kraft, sich des wie außer sich auf ihn zudrängenden Knaben zu erwehren. Er nahm ihm sanft die Brille aus der Hand und legte sie auf den Stuhl. Er streichelte die Schulter, den Rücken, die Hüfte des schönen, schlanken Körpers, dabei klapperten ihm die Zähne. »Nu ja, nu ja, sie hat geschossen«, sagte er mit einer Art von greisenhafter Nachgiebigkeit, »wenn dein Herz dranhängt, Mohlchen, warum soll ich dir's verschweigen ... Ja, sie hat geschossen ... was blieb ihr denn anders übrig ...« Etzel umkrampfte mit beiden Händen Warschauers Rechte. Er glitt auf das Bett zurück, ohne die Hand des Mannes loszulassen. Es war wie eine Glücksbetäubung. In leidenschaftlicher Begierde bohrte er den Blick in die wasserblassen Augen. Er hatte das Gefühl, solang er ihn im Blick hielt, konnte der Mann nicht entrinnen. Warschauer setzte sich auf den Bettrand, und hie und da die Lippen fletschend und mit dem Kiefer malmend, in demselben greisenhaften, fast schlabbrigen Ton berichtete er die Einzelheiten des Vorgangs. Daß sie umstellt war. Daß sie vollständig den Kopf verloren hatte. Drei Bluthunde hinter ihr her, der Schwager, die Schwester und er, Waremme. So sah sie es: drei Bluthunde. Sie wußte nicht mehr aus noch ein. Den Revolver hatte er ihr am Nachmittag gegeben. Er hatte ihr gesagt: Man kann nicht wissen, was passiert, es ist für den äußersten Fall. Er hatte nicht überlegt, daß sie sich in ihrer Verzweiflung auch selber damit umbringen konnte. In der Tat war sie nah daran. Sie gestand es ihm später. Es war sein magnetischer Wille, der sie im letzten Moment davon abhielt. Geahnt hatte er etwas dergleichen. Er ging eineinhalb Stunden vor den Fenstern auf und ab. Er war gar nicht im Kasino. Er war eine Stunde früher als gewöhnlich von dort weggegangen. Die betreffenden Zeugen hatten sich geirrt oder waren durch seine nachträgliche Behauptung irregeführt. Er ging also in der Dunkelheit unter den Fenstern der Seitenfront auf und ab, er behielt die erleuchteten Fenster des Zimmers im Auge, er konnte bisweilen ihren Schatten sehen. Es war eine Erfahrung, der er vertrauen durfte, wenn er seine Gedanken fest auf sie richtete, verfiel sie unmittelbar seinem Einfluß und verlor ihren Willen an ihn. Sie mußte aber durch das halbgeöffnete Fenster das Rascheln seiner Schritte im dürren Laub gehört haben. Das trieb ihre Angst auf den Gipfel. Sie setzt sich ans Klavier, spielt irgendein Stück, bricht wieder ab, stürzt ins Treppenhaus, telephoniert ihm, Waremme, in seine Wohnung, ins Kasino. Vergebens. Um Gottes willen, Elli, schreit sie dann in ihrer Herzensangst die Treppe hinauf, dein Mann kommt, komm herunter, sonst geschieht ein Unglück. Daraufhin rast Elli die Treppe herunter, auf die Schwester los wie eine Tolle, packt sie am Hals und zischt ihr zu: Verschwinde augenblicklich oder ich erwürge dich. In dem Moment klappt die Gartenpforte zu, Elli fliegt hinaus, und Anna, in der jeder Blutstropfen wie verwest ist, taumelt ihr nach. »In dem Moment trat ich hinter dem Haus gegen die Treppe vor«, schloß Warschauer, »in dem Moment, als der Schuß fiel. Was weiter geschah, ist nicht mehr interessant. Es stimmt so ziemlich mit den sattsam durchgekauten Fakten überein. Den Revolver hab ich natürlich an mich genommen und verschwinden lassen.« – »Aber zuerst sind Sie mit dem Revolver auf Maurizius zugegangen?« fragte Etzel atemlos. – »Ja.« – »Damit es den Anschein haben sollte, Sie hätten ihm die

Waffe aus der Hand gerissen?« – »Ja. Selbstverständlich. Exzellente Bemerkung.« – »Aber wie war es möglich, daß die Anna Jahn ihn hat verhaften lassen, verurteilen lassen, wie ist es möglich, Professor, daß die ganzen neunzehn Jahre ... ich kann's nicht fassen ... wie hat sie's über sich gebracht? wie kann das ein Mensch?« – Warschauer blickte schief zu Boden. »Das ... ist ein Geheimnis ihrer Natur. Darüber kann ich nur mangelhaften Aufschluß geben. Ich sagte es schon: Ich hatte mit einer Leiche zu tun. Einer Leiche, die ich galvanisieren mußte, damit sie Leben vortäuschte. Ich ließ sie nicht aus den Augen. Während der ganzen Voruntersuchung, als sie im Süden war, blieb ich in ihrer Nähe ...« – »Aber nachher, nachher, die vielen Jahre nachher? Professor! Professor! denken Sie doch!« – Warschauer ließ die Augen über die Wand gleiten, als wolle er die von den Wanzen verursachten Blutspritzer zählen, plötzlich sah er Etzel fest, mit unheimlich zusammengezogenen Brauen ins Gesicht und sagte: »Es geht sehr tief. Man kann das Gewebe dieser Seele kaum überblicken. Meine Einflußmacht traf in dieser Richtung auf eine schon vorhandene Entschlossenheit. Ich werde jetzt etwas sagen, was außer Ihnen und mir niemand auf der Welt weiß. Es mag zunächst scheinen, daß es etwas sehr Gewöhnliches ist, aber im Hinblick auf die Person, um die es sich handelt, ist es etwas Außerordentliches. Es ist eben das, was mich zum letzten Schiedsrichter gemacht hat. Als ich den Sachverhalt begriff, war mir, als hätte mich ein Gigant gepackt und mir das Rückgrat gebrochen. Nämlich, sie hat den Menschen geliebt, das war es. Sie hat ihn unsinnig geliebt. Sie hat ihn so geliebt, mit einer so furiosen Leidenschaft, daß ihr Gemüt sich verfinsterte und unheilbar krank wurde. Das war das Äußerste für sie, diese Liebe, es war der Sprung in den Orkus. Und er, er wußte es nicht. Er hatte nicht einmal die Ahnung. Er seinerseits liebte nur, der Unselige, aber er bettelte und warb und winselte noch, indes sie schon ... nun ja, in den Orkus gesprungen war. Daß er es nicht wußte, verzieh sie ihm nicht. Daß sie ihn so über alles Maß liebte, verzieh sie ihm ebenfalls nicht und verzieh sie sich selber nicht. Dafür mußte er seine Strafe leiden. Er durfte nicht mehr auf der Welt sein. Daß sie die Schwester erschossen hatte um seinetwillen, durfte niemals, unter keinen Umständen, ein Weg von ihm zu ihr werden. Sie hatte sich ein Aberrecht gebaut, darin mauerte sie sich ein. Sie schuf sich seinen Tod, sie schuf sich seine Sühne, sie war sein grausamster Verfolger und machte sich selber, um sein Leben und seine Strafe mitzuleiden, zur seelenlosen Lemure. Außerdem war ein bürgerlicher Stolz in ihr und eine bürgerliche Feigheit zugleich, die man kaum wieder in einem Wesen derartig verquickt finden wird. Die Zeit, die solche Geschöpfe zur Hochblüte trieb, ist ja vorüber. Als sie zum erstenmal ihren Namen in Verbindung mit der ganzen Affäre in der Zeitung las, wobei man sie doch behandelte wie ein rohes Ei, hatte das eine sonderbare Wirkung auf sie: Stunden und stundenlang wusch sie sich die Hände und empfand einen Ekel, der in alle Grade stieg bis zu konvulsivischen Schaudern. Nein, Mohl, diesen Charakter können Sie nicht verstehen, und schließlich muß ich sagen, der Himmel bewahre Sie auch davor, ihn zu verstehen. Heidnisch wild und albern bigott, voll Hoffart und voll Selbstuntergrabungswut, keusch wie ein Altarbild und von einer mystischen, urwaldhaft dunklen Sinnlichkeit durchflammt, streng und zärtlichkeitshungrig, verriegelt, die Riegel hassend, den hassend, der sich dran vergreift, und den, der sie respektiert, vor allem aber: unter dem schwarzen Stern. Es gibt viele Menschen, die unter dem schwarzen Stern gehen. Lichtlose. Sie wollen ihr dunkles Fatum und locken's an sich und fordern es so lange heraus, bis es sie zertritt. Sie wollen zertreten sein. Sich nicht beugen, sich nicht hingeben, zertreten sein. So war das mit ihr. Schön, das wäre gesagt. Nur Geduld, Mohl, ich komme schon zu dem, was Sie eigentlich von mir zu hören wünschen. Der Eid ... ich weiß, ich weiß ...« Er erhob sich, stieß gegen den Stuhl, die Brille fiel herunter, er bückte sich, schaute sie prüfend an, das eine Glas war zerbrochen, er nickte und schob sie in die Tasche. Dann schritt er zum Fenster, schaute eine Weile in die Regennacht empor, kehrte zurück. »Der Eid war nichts weiter als eine Sache der Haltung und eine technische Konsequenz. Es ist schwer, mit einem gebrochenen Rückgrat Haltung zu bewahren, aber item, es mußte sein. Ich stand auf einer Trümmerstätte, wer als letztes Opfer noch zu fallen hatte, darüber gab es keinen Zweifel. Für mich wenigstens nicht. Ich hatte nicht Menschenwert gegen Menschenwert abzuwägen, die Frage hieß: wo ist in der vollständigen Finsternis noch ein Schimmer von Zukunft und was ist aus dem Debakel zu retten? Zwischen mir und dem Leonhart Maurizius war ein Duell auszufechten, kein ritterliches allerdings, ein Schicksalsduell. Schicksal wider Schicksal. Wenn ich Sieger in dem Zweikampf blieb, so war es Schicksalsentscheidung. Glauben Sie nicht, daß man das mit dem starken Gewissen alleine macht, es gehört auch das magische Zeichen dazu, das man von den unsichtbaren Geistern empfängt. Das Gewissen allein hielte vielleicht nicht stand, der Ruf bewirkt es, ob er vom Himmel oder von der Hölle kommt, weiß man nicht, während man gehorcht. Den schwarzen Stern, den sieht man nicht. Schuld ... ja, gewiß ... Schuld ist ein unergründliches Relativum, eine Zauberkugel, in der sich nur spiegelt, wer das jüdisch-christliche Abrakadabra dabei aufsagt. Heut sieht es aus wie Schuld. In manchen Stunden ... in manchen Nächten ... man wird schwach unter dem wechselnden Mond. Hätt ich ein Reich gewonnen, das Reich von dieser Welt, wie es einmal den Anschein gehabt hat, daß es sein könnte, wäre keine Schuld an mir. Sie wäre ausgeglichen. So hat man eben verspielt. Sollte es wirklich Dinge zwischen Himmel und Erde geben, von denen sich unsere Schulweisheit nichts träumen läßt? Oder, um das Wort zu erweitern, von denen sie sich nur träumen läßt? In manchen Nächten –? Mohl, Mohl, ich fürchte, wir sind allzumal jämmerliche

Kreaturen, alle aus dem nämlichen Holz geschnitzt, alle für den Wurmfraß gerade gut genug. Triste Erkenntnis. Tristes Finale.«

Er setzte sich wieder auf den Bettrand (Etzel hatte sich indessen bis zum Hals zugedeckt), ergriff die Hand des Knaben und sagte: »Ich habe keinen Anstand genommen, Ihnen reinen Wein einzuschenken, da Sie doch mal Ihre Seele drangesetzt haben. Warum sollt ich Ihnen den Gefallen nicht tun? Praktischen Wert hat es für Sie keinen, der Meineid ist längst verjährt. Gott ... ja ... am Ende wär mir auch das gleichgültig, für mich ist nichts mehr von Belang in diesem Leben. Prüfe ich mich genau, so bin ich in dem Punkt gänzlich desinteressiert. Aber ich möchte das Lenkrad noch eine Weile in der Hand behalten. Machen Sie sich also keine übertriebenen Hoffnungen. Auch wenn Sie mein Geständnis vor den Kadi bringen, wird es Ihnen nichts nützen. (Er schmatzte schadenfroh mit den Lippen.) Der Mechanismus eurer Gerichte ist so verrostet, daß man sich schwer hüten wird, eine sakrosankte Justizleiche aus dem Grab zu schaufeln, weil ein siebzehnjähriger Feuerkopf Lärm schlägt, und außerdem bin ich immer noch der Mann, der sich selber sein Gesetz gibt und nicht einer verspäteten Passion zuliebe ridikülerweise seine bürgerlichen Aussichten aufs Spiel setzt, mögen es noch so schofle Aussichten sein. Denn eine Passion hab ich für Sie, das will ich offen bekennen, Junge. Es wäre undankbar gegen das Geschick, wenn ich's nicht täte. Sie haben mein verwelktes Herz in Ihre beiden Hände genommen und es gelegentlich und ohne daß ich's verhindern konnte in ein wunderliches Licht hinaufgehoben. Dem Verdienst seine Krone. Nichts für ungut, Mohl.« Er stand auf. »Ich werde übrigens von der hiesigen Bühne demnächst wieder abtreten. Irgendwo im polnischen Oberschlesien lebt eine Tochter von mir, ich habe sie seit dreiundzwanzig Jahren nicht gesehen, sie soll an einen Verwaltungsbeamten verheiratet sein, nach der will ich mich mal umschauen, Sie wissen ja: gen Osten, gen Osten. Vielleicht find ich dort eine Art Ruheplatz. Eine Art Altersheim. Und Sie werden doch begreifen, daß ich dazu einen halbwegs sauberen Namen mitbringen muß. Das können die Leute von mir verlangen. Aber wenn Sie mich daselbst zum zweitenmal zu finden wissen, Sie glühender kleiner Fahnenjunker Sie, dann bin ich vielleicht zu gültigem Zeugnis bereit, falls es sein muß. Dann, möglich ist alles, helf ich Ihnen am Ende, der maroden Justitia unter Preisgabe meines unwürdigen Ichs Beine zu machen. Pereat Warschauer, fiat mundus. Sehen Sie nur zu, daß Sie eine halbe Stunde vor meinem Hinscheiden zur Stelle sind.« Mit trockenem Auflachen griff er nach Hut und Mantel. »Na, 's ist wieder mal spät geworden. Au revoir, junger Mohl. Morgen will ich mich wieder erkundigen, hoffentlich sind Sie dann gesund. Wie komm ich aus dem Hause?« – Etzel schlüpfte in sein Nachthemd und erwiderte: »Man kann durch die Gastwirtschaft gehen, da ist immer offen.« Seine Stimme klang so verändert, daß Warschauer stutzte und sich noch einmal umdrehte. Dieselbe Veränderung zeigte auch Etzels Miene, eine kalte, klare Bestimmtheit. – »Hm. So«, machte Warschauer und ging. Etzel hörte noch, wie er sich durch Melittas finstere Stube tastete, dann klappten noch zwei Türen, dann war es still.

Er lag auf dem Rücken und schaute in die Luft. Er fühlte sich so leicht wie eine Flaumfeder, so erdlos. Aber die Gedanken, die ihm durch den Kopf gingen, die waren schwer und dunkel. Es mochten zehn Minuten verflossen sein, er hatte sich noch nicht entschließen können, die Gasflamme abzudrehen, da scharrte es an der Tür, gleich darauf wurde sacht geöffnet, und von ihrem absurden, grünen Tuch umhüllt wie ein Flaggenmast von der Flagge stand Melitta auf der Schwelle. Die überschritt sie nicht, sah nur von dort aus zu Etzel hinüber mit einem spähenden, gespannten, intensiven Ausdruck. Etzel bewegte ein wenig den Kopf gegen sie und erwiderte den Blick: »Haben Sie gehört?« flüsterte er. – Sie nickte. – »Alles? haben Sie alles gehört?« wiederholte er flüsternd; es war nicht recht einzusehen, warum er nicht laut redete. – Sie legte den Zeigefinger auf den Mund und antwortete: »So ziemlich.« – »Das ist gut«, sagte Etzel. Weiter nichts. – »Es kommt 'n Gewitter«, sagte das Mädchen. In diesem Augenblick machte das mechanische Klavier eine seiner Pausen, und in der Tat hörte man leisen Donner über die Dächer grollen. Melitta schloß die Tür wieder. Etzel stellte sich im Bett aufrecht und schraubte das Gaslicht ab. Er wickelte sich in die Bettdecke, seufzte vor sich hin, sagte zu sich selber »Gut Nacht, E. Mohl«, schlief sofort ein und schlief fest und ruhig wie ein kleines Kind. Als er am Morgen erwachte, knipste er eine widerlich angesogene Wanze von seinem Ärmel, atmete tief auf und sagte: »Gut Morgen, E. Andergast.«

Es war sieben Uhr, er sprang aus dem Bett und fing an, seine Habseligkeiten zusammenzupacken. Drei Stunden später war er auf dem Bahnhof.

15.

In der Kanzlei befand sich ein junger Staatsanwalt, der für einige Wochen im Gefängnisdienst tätig war. Er hatte die Aufgabe übernommen, den Sträfling Maurizius von der auf dem Gnadenweg verfügten bedingungsweisen Entlassung zu verständigen. »Nehmen Sie an?« fragte der Staatsanwalt, nicht ohne leise Neugier, die sich aber auf den Mann, nicht auf die Antwort bezog. – Maurizius, strammstehend, schluckte Luft. »Welche Bedingung hat man im Auge?« – »Das ist nicht ausdrücklich vermerkt.« – »So könnte mich ein beliebiger Vorwand wieder zum Gefangenen machen?« – »Ich denke, es ist eine Formalität. Wenn Sie sich entsprechend führen ...« – »Sie wollen sagen, wenn ich den Gerichten keine Unannehmlichkeiten bereite.« – »Ich habe in der Hinsicht keine Instruktionen.« – »Auf welche Frist erstreckt sich die Bedingung?«

– »Auf anderthalb Jahre. Genau bezeichnet: ein Jahr fünf Monate. Bis zur Vollendung des zwanzigsten Strafjahres.« – »Es kann also geschehen, wenn ich das Mißfallen der Staatsbehörden errege, daß ich diese siebzehn Monate nachsitzen muß?« – »Theoretisch, ja. Aber wie gesagt, es ist eine Formalität.« – »Und wenn ich mich jetzt weigere, erfolgt dann in siebzehn Monaten die Entlassung bedingungslos?« – »Ohne Zweifel«, erwiderte der junge Staatsanwalt verlegen und etwas ärgerlich. Bei dem Wort von der Weigerung blickte der Vorsteher Pauli verdutzt auf, der hinter ihm stehende Inspektor schüttelte bedächtig den Kopf. »Man will also eine Handhabe gegen mich behalten?« murmelte Maurizius. – »Nehmen Sie an oder nicht?« fragte der Staatsanwalt scharf und deutete auf ein Dokument, das zur Unterschrift auf dem Tisch bereit lag. Den aufgeregten Schreiber hielt es nicht mehr auf seinem Stuhl. Er erhob sich und starrte Maurizius gierig an. Dieser rührte sich nicht. Seine Backenknochen wurden ziegelrot. Über die eine Schulter lief ein Beben. Er öffnete den Mund, aber er konnte nicht sprechen. Alle sahen ihn an. Auf einmal machte er eine Bewegung, als wolle er hinstürzen. Er hatte aber nur zum Tisch treten wollen, an dessen Kante er sich festhielt. Der Schreiber reichte ihm die Feder. Maurizius tauchte sie ins Tintenfaß, betrachtete sie einen Augenblick verstört, sodann schrieb er seinen Namen auf das Papier, dorthin, wo der Schreiber den Zeigefinger streckte. Ein Atemlaut aus vier Kehlen strich wie leiser Wind durch den Raum. »Morgen früh um acht können Sie abreisen«, sagte der Vorsteher, »um sieben wird Sie der Kammeraufseher zum Einkleiden holen.« – »Ich bitte um die Erlaubnis, meinem Vater telegraphieren zu dürfen«, würgte Maurizius hervor. – Der Staatsanwalt und der Vorsteher tauschten einen bedenklichen Blick. »Es wäre uns lieber, Sie unterließen es«, sagte der Staatsanwalt, »wir möchten alles überflüssige Aufsehen vermeiden.« – »Aber ich werde mich draußen nicht zurechtfinden ...« – Der Staatsanwalt lächelte. »Das gibt sich. Wenn Sie mal auf dem Bahnhof sind, du lieber Gott ...« – »Sie können ja Ihrem Vater depeschieren, daß Sie morgen im Lauf des Tages bei ihm sein werden«, schlug Pauli in einer Regung von Mitleid vor, »wir möchten nur nicht, daß er hier erscheint und daß dadurch die Stunde Ihrer Entlassung bekannt wird. Die Zeitungen machen dann sofort eine Sensation daraus.« – Maurizius erwiderte: »Dann verzichte ich lieber.« Der Wärter, der ihn in die Zelle zurückbrachte, der mit dem Trinkergesicht, fragte gnädig: »Na, wie is Ihnen denn zumut?« Als ihn Maurizius entgeistert anstarrte, räusperte er sich und trottete davon.

Um acht Uhr früh ... Noch fünfzehn Stunden. Wie soll man die durchleben? Er schaut die Mauer an, er schaut die schwarze Ofenröhre an. Er macht ein paar Schritte und sagt sich vor, daß währenddessen Zeit vergangen ist. Er befühlt mit den Händen seine Bartstoppeln und denkt darüber nach, ob er sich heute noch rasieren lassen könnte. Man würde es sicher bewilligen. Es verginge Zeit. Er will es überlegen. Damit vergeht wieder Zeit. Er faßt den Tisch an und trägt ihn zwei Meter nach links. Stellt den Stuhl davor. Warum er es tut, ist ihm unklar. Er setzt sich, schlägt die Rothenburger Chronik auf und liest: 1659, 4. April haben die Burger auf 2 Scheiben in der alten Burg geschossen sind mit Trommel und Pfeifen hinausgezogen eine Corporalschaft. Er rechnet: 1659, das sind zweihundertachtundsechzig Jahre, also werden vierzehn dreiviertel Stunden zu überstehen sein. Wenn man die Lider zudrückt und die Daumen fest an die Schläfen preßt, kommt ein Moment, wo man plötzlich den schnellen Gang der Stunden spürt, er hat das oft erfahren. Heute versagt das Mittel gänzlich. Was ist Geduld? Das Verebben des Blutes. Vergessen, daß man will, das ist Geduld. Unglücklicher Mensch, du willst also wieder? Er steht auf und schleppt den Tisch ans Fenster, dann den Stuhl, nimmt wieder Platz, liest: 29. Juli hat man eine frembte Magd, bey 20 Jahr alt, sampt ihrer Mutter (weil die Tochter auß dem Geheiß ihrer Mutter H. Dan. Rückern, Spital-Caplern, bei dem sie ¾ Jahr gedient, bey 100 Rthl. an Geld gestohlen) an Pranger gestellt und durch den Henker zur Stadt außgeführt und des Lands verwiesen, die Tochter hat erbärmlich geschrieen und geweinet, das schnöde Geld hat wieder hingewollt, wo es ist herkommen, auß dem Krieg, Rücker war Feldprediger bey Bernhard von Weimar. – Entlegene Zeit, verrolltes Rad, längstverseufzter Menschenschmerz.

Er schlägt das Buch zu. Ihm graut plötzlich davor, in die Vergangenheit zu blicken, Vergangenes zu erfahren. Alles Gewesene ist Kerker, das Kommende ist grenzenloser Raum. Aber wo beginnt das Kommende? Erst wenn vierzehneinviertel Stunden wie schwerbeladne Packpferde vorübergekeucht sind, oder jetzt? mit jedem einzelnen Jetzt? Und dieses Jetzt: das, was zwischen Herzschlag und Herzschlag liegt, oder zwischen Sekunde und Sekunde, sechsundachtzigtausendvierhundert Stationen der Ödigkeit und der Verzweiflung jeden Tag. Nun gibt es ja wieder ein Morgen. Er flüstert das Wort mit zaudernden Lippen: morgen. Es ist wie der weißglühende Lichtpunkt, wenn man durch einen Tunnel fährt, langsam, unsäglich langsam breitet er sich aus, dehnt sich der Kreis, mildert sich die Glut, langsam, ganz langsam, trotz der rasenden Geschwindigkeit des Zuges. An das Morgen kettet sich ein andres Morgen, ein drittes, viertes, fünftes, jedes Jetzt wird ein Damals, jedes Ist ein War. Er geht herum, er geht herum. Dreizehneinhalb Stunden. Er geht herum, er geht herum, zwölfeinviertel Stunden. Er zählt seine Schritte. In der grauen Dämmerluft der Zelle hängt ein Gebilde, sieht aus wie eine Blume aus purpurnem Stein. Das Morgen. Kristallnes Morgen. Das unerwartbare, unsinnig beglückende, von unsinniger Bangigkeit umschauerte Morgen ... Wege. Straßen. Tore. Hinschreiten. Der Himmel: eine unbeschnittene Wölbung. Türme. Bäume. Gärten. Eine Frau ... Er schlägt die Hände zusammen, Schrecken rinnt durch alle Glieder: eine Frau ...

Elfeinhalb Stunden. Er wirft sich auf das eiserne Bett und gibt sich der qualvollen Süßigkeit eines Traumes hin, den er mit offenen Augen träumt.

Es gibt, so traumdichtet er, ein Herz in der Welt, das sich nach ihm sehnt. Hildegard, unter fremden Menschen aufgewachsen, erwartet den Tag der Vereinigung mit dem unbekannten Vater. Bis zu ihrem fünfzehnten Jahr hat man seinen Namen nie vor ihr genannt. In ihrem zwölften Jahr hat sie ein scheu geführtes Gespräch zwischen der Pflegemutter und einem würdigen älteren Herrn belauscht, der dem Kind sein Interesse zugewendet hat, seitdem ahnt sie alles. An ihrem fünfzehnten Geburtstag teilt ihr die Pflegemutter, was sie notwendig wissen muß, schonend mit. Sie ist sofort von seiner Schuldlosigkeit überzeugt. Sie spricht darüber nicht, sie hütet sich auch ihrerseits, seiner zu erwähnen, aber in ihrer großen, starken Seele schlägt der Glaube immer tiefere Wurzel, daß er eines Tages gerechtfertigt vor der Welt dastehn wird, und der noch festere Glaube, dem gegenüber alles andere zur Unwichtigkeit herabsinkt, daß er zu ihr kommen und sie zu sich nehmen wird. Sie wird ihn glücklich machen. Sie wird die Erinnerung an alles Erlittene in ihm auslöschen. Es ist, als wische man mit einem nassen Schwamm die Schrift von einer Schiefertafel. Die Pläne, die sie für ihr eigenes Leben faßt, haben keinen andern Inhalt als wie sie ihn für seine Leiden entschädigen kann. Sie wartet auf ihn, sie wartet mit der ganzen Sehnsucht eines kindlichen Gemüts. Sie wartet auf seine Auferstehung ... Unaufhaltsam spinnt das Hirn den Traum weiter, wirft alle Erfahrung, alle Wahrscheinlichkeit, alle Wirklichkeit über Bord, und was aus dem Urgrund emporsteigt, ist das Einfältige des Kindermenschen, Knabenwünsche und Knabenerwartungen am Tag vor der Weihnachtsbescherung ... Sie ist jung, keine Kopfhängerin, es wäre verfehlt von ihr, sich in eine Pflegerinnenrolle hineinzuleben, um seinetwillen auf das Glück von Liebe und Ehe zu verzichten, sie wird einen Gatten wählen, der bereit ist, sich gemeinsam mit ihr der Aufgabe zu widmen, dem »Auferstandenen« Heimat und Heim zu schaffen, es werden Kinder da sein, süße blonde Enkelchen, heitere Menschen bevölkern das Haus, am Abend sitzt man zu gemütlicher Unterhaltung gesellt in freundlichen Räumen ...

Aber wie wird die erste Begegnung sein? Das bisher schattenhaft Hypothetische des Traumgedichts festigt sich zu klar umrissenem Geschehen. Mit souveräner Unbekümmertheit korrigiert die Phantasie die anfängliche Vorstellung, daß Hildegard erst später, vielleicht ein Jahr nach der Vereinigung mit dem Vater, heiraten wird. Aus irgendeinem Grunde, der durchaus gutzuheißen ist, der aber im Dunkel bleibt, entschließt sie sich schon jetzt zu der Verbindung, und der Zufall will es (oder ist eine geheimnisvoll feierliche Absicht dabei im Spiel?), daß die Hochzeit wenige Tage nach seiner Entlassung stattfindet. Ja, es scheint fast, als ob die Entlassung auf solche Weise festlich begangen werden soll. Er kann aber zur Trauung in der Kirche nicht mehr zurechtkommen. Als er das Haus betritt, wo ihn das junge Paar erwartet, sind die Gäste vollzählig versammelt. Sein Erscheinen verursacht beträchtliches Aufsehen. Diener wispern und eilen hin und her. Man nimmt ihm Mantel und Hut ab, weist ihm den Weg, zwei Flügeltüren öffnen sich. Ein mit Herren und Damen gefüllter Saal. Alle Gesichter wenden sich ihm zu. Staunen, Ergriffenheit, Mitleid, Respekt ist in allen Mienen zu lesen. Eine Musikkapelle, die bis zu dem Augenblick gespielt hat, bricht ab, Schweigen entsteht wie auf dem Theater, wenn ein verloren Geglaubter nach vielen Jahren und schweren Schicksalen in den Kreis der Seinen, der Freunde zurückkehrt. Ein Greis mit langem, gelblichem Bart, er hat eine entfernte Ähnlichkeit mit dem Wärter Klakusch, sieht aber sehr aristokratisch aus, geht auf ihn zu, verbeugt sich vor ihm und reicht ihm die Hand. Maurizius bringt kein Wort über die Lippen, er ist zu bewegt. Sein Blick wandert suchend umher: wo ist sie? wo ist Hildegard? Da hört er einen leisen Aufschrei vom Ende des Saals, der ganzen Hochzeitsgesellschaft bemächtigt sich freudige Erregung, inmitten der Gäste bildet sich eine Gasse, eine Gestalt im weißen Brautkleid, mit wehendem Schleier und ausgestreckten Armen, fliegt jubelnd auf ihn zu, er hält sie, er preßt sie an sich, den warmen liebenden Leib fest an seine Brust, das beglückte Gesicht fest an seine Wange ...Jetzt kann noch alles gut werden. Man kann vergessen. Man ist verwandelt und erneut ...

Sekunde um Sekunde fällt lautlos in die Ewigkeit wie gelockerte Steine in einen Abgrund. Sie haben achtzehn Jahre und sieben Monate das gleiche getan und liegen in der unfaßbaren, finstern Tiefe unten, ein Haufen Schutt. Der Tag bricht an.

Er verabschiedet sich vom Vorsteher und vom Inspektor, sie reichen ihm die Hand, wünschen ihm Glück auf den Weg, das eiserne Tor fällt hinter ihm ins Schloß, er steht allein in der Sonne. Die Straße krümmt sich nach abwärts, die Füße suchen gerade Fläche, den Ausgleich herzustellen kostet eine gewisse Überlegung. Nachdem er zwanzig Schritte gegangen ist, vermag er sich nur mit Mühe davon zu überzeugen, daß er nicht umkehren muß, das sitzt in den Beinen, der Zwang, umzukehren, er hat dann noch tagelang dagegen anzukämpfen. Es ist zunächst erschreckend, daß man *weiter*gehen kann, weitergehen soll. Nicht minder erschreckend als der dem Körper verfügbare Raum. Als sei man in die Luft geschleudert worden und schlage verzweifelt mit Armen und Beinen um sich. Es kommt zuviel Atem in die Brust. Alles ist ein wenig schwer, das Licht, der Himmel, die ungewohnten Kleider, das harte Leder der Schuhe. Man geht mit gehackten Hampelmann-Schritten. Nach einer kleinen Weile ist man müde, bleibt stehen, schaut sich um, fühlt sich hilflos. Leute starren befremdet. Man lächelt. Sie wenden sich ab, ohne das Lächeln zu erwidern. Man muß eine neutrale Miene für sie finden. Bitte, geh ich hier recht zur Station? Erste Gasse links, zweite rechts. Danke. Aber warum umkehren? Geradeaus, Mensch, geradeaus. Kinder! Da stehen Kinder. Er bleibt gleichfalls stehen, erbleichend. Sie sind sehr klein, diese Kinder. Auffallend zwergenhaft. Und da ... zwei Frauen. Er muß sich an eine Auslage anlehnen und greift mit den Händen rückwärts, beinahe hätte er die Scheibe zertrümmert. Der Besitzer tritt heraus, faucht ihn zornig an. Überdemütig entschuldigt er sich. Einen Moment lang verspürt er das unsinnige Verlangen, die Frauen anzufassen, ihre Brüste zu betasten, doch rafft er sich zusammen, sein Gesicht wird ernst, fast finster. Von da an, automatisch, wird dieses ernste, fast finstere Gesicht seine Maske, je undurchdringlicher, je heftiger die Eindrücke der sichtbaren Welt auf ihn zustürzen. So geht er durch die Menge, so steht er auf dem Bahnsteig, so lauscht er dem verworrenen Durcheinander der Geräusche, so sitzt er im Abteil des Eisenbahnzugs, mit dem ernsten, fast finsteren, unnahbaren, unbeweglichen Gesicht, die Augen halb geschlossen, die Lippen etwas nach innen gekniffen. Jedesmal, wenn er eine Dame mit kurzem Rock und hellen Seidenstrümpfen sieht, bedeckt sich seine Stirn mit schwacher Röte, und die Nasenflügel beben. Er kennt das nicht. Damals war das nicht. Alles ist anders geworden. Alles ist verwandelt. Sprechen die Menschen noch dieselbe Sprache? Er horcht. Es sind dieselben Worte, jedoch will ihm scheinen, daß sie einen Tonfall und Rhythmus haben, der seinem Ohr nicht mehr vertraut ist. Die Möglichkeit, daß ein Zeitabschnitt wie der, der ihn dem Zusammenhang entrissen hat, nicht nur von Aug und Ohr, sondern auch vom gesamten Organismus als nicht mehr zu überbrückende Kluft empfunden wird, fängt an ihn zu beschäftigen und zu beunruhigen. Ein Gefühl des Mißbehagens stellt sich ein und steigert sich bis zu dem kalter Unwohnlichkeit.

In Hanau verläßt er den Zug. Eine Weile treibt er sich in den Straßen herum. Der wolkenlose Himmel glitzert wie flüssige Bleimasse, in der Sonne zu gehen ist außerordentlich erschöpfend, das geile Licht blendet die Augen. Vor dem Laden eines Optikers bleibt er stehen, zögert, geht hinein, verlangt eine Brille. Man legt ihm sechs oder acht mit verschiedenen Gläsern vor. Er wählt eine mit dunklen Gläsern. Sie hat eine Metallfassung. Der Verkäufer empfiehlt Hornfassung, es sei die Mode, sehe eleganter aus. Gut, nickt er und nimmt die Hornbrille, setzt sie gleich auf. Er fühlt sich mit der Brille sicherer, geborgener, das Unbehagen läßt nach. Er schaut in den Spiegel. Lange kann er den Blick nicht von dem blassen Gesicht mit der dunklen Brille abwenden.

Eine Viertelstunde später steht er vor dem Haus in der Marktgasse. Er sucht nach der Wohnung. Eine alte Frau weist ihn zur Holzstiege im Hof. Bangigkeit und Furcht machen das Erklimmen der Treppe zur schweren Arbeit. Das Wort Vater ist etwas Verklungenes. Überbleibsel aus einer Vorwelt. Er empfindet weder Freude noch Erwartung, nur die Furcht davor, daß er Gefühle zeigen soll, die er nicht hat. Er fragt sich, ob diese Gattung von Gefühlen nicht überhaupt in seiner Brust erstorben ist, aber indem er an Hildegard denkt, verneint er die Frage mit leidenschaftlichem Ungestüm. Aber ist »Hildegard« vielleicht nicht bloß eine Idee? Eine von ihm selbst erschaffene leere Form? Figur, die es in Wirklichkeit nicht gibt, die er sich nur in einer Illusion von Zugehörigkeit einbildet? Zum erstenmal regt sich solcher Zweifel, er stößt ihn entsetzt von sich, als hätte er etwas Heiliges besudelt. (Woher aber eine Zuversicht, für die er nicht die geringste tatsächliche Unterlage besitzt, da er sich doch im Gegenteil sagen muß, daß man alles aufgeboten haben wird, das Kind von jeder äußeren und inneren Verbindung mit ihm abzuschneiden, was bei der ganzen Lage der Dinge auch keine besonderen Schwierigkeiten gehabt haben kann? Die Lösung des Rätsels liegt dort, wo die

Menschennatur aufhört, berechenbar zu sein, und von dunklen Urkräften umschlungen in ein Leben hinter dem Leben flüchtet.)

Er zieht an der Klingel. Eine steinerne Minute verstreicht. Im Hof miaut kläglich eine Katze. Schritte hinter der Tür. Brummige Frage, die Tür wird geöffnet, Vater und Sohn stehen voreinander. Der Alte starrt, erstarrt. Sein Gesicht wird zinnoberrot, die Gestalt schwankt nach vorne, die Arme langen nach dem Türpfosten. »Hab's schon gewußt«, bringt er röchelnd hervor, » ... in der Zeitung gelesen ... dachte nicht, daß du heut schon ...« Das übrige erstickt in einem Schluchzen. Es klingt wie heiserer, angestrengter Husten, er bedeckt auch das Gesicht nicht dabei, aus den astigmatischen Augen sickert das Wasser. Leonhart Maurizius bleibt seltsam kühl. Seine Züge bewahren den strengen, beinahe finstern Ausdruck. Warum bin ich nicht gerührt? denkt er, während er den Alten am Arm ins Zimmer geleitet. Er sieht sich um. Die Traurigkeit und Ärmlichkeit der Behausung jagt ihm unbestimmten Schrecken ein. Er hat noch nicht über seine künftigen Lebensbedingungen nachgedacht. Er hat den Vater keineswegs für reich gehalten, er hat zudem im Zuchthaus gehört, daß nicht nur wohlhabende, sondern auch mittelmäßig begüterte Leute in den letzten Jahren durch Entwertung des Geldes völlig verarmt sind; es hat den Anschein, als habe dieses Schicksal auch den Alten getroffen, sonst hätte er kaum seine Zuflucht in einem derartigen Loch suchen müssen. Damit schieben sich, in fliegenden Überlegungen, Existenzprobleme in den Vordergrund, die eine lastende Bedrückung in ihm zu rinnender Angst verflüssigen, es bedeutet, auf Menschen angewiesen sein, sich an Menschen wenden, es heißt, Rede stehen müssen, Gnaden hinnehmen müssen, die zerteilten kleinen Gnaden nach der schändlichen großen, der er die Freiheit verdankt, diesen unsäglich ersehnten Zustand, den er fortwährend an sich wahrzunehmen und zu verwirklichen bemüht ist, ohne über ein dumpfes Wissen von ihm hinauszugelangen, nicht anders als wie man im Schlaf von dem Raum weiß, in dem man schläft. Was er während der Sträflingshaft in all den Jahren an Arbeitslohn erspart, hatte er bis auf fünfzig Mark in großmütiger Wallung dem Gefangenenhilfsdienst überwiesen, eine geringfügige Summe zwar, doch über den Anfang hätte sie ihm geholfen, hier scheint die blanke Not zu walten.

Die Sorge ist grundlos, wie er schon in der nächsten Viertelstunde erfährt. Lange betrachtet ihn der Alte in verlorener Anbetung. Die ledernen Wangen unter den grauen Backenbartbüscheln zucken immer noch, die rechte Hand hält den steifen linken Arm gepackt, zu sprechen vermag er nicht. Leonharts Blick gleitet zum Tisch hinüber, dort liegt eine Unmenge von Papieren, daneben ist die Zeitung aufgeschlagen, auf der inneren Seite prahlt fettgedruckt das Telegramm, das der Welt seine Entlassung verkündigt. Quer darüber steht in ungelenken, großen Buchstaben mit Blaustift geschrieben: Gelobt sei Jesus Christus. Der Blaustift liegt noch auf dem Zeitungsblatt. Das ergreift ihn spontan, eigentlich weit mehr der Blaustift als die vier Worte, es ist etwas Sonderbares um die Dinge, wenn sie in ihrer Ruhe noch einen Abglanz von beseeltem Menschentum an sich haben. Jetzt faßt sich der Alte, er deutet auf die Papiere und sagt so trocken wie möglich: »Das ist dein, das alles ist dein.« Auf diesen Augenblick hat er gewartet seit Jahren und Jahren, von ihm hat er geträumt, nun steht er da wie ein schüchterner Liebhaber, der sich vor Ungeduld verzehrt, der Geliebten das kostbare Geschenk in die Hände zu legen, das für ihn Inbegriff und Ausdruck seiner Liebe ist. Sofort gerät er in eine hastige, beinahe humorige Geschäftigkeit, blättert, erklärt, nennt Ziffern, da ist der Kontoauszug, da sind die monatlichen Bankausweise, da die Zinsenverrechnungen, da ist das Testament, alles vorbereitet, seit heute mittag in tadellose Ordnung gebracht. Leonhart schaut und schaut. »Und du?« fragt er mit einer beredten Gebärde in das Zimmer hinein. Der Alte lacht wie ein beim Mogeln ertappter Kartenspieler. Räuspert sich, hustet, spuckt, kann kein Ende finden mit diebischem Gemecker. Leonhart senkt den Kopf. Von draußen vernimmt er zwischen Weibergekreisch und Autosignalen den langgezogenen Ton eines Waldhorns. Er läßt sich auf den Stuhl nieder, sichtlich müde, und stößt die Frage hervor: »Wo ist Hildegard? Weißt du es?« Der Alte verbirgt seine Enttäuschung, daß Leonhart über das angesammelte Vermögen, denn ein Vermögen ist es doch, so wenig Freude bezeigt, aber da er die Frage beantworten und Leonhart hieraus entnehmen kann, daß er auch dies vorbedacht, somit in jeder Hinsicht für ihn tätig gewesen ist, erfüllt ihn neuerdings der Stolz, wichtig nickend gibt er Auskunft: Das Mädchen sei bis zum Juni vorigen Jahres in einem belgischen Pensionat gewesen, dann habe sie mit mehreren Freundinnen eine Reise nach Paris und Südfrankreich gemacht, seinen Nachforschungen zufolge sei sie musikalisch ungewöhnlich begabt, solle deshalb auch zur Sängerin ausgebildet werden, seit Mitte Mai befinde sie sich auf einem Gut, das einer verheirateten Nichte der Mrs. Caspot gehöre, Kruse hießen die Leute, in Kaiserswerth am Rhein, da solle sie bis zum Herbst bleiben und dann zu einer Gesangslehrerin nach Florenz gehen. Leonhart versinkt in Schweigen. »Ich fahre morgen hin«, sagt er plötzlich. – »Morgen schon?« fragt der Alte, »muß es gleich morgen sein? Wart doch noch.« – »Es muß morgen sein.« Er steht auf. Er ist ruhlos, nervös. Das trübe Halblicht in der Stube irritiert ihn. Er möchte fort. Er deutet an, daß er sich ausstatten muß, es fehlt ihm an allem, er hat nicht einmal ein Hemd außer dem, das er am Leib trägt. Der Alte kichert wieder humorig. Bereits erledigt. Er ist vormittags in einem Frankfurter Warenhaus gewesen. Hat eingekauft. Alles erledigt. Tipptopp. Er stapft zur Tür, die in seine Schlafkammer führt, eine wahrhafte Höhle. Dort liegen auf Bett und Stühlen ausgebreitet: Anzüge, Mäntel, alle Sorten Leibwäsche, Schuhe, Krawatten, Hüte. Er streckt den steifen Arm aus, triumphierend. Es ist der zweite, hohe Glücksmoment des Tages, der ihn zum schenkenden Gott macht. Jetzt faßt Leonhart seine Hand und hält sie eine Weile in der seinen. »Schau dir die Sachen an«, drängt der Alte, »wenn was fehlt, schaffen wir's nach, wenn was nicht paßt, tauschen wir's um.« Er zieht die Pfeife aus der Rocktasche, macht mehrere Versuche, sie zu stopfen, endlich gelingt es. Seine Beine zittern. »Schau nur nach«, wiederholt er und stößt den Sohn mit dem Zeigefinger gegen die Rippen, »will mich derweil 'n bißchen hinsetzen.« Während er sich schwerfällig in die Ecke des Kanapees fallen läßt, geht Leonhart in die Schlafstube, mehr um dem Alten den Gefallen zu tun, als weil es ihn lockt. Doch die Betrachtung all dieser Dinge löst eine Spannung in ihm, es sind Mittel, zwischen sich und der Welt einen Abstand herzustellen, den er braucht. Da sind sogar seidene Hemden und seidene Strümpfe, er befühlt den Stoff, sein Blick fällt auf den Schrank, dessen beide Türen offen stehen, drinnen hängen Anzüge, die er vor neunzehn Jahren getragen, der Frack, der Pelz, ein brauner Sportanzug, es ist wie in einem Haus, wo Reliquien aufbewahrt werden, die an einen Verstorbenen erinnern sollen, in unmotivierter Gedankenverkettung sieht er plötzlich jene Dame mit dem weißen Federhut vor sich, die er am letzten Verhandlungstag in einer der vorderen Zuhörerreihen bemerkt hat und deren Gesicht ihm durch einen gewissen sinnlichen Schmerz aufgefallen ist. Nicht ein einziges Mal in neunzehn Jahren hat er ihrer gedacht oder sie vor sich gesehen, jetzt ist das Bild fast überlebendig, was er als sinnlichen Schmerz daran empfindet, macht es ganz besonders deutlich, er gewahrt auch die kleine Narbe auf der Oberlippe und die Kamee an ihrem Halse. Es ist ihm, als müsse er sofort auf die Straße hinunter, wenn er das Haus verläßt, muß er ihr begegnen, er tritt wieder in die Wohnstube hinaus, will dem Vater sagen, daß er doch noch fortgehn will, aber der alte Mann kauert friedlich im Kanapeewinkel, die ausgegangene Pfeife in der Hand, das Kinn auf die Brust herabgesunken. Die grauen Backenbartbüschel sehen aus wie aufgeklebtes Moos, die Beule auf dem Kopf gleicht einer kleinen Glühbirne. Er schläft. Aber so still. Leonhart Maurizius beugt sich zu ihm herab, um nach dem Atem zu horchen, etwas in der Haltung scheint ihm nicht geheuer. Nein, es ist kein Schlaf. Der alte Mann ist tot.

Durch das Ereignis zu äußerer Betätigung gezwungen, wird Maurizius seiner Unbeholfenheit und dessen, was als Hemmung zwischen ihm und den Menschen liegt, drückend inne. Gespräch mit dem Arzt, amtliche Todesanzeige, Transport der Leiche, Verhandlung wegen des Grabes, Bestattungszeremonien, Beschaffung von Geld und alle damit verbundenen Förmlichkeiten, Besuche beim Notar, Besprechung mit dem Hauseigentümer, Erklärungen, Abgabe von Unterschriften, lauter Leidens- und Qualwege. Dazu die Zeitungsleute, die ihn aufgespürt haben, vor denen er flieht und sich verbirgt. Erst am sechsten Tag kann er abreisen. Er übernachtet in Köln. Um elf Uhr vormittags ist er in Kaiserswerth und fragt nach der Familie Kruse. Er wird zu einem Landhaus dicht am Rheinufer gewiesen. Er fährt hin, läutet an einem hohen Gartentor. Ein ältliche Frau erscheint: er möchte Frau Kruse sprechen. In welcher Angelegenheit? In einer privaten, persönlichen. Wen sie melden dürfe? Kunsthändler Markmann aus Frankfurt. Er ist so totenbleich, sein Wesen so verstört, daß die Person ihn argwöhnisch mustert. Sie verschwindet. Er wartet. Seine Kehle ist sandtrocken, er muß fortwährend Schluckbewegungen machen. Eine riesige Dogge trabt lässig über den Rasen, stutzt, schaut ihn durchdringend an, knurrt, verbleibt in Wächterstellung. Die Frau kommt zurück, bedauert, die Dame ist ausgegangen, er möge sein Anliegen schriftlich vorbringen. Er wendet ein, daß er abreisen muß. Achselzucken. Er fragt, mit törichter Dringlichkeit, die Verdacht erwecken muß, ob die Dame nach Tisch anzutreffen ist, was ihn herführe, sei von Wichtigkeit. Unbestimmte Antwort.

Schon zum Gehen entschlossen, kehrt er noch einmal um, und wider Willen, obwohl er im selben Augenblick erkennt, daß es eine Dummheit ist, durch die er seine Absicht entschleiert, fragt er: »Wohnt Fräulein Körner hier?« Die Frau gerät in Verlegenheit, betrachtet ihn noch forschender als früher, entgegnet, das könne sie nicht sagen, und schlägt das Tor zu. Es ist klar, daß sie bestimmten Weisungen folgt. Es unterliegt also auch keinem Zweifel, daß man seinen Besuch erwartet und Vorkehrungen dagegen getroffen hat. Ihn dünkt, als werde er von einem Fenster des Hauses aus beobachtet. Er sieht, wie sich ein Vorhang bewegt. Er hat es dunkel geahnt, er hat die Ahnung in sich nicht nähren wollen, er hat die Gedanken rundherum davon abgehalten wie Schmeißfliegen, die um etwas Süßes schwärmen, jetzt wird es langsam Gewißheit: man will ihm den Weg zu seinem Kind verrammeln. Und wenn einmal ein solcher Plan besteht, wenn man den Mut, die Unmenschlichkeit aufgebracht hat, ihn überhaupt ins Auge zu fassen, dann ist auch zu erwarten, daß man ihn mit unerbittlicher Konsequenz durchführen wird. Man läßt sich da nicht erst auf Versuche und Verhandlungen ein, sondern man geht aufs Ganze, und was an der Pforte so schnöd begonnen, kann keinen versöhnlichen Fortgang hoffen lassen. Was soll er tun? was soll er um Gottes willen tun? Weiß Hildegard, daß er wieder der Welt zurückgegeben ist? Weiß sie überhaupt von seiner Existenz? Vielleicht hält sie ihn für tot. Vielleicht ist ihr nicht einmal sein Name bekannt. Was hat ihn berechtigt, an sie als an ein ihm gehörendes Wesen zu denken? Besitzt er überhaupt irgendwelche Rechte auf sie, außer denen, die er sich in wirklichkeitsentfremdeten Träumen angemaßt? Wenn sie jedoch von ihm weiß und mit Gewalt verhindert wird, ihn zu sehen? Eine Maßregel, die allerdings auf die Dauer erfolglos bliebe. Was soll er tun, was soll er tun? Er geht in der Allee gegenüber der Villa auf und ab, Gedanken, schauriger und tobender, als sie je sein Hirn zermartert haben, kann er nicht beschwichtigen, nicht wegtun. Nach zwei Stunden fährt er nach Düsseldorf zurück. In seinem Hotel angelangt, telephoniert er. Hier Villa Kruse. – Hier Viktor Markmann, wünscht die Dame des Hauses zu sprechen. – Sie ist am Apparat, worum handelt es sich? – Es handelt sich um eine Zusammenkunft mit Fräulein Körner. – Fräulein Körner ist verreist. – Verreist? Seit wann? Wohin? – Darüber können wir keine Auskunft geben. – Ich habe eine Botschaft an sie, eine dringende, unaufschiebbare. – Von wem? – Von einem ihr sehr nahestehenden Menschen. – Wir wissen von keinem Menschen, der ihr nahesteht und geheimnisvolle Botschaften zu senden hat. Vielleicht erklären Sie sich deutlicher. – Es ist unmöglich hier. – Tut mir leid, aber ... nennen Sie den Namen des Betreffenden. – Pause. – Endlich, halberstickten Tons: Maurizius. – Darf ich Ihre Adresse erfahren? – Parkhotel. – Sie werden in einer Stunde einen Brief bekommen. – Er wartet in der Halle. Genau eine Stunde später händigt man ihm einen Brief ein. Er lautet: »In Voraussicht dessen, was eingetreten ist, haben wir Hildegard vor drei Tagen zu guten Freunden ins Ausland geschickt. Wir hätten es weder vor uns selbst, noch, bei ihrem zarten Naturell und ihrem sehr empfindlichen Gemütsleben, vor ihr verantworten können, wenn wir sie einer Störung und fortlaufenden Beunruhigung ausgesetzt hätten, die wahrscheinlich ihre ganze Zukunft gefährdet, wenn nicht vernichtet hätte. Das muß der Mann am ehesten begreifen, in dessen Auftrag Sie sich an uns wenden, und es muß das Gesetz seines Verhaltens sein. Stets war es die Hauptsorge der Erzieher des lieben Kindes, es nicht mit einem Wissen zu beschweren, das ihm das Leben von vornherein verdunkelt hätte. Diese Pflicht haben wir mitübernommen und müssen ihr auch weiterhin gehorchen. Sie ist für alle Beteiligten eine Selbstverständlichkeit. Kruse und Frau.« Maurizius erhebt sich wie aus einem Loch, zerknüllt das Papier in der Faust, fällt ohnmächtig nieder. Einige Gäste bemühen sich um ihn, als man ihn in sein Zimmer schaffen will, erlangt er das Bewußtsein wieder. Daß ihm das Bewußtsein nicht dient und ihn nicht freut, ist eine Sache für sich

Der Vorsatz Anna Jahn, verehelichte Duvernon, zu sehen und ein Zusammensein mit ihr herbeizuführen, konnte nur in einem Geist entstehen, dessen Verhältnis zur Umwelt der natürlichen Maße beraubt ist. Augenloses Verlangen, sich an Gewesenes anzuklammern; verflackernde Hoffnung, von dort aus einen Weg zu Hildegard zu finden, eine Vertröstung, eine Frist, nicht das zugeschlagene Tor, nicht die endgültige Absage, nicht das »Pack dich, Gezeichneter«, sondern vielleicht ein Menschenwort, ein zur Besinnung gekommenes Herz, ein Empfängliches und Empfangendes, Hinüberweisen ins Lichtere des Daseins, so weit verirrte er sich noch immer, der unheilbare »Romantiker«, in die verklärten Sphären, wo Ausgleich ist und Geschwisterschaft der Seelen. Und dann dieses noch; es kann und darf nicht sein, wie es ist, und deshalb ist es nicht. Das, was ist, leugnen, es nicht sehen wollen, das andere erzwingen und ertrotzen, wider alle Vernunft, im Sturmlauf gegen die Mauer. Das vergewaltigende Sinnliche, das keine Wahrheit annimmt, kein Andersgewordensein erkennt und Möglichkeiten vortäuscht, wo es keine mehr gibt. Solche müssen erfahren, schwer erfahren, wieder und wieder durch die Erfahrung aufs Haupt geschlagen werden. So reiste er am nächsten Tag nach Echternach bei Trier, hart an der luxemburgischen Grenze, nahm in einem geringen Gasthof Quartier und schrieb an Anna Duvernon, unter dem Namen Markmann, aber so, daß sie wissen mußte, wer sich darunter verbarg, er sei für einige Stunden hier und müsse sie sprechen, sie möge Ort und Zeit bestimmen. Die Duvernonschen Ziegeleiwerke lagen eine Viertelstunde vom Ort, das Wohnhaus befand sich in geringer Entfernung davon, wie man ihm mitgeteilt hatte, er schickte den Brief durch einen Boten hin, dem er einschärfte, ihn der Dame selbst zu übergeben. Das war um drei Uhr. Um halb fünf fuhr ein kleiner Opelwagen vor dem Gasthof vor, er sah vom Fenster aus, wie eine Frau ausstieg und rasch ins Haus eilte. Er blieb wie gelähmt am Fenster stehen, und als es an der Tür pochte, gehorchten die Lippen nicht, um herein zu sagen. Da war die Besucherin schon im Zimmer, gehetzt atmend, fahlen Gesichts, mit dunklen stumpfen Augen unruhig um sich schauend. Sie trug ein blaues Kleid, gelben Staubmantel, kleinen gelben Hut, darüber einen blauen Schleier, also das Allgemeinste nur, von Duft und Glanz war nichts mehr da, nichts von dem Seltenen, Einmaligen, das spannt und quält, beschäftigt und beglückt, eben weil es selten, weil es einmalig ist, alles ein wenig verfettet oder ein wenig vertrocknet oder in den Linien da und dort verschoben, ein wenig nur, doch eben das Wenige bedeutete Zerstörung. Wie die Haut welk geworden, war auch in der Haltung und im Blick was Welkes, das unvergleichlich Fragile der Neunzehnjährigen hatte sich in etwas kränklich Gebrechliches verwandelt, das seelenhaft Leidende in das Wohlhäbig-Wehleidige, das in gegebenen, bürgerlichen Sicherheiten gedeiht. Äußerer Anschein, der schon alles verriet, alles Folgende fürchten ließ, jede Unterhaltung überflüssig machte, aber Maurizius wünschte nicht zu sehen, was er doch mit unheimlicher Schärfe wahrnahm; er hatte sich langsam umgedreht und stand, mit hängenden Armen, erschüttert da. Jetzt weinen können, dachte er, jetzt hinknien und weinen. Alles sagen, alles fragen, alles vergessen und weinen, weinen, weinen.

Jedoch Anna Duvernon war so weit von solchen Regungen entfernt wie davon, sie zu begreifen. Ihre Stimme war so leise, daß es fast nur ein Zischen war, als sie sagte: »Sie können natürlich nicht bleiben, ich bin hergekommen, weil ... es muß ja verhindert werden, daß ... Ein Glück, daß Sie nicht den richtigen Namen ... auch so ist es noch riskant genug. Wie konnten Sie nur ... Ich bin derartigen Aufregungen nicht gewachsen. Von der Entlassung habe ich in der Zeitung gelesen. Daß Sie hierher ... das konnte ich nicht voraussehen. Was ... handelt es sich um was Bestimmtes? Sagen Sie es rasch, ich muß gleich wieder fort. Unten hab ich gesagt, es ist ein Geschäftsfreund meines Mannes, mit dem ich etwas verabreden soll.« – Maurizius nahm die Brille ab und blickte die Frau schweigend an. Sie senkte die Augen, legte die Stirn in harte Falten. »Es hat ja keinen Zweck«, murmelte sie unwillig und etwas bedrückt. – »Es scheint so«, gab er zu, ohne den strengen Blick von ihr abzulassen, »es hat vielleicht keinen Zweck.« – »Ich habe mit der Vergangenheit gebrochen«, fuhr sie in ihrer zischelnden Manier fort und spähte bisweilen ängstlich nach den Türen links und rechts. »Sie wissen nicht ... Noch vor ein paar Jahren ... aber wozu in den entsetzlichen Erinnerungen wühlen. Das Gebet hat mir geholfen. Man muß die moralische Kraft haben, sich von der Vergangenheit zu befreien. Und dann ... ich habe Kinder ... das Leben ... die Pflicht ... zuoberst steht die Pflicht ... wenn man das einmal erkannt hat ... Sie verstehen ... – »Ja. Gewiß«, sagte Maurizius. Was ist das? grübelte er betroffen, was redet sie? hör ich das alles wirklich oder bild ich mir's nur ein? Was für ein Mensch ist denn das? »Ich darf Sie wohl nicht bitten, einige Minuten Platz zu nehmen?« fragte er scheu, »es wäre da einiges ...« – »O Gott, nein«, wehrte sie erschrocken ab, doch sichtlich durch seinen Ton und sein ganzes Wesen von einer Angst befreit, die bis jetzt auf ihr gelastet und die hektische Fahrigkeit in ihr erzeugt hatte. Der Krampf ließ nach, obschon ihr das Beisammensein mit dem Mann noch immer äußerst peinigend war. Offenbar hatte sie eine stürmische Auseinandersetzung erwartet, Ergüsse, Bedrängung, Inquisition, Forderung, Friedensbruch, Gefährdung aller Bestände, die Angst hatte sie hergejagt, das Fürchterliche abzuwenden war mehr eine entsetzte Zwangsbewegung gewesen als Wille oder Plan, nun sah sie mit dem weiblichen Instinkt, der eine schützende Position schneller, gewahrt und ausnützt als eine bedrohliche verteidigt, daß sie von diesem Menschen nichts zu fürchten hatte, das machte sie sofort in einer dünkelhaften Weise sicher. Da war keine Gewissensunruhe, keine aufrüttelnde Erinnerung mehr, höchstens ein vages Flattern zerrissener Bilder, irgend etwas Zerstampftes und Verwestes, von jeder intelligiblen Kraft entleert, von keinem Blutstrom mehr getragen, gedächtnislos, als ob wer Fremdes erlebt hätte, aufbewahrt im Magazin entlegener Jahre, nicht mehr wahr, nicht mehr da, verkalkt, gestockt, geronnen. »Es ist wegen Hildegard«, begann Maurizius, »ich wollte Sie um Rat und Beistand ersuchen ... ich war dort in Kaiserswerth bei jenen Leuten ... man hat mich nicht einmal vorgelassen ... das Kind ist fortgeschafft worden ...« Anna Duvernon hob die Schultern in die Höhe: eine Gebärde, als hätte er hunderttausend Mark von ihr verlangt. »Damit hab ich absolut nichts zu tun«, fiel sie ihm hastig ins Wort. – »Ich könnte mit allem andern abschließen, der eine Anspruch bleibt offen«, bemerkte er finster. – »Sie wenden sich aber an die falsche Adresse. Darüber hat der Vormund zu bestimmen. Ich habe mich seit Jahren zurückgezogen. Die Verantwortung war zu groß.« – Maurizius hatte während der Strafzeit die Gewohnheit angenommen, den, der zu ihm sprach, aufmerksam zu betrachten und, wenn der andere zu sprechen aufgehört hatte, ihn noch sekundenlang stumm anzuschauen, bevor er seinerseits mit melancholisch abirrendem Blick und einer gewissen Bemühung, als müßte er sich durch eine Wand hindurch verständlich machen, zu reden anfing. »Verantwortungen werden immer dann zu groß, wenn man sich ihnen entziehen will«, gab er zurück. – Das Aphorisma ging über die Fassungsgabe der Dame Duvernon. Sie hörte nicht die Bitterkeit heraus, sondern nur die Resignation. Plötzlich deutete sie alles, was er sagte, zum Guten, d. h. zu ihren Gunsten aus, vielleicht weil sie bis jetzt so leichtes Spiel gehabt und weil ihr der Mensch so entlegen schien wie seine Sache. Denn es war in keiner Weise mehr »ihre Sache«, nichts, was mit ihm zusammenhing, sie wunderte sich sogar, daß es einmal, in ferner

Zeit, »ihre Sache« gewesen war. Es sah aus, als begreife er ihren Standpunkt, infolgedessen fand sie ihr Bleiben nicht länger für notwendig und suchte nach einem schicklichen Vorwand, sich zu verabschieden. Es war kein Wagnis mehr. Was wie schweres Unheil begonnen und sie aus dick umkrusteter Ruhe aufgescheucht, endete zu ihrer unsäglichen Erleichterung wie ein harmloser Zwischenfall, das erfüllte sie mit einer Art von Dankbarkeit, ein Prozeß, so primitiv wie die Habsucht einer alten Bäuerin oder wie die Berechnungen eines abergläubischen Spielers. »Man muß das Leben nehmen, wie es ist«, sagte sie mit einem Anflug von Wärme, der allerdings zu schwach war, um die trostlose Plattheit des Gemeinplatzes zu mildern, »man kämpft eben, nicht wahr? mit Selbstvertrauen besiegt man die Schwierigkeiten. Selbstvertrauen und Gottvertrauen, beides ist nötig. Wir haben ja auch schlimme Zeiten hinter uns. Wer diesen Krieg nicht durchgemacht hat ... aber sehen Sie, so furchtbar es war, mir hat es geholfen. Es hat mich moralisch gefestigt. Nicht bloß moralisch, auch für die Nerven war es heilsam. Eine richtige Kur. Früher war ich so anfällig ... Ein unbedachtes Wort von irgendeinem Menschen konnte wie Gift auf mich wirken. Jetzt ... Es ist nämlich das: wenn das ganze Volk, wenn die Menschheit leidet, vergißt der einzelne seine egoistischen Interessen, man wird demütiger, kleiner, nicht wahr?« – »Natürlich. Das versteh ich ausgezeichnet.« (Was ist das? grübelte Maurizius in hohler Verwunderung, was spricht sie da? Was ist das denn? Was will sie denn? Warum spricht sie überhaupt? Was soll denn das alles?) – »Nun muß ich gehen. Habe mich ohnehin schon verspätet. Wir haben Gäste ... Leben Sie wohl.« Zögerndes Heben der Hand. Maurizius schien es nicht zu sehen. Er verbeugte sich pagodenhaft. Worauf Anna Duvernon hinzufügen zu sollen glaubte: »Ich wünsche Ihnen für die Zukunft alles Gute und Schöne.« – Das war nun doch wie ein Stoß ins Genick. Alles Gute und Schöne, prächtig, prächtig, wo befinden wir uns eigentlich, hochgesinnte

Gönnerin? Seine Stimme sagte in tonlosem Hohn: »Ich danke Ihnen.« Da war sie fort.

Alleingeblieben drückt Maurizius beide Hände mit verflochtenen Fingern an die Stirn. So steht er eine Weile starr. Barmherziger Himmel, fährt es ihm durch den Kopf, sie ist ja dumm! schlechtweg dumm. Abgründig dumm. Schönheit, Seele (oder was Seele zu sein schien), Anmut, Reiz, dämonische Verdunkelung, Leidenschaft und Leidensfähigkeit, alles nur mit dünnem Pinsel aufgetragene Deckfarbe, die Jahre haben sie weggewaschen und den kahlen Urgrund bloßgelegt, die Natur hat ihre eigene Lüge enthüllt, nichts von Herz, keine Schicksalsdurchdringung, kein Strahl aus höherer Welt, nur Papeterie, nur Attrappe, nur dumm, dumm wie die Stehngebliebenen, wie die vielen Gestorbenen des Lebens, die den eigenen Geistes- und Herzenstod nicht erkennen, dumm wie ein Gespenst ... Und weswegen alles! deswegen! barmherziger Gott, deswegen Opferung und Martyrium, deswegen Marter und Zermalmung, deswegen neunzehn Jahre Grab ... Er legt sich bäuchlings auf den Bretterboden, ganz flach, auch das Gesicht preßt er hin. Über der linken Braue spürt er kühl den Kopf eines Nagels. Es ist eine Wollust, den kühlen eisernen Nagel zu fühlen, es wäre angenehm, wenn sich der Nagel im Holz umdrehte und sich mit der Spitze in sein Gehirn bohrte.

Die Zeit, wohltätig verdeckend oder grausam entblößend, hat eine souveräne Manier, was dem menschlichen Auge als unlösliche Verstrickung und geheimnisvolle Tiefe erscheint, in der Kümmerlichkeit der richtigen Maße und Bezüge aufzuzeigen. Die ursprüngliche Simplizität der Dinge wird, bei Klärung des trüben Gegenwartswesens, nur von der Simplizität der Schicksale übertroffen. Daran ändert auch die Wortzauberei eines Waremme nichts. Die sich vor Gott zu rechtfertigen oder ihre verworrenen Wege zu kommentieren wähnen, indem sie das Einfache der Welt in ein grandioses Mysterium umdichten, die sind die wahren Verdammten, denn sie können vor sich selber nicht gerettet werden. Im Fall der Anna Jahn-Duvernon ist freilich eines in Betracht zu ziehen. In ihr war offenbar das Wunder der Jugend zu einer solchen Herrlichkeit erblüht, daß es wie ein großes Kunstwerk vielerlei Deutungen zuließ, vielerlei Gestaltungen annahm und für jeden wirklich zu sein schien, was er darin suchte oder hineinlegte. Dann übten die Jahre ihre Zerstörung aus, was übrigblieb, war die Wunderlosigkeit, Asche in gewissem Sinn, Gestorbenes, doch ein Weib, nicht schlechter als tausend andre und wohl auch nicht dümmer als tausend andre.

Er bricht wieder auf von Echternach. Er nimmt am Bahnhofsschalter eine Karte nach Mainz. Er übernachtet dort und fährt am andern Tag nach Basel. Er wohnt in einem Zimmer, das Ausblick auf den Rhein gewährt. Der Strom erscheint ihm nun wie ein Unglückszeuge, der ihn beharrlich verfolgt; er packt eilig und fährt nach Zürich, Er kauft Bücher in einer Buchhandlung, ist aber zu unstet, sie zu lesen. Er mietet ein Motorboot und fährt auf den See, es ist ihm zu eng, zu klein, zu gedrängt. Er spricht mit dem Portier, mit dem Zimmermädchen, mit dem Kellner, mit irgendeinem Gast, das heißt er drischt leeres Stroh. Er sieht interessant aus, hat gute Haltung, ist gut angezogen, man schließt auf einen Gelehrten, einen Schriftsteller, man beachtet ihn, manche suchen Anknüpfung, aber das ernste, fast finstere Gesicht mit der dunklen Brille bildet ein unübersteigliches Hindernis. Am liebsten spricht er mit Kindern, auf öffentlichen Plätzen, wo Kinder spielen, setzt er sich bisweilen auf eine Bank und wartet, bis eines sich ihm nähert, dann redet er es in zärtlichem Ton und mit leiser Stimme an, stellt Fragen, streicht ihm vorsichtig über die Haare, aber in der Regel nimmt er dann wahr, daß die Erwachsenen mißtrauisch werden, da erhebt er sich und geht davon. In manchen Stunden wird ihm der Lärm der Stadt zur Tortur, in manchen wieder beruhigt es ihn, wenn er halb getrieben sich durch Menschenmassen bewegt. Stampfen und Rattern von Maschinen erträgt er leichter als Glockengeläut, Stimmengetöse zieht er dem Klang einer einzelnen Stimme vor. Die einzelne Stimme zwingt ihn zur Aufmerksamkeit, die Aufmerksamkeit spannt nach und nach seine Kopfnerven zum Zerreißen. Des Nachts liegt er meistens schlaflos, doch sind es nicht böse Gedanken, die ihn wachhalten, es ist ein Zustand Sich-selbst-nicht-Spürens, Sich-selbst-nicht-Besitzens, der ihn in eine lethargische Verwunderung versetzt, so daß er das Gefühl hat, das sei bereits Schlaf und zum richtigen Schlaf dürfe es nicht kommen, damit er sich nicht noch mehr entgleite. Er befühlt dann Teile seines Körpers mit der Hand, Schenkel, Arme, Hüften, und das tut ihm gut, so ist er wenigstens dieser Teile gewiß. Die Betten sind ihm zu weich, er kann sich lange nicht an das flaumige Versinken gewöhnen, häufig schlägt er das Lager auf dem Sofa auf und hüllt sich in die Reisedecke, um Rauhes am Leib zu spüren. Manchmal denkt er an Arbeit, aber wozu soll er arbeiten, was könnte es fruchten. Es ist alles so folgenlos. Es ist keine Verbindung da. Er gehört nicht dazu. Nicht nur folgenlos ist, was er tut und beginnt, sondern zugleich in einer aufreibenden Weise widerruflich. Ob er links oder rechts in eine Straße biegt, ob er englische oder ägyptische Zigaretten kauft, ob er anordnet, daß man um sechs oder um acht Uhr früh an seine Tür klopfe, ob er gelbe oder schwarze Schuhe anzieht, ob er dreihundert oder tausend Franken auf der Bank verlangt: es ist sofort in der aufreibendsten Weise widerruflich. Er könnte immer auch das andere tun, das Gegenteil, das Nebendran. Nichts ist wichtig. Alles kann im selben Augenblick zurückgenommen werden, ohne Bedauern, ohne Folge. Nun verhält es sich ja so, daß die Gnade, überhaupt die Möglichkeit des Lebens in der Widerruflichkeit besteht. Ihm aber wurde, in der Blüte der Existenz, das Gefühl der Widerruflichkeit geraubt, unwiderruflich ist er verdammt worden, unwiderruflich hat er die Strafe verbüßt, unwiderruflich soll er weiterleben, das ist aber nicht möglich; unter dem Druck des Unwiderruflichen kann man nicht leben, daher erzwingt sein Wille die kleinen, gemeinen, zerstückten, das Lebensgesetz aufhebenden Widerruflichkeiten, rachsüchtige Reaktion der Natur. So wird er ein Losgelassener, ein Gesetzloser, vogelfrei vor dem eigenen Bewußtsein. Er grübelt unablässig darüber nach, wie man dem ein Ende machen kann, es ist ein Zwiespalt, der sich an der Grenze des Wahnsinns bewegt, bisweilen blitzt ihm ein rettender Gedanke auf, er glaubt einen Weg zu sehen, dorthin, wo er nicht widerrufen kann und wo die schicksalhafte Unwiderruflichkeit zu einer schicksallosen wird. Es wäre ein Weg, zum Gesetz zurückzufinden, zum höchsten, das keinen Sterblichen verstößt, dazu müßte er schon ein Ahasver sein.

Er packt wieder, reist ins Gebirge. Wandert über Pässe, durch Täler, nächtigt in weltverlorenen Gasthäusern, abseits vom Schwarm der Bummler und Touristen. Keine Landschaft spricht zu ihm, keine Wiese duftet ihm, Wald, Schneegipfel, nichts zwingt den Blick empor. Er fühlt nicht Schauer, nicht Freude, nicht Neugier, nicht Lockung. Er setzt sich wieder in die Eisenbahn. Fährt, fährt, fährt, logiert in irgendeinem Hotel, packt abends aus, packt morgens ein, fährt, fährt, fährt. Eine Stadt. Wieder eine Stadt. Dome, Brunnen, Denkmäler, Säulenhallen. Es macht keinen Eindruck. Es könnte ein mäßig interessantes Bilderbuch sein. Die Säle im Pitti, Tizian und Tintoretto in Venedig, die Pinakotheken in München. Nichts. Einstmals hat es ihn hingerissen. Es war Farbe, Seele, Kern des Daseins. Die Apostel von Dürer: langweilige alte Männer. Das Figürchen in Kassel, nach dem er sich gesehnt: eine mit Schimmel überzogene Bronze. Nichts regt sich in ihm. Die Dinge, die Werke, die Welt: gemordet. Alles rückt beständig weiter weg. Er gewahrt das Gruppenhafte der Menschen, das Schichten- und Massenhafte. Einrichtungen. Die unheimliche Distanz befähigt ihn, Wandlungen festzustellen, die dem Einbezogenen entgehen. Nicht bloß die Sprache hat sich verändert, ihre

Modulation, die Bedeutung der Worte, auch die Gesichter haben nicht mehr denselben Ausdruck wie vor zwanzig Jahren; der Unzufriedene zeigt eine andere Unzufriedenheit, der Erstaunte ein anderes Erstaunen, der Zornige einen andern Zorn. Die Augen sind starrer, aufgerissener, schleierloser, das Lachen klingt krampfiger, der Gang ist zielgieriger, die Haltung der meisten Männer hat etwas vom Jäger mit der Flinte im Anschlag. So war es damals nicht. Das Ganze ist nach einer andern Richtung gelenkt, gehorcht neuen Bindungs- und Bewegungsgesetzen. Sie haben eine andere Haut, andern Wuchs, anderes Tempo, Mittel der Verständigung, die er noch nicht kennt, Arten der Liebe und Arten des Hasses, durch die er sich ausgeschieden findet wie ein Fremdkörper, Tänze und Lustbarkeiten, bei denen ihm manchmal zumut ist wie Gulliver in Brobdignag. Die alten Leute dauern ihn, die jungen flößen ihm einen sonderbaren Schrecken ein; als kleiner Bub hat er ein ähnliches Gefühl gehabt, als er zum erstenmal in einer öffentlichen Badeanstalt war und sich nackt ausziehen sollte. Gulliver in Brobdignag, oder besser noch Bergmann, der im Schacht vergessen worden ist und fünfhundert Jahre in Nacht und Starrkrampf zugebracht hat. Wenn er wieder an die Oberwelt gelangt, ist er unter Millionen Menschen beispiellos allein und weiß von Himmel, Luft und Erde die Vokabeln nicht mehr.

Eines Tages fährt er von Hannover nach Berlin. Sein Gegenüber im Abteil ist eine sympathisch aussehende Dame von etwa dreißig Jahren. Sie ist geschmackvoll gekleidet, ihr Betragen ist zurückhaltend, sie hat eigentümlich weiche Züge, eigentümlich verhängten Blick, ein eigentümlich spöttisches, dabei gütiges Lächeln um den weichen Mund. Am anziehendsten sind ihm ihre Hände, die sich fortwährend ganz langsam bewegen, bald indem sie sich falten, bald indem sie aneinander entlanggleiten, bald indem sie eine Zigarette anzünden, bald indem sie, bei gekreuzten Armen, auf den Ellbogen ruhen. Darin verkündet sich etwas wie Wunsch und Lebenslast. Es sind weiche, weiße Hände mit geraden zugespitzten Fingern. Er kann nicht aufhören, sie zu betrachten, zu studieren, und die junge Frau lächelt ihr spöttisch-gütiges Lächeln. Sie geraten ins Gespräch. Obwohl keinerlei Mitteilung von irgendwelchem Belang geschieht, spüren beide an den Worten des andern sofort die Einsamkeit heraus, in der sich jeder von ihnen befindet. Die Frau scheint aber stärker berührt, Ahnung des Ungeheuern geht ihr auf, ohne Zweifel besitzt sie tiefen Instinkt. Sie wird schweigsamer, je näher man ans Ziel kommt, eine schwermütige Lässigkeit drückt sich in ihrem Wesen aus, so als ob sie schlaftrunken mit halbem Leib über einem Abgrund hinge und es ihr ziemlich gleichgültig, vielleicht sogar angenehm wäre, wenn sie hinunterstürzte. Maurizius versteht, mehr mit den Sinnen als mit dem Kopf, sein Herz schwillt in den Hals empor, auch er wird wortkarg, sie schauen einander an, stumm, groß, scheu, lange, lange Minuten, sein Gesicht ist totenbleich, ihres hat den schmerzlich-gespannten Ernst eines Menschen, der noch nicht erraten kann, auch nicht wissen will, ob er gezüchtigt oder geliebkost werden wird. Sie verlassen zusammen den Zug, sie gehen Seite an Seite zur Autohaltestelle, ohne Verabredung steigen sie beide in den Wagen, die Frau nennt eine Straße in Halensee, schweigend fahren sie den weiten Weg. Die Frau bemerkt, daß Maurizius zuweilen zittert, dann schaut sie still vor sich hin und lächelt. Sie hat eine kleine Wohnung dort in Halensee, zwei Zimmer im vierten Stock, behaglich, ordentlich, mit einem Anhauch von Luxus sogar, Blumen und Büchern. Was mag sie für eine Frau sein? Geschieden? kinderlos? vom Schicksal gewürgt? in eine letzte Zuflucht gedrängt? Er erfährt es nicht, ist nicht neugierig danach, so wie sie keine Lust hat zu erfahren, was sich in den nächsten Stunden mit ihr ereignen wird. Keinesfalls gehört sie zu den »Gestorbenen«, das ist ganz sicher, lebendig steht sie da, in einer Art von Hochherzigkeit, weich, spöttisch, achtlos, manche Frauen haben das, wenn sie mit ihren Hoffnungen am Ende sind (mit halbem Leib »über dem Abgrund«), dieses süße Phlegma, das von einer gelösten Seele zeugt. Sie bereitet Tee, deckt den Tisch, ermuntert ihren Gast zum Zugreifen, und da sie plötzlich bei der Anrede stockt, nennt er seinen Namen, den wahren Namen. Sie denkt nach, schaut ihn an, denkt wieder nach. Er sagt: Ich bin der und der. Zehn Worte. Inhalt: zwanzig Jahre. Sie schaut ihn an. Um den weichen Mund zuckt es, sie kämpft sichtlich mit der Angst, daß er jedes Gefühl mißdeuten wird, das sie kundgibt, aber auch jedes, und das ist eine wundervolle Zartheit, so läßt sie sich vor ihm auf die Knie nieder, faßt nach seiner Hand und drückt, ehrfürchtig fast, ihre Lippen darauf. Lieber, großer Gott, denkt er, sonst nichts, und sitzt da, ohne Atem, ohne Blick, ohne Laut. Die Frau ist namenlos für ihn, wie schön, daß sie keinen Namen hat, es erhebt sie über alle andern Menschen. Herr, erlöse mich von meinem Namen, betet er inbrünstig. Arme umschlingen ihn. Ein Körper rankt sich an ihm empor. An ihm, an ihm ... empor! Könnte er doch etwas tun, um zu danken. Er hat keinen Dank, er hat keine Gabe. Plötzlich ist er allein. Wo ist sie hin? Offenbar hat sie ihn verlassen. Alles ist zu Ende, sie wird nie wiederkommen. Er erhebt sich hoffnungslos, schaut sich um, horcht, betritt das andere Zimmer, da liegt sie im Bette und wartet auf ihn, ihre Augen strahlen in erschütternder Glut. Es kann nicht Wirklichkeit sein, es ist alles ein Traum. Das Licht im Zimmer erlischt. Sie liegen beieinander. Flüstern und Verstummen. Regungslosigkeit. Flüstern und Verstummen. Stunden vergehen. Ein heiseres Aufschluchzen, hart, verzweifelt. Das ist er. Die Namenlose will trösten. Nein, kein Trost, kein Trost. Das Geschlecht ist gemordet. Man hat also, es ist erwiesen, nicht mehr teil an der Welt. Auch das Geschlecht ist gemordet.

Als der Tag vor den Fenstern aufschimmert, erhebt sich Maurizius, kleidet sich hastig an; die Frau ist eingeschlummert und hört nicht, wie er sich entfernt. Mit seiner Reisetasche in der Hand (das große Gepäck liegt noch im Bahnhof) geht er durch die Straßen, die Morgenluft erfrischt ihn. Er sucht ein Hotel auf und schläft bis zum Abend. Erwacht, fühlt er sich sonderbar wohl, nimmt ein Bad, bestellt eine reichliche Mahlzeit. Gegen neun Uhr fährt er zur Bahn, löst eine Karte erster Klasse nach Leipzig; in Leipzig entschließt er sich, mit dem Nachtzug weiter nach Süden zu fahren. Ein bestimmtes Ziel hat er nicht im Sinn, er nennt irgendeine Stadt, weil ein Ziel angegeben werden muß. Er ist allein im Abteil. Er liest Zeitungen, schlägt ein Buch auf und legt es wieder beiseite. Er schließt die Augen und hört sein Blut in den Adern fließen. Nach einer langen Zeit öffnet er die Augen wieder, holt einen Apfel aus der Reisetasche, schält ihn sorgfältig, zerschneidet ihn und ißt mit großem Genuß an dem Kühlen und Saftigen der Frucht. Es ist etwas Gehobenes in ihm, etwas wie Unternehmungslust. Er lehnt den Kopf an die Fensterscheibe, aus der dicken Finsternis draußen platzen bisweilen Lichter auf wie Raketen. Er erhebt sich, zündet eine Zigarette an, leise pfeifend begibt er sich in den Korridor des Wagens. Er zieht das Fenster herunter. Schwarze Landschaft, mattleuchtender Himmel; hinter Nebeln ein paar unsinnig ferne Sterne. Die Konturen von Hügeln treten klar hervor. Der Zug, mit asthmatisch keuchender Maschine, klimmt einen Hang empor, in der Tiefe rauscht Wasser. Er wirft die Zigarette weg, sie fällt schräg ins Bodenlose; er kann den glimmenden Punkt ziemlich lang verfolgen. Leise pfeifend geht er zur Waggontür, drückt den Hebel nieder, stößt die Tür auf; kalte Nachtluft prallt her; der Zug rattert über einen hochgebauten, brüstungslosen Viadukt, hart am Rande. Unmittelbar unter den Füßen ist eine Schlucht. Er hält sich an der rußigen Eisenstange fest, steigt die Trittstufen hinunter, schaut forschend, mit leichter Neugier, in die unbekannte Tiefe. Es ist ihm zumut, als sei die Welt plötzlich umgekehrt, der Sternenhimmel unten. Unangenehmer Gedanke, daß seine Hände an der rußigen Eisenstange schmutzig werden. Lächerlicherweise erwägt er sogar, noch einmal zurück zu gehen und sich die Hände zu waschen. Vom benachbarten Fenster des folgenden Wagens bemerkt ihn der Schaffner; der Mann ist vor Wut und Entsetzen außer sich, hebt die Fäuste, reißt am Fensterriemen, schreit mit offenem Mund, Maurizius hört es nicht, er sieht nur den weitaufgerissenen Mund mit zwei Reihen von Raubtierzähnen. Er nickt gleichgültig. Er tut den Schritt in den leeren Raum hinaus. Höchste Zeit, noch wenige Meter, und der Zug hat den Viadukt passiert. Er tut den Schritt, wie man von einem Zimmer ins andere geht. Es ist der Schritt in die große, in die wirkliche Unwiderruflichkeit.

16.

Die Rückkehr Etzels in das väterliche Haus geschah unter beträchtlichem Aufsehen der Dienstleute und Hausparteien, vor allem natürlich unter hemmungslos lärmenden Ausbrüchen der guten Rie, die von einem Überschwang in den andern fiel und bald vor Schluchzen, bald vor Lachen nicht wußte, was sie beginnen sollte. Er kam um zehn Uhr vormittags; da er äußerst knapp mit dem Gelde gewesen, war er vierter Klasse gefahren und hatte beinahe vierundzwanzig Stunden zur Reise gebraucht. Nach den ersten Sturzbächen von Fragen und Interjektionen, endlosem Händeringen und Dankgeseufze entsetzte sich die Rie über seinen Aufzug; in der Tat sah er mehr einem wandernden Kesselflicker als einem Mitglied der bürgerlichen Gesellschaft ähnlich. Das Jackett war abgerissen, das Hemd schmierig, die Kniehose glich zwei notdürftig zusammengenähten Kartoffelsäcken, die Stiefel waren vertreten und löcherig, die Haare bis in den Nacken hinunter gewachsen, das Gesicht hager in die Länge gezogen, die Augen leuchteten übergroß in dem blassen Oval. Als er sich des Rucksacks entledigt, der genau so geschwollen war wie bei seinem Abgang, verlangte er Reinigung, Wäsche, Speise und ging in sein Zimmer. Die Rie konnte sich nicht entschließen, ihn sich selbst zu überlassen, gab nur in der Küche umfassende Anweisung wegen des Frühstücks, folgte ihm sodann, riß Schränke und Läden auf, schoß ins Badezimmer, um den Hahn zu öffnen, kam wieder und indes sie mit zitternden Händen alles zum Umkleiden Erforderliche aus den Behältnissen hervorsuchte, geriet sie in ein nervös-schwatzhaftes Berichten und Erzählen. Belangloses zuerst, Ereignisse in der Nachbarschaft, Geburt eines Kindes, nächtlicher Einbruch beim Juwelier Herschmann, Zimmerbrand bei Malaperts unten. Dazwischen: »Ihr Heiligen, der Wasserhahn, Emma! die Wanne wird überlaufen!« Das gewichtigere Häusliche dann. Herr von Andergast ist nicht zu Hause. Daran ist natürlich nichts Besonderes, da er ja täglich um halb zehn ins Amt geht, unbeirrbar. Das Auffallende ist, daß er seit einiger Zeit zu ungewöhnlicher Stunde zurückkehrt, um elf, um halb zwölf schon, sich ins Arbeitszimmer begibt und es den ganzen Tag über nicht mehr verläßt, sogar die Mahlzeiten muß man ihm hineinservieren. So ist er in allem und jedem verändert. Zum Beispiel: er hängt seine Kleider nicht mehr zum Bürsten heraus. Oder: er hat sich einmal drei Tage nicht rasiert. Und das Wunderlichste: Er scheint gar nicht zu arbeiten, wenn er vom Mittag bis in die Nacht an seinem Schreibtisch sitzt. Die Rie hat ihn vorgestern dabei überrascht (sie mußte ihm eine Depesche hineintragen), wie er mit aufgestütztem Ellbogen am Fenster gesessen ist, gedankenvoll damit beschäftigt, sein silbernes Benzinfeuerzeug auf und zu schnappen zu lassen. Vielleicht hängt alles das mit einem unglaubwürdigen Gerücht zusammen, das aber nicht aufhören will zu kursieren, nämlich daß er um seine Pensionierung eingekommen sei.

Etzel hörte aufmerksam zu, sagte jedoch kein Wort. Er sah, daß die Rie noch anderes auf dem Herzen hatte, aber zuerst trieb sie ihn ins Bad, und während er sich fertigmachte, sorgte sie für einen ausgiebigen Imbiß. Sie deckte selbst den Tisch, schaute eine Weile stumm-entzückt zu, wie er alles Aufgetragene mit Appetit verschlang, und wagte die Bemerkung: »Gewachsen bist du, Etzelein, und siehst so männlich aus, was ist denn eigentlich mit dir gewesen, wenn ich's überlege, steht mir der Verstand still.« – »Laß ihn nur ruhig stehen und überleg nichts«, fiel er ihr trocken in die Rede, »erzähl mir lieber noch was, du bist ja geladen mit Neuigkeiten, also heraus damit.« Die Rie beugte sich zu ihm hinüber und teilte ihm mit, seine Mutter sei in der Stadt und wohne bei der Generalin. Da sprang Etzel auf. »Ist's wahr, Rie; Ehrenwort?« – Sie nickte und fügte hinzu, Frau von Andergast sei vor zehn Tagen hier im Hause gewesen und habe eine lange Unterredung mit dem Vater gehabt, auch mit ihr habe sie gesprochen, nicht viel freilich, Gruß und Dank nur, aber man habe doch daraus entnehmen können, daß sie eine vollendete Dame sei. – »Und wie sieht sie aus, Rie; Nett? Jung? Hast du sie gut angeschaut? Sag mir's genau.« Er schlang den linken Arm um ihren Hals, mit der rechten Hand streichelte er ihre Wangen. Die Rie, solcher Zärtlichkeiten von ihm längst entwöhnt, wurde ganz schwach vor Glück und vergoß angenehme Tränen. – »Sie wohnt also bei der Großmutter, wirklich, Rie?« – »Ja, Etzelein, und wir müssen gleich telephonieren, unverzeihlich, daß ich's bis jetzt nicht getan hab.« – Etzel hielt sie am Ärmel fest. »Nein. Wart noch, Rie. Ich mag das nicht, telephonieren. Das schickt sich nicht. Ich geh selber hin. Vorher muß aber noch was anderes sein ...« In dem Augenblick öffnete sich weit die Tür, und Herr von Andergast stand im Rahmen.

Unverkennbar die von der Rie angedeutete Veränderung. Schon in der Kopfhaltung drückte sie sich aus. Das Haupt schien schwerer auf den Schultern zu lasten und mit seinem Gewicht den Hals zu verdicken. Der Kinnbart war von vielem Weiß durchsetzt, auch die Randbehaarung des kahlen Schädels spielte vom Grau stärker ins Weiß hinüber, die Lider hoben und senkten sich träger, der veilchenblaue Blick hatte etwas wie von Fesselung Schlaffes. Desorganisation. Eine Gedankenwelt, der die Ordnung abhanden gekommen war. So konnte nur ein Mann aussehen, dem gewisse Dinge näher gekommen waren, als er je vermutet und befürchtet. Aufgehobene Distanzen. Der Bezweiflung unterworfene Unverrückbarkeiten. Rückläufige Bewegung. Das Totale zersprengt und aberzersprengt und in die rohe Elementarform aufgelöst. Man denke sich einen Palast in den Steinbruch zurückverwandelt, aus dem er entstanden ist, und davor den Baumeister, von allen Gehilfen und Hilfsmitteln verlassen und selbst die Maße nicht mehr wissend. Es nimmt nicht wunder, wenn dieser Mann das Bild eines verstörten Suchers bietet. Ein äußerst angestrengter Zug im Gesicht verrät die zwangshafte Beschäftigung mit Abgeschlossenem. Prüfung, Kritik, Spruch und Widerspruch, wobei der Instanzenweg ins Innere des Menschen verlegt ist. Bequemes Mittel, der Notwendigkeit, sich zu stellen, aus dem Weg zu gehn, wird vielleicht eingewendet. Doch auf die Gewissensentscheidungen hat es wenig Einfluß, und von Belang sind zunächst nur die. Das heiß ich die Dinge nah betrachten, wenn man sich zu ihnen umkehrt, der Vorwärtsschreitende kann sich alles vom Leib halten, was ihn an Verfall und Verfehlung gemahnt. Dreht er sich aber ein einziges Mal um, so umschwirrt ihn widriges Gezücht wie Fledermäuse, die in unbewohnten Baracken hausen, und er hört auf zu sein, was er ist, Beamter zum Exempel, dessen Sachlichkeit von keinem Hinter-die-Dinge-Blicken getrübt sein darf. Es hat Abende und Nächte gegeben, in denen sich Herr von Andergast wie ein alter ego des Sträflings Maurizius erschienen ist. Eingemauert im Haus der Erinnerungen war er verurteilt, die Gegenwart und »Nähe« übler Individuen zu ertragen, es sammelten sich um ihn Hehler, Diebe, Einbrecher, Kuppler, Totschläger, betrunkene Dirnen,

Mütter, die ihre Kinder mißhandelt, Defraudanten, Bankrotteure, Hochstapler, Falschmünzer, Wechselfälscher, Schmuggler, Giftmischerinnen, Kindsmörderinnen, Brandstifter, eine Armee ohne Altersgrenze nach unten und oben, Charaktere für den Bedarf von zehntausend Romanverfassern, und er als Ankläger, jedem das Schuldig zurufend. Schließlich, es wird eine Sache der Gewohnheit wie jede andere, eine mit Würde begabte, vom Kredit der Nation unterstützte. Man härtet sich ab. Der Talar isoliert. Man sitzt auf dem kurulischen Stuhl und liefert den Übeltäter an den Richter aus, der ihn mit Hilfe des Paragraphen unschädlich macht. Keine Rede davon, daß dieser Abschaum der menschlichen Gesellschaft mit Samthandschuhen anzufassen ist, so weit würde sich weder der Sträfling Maurizius noch sein romantisch angekränkelter Busenfreund Klakusch versteigen, man kann die strenge Welt der Ereignisse nicht zu einem Rührei von Verantwortungslosigkeiten werden lassen oder jeden Montagvormittag die soziale Ordnung von neuem anfangen, um am Samstagnachmittag verzweifelt seine Ohnmacht und Inkompetenz zu bekennen. Aber wenn die Tausende und Tausende von Gesichtern Revue passieren, erhebt sich eins oder das andere, ein jähes Blitzlicht fällt erschreckend darauf, und in den Augen und auf den bitter verschlossenen Lippen liegt eine Frage. Nichts weiter eigentlich: eine Frage, wortlose Frage. Und es genügt. Ein oder das andere Gesicht aus einer Armee, und es genügt. Das Merkwürdige ist: einer zeugt immer für eine ganze Schar. So wie der Sträfling Maurizius für alle, für eine ganze Welt gezeugt hat. Es vollzieht sich dann selbsttätig, daß der Verbrecher, der vor etwa sechzehn Jahren abgeurteilt worden ist und dessen Namen man bereits vergessen hat, plötzlich zum Ankläger wird, weil aus einem übersehenen Schlupfwinkel Umstände zutage treten oder beachtenswert scheinen, die den Fall, hätte man damals sein Augenmerk darauf gelenkt, aus einem Rechtsfall zu einem Menschenfall gemacht hätten, und was soll man mit einem Menschenfall machen? Staat und Gesetz geben keine Handhabe dazu. Aber der krankhafte Rückschau- und Umkehrzwang bewirkt, daß sich Herr von Andergast mit seinem unvergleichlichen Tatsachengedächtnis den ganzen Bau und Verlauf des Prozesses vergegenwärtigt, genau wie er es im Fall Maurizius getan, bisweilen auch die einschlägigen Akten noch zu Rat zieht und wühlt und wühlt und wühlt. Da es aber jetzt nicht mehr bei dem einen Fall sein Bewenden hat, sondern zu gleicher Zeit ein halb Dutzend und mehr Fälle in seinem Kopf rumoren, verwirrt sich manchmal alles in ihm, er kommt sich vor wie in eine Walpurgisnacht versetzt, und es geschieht nicht selten, daß er zu später Stunde das Haus verläßt (davon weiß die Rie nichts) und bis zum Morgengrauen in den öden Straßen, herumirrt. Und Wortschälle und Widerschälle zerreißen die Stille: »Der Angeklagte behauptet, an dem fraglichen Tag zwischen zwölf und halb zwei bei seiner Tante gegessen zu haben, erwiesen ist aber ... Ich stelle den Antrag, diesen Zeugen, den die Verteidigung grundlos zu verunglimpfen bemüht ist, noch einmal vorzuladen ... Frau Zeugin, Ihre Aussage gibt zu schweren Bedenken Anlaß, ich ermahne Sie an Ihren Eid ...« Scheue Blicke, leidenschaftliche Beteuerungen, angstvolle und haßerfüllte Mienen, nachgeprüfte Zeit, nachgeprüfte Wege, der Zufall als Verräter, die stummen Dinge als Verräter, Lokalaugenschein in Stuben, Gärten, Höfen, an Flußufern und in Kaschemmen, Lüge und Leugnen, falsche Bezichtigung, verzweifelter Kampf um Freispruch, unüberzeugte Geschworene, überhebliche Advokaten, indolente Richter, befangene Richter, das Gesetz nicht von erwünschter Klarheit, die öffentliche Meinung mißleitet, und jetzt, in der Rückschau, alles eingebrachte Rechtsgut unter makabren Zweifel gesetzt, wie Getreide, das in der Scheune fault ... einen Meter Strafe für einen Millimeter Schuld ... kein Ansehn der inneren Person, und immer einer, da und da und da, mit der lautlosen Frage auf den Lippen, die das Richterrecht verwirft und den Ankläger anklagt. Oft wenn

Menschen schweigend an ihm vorübergehen, hat Herr von Andergast eine Regung von Furcht, als solle er sich verantworten und könne sich nicht erinnern wofür und in welcher Sache, ist dann die Begegnung glücklich überstanden, so fühlt er sich versucht, dem Betreffenden nachzueilen und ihn zu bitten, eine Strecke Wegs mit ihm zu gehen. Er möchte nicht so allein sein. Er erwägt, daß es nicht unmöglich wäre, den entlassenen Sträfling Maurizius unvermutet an einer Straßenecke zu treffen, aus der Erwägung wird Wunsch, aus dem Wunsch heftiges Verlangen. Er bleibt vor den Türen der Hotels stehen, um die Aus- und Eingehenden zu mustern, er späht durch Vorhangspalten in Wirtsstuben und Kaffeehäuser, es wäre nicht unmöglich, daß Maurizius drinnen sitzt, auch allein, gewiß nicht weniger allein als Herr von Andergast. Eines Abends ging er in das Haus, wo Violet Winston gewohnt hatte. Er läutete an der Tür. Ein Mädchen, das die Tür der gegenüberliegenden Wohnung öffnete, sagte ihm, das Fräulein sei vor einer Woche abgereist. Ungeachtet dieses Bescheides kam er am nächsten Abend noch einmal, als hätte er gänzlich vergessen, was man ihm gesagt, oder als sei er des Glaubens, Violet sei zwischen gestern und heute zurückgekehrt. Dabei lebte gar keine Vorstellung mehr von ihr in seinem Innern, und wenn sie wirklich die Tür aufgemacht hätte, wäre es ganz bedeutungslos für ihn gewesen. In der gleichen Nacht suchte er zu Hause unter alten Briefen die heraus, die er von Etzel erhalten hatte (es waren nur wenige, von Ferienreisen, aus dem Odenwälder Heim), las sie aufs genaueste durch, wieder und wieder, als hätten die einfachen Worte doppelten Sinn, den zu ergründen so unerläßlich wie unaufschiebbar war.

Etzel trat auf ihn zu und reichte ihm die Hand. »Guten Morgen, Papa.« Wie wenn sie einander gestern abend zuletzt gesehen hätten. Herr von Andergast schaute über den Kopf des Sohnes hinweg, hinter ihn, auf die Schürze der Rie. »Zurückgekehrt?« fragte er, und Mundöffnen und -schließen hatte etwas Fischartiges. Pause. »Darf ich dich bitten, in mein Zimmer zu kommen?« – »Gewiß, Papa.« Sie gingen in das Arbeitszimmer hinüber, die Rie sah ihnen mit einem Gesicht nach, als dächte sie sich: wenn ich den Jungen heil wiedersehe, will ich Gott danken. Herr von Andergast schritt voran, ließ Etzel eintreten, schloß die Tür, deutete auf einen Stuhl: »Bitte, nimm Platz.« Etzel starrte auf die weisende, braunbehaarte Hand und setzte sich gehorsam. Herr von Andergast ging in der Länge des Zimmers auf und ab, ungewöhnlich hastig. Etzel hatte ihn nie so hastig schreiten sehen. Die innere Bewegung, die sich darin kundgab, erweckte ein Gefühl der Befriedigung in ihm. »Ich dachte, es verwinden zu können«, begann Herr von Andergast immer rascher gehend, »ich habe es jedoch nicht verwunden. Es gibt eine Kategorie des Verrats, über die man in meinen Jahren nicht hinwegkommt. Details sind nicht von Belang, du wirst sie mir erlassen. Die Frage lautet zunächst nicht: was ist geschehen? sondern: was soll werden?« – »Ganz richtig, Papa, das ist auch meine Empfindung«, erwiderte Etzel bescheiden. – Herr von Andergast blieb mit einem Ruck stehen und blickte ihn an. »Diese Einsicht ehrt dich«, sagte er sarkastisch. Er trat noch einen Schritt näher, legte dem Knaben die Hand auf den Scheitel und bog ihm den Kopf zurück. »Sonderbar mitgenommen siehst du aus«, sagte er finster und zog die Hand zurück, als hätte er sie verbrannt. – »Ich war krank, Papa.« – »Ah, krank? kein Wunder. Wo hast du dich herumgetrieben?« Auf einmal schrie er auf, mit verzerrtem Gesicht, alle Selbstbeherrschung war dahin, schrie wie rasend auf: »Junge, wo hast du dich herumgetrieben?« schlug die Hände vor die Augen und stöhnte.

Das hatte Etzel nicht erwartet. Das erste Mal in seinem Leben sah er den Vater außer sich. Es machte ihm großen Eindruck. Auch die Berührung vorher, er hatte zu spüren geglaubt, daß die Hand des Vaters dabei gezittert hatte, und der Zug um den Mund, die Zerquältheit, alles das blieb ihm haften, daran hatte er zu denken. Und: es befriedigte ihn. Während er sich zu einer Antwort sammelte, hatte sich Herr von Andergast zur Ruhe bezwungen. »Als ich fortging, habe ich dir ja geschrieben, warum ich fortgehen mußte«, sagte Etzel, »von Herumtreiben war keine Rede.« – Herr von Andergast warf sich in den Schreibtischsessel, schlug die Beine übereinander, strich mit den Fingern nervös über den Kinnbart. »Du hast dich den Nachforschungen mit anerkennenswertem Geschick entzogen«, bemerkte er in die Luft hinein. – »Na, wenn ich nicht mal das gekonnt hätte ...«, sagte Etzel und hob die Brauen. Herr von Andergast fand den Ton unverschämt und räusperte sich warnend. »Nun, und?« fragte er mit einem Beiklang von Hohn, der die Furcht bemänteln sollte, »und? nothing succeeds like success, sagen die Amerikaner.« – »Ich weiß, ich habe mittlerweile ein bißchen Englisch gelernt«, ließ Etzel einfließen und hatte ein kaustisches Lächeln dabei, das das Mißfallen seines Vaters noch steigerte; »also ja«, raffte er sich zusammen, den Kopf energisch hebend, »der Maurizius ist unschuldig. Total. Unschuldig verurteilt. Justizmord.« – Herr von Andergast zuckte kaum wahrnehmbar zurück. Er betrachtete seine Fingernägel. Die Hände »spielen«. Er erwidert mit der Frostigkeit, die Etzel immer als Mittagstischkälte bezeichnet hat: »So was ist leicht behauptet. Schwerer dürfte der Beweis zu führen sein.« – »Könnt ich's nicht beweisen, so säß ich nicht hier.« – Überraschter Blick vom Schreibsessel her. Darauf gleitet der Blick zu Boden, wie von einem unvermutet starken Gegner in die Flucht gejagt. Es ist etwas in der Miene des Buben, dem schwer standzuhalten ist: die Flamme der Gewißheit. »Ein großes Wort«, spottet Herr von Andergast steif. – »Waremme hat einen Meineid geschworen«, fährt Etzel entschlossen fort, »ich hab's herausgekriegt. Ich hab ihn gefunden. Er heißt nicht mehr Gregor Waremme. Er heißt Georg Warschauer. Das ist sein ursprünglicher Name. Er lebt in Berlin. Ich war sieben Wochen lang beinah Tag für Tag mit ihm beisammen. Ich will nicht sagen, daß wir uns angefreundet haben. Ich kann darüber nicht reden. Es war ... aber das ist ja auch egal. Das Wichtige ist, daß er mir den Meineid gestanden hat. Wenn du wissen willst, wieso, kann ich dir's gelegentlich mal erzählen. Leicht war's nicht. Das darfst du getrost glauben. Aus den Eingeweiden hab ich ihm das Geständnis gerissen. Und ein Zeuge ist auch da. Vielmehr eine Zeugin. Von der weiß er nichts, aber mir ist sie sicher. Gott sei Dank.« Ein lauernder Nachdruck liegt in dem knappen Bericht, das Auge blickt fest auf den Zuhörer, die Miene ist gespannt. Herr von Andergast wippt leise mit dem rechten, übergeschlagenen Bein und starrt auf die Stiefelspitze. Er befindet sich in Violet Winstons Schlafzimmer und schaut in den Spiegel. Der Spiegel zeigt ihm eine Art von David, der auf der flachen Hand eines Goliath steht und mit der Blendlaterne das schaurig schneckengleiche Gehirn durchleuchtet. Das düstere Staunen von damals mischt sich mit dem gegenwärtigen. Er späht hinüber: der Mensch mit der Flamme der Gewißheit. Er hört die peremptorische Frage (als ob eine Stahlklinge durch die Luft sauste): »Was muß man also daraufhin tun?« – Und er antwortet, steinern kalt: »Nichts.« – Etzel schnellt in die Höhe: »Wie ... nichts –?« – »Nichts muß man tun. Nichts ist zu tun.« – Etzel kann nicht verhindern, daß er den Mund aufsperrt wie ein Idiot. Er lallt etwas. Hat der Vater den Verstand verloren? – »Jede Aktion erübrigt sich. Der Sträfling Maurizius ist begnadigt.« – Etzel, mit Augen wie Mühlräder: »Begnadigt? Be–gna–digt –?« – Schlaffes Nicken drüben. »Durch Gnadenerlaß der weiteren Strafhaft entbunden.« – Etzel muß lachen. Er weiß, es ist respektlos, doch er kann sich nicht helfen, er muß lachen. »Gnadenerlaß ... aber ich sage dir doch, er ist unschuldig.« – Ein müder Seufzer des Belästigten. »Der Gnadenerlaß beinhaltet diese Wahrscheinlichkeit oder Möglichkeit.« – Tönerne Phrase. Etzel vergißt sich, vergißt die anerzogene Ehrfurcht, er schreit auf: »Wenn er unschuldig ist, braucht er doch die Gnade nicht!« – »Die Unschuld steht nicht mehr zur Debatte«, kommt es scharf zurück, »benimm dich übrigens.« – Etzel erinnert sich seiner guten Erziehung, die er bei Waremme sträflich vernachlässigt hat, wenigstens für kurze Dauer ist die Disziplin stärker als die Empörung. »Ja ... verzeih ...«, stottert er, »aber wieso steht die Unschuld nicht mehr zur Debatte, wieso, bitte?« Und er macht desperate, kleine Schulterbewegungen, als wolle er eine unsichtbare Kette zerreißen. – Herr von Andergast läßt sich zu einer Auseinandersetzung herab: »Ich will annehmen, er sei wirklich unschuldig. Ich will es für bewiesen erachten. Ich supponiere, daß wir einwandfreie Beweise dafür in Händen haben –« – »Du kannst es getrost annehmen«, wirft Etzel bebend vor Ungeduld hin, »es ist so.« – »Deine subjektive Überzeugung. Mit der du jedoch den Boden der Wirklichkeit verläßt. Laß mich ausreden. Du fällst mir beständig in die Rede. Deine Manieren sind recht merkwürdig. Ich sage, du unterliegst einem verhängnisvollen Irrtum. Von juristischer Unanfechtbarkeit sind wir weit entfernt. Hast du das Geständnis schriftlich? Mit notariell beglaubigter Unterschrift? Also. Geständnisse können zurückgenommen werden. Es ist sogar die Regel. Es gibt hundert Mittel, sich ihren Folgen zu entziehen. Die seit dem Verbrechen verflossene Zeit schließt verläßliche Recherchen und Feststellungen glatterdings aus. Zeugen; was erlebt man nicht von Zeugen. Das erste Verhör macht sie unsicher, beim zweiten fallen sie um. Frage dich, ob bei den schwankenden Faktoren, die du ins Feld zu führen hast, das Resultat den Aufwand lohnt. Du hast es nicht zu bedenken. Ich habe es zu bedenken.« – Etzel streckt den Arm aus. »Du hast einen andern Satz angefangen, du supponierst, er ist unschuldig, du willst es für bewiesen halten, hast du gesagt ... nun und was dann?« – »Es würde nichts ändern.« – »Nichts ändern? Ist das dein Ernst? Nichts ändern, wenn du selber von seiner Unschuld überzeugt bist?« – »Nein. Nichts. Da ist eine

Schranke, vor der auch unsere Überzeugung haltzumachen hat.« – »Aber es handelt sich um was Ungeheures! Um das Allergrößte auf der Welt, um Gerechtigkeit!« ruft Etzel, der nun vollständig die Fassung verloren hat, »ein Urteil kann man doch für ungültig erklären. Wenn man auch die Strafe nicht ungeschehen machen kann, das Urteil kann man doch umstoßen, die Ehre kann man, muß man dem Menschen doch zurückgeben. Und nicht bloß die Ehre ... was ist denn die Ehre ... was hat er, was haben wir davon ... Gerechtigkeit ist wie Geburt. Ungerechtigkeit ist Tod. Man muß sich rühren ... Ihr könnt nicht so zusehn ... Das wäre ja sonst ... soviel ich weiß, gibt's ein Wiederaufnahmeverfahren ...!« Herr von Andergast dreht den Kopf wie eine hölzerne Puppe. »Laiengerede«, entgegnet er dumpf-widerwillig. »Wir haben uns zu hüten. Wir, die die Verantwortung tragen, dürfen nicht leichtsinnig umspringen mit Recht und Rechtsprechung. Wiederaufnahmeverfahren ... Kindskopf, du ahnst nicht, was das bedeutet. Man mobilisiert nicht eine Armee, um einen gestürzten Baum aufzurichten, der zudem gar nicht mehr lebens- und wachstumsfähig wäre. Einen gewaltigen Apparat in Bewegung setzen, die Welt alarmieren, den alten, totgehetzten Streit von neuem entfachen ... wo denkst du hin. Unter anderem: wäre der Meineid nicht verjährt, so müßte nach der Vorschrift des Gesetzes der Prozeß gegen diesen Waremme durch sämtliche Instanzen geführt und seine Verurteilung zu Recht bestehen. Bis dahin würden Jahre vergehen. Ich führe das nur an, damit du siehst, wie kompliziert diese Dinge sind. Die Verjährung brauchte natürlich kein Hindernis zu sein. Außerdem aber ... es sind Rücksichten zu nehmen, schwerwiegende Rücksichten, Existenzen stehen auf dem Spiel, der Staatskasse wären enorme Kosten aufzubürden, das Ansehen des einschlägigen Gerichtshofes wäre geschädigt, die Institution als solche der zersetzenden Kritik preisgegeben, die ohnehin die Fundamente der Gesellschaft unterminiert ... Laß ab von. der Vorstellung, daß Gerechtigkeit und

Justiz ein und dasselbe sind oder zu sein haben. Sie können es nicht sein. Es liegt außerhalb menschlicher und irdischer Möglichkeit. Sie verhalten sich zueinander wie die Symbole des Glaubens zur religiösen Übung. Du kannst mit dem Symbol nicht leben. Doch in der strengen und gewissenhaften Übung das ewige Symbol über sich zu wissen, das ... wie soll ich sagen, das absolviert. Eine solche Absolution ist natürlich notwendig. Daß man sich mit ihr beruhigt, ist gleichfalls notwendig.«

Ein Vortrag. Lehrvortrag. Als die Stimme schweigt, wird es erschreckend still im Raum. Etzel blickt eine Weile mit zusammengepreßten Lippen vor sich nieder; auf einmal schreit er schrill: »Nein!« Die Augen funkeln böse. »Nein!« schreit er abermals, »damit kann ich und damit will ich nicht leben.« Sein ganzer Intellekt fängt Feuer. Die Respektschranke bricht zusammen. »Das erkenn ich nicht an«, stammelt er in einer Erbitterung, die sich wie Betrunkenheit äußert, »Symbol ... Übung ... was denn ... faule Ausreden ...« Ein abermaliges donnerndes »Benimm dich!« findet ihn taub. Nein, er anerkennt es nicht. Der Mensch besitzt ein Urrecht, in seiner Brust, ein mit ihm geborenes. Teil hat jeder an der Gerechtigkeit, wie er teilhat an der Luft. Raubt man ihm die, muß die Seele ersticken. »Ich erkenn's nicht an, das andere, ich will's nicht, ich glaub's nicht. Schlauheit der Kaste. Komplott. Angst der Priester um den Zinsgroschen. Religiöse Übung? Wieso? Was hat das mit Religion zu tun, daß man den Unschuldigen verderben läßt, weil's die Übung ist und das Symbol nur so drüber hängt wie der Helm über einem grinsenden Schutzmannsgesicht ...« Er nimmt es nicht an. Davon sagt er sich los. Lieber nicht leben. Lieber die Welt in Fetzen als in solcher Gemeinheit. »Nein ... nein ... nein ...«

Ungeheuerlich, denkt Herr von Andergast. Er ist wie gelähmt. Er hat das Gefühl, jemand halte seinen Kopf über einen Kessel mit kochendem Wasser. Mühselig erhebt er sich. An den Hals greifend, erklärt er mit mühseliger Trockenheit: »Die Unterhaltung ist im übrigen gegenstandslos, da Maurizius die Begnadigung angenommen hat. Und zwar ohne Vorbehalt.« Etzel macht zwei sprungartige Schritte ins Zimmer hinein. Er faltet die Hände in der Höhe der Augen und drückt sie flach gegen den Mund. »Angenommen? die Begnadigung angenommen?« flüstert er scheu. – »Ohne Vorbehalt. Wie ich sagte.« – »Und lebt weiter? Läßt die Ungerechtigkeit auf sich sitzen? schweigt? lebt weiter ?« – Herr von Andergast zuckt die Achseln. »Der Mensch, wie du siehst, kann alles.« – Ein wildes Lächeln bewegt Etzels Lippen. »Das seh ich, daß der Mensch alles kann«, entgegnet er mit frechem Doppelsinn, »der eine kann die Wahrheit verschwinden machen, der andere kann dran verrecken.« – »Junge!« brüllt Herr von Andergast. – »So weit habt ihr ihn also gebracht«, fährt Etzel in maßloser Verzweiflung fort (alles, was er unternommen, ist ja nun vergeblich unternommen, alles, worauf er felsenfest gebaut, stürzt ins Nichts hinunter). »Das habt ihr erreicht mit den Paragraphen, mit den Klauseln, mit der Vorsicht und der Rücksicht ... Dazu soll man noch das Maul halten ... Wenn er weiterlebt, verdient er nichts Besseres ... vielleicht hat er sich auch schön bedankt, der Maurizius, für den Fußtritt, mit dem ihr ihn aus dem Zuchthaus hinausbefördert habt. Vergelt's Gott für die neunzehn Jahre Zuchthaus, was? ... Weißt du denn nicht, wer geschossen hat, damals? Natürlich weißt du's. Deswegen wahrscheinlich die Begnadigung ... Ich glaub, ich kann's nicht mehr mit ansehen, alles ... Gnade ... wo ist der Richter, daß man ihm seine Gnade ins Gesicht spuckt ... wie soll ich mich denn je wieder unter Menschen blicken lassen ... das ist der Bub vom Andergast, werden sie sagen, der Alte hat dem Maurizius zur Begnadigung verholfen, der Junge kuscht dazu, die stecken alle zwei unter einer Decke ... Fein. Gediegen. Schöne Welt. Großartige Welt. Wenn man doch auf der Stelle krepieren könnte ...«

Er stöhnt, als ob der Erdboden unter ihm verginge, als ob die Seele den Leib verlassen wolle, voll Bedauern, daß sie sechzehn Jahre und etliche Monate gezwungen gewesen, in so einem kraftlosen, unfähigen, prahlerischen, anmaßenden, geschändeten Gehäuse zu verweilen. Keuchend redet er weiter, aber die Worte verlieren den Zusammenhang. Eingewurzelte Scheu vor dem Vater kann er nicht ganz überwinden, sie hemmt ihn selbst jetzt noch, im äußersten Jammer, er möchte etwas viel Entscheidenderes, etwas Schicksalträchtigeres sagen, aber er kommt nicht auf gegen die Nichtigkeit, Hohlheit, Plattheit und Ohnmacht der Worte, es ist ihm, als wäre sein Gaumen voll trocknem Staub. Er rennt wie närrisch rund um den Sessel herum, die Augen, blutunterlaufen, glitzern tückisch, die Hände fuchteln krampfhaft, er packt die Quaste des Sessels und reißt sie ab, er stopft das Taschentuch in den Mund, beißt die Zähne hinein und zerrt daran, bis es ein Knäuel Fetzen ist. Auf der qualvoll verzogenen Stirn bilden sich sonderbare bläuliche Flecken, er gibt Laute von sich, die ebensogut ein Gelächter wie ein Geheul sein können, dabei tritt er beständig von einem Fuß auf den andern, als habe er den Veitstanz. Das ist nicht mehr der scharmante, beherrschte, vernünftige, besonnene, kleine Etzel, das ist ein Teufel. »Wartet nur«, schäumt er, »das wird euch nicht geschenkt, das werdet ihr büßen, es kommt schon noch die Reihe an euch ...« Herr von Andergast steht eine Weile erstarrt da. Steinerne Säule. Plötzlich macht er eine Gebärde, um den Knaben zu packen. Er umklammert Etzels Schulter. Der entwindet sich ihm, wobei sich sein Gesicht vor Angst, Zorn und Abscheu verzerrt. »Ich will nicht dein Sohn sein«, bricht es in maßloser Wildheit aus ihm hervor. – »Infamer Bube!« röchelt Herr von Andergast, sieht aber dabei aus wie einer, der was zu erbetteln hat. Etzel läuft zur Eßzimmertür. Herr von Andergast ihm nach. Etzel rennt atemlos durch das Eßzimmer ins Wohnzimmer. Herr von Andergast ihm nach. Etzel stürzt in den Korridor.

Herr von Andergast ihm nach. Die Türen hinter ihnen bleiben offen. Etzel wirft Stühle um, die ihm im Weg sind. Die Rie steht im Flur, er stößt sie beiseite und rennt zu seiner Stube. Herr von Andergast ihm nach. Seine mächtige Figur, laufend, mit vorgreifenden Händen, hat etwas entschieden Grausiges. Das Ganze hat den Charakter einer grausigen Jagd, sinnlos, gespensterhaft. Die Rie, stumm entsetzt, öffnet den Mund, die Sprache weigert sich ihr. In seiner Stube angelangt, haut Etzel die Tür zu, dreht den Schlüssel um. Herr von Andergast poltert an die verschlossene Tür. Köchin und Stubenmädchen eilen aus der Küche. Man vernimmt aus dem versperrten Zimmer langandauerndes Geklirr von zerbrechendem Glas. Die Rie stößt einen Schrei aus, daß oben und unten im Haus alles zusammenläuft. Mit seiner Riesenkraft stemmt sich Herr von Andergast gegen die Tür, es gelingt ihm, sie zu sprengen. Ein Satz, und er ist im Zimmer. Die Rie folgt händeringend. Auf der Schwelle drängen sich die Andergastschen und die Malapertschen Dienstleute, das Hausmeisterpaar und ein Briefträger, der eben die Post gebracht hat. Etzel steht blutüberströmt am Tisch. Herr von Andergast wankt auf ihn zu, nimmt seinen Kopf zwischen beide Hände. »Wasser, Wasser«, lallt er. Jemand läuft um Wasser. Die Rie faltet betend die Hände.

Was ist eigentlich geschehen? Etzel hat die Scheiben beider Fenster zertrümmert, und nicht nur das, auch den Spiegel an der Schranktür, die Gläser auf dem Waschtisch, die Porzellanvasen auf der Kommode hat er zerschlagen. Tobsüchtiger Zerstörungstrieb. Raserei der Seele. Von Schläfen, Wangen, Nase rieselt das Blut. Er ist einfach mit dem Kopf in die Scheiben gefahren, den Spiegel hat er dann mit den Fäusten bearbeitet, so daß die Hände bis zu den Gelenken zerschnitten, die Kleider über und über mit Blut besudelt sind. Danach ist er auf einmal ruhig geworden, jetzt steht er ruhig am Tisch, betrachtet mit einem Lächeln voll wilder Genugtuung seine Wunden und blinzelt mit den Lidern, weil ihm das Blut über die Augen rinnt. Ja, es ist ihm auffallend still zu Sinn, plötzlich, fast als ob mit dem Blut ein Teil der herzvergiftenden Enttäuschung aus den Adern fließe, er sieht aus wie ein Gestürzter, der sich langsam erhebt und hilflos um sich schaut und nach dem Weg fragt, den er verloren oder verlassen hat. Da, wo er steht, geht's nicht weiter, er schaut sich um und erkundigt sich, wo es weitergeht. Dabei fiel Etzels Blick auf den Vater, etwas wie zögerndes Erstaunen malte sich in seinen Zügen, als ob aus der gewohnten Gestalt, die einen überragt hat, eine andere geworden sei, die gleichsam ein paar Treppen tiefer stand als man selber, zu der man sich sogar ein wenig herabbeugen mußte, um sie zu erkennen. Nicht mehr rätselhaft, nicht mehr Wahrer und Wisser von Geheimnissen, nicht mehr Regent dunkler Schicksale, nicht mehr Trismegistos, sondern niedergebrochener, schuldiger Mensch. Herr von Andergast hatte den Mund halb geöffnet, man gewahrte seine großen Zähne, so, mit halbgeöffnetem Mund, ließ er sich auf den Stuhl nieder, die veilchenblauen Augen traten wie Knöpfe aus den Höhlen, jedes Ausdrucks bar. (Als er am Nachmittag, vom Arzt begleitet, in die Heilanstalt fuhr, sah er noch genau so aus, der Mund halb offen, die vorgequollenen Augen ohne Blick und Ausdruck.) Grübelnd betrachtete Etzel das vor seinen Augen sich förmlich zersetzende Gesicht, und während die Rie daran ging, ihm das Blut von Wangen, Stirn und Händen abzuwaschen, sagte er mit trocken-heller Bubenstimme: »Man soll meine Mutter holen.«

Was auch geschah.

Damit endet der Fall Maurizius, nicht aber die Geschichte von Etzel Andergast.

Biographie

1873 *10. März:* Jakob Wassermann wird in Fürth als Sohn des jüdischen Spielwarenfabrikantes Adolf Wassermann und dessen Frau Henriette, geborene Straub, geboren. Als seine Fabrik einem Brand zum Opfer fällt, muss der Vater als Versicherungsagent arbeiten.

1882 Tod der Mutter.

Jakob Wassermann besucht die Realschule in Fürth.

Anschließend soll er in die väterlichen Fußstapfen treten und eine kaufmännische Laufbahn einschlagen. Er beginnt daher in Wien eine Lehre bei seinem Onkel Max Traub, einem Fächerfabrikanten.

1889 Wassermann bricht seine Lehre ab, um Schriftsteller zu werden.

In Würzburg leistet er seinen einjährigen Militärdienst.

Danach ist er kurzfristig als Versicherungsangestellter tätig.

1891 Wassermann verlässt die Versicherung, begibt sich auf ziellose Wanderschaft durch Süddeutschland und lebt in ärmlichen Verhältnissen.

1894 In München wird Wassermann Sekretär bei Ernst von Wolzogen. Dieser erkennt Wassermanns schriftstellerisches Talent und macht ihn mit dem Verleger Albert Langen bekannt.

1896 Langen verlegt Wassermanns erstes Buch »Melusine. Ein Liebesroman«.

Wassermann wird Mitarbeiter und Lektor in der Redaktion der Zeitschrift »Simplicissimus«.

In seiner Münchner Zeit schließt er Freundschaften mit Rainer Maria Rilke, Thomas Mann und Hugo von Hofmannsthal.

1897 Der Roman »Die Juden von Zirndorf« wird ein voller Erfolg.
Wassermann beginnt, Feuilletons für die »Frankfurter Zeitung« zu schreiben.

1898 *Mai:* Im Auftrag der »Frankfurter Zeitung« geht Wassermann als Theaterkorrespondent nach Wien.
Hier findet er Anschluss an den Kreis des »Jungen Wien« und macht die Bekanntschaft von Richard Beer-Hofmann und Arthur Schnitzler, mit dem er sich anfreundet.

1899 Wassermann schreibt nun für den Berliner Verlag S. Fischer.

1900 Der Roman »Die Geschichte der jungen Renate Fuchs« erscheint.

1901 Wassermann heiratet die exzentrische Julie Speyer, Tochter aus wohlhabendem Wiener Hause, mit der er vier Kinder bekommt. Die Familie lässt sich in Grinzing nieder.

1903 Wassermanns Roman »Der Moloch« wird veröffentlicht.

1904 »Die Kunst der Erzählung« (Essay).

1905 »Alexander in Babylon« (Roman).

1908 Der Roman »Caspar Hauser oder die Trägheit des Herzens« erscheint, verkauft sich allerdings nur schleppend.

1914 Nach Ausbruch des Ersten Weltkrieges will sich Wassermann freiwillig zum Militärdienst melden, wovon ihn seine Frau jedoch abhalten kann.

1915 Der Roman »Das Gänsemärchen« beschert Wassermann endlich den erhofften Erfolg.
Wassermann lernt die sechzehn Jahre jüngere Schriftstellerin Marta Stross, geborene Karlweis, kennen und verliebt sich in sie. Er will sich ihretwegen von seiner Frau Julie trennen, doch diese zögert die Scheidung durch ständig neue Geldforderungen und Prozesse noch jahrelang hinaus.

1919 »Christian Wahnschaffe«, ein zweibändiger Roman, wird veröffentlicht.

Wassermann verlässt seine Frau und zieht mit seiner Lebensgefährtin Marta nach Altaussee in der Steiermark.

1921 Wassermann verfasst den autobiographischen Essay »Mein Weg als Deutscher und Jude«.

1923 Veröffentlichung des Essaybandes »Lebensdienst. Gesammelte Studien, Erfahrungen und Reden aus drei Jahrzehnten«.

1925 In dem Roman »Laudin und die Seinen« verarbeitet er die komplizierte Trennung von seiner ersten Frau.

1926 Erst jetzt wird die Scheidung von Julie endgültig und Wassermann kann Marta Karlweis heiraten.

Wassermann wird in die Preußische Akademie der Künste aufgenommen.

1928 Wassermanns berühmtester Roman, »Der Fall Maurizius«, erscheint.

1929 Er schreibt eine Biographie über »Christoph Columbus«.

1931 »Etzel Andergast« (Roman).

1933 Wassermann veröffentlicht seine »Selbstbetrachtungen«.

Er tritt aus der Preußischen Akademie der Künste aus, um seinem Ausschluss durch die Nationalsozialisten zuvor zu kommen. Im selben Jahr wird er Mitglied im Ehrenpräsidium des »Kulturbundes deutscher Juden«. Seine Bücher werden verboten, was Wassermann in den finanziellen Ruin treibt.

1934 *1. Januar:* Jakob Wassermann stirbt verarmt und gebrochen in Altaussee.

Posthum wird der Roman »Joseph Kerkhovens dritte Existenz« veröffentlicht.